44,95

ALEXANDRE II

Réforme et Révolution chez les musulmans de l'Empire russe, Paris, Presses FNSP, 1966.

Le Marxisme et l'Asie (en coll. avec Stuart Schram), Paris, A. Colin, 1966.

La Politique soviétique au Moyen-Orient, Paris, Presses FNSP, 1976.

L'Empire éclaté, Paris, Flammarion, 1978. (Prix Aujourd'hui.)

Lénine, la révolution et le pouvoir, Paris, Flammarion, 1979.

Staline, l'ordre par la terreur, Paris, Flammarion, 1979.

Le Pouvoir confisqué, Paris, Flammarion, 1980.

Le Grand Frère, Paris, Flammarion, 1983.

La déstalinisation commence, Paris-Bruxelles, Complexe, 1986.

Ni paix ni guerre, Paris, Flammarion, 1986.

Le Grand Défi, Paris, Flammarion, 1987.

Le Malheur russe. Essai sur le meurtre politique, Paris, Fayard, 1988.

La Gloire des nations, Paris, Fayard, 1992.

L'URSS, de la Révolution à la mort de Staline (1917-1953), Paris, Seuil, « Points-Histoire », 1993.

The Nationality Question in the Soviet Union and Russia, Oslo, Scandinavian University Press, 1995.

Nicolas II. La transition interrompue, Paris, Fayard, 1996.

Lénine, Paris, Fayard, 1998.

La Russie inachevée, Paris, Fayard, 2000.

Catherine II, Paris, Fayard, 2002.

L'Impératrice et l'Abbé, un duel littéraire inédit entre Catherine II et l'Abbé Chappe d'Auteroche, Paris, Fayard, 2003.

L'Empire d'Eurasie, une histoire de l'Empire russe de 1552 à nos jours, Paris, Fayard, 2005.

Hélène CARRÈRE d'ENCAUSSE
de l'Académie française

Alexandre II
Le printemps de la Russie

Fayard

ISBN : 978-2-213-63459-3

SOMMAIRE

Le 1ᵉʳ mars 1881, Alexandre II, empereur de Russie depuis un quart de siècle, était assassiné en pleine rue et en plein jour. Ce n'était certes pas le premier souverain de la dynastie Romanov à mourir de mort violente. Avant lui, Pierre III, mari de Catherine II, et Paul Iᵉʳ, leur fils, avaient connu un sort semblable. Et un siècle auparavant, Pierre le Grand avait fait périr sous la torture son fils et héritier. Mais ces pages sombres de l'histoire russe s'étaient déroulées à l'insu de tous les regards, et les sujets de l'Empire n'en savaient pas grand-chose. On ne les leur enseignait pas, on les niait. Pour la première fois, avec l'assassinat d'Alexandre II, une telle tragédie se déroulait en public, témoignant de la faiblesse de l'autocratie ; et le meurtre était orgueilleusement revendiqué par ceux qui l'avaient perpétré, au nom de la justice due au peuple, ou encore au nom de la justice exercée par le peuple. Ainsi la mort du monarque était-elle légitimée. À ce fait étonnant s'en ajoutait un autre : Alexandre II, assassiné au nom du peuple, était précisément celui qui, contre presque tous les siens, avait voulu accorder la liberté au peuple. Cette liberté réclamée depuis un siècle au moins, dont le peuple rêvait, qu'aucun souverain avant lui n'avait osé octroyer, lui, Alexandre II, l'avait donnée.

Ce destin tragique reproduit presque à l'identique le destin d'un autre homme qui se voulut lui aussi le libérateur de ses semblables. Aux États-Unis, Abraham Lincoln avait en 1864 proclamé la fin de l'esclavage après avoir longtemps combattu pour cette cause. Et un an plus tard, un fanatique venu de ce Sud qui, comme les conservateurs russes, presque au même moment, refusait d'émanciper des hommes asservis, l'assassinait. Deux libérateurs agissant presque au même moment – 1861 en Russie, 1864 en Amérique –, mus par le même esprit de justice à l'égard de leurs compatriotes ; deux martyrs payant de leur vie l'œuvre accomplie. En Amérique, le plan de reconstruction prévu par Lincoln pour réparer les dommages de la guerre de Sécession et permettre aux hommes de vivre ensemble ne fut pas appliqué, et les troubles recommencèrent aussitôt. En Russie, le rendez-vous avec la mort fut plus tardif, mais mit fin de même au projet politique d'Alexandre II.

Ce qui différencie peut-être ces deux héros de la liberté, c'est qu'à peine mort, Lincoln fut révéré, porté moralement au panthéon de son pays. Partout des avenues portent son nom, ou encore des édifices, des statues se dressent, et sa pensée, inscrite notamment dans le discours de Gettysburg, est une des références essentielles de la démocratie américaine. En Russie, le panthéon fut long à s'ouvrir devant Alexandre II, et encore ne le fut-il jamais vraiment. Après sa mort et jusqu'à la révolution de 1917, ce n'est pas lui qui servit de guide aux deux derniers empereurs. Dès sa mort, Pierre le Grand avait pris les dimensions d'un mythe, il était apparu comme le fondateur d'une nouvelle Russie. Alexandre II, qui transforma si profondément la société russe en émancipant les paysans qui en constituaient l'écrasante majorité, ne connut pas cette apothéose. Certes, l'église du Sauveur sur le sang versé, érigée à partir de 1883 au bord du canal Catherine – aujourd'hui canal Griboïedov –, sur le lieu même où Alexandre II fut assassiné, témoigne du respect inspiré par sa mémoire, mais elle ne constitue en rien un salut à son œuvre. Après la chute du communisme, l'Église de Russie a canonisé Nicolas II et les siens ; dans la chapelle du palais de Gatchina si cher à Paul Ier, un portrait de l'empereur assassiné en 1801 porte la mention « tsar-martyr », suggérant que la canonisation pourrait bien suivre. Rien de tel pour Alexandre II. Sa mémoire reste marquée de deux sceaux : celui de la faiblesse de caractère, dont presque tous les historiens l'ont taxé, comme s'il portait la responsabilité de n'être pas allé au bout de son œuvre, alors que seul son meurtre l'en empêcha au moment même où il allait lui apporter la dernière pierre ; peut-être aussi le roman d'amour exceptionnel qui occupa les quinze dernières années de son règne a-t-il souvent – trop souvent – polarisé l'attention des observateurs, les détournant parfois de privilégier l'homme de pouvoir.

Pourtant, l'histoire si tragique du XXᵉ siècle russe a montré à trois reprises que réformer ce pays immense et anarchique était une tâche presque impossible. Par trois fois, après Alexandre II, des hommes ont suivi la même voie, tenté dans une époque troublée de construire la Russie moderne comme lui-même l'avait tenté au cœur du siècle précédent. Au XXᵉ siècle, ces tentatives qui toutes méritent le nom de perestroïka furent, durant le règne de Nicolas II, celles de Witte et plus tard de Stolypine. Le premier fut désavoué et démis ; le second, assassiné ; quant au règne du souverain qui avait décidé de ces perestroïka, Nicolas II, il se termina dans le sang et par l'effondrement de la monarchie, ce qu'Alexandre II s'était toujours évertué et avait réussi à épargner à son pays ; le sang qui coula, prix de la réforme, fut seulement le sien. Et au terme de ce siècle de fer, une autre perestroïka, celle de Gorbatchev, entraîna l'effondrement et la disparition de tout un système que l'on pensait éternel, le système communiste.

Ces tragédies du siècle qui vient de s'achever, comme la grande tragédie américaine qui accompagna l'abolition de l'esclavage – plus de six cent mille Américains perdirent la vie dans la guerre de Sécession –, montrent l'incroyable difficulté d'accomplir des réformes radicales lorsqu'il s'agit de bouleverser tout l'ordre social et politique. C'est à cette aune que le bilan de l'œuvre accomplie par Alexandre II, celui de la perestroïka du XIXᵉ siècle, mérite d'être examiné. Tel est le propos de ce livre.

Un colosse aux pieds d'argile

Paris, 30 mars 1856[1]. Dans les salons nouvellement inaugurés du Quai d'Orsay, les représentants des grands États européens signent le traité qui met fin à la guerre de Crimée. La France et l'empereur Napoléon III, grands vainqueurs d'une guerre dévastatrice, ont convié les puissances belligérantes à ces assises de paix du continent. Autour du ministre français des Affaires étrangères, Alexandre Walewski, fils de Napoléon Ier, sont rassemblés Lord Clarendon et Lord Cowley pour l'Angleterre, le comte Buol et l'ambassadeur Hübner pour l'Autriche, le comte Cavour et l'ambassadeur Villamarina pour le Piémont, le grand vizir Ali-Pacha et l'ambassadeur Djemil Bey pour l'Empire ottoman, enfin le Premier ministre prussien Manteuffel et son ambassadeur à Paris, Hatzfeld. Le grand vaincu de la guerre est l'Empire russe, le tsar a donc apporté un soin particulier au choix de ses représentants. Toujours svelte et élégant,

---

1. Les dates indiquées pour les événements russes sont celles du calendrier julien ou ancien style. Mais les lettres d'Alexandre II citées au long de cet ouvrage portent généralement deux dates, celles des calendriers julien et grégorien. Les dates de l'histoire générale (Congrès de Paris, San Stefano, Berlin) sont présentées selon le calendrier grégorien.

le comte Alexis Orlov, superbe géant à peine grisonnant en dépit de ses soixante-dix ans, incarne l'Empire russe, mais aussi les victoires russes : il était en effet à Paris en 1814 avec Alexandre Ier. En 1856, représentant de la défaite russe, il saura charmer ses interlocuteurs et tous les salons parisiens. Stéphanie Tascher de La Pagerie dira de lui : « Vue, revue et corrigée, je trouve que la Russie est encore superbe dans son comte Orlov. »

Auprès de lui, Alexandre II a fort intelligemment placé un diplomate de métier, ambassadeur à Londres, proche de Lord Clarendon, le baron von Brünnow. La cause russe trouve d'emblée des amis à Paris.

Le traité consacre en principe la mort de la Sainte-Alliance, des pertes effroyables pour tous les belligérants, le triomphe de la France et l'effondrement de l'Empire russe. L'ordre international né en 1815 au congrès de Vienne s'est inversé. Les victoires de « Napoléon le Petit » ont effacé la défaite du Grand Napoléon.

Pour la Russie, dont le nouveau souverain, Alexandre II, vient tout juste de monter sur le trône, le bilan de la guerre perdue par Nicolas Ier est désastreux. Il se chiffre d'abord, c'est l'usage, en pertes humaines, bilan jamais vraiment établi car aux morts recensés il faut ajouter ceux, oubliés, qui gisent sur les routes du conflit : 150 000 à 200 000 hommes, c'est bien plus, certainement, que n'en a perdu le vainqueur français. À l'heure des comptes, la société russe sera particulièrement sensible à ce vain massacre.

Mais c'est d'abord en termes de puissance que la Russie doit prendre la mesure de sa défaite. Les efforts déployés par ses représentants au congrès de la Paix ont été remarquables et payants. Orlov, surtout, a si bien su séduire ses interlocuteurs et monnayer les concessions imposées à la Russie que Palmerston, alors

Premier ministre britannique, s'en irrite et suggère que Napoléon III lui aurait accordé le bénéfice d'arbitrages par trop favorables, voire aurait préparé avec lui un renversement d'alliances.

Mais, en mars 1856, ces soupçons sont loin de la réalité qui, pour la Russie, est ô combien plus sombre. Les vainqueurs lui avaient imposé la neutralisation de la mer Noire, c'est-à-dire l'interdiction d'y entretenir quelque bâtiment que ce soit, et celle d'y posséder ou d'y construire des arsenaux maritimes. La Russie doit aussi renoncer à son protectorat sur les provinces danubiennes. Elle cède la Bessarabie, perd le contrôle des bouches du Danube, rend à l'Empire ottoman la forteresse de Kars et est contrainte de limiter ses activités militaires dans les îles d'Aaland, à l'entrée du golfe de Finlande. Sans doute est-on loin du programme imaginé par Palmerston, qui dépouillait la Russie, mais son prestige est durement atteint par des conditions qui lui enlèvent les conquêtes réalisées au fil de l'histoire par les grands souverains Pierre le Grand, Catherine II et Alexandre Ier. Si ce pays conserve, au lendemain de la signature du traité, un statut de puissance, sa gloire se trouve fort amoindrie en Europe. En Russie même, l'opinion en éprouve un véritable choc ; elle met d'emblée en cause ceux qui la gouvernent et l'état auquel ils ont réduit la Russie.

Dans le nouveau paysage international issu de la guerre de Crimée, les États puissants, ceux qui dominent la scène politique européenne, sont désormais la France, la Prusse et l'Allemagne, l'Italie du Nord, c'est-à-dire les pays industrialisés au regard desquels le retard de la Russie saute aux yeux. À quoi devons-nous attribuer, interrogent les Russes, une défaite aussi cuisante et le recul du pays dans le concert européen, si ce n'est à un système politique dépassé, inefficace, corrompu, et à un ordre social que condamne l'ensemble du monde civilisé ?

La crise de l'autocratie

La prise de conscience qui intervient en Russie après la guerre de Crimée n'était ni étonnante ni nouvelle, et c'est dans une autre guerre menée au début du siècle, celle-ci contre Napoléon Ier, qu'elle trouve son origine.

L'empereur Alexandre Ier, monté sur le trône après le meurtre de son père Paul Ier – meurtre dont il fut sinon le complice, du moins le témoin silencieux et consentant –, devait à l'événement, et plus encore à l'éducation que lui avait dispensée La Harpe, d'avoir compris qu'il fallait corriger les excès du règne précédent et, au-delà, toutes les tares de la Russie. Pouchkine a remarquablement décrit les espoirs que l'avènement d'Alexandre avait suscités. En effet, le nouveau souverain décida d'emblée de mettre fin à l'arbitraire du pouvoir par des mesures de grâce[1], la suppression de la police secrète et l'interdiction de la torture. La légalité se trouvait restaurée en Russie. Entouré d'un « Comité intime » composé d'amis proches de ses idées[2], Alexandre engagea une réflexion

---

1. En quelques jours, plus d'une dizaine de milliers de condamnés sont graciés, dont Radichtchev, auteur du fameux *Voyage de Saint-Pétersbourg à Moscou*, édité en 1790 à six cent quatre-vingts exemplaires, condamné à mort puis à une peine de bagne en Sibérie.
2. Il était composé de Czartoryski, qu'Alexandre Ier, à peine couronné, avait appelé en Russie, de Novosil'tsev, de Kotchoubei et de Stroganov.

sur les moyens de « réduire l'autocratie », selon le principe que lui avait enseigné La Harpe : « La loi est au-dessus du monarque », tout en sauvegardant le pouvoir du souverain. Ce comité, dont la plupart des membres étaient francs-maçons, pétris de l'esprit des Lumières, se mit à rêver – et Alexandre en fut d'abord d'accord – à une réforme constitutionnelle. Les guerres napoléoniennes dans lesquelles Alexandre Ier fut entraîné de manière fort malheureuse mirent un terme aux débats du Comité intime. Ce n'est qu'après Tilsit, en 1807, et surtout la paix revenue, que l'empereur décida de se consacrer aux réformes.

Il se tourne alors vers un excellent connaisseur des institutions françaises, Mikhaïl Speranski[1], dont il va faire son conseiller. Pour celui-ci – et il le dit à l'empereur –, la Russie est le pays « où les droits du pouvoir étatique sont illimités et les forces de l'État si concentrées qu'il ne reste plus aucun droit aux sujets ; c'est alors l'esclavage et le gouvernement despotique ». Pour en sortir, il faut, selon Speranski, transformer le système politique en monarchie constitutionnelle et émanciper les serfs (on reviendra plus tard sur ce problème). Le premier et le plus urgent des objectifs, pour Speranski, est la révolution du pouvoir, qui entraînera tout le reste.

La conquête de la Finlande va conforter Alexandre Ier dans sa volonté de réforme politique. En 1809, il y inaugure la Diète et annonce aux Finlandais

---

1. Mikhaïl Speranski (1772-1839) était fils d'un prêtre de campagne. Éduqué dans un séminaire, il fait la connaissance d'Alexandre Ier en 1808 alors qu'il est chef de département au ministère de l'Intérieur. Il sera adjoint au ministre de la Justice, chargé d'élaborer le projet de réforme de l'État.

qu'ils conserveront les droits et privilèges que leur accorde leur Constitution. Ainsi le mot « constitution » est-il prononcé et la réalité en est préservée dans une partie de l'Empire. Un an plus tard, s'adressant à la Diète de Pologne, l'empereur annonce qu'il instaure dans ce royaume « des institutions libres et légales », c'est-à-dire, là encore, une constitution qui servira de modèle dans tout l'Empire. Et à un membre du Comité intime qui était quelque peu en sommeil il confie la mission de préparer un projet de constitution pour la Russie. Un projet instaurant une monarchie constitutionnelle sera bel et bien rédigé, mais il disparaîtra dans les profondeurs des tiroirs impériaux. L'opposition de la noblesse à cette « révolution politique » explique pour partie la prudence d'Alexandre Ier. Mais c'est aussi le retour du conflit avec Napoléon qui met fin au projet réformateur. La « guerre patriotique » commencée en 1812 ne permet pas, en effet, d'ébranler si peu que ce soit l'édifice intérieur. Le renvoi de Speranski et sa condamnation à l'exil symboliseront l'abandon des réformes.

La seconde guerre contre le « tyran corse » allait se révéler décisive pour la puissance internationale de la Russie. La Sainte-Alliance de 1815 propulse Alexandre Ier au zénith des dirigeants européens et témoigne de son évolution intérieure, car il la conçoit comme une riposte à la Révolution française et à ses idéaux [1]. Mais le triomphe extérieur sera payé à

---

1. Lorsque des mouvements révolutionnaires se produisent dans des pays – ainsi de l'Espagne en 1820, ou des Carbonari dans les Deux-Siciles – visant à y instaurer des systèmes constitutionnels, la Sainte-Alliance proclame son droit d'ingérence pour y rétablir l'ordre. Il en ira ainsi aussi en 1821 lorsque la Grèce se soulèvera contre le sultan ottoman, monarque oppres-

l'intérieur d'un prix très lourd. Des sociétés secrètes apparaissent en Russie[1] et le pouvoir exige des fonctionnaires qu'ils déclarent sous serment être étrangers à toute société de ce type, en premier lieu à la franc-maçonnerie perçue comme porteuse d'idéaux révolutionnaires. Informé de cette effervescence spirituelle et politique, Alexandre Ier préfère esquiver les problèmes, multipliant les déplacements jusqu'au dernier qui le mènera à Taganrog, dans le sud, et le verra disparaître, donnant naissance au mystère de sa mort ou de sa survie sous les traits d'un sage de Sibérie. Il a ainsi voulu éviter de sévir contre des idées qui étaient les siennes au début du siècle ; de sévir aussi contre des amis qui avaient partagé ses rêves.

Mais son errance à travers le pays n'a pas mis fin à la prolifération des désenchantements et des projets séditieux dont la manifestation la plus brutale fut le soulèvement du 14 décembre 1825 sur la place du Sénat de la capitale impériale. Conformément à une tradition bien ancrée en Russie, ce soulèvement fut un coup d'État favorisé par l'ouverture de la succession au trône ; mais, contrairement à la tradition, il échoua et laissa des traces profondes dans les consciences.

seur, certes, mais légitime aux yeux de la Sainte-Alliance. À contrecœur Alexandre abandonnera les Grecs et se fera, selon l'expression de Danilevski, « le paladin du conservatisme ». Faut-il s'étonner de ce que les dernières années d'un règne commencé sous des auspices libéraux s'achèvent dans une orientation « réactionnaire » ?

1. Trois orientations rassemblent les sociétés secrètes : l'*Union du Nord* de Nikita Mouraviev prône une monarchie constitutionnelle ; l'*Union du bien public* de Nikolai Tourgueniev met l'accent en priorité sur la liberté civile et l'émancipation des paysans ; l'*Union du Sud* de Paul Pestel, plus radicale, ira jusqu'à envisager une politique républicaine.

L'occasion en fut la disparition d'Alexandre Ier à Taganrog et le malentendu pesant sur la personne du successeur. Le successeur légitime était son frère, le grand-duc Constantin, qui avait secrètement renoncé à la couronne[1] et se trouvait en Pologne où il entendait bien rester. Du coup, l'héritier désigné était son frère Nicolas, présent alors en Russie et conscient de son bon droit, qui se proclama empereur. Fort de cette confusion successorale, les membres des sociétés secrètes qui s'étaient formées au début des années 1820 décidèrent d'en tirer profit et de passer à l'action. La troupe qu'ils soulevèrent ne comprenait pas le mot *Constitution*, qui était leur signe de ralliement, et pensait, en l'acclamant, saluer la femme du grand-duc Constantin !

Les conjurés étaient de jeunes officiers issus de l'aristocratie, nourris aux idées des Lumières, fascinés par l'exemple français découvert sur les berges de la Seine lorsqu'ils y poursuivaient les troupes napoléoniennes, mais nullement préparés à une action collective. La plupart d'entre eux étaient monarchistes, à l'exception de Pestel dont les articles dans *La Vérité russe*[2] laissent entrevoir les germes d'un socialisme russe despotique et minoritaire. Ces jeunes gens repré-

---

1. Le grand-duc Constantin, héritier du trône, ne voulait pas succéder à son père ; il l'avait fait savoir à son cadet Nicolas. Le 14 janvier 1822, il avait remis officiellement à Alexandre Ier sa renonciation. En 1823, le métropolite Philarète avait été chargé par le tsar de rédiger le manifeste désignant Nicolas comme héritier ; approuvé par le tsar, ce manifeste en forme de testament fut déposé secrètement à la cathédrale de l'Assomption du Kremlin de Moscou, au Saint-Synode et au Sénat.

2. L'organe s'intitule en russe *Rousskaia Pravda*, qui se traduit par *Vérité russe*, ou éventuellement par *Justice russe* (au sens de vrai).

sentaient, Bakounine le soulignera, la « partie cultivée et privilégiée » de la Russie, mais leur enthousiasme pour des réformes libérales et leur héroïsme ne pouvaient tenir lieu de programme propre à leur gagner un soutien dans la société. La raison première de leur échec tient cependant – ici, la tradition russe fait défaut – à ce qu'au lieu d'un de ces souverains faibles qui se laissaient éliminer par le coup d'État, ils se heurtèrent à la résistance de Nicolas Ier et à sa fermeté, annonciatrice du « système de fer » qu'il va incarner durant trois décennies.

Une répression impitoyable s'abat sur les conspirateurs, accusés de trois crimes majeurs définis par le souverain : tentative de régicide, révolution et mutinerie. Condamnés à mort ou à la déportation en Sibérie, les décembristes y gagnent l'auréole de martyrs et le statut de modèles à imiter, tandis que Nicolas Ier devient l'« autocrate absolu ». Ce qui n'est pas pour déplaire au tsar à qui l'autorité du souverain et la sécurité de l'État tiennent lieu de devise. Il entend maintenir l'ordre plutôt que réformer. La seule autorité qu'il conçoive est la sienne. Et il fonde, pour gouverner sans intermédiaire, la *chancellerie personnelle de Sa Majesté* au sein de laquelle la *IIIe section* devient, avec le *corps de gendarmes*, l'outil privilégié destiné à assurer la sécurité de l'État. Celui qui dirige ce dispositif sera le bras armé du souverain, le numéro deux du régime, l'incarnation d'un système de surveillance quadrillant tout le pays.

Au sommet, l'empereur décide de tout, surveille tout, appuyé sur une bureaucratie considérable. Comment comprendre cette passion bureaucratique qui caractérise le règne de Nicolas Ier ? Il faut d'abord en revenir au Manifeste du 18 février 1762 par lequel

Pierre III avait aboli l'obligation de service imposée par Pierre le Grand à la noblesse. Libre de servir ou non le pouvoir, celle-ci abandonnait des places par milliers au sein de l'armée et de l'administration. De surcroît, Nicolas Ier se méfiait de la noblesse dans la mesure où le soulèvement de 1825 était son œuvre : c'est elle qui s'était dressée contre le pouvoir. Afin de remplacer ces élites russes, il appela des Allemands pour le servir, car il faisait confiance à leur professionnalisme et à leur loyauté. « Les Russes servent la Russie, les Allemands me servent », aimait-il à répéter. Son mode de gouvernement et de surveillance exigeant toujours plus de fonctionnaires, en 1855 on en compte près de cent mille dans le cadre de la *Table des rangs*[1], auxquels s'ajoutent tous ceux, d'un rang modeste, qui se situent en dessous.

Or cette bureaucratie proliférante, utile au demeurant dans un immense espace très contrôlé, jouit d'une détestable réputation. Trop d'étrangers, trop de corrompus. Gogol en a peint un tableau impitoyable. Parasites, ces fonctionnaires innombrables exaspèrent la noblesse, encore blessée par la tragédie de 1825, consciente d'être dépossédée par la nouvelle bureaucratie de sa position dominante dans l'État. (Au vrai, depuis le Manifeste de 1762, la noblesse jouit toujours de privilèges, et d'abord de la possession de serfs qu'elle ne paie plus par les services qu'elle rendait auparavant à l'État.) Sa relative exclusion du pouvoir l'incite à s'y opposer. La société tout entière méprise

---

1. Elle avait été promulguée par Pierre le Grand en 1722 et énumérait dans l'ordre hiérarchique, du quatorzième au premier, les quatorze rangs qu'on pouvait obtenir dans l'armée, l'administration et la Cour.

et craint cette bureaucratie qui rogne ses libertés, considérée comme un poids inutile, durement ressentie par tous ceux qui se sentent pressurés par l'État, ce qui ne fait qu'exacerber le mécontentement et encourager les idées séditieuses.

À la fin de son règne, Nicolas Ier est fort impopulaire, le système qu'il incarne apparaît étouffant et inefficace. La défaite de Crimée met au jour tous ces griefs et entraîne une mise en accusation d'un mode de gouvernement dont l'autoritarisme n'a ni diminué en trente ans, ni été compensé par de profondes réformes. Que le système de Nicolas Ier soit responsable de l'humiliation de Crimée, nul n'en doute, et la nécessité d'une refonte immédiate des institutions gagne tous les esprits. Mais le pouvoir absolu exercé sur la société n'est pas sa seule dimension négative : le problème du servage, toujours posé, toujours non résolu, en est indissociable.

Les âmes mortes

Pointé tout au long de la première moitié du XIXe siècle comme le symbole de l'arriération russe, le servage était perçu hors de Russie comme synonyme d'esclavage. Prosper Mérimée, slavisant, bon connaisseur de l'histoire russe, n'hésita pas, dans un article publié à l'époque de la guerre de Crimée par la *Revue des Deux Mondes*, à parler de l'« esclavage » en Russie comme relevant d'une « coutume de l'antique barbarie ». Le premier responsable de cette confusion a été Alexandre Radichtchev qui, dans son *Voyage de Saint-Pétersbourg à Moscou*, rapproche la situation des serfs russes de celle des esclaves dans les Caraïbes, et leur confère ainsi sans hésiter le statut d'esclaves. Dès lors, tous ceux qui se penchent sur l'histoire russe rééditent cette assimilation et la renforcent en confondant *pomestie*[1] et grandes plantations américaines. En réalité, le servage russe a été un phénomène tardif par rapport à ce qui avait cours en Europe, ce qui lui conféra dans l'opinion un caractère exceptionnel et inacceptable. En Russie, ce n'est qu'à la fin du XVIe siècle que la liberté de mouvement des paysans fut entravée, et le servage définitivement consacré en 1649[2] alors qu'il n'existe déjà plus dans la plupart des pays européens.

Le servage russe est aussi caractérisé par un trait spécifique : il est le fait de l'État, de sa puissance grandissante et de ses besoins particuliers – assurer des rentrées fiscales régulières dans un pays où la terre est abondante et la main-d'œuvre rare –, alors qu'en Europe occidentale le servage est né du pouvoir croissant de grands propriétaires face à un État faible, puis a disparu sous la pression de l'État recomposé.

Les recensements de population en Russie – le premier fut effectué entre 1530 et 1580 – ont joué un grand rôle dans l'implantation et le développement du servage. Tout d'abord parce qu'ils enregistraient le lieu

---

1. Domaine accordé à titre provisoire et personnel pour le service de l'État. À l'origine, le *pomestie* ne durait qu'autant que le propriétaire servait l'État. Mais, dès le début du XVIIIe siècle, il devint héréditaire.

2. Le code des lois – *oulojenie* – adopté en 1649 sous le règne du tsar Alexis Mikhailovitch consacre le servage et définit la différence entre le paysan serf – imposable, même s'il est privé de sa liberté de mouvement – et le *kholop*, véritable esclave, propriété privée du seigneur, non imposable. Le serf est considéré par ce texte comme disposant d'une liberté ultime, car il est en dernier ressort sujet du tsar.

de résidence du paysan au moment où il était recensé, et, par là même, le livraient aux décisions à venir des autorités. De surcroît, les recensements ont confondu la situation momentanée du paysan, qui, jusqu'à la fin du siècle, était libre chaque année à la Saint-Georges de changer de propriétaire, avec une situation définitive – résidence et dépendance d'un propriétaire –, et inscrit les enfants de serfs dans la même catégorie que leurs parents.

Ce servage tardif va très tôt troubler les élites, mais aussi certains souverains. Catherine II, fille spirituelle des philosophes français, dont la jeunesse, entre son mariage à seize ans et l'installation sur le trône près de deux décennies plus tard, a été consacrée à la lecture des œuvres qui portaient les Lumières, était très consciente du problème posé par ce servage persistant. Devenue impératrice, elle s'est interrogée sur la réponse qu'il convenait d'y apporter. Ses conceptions étaient certes contradictoires : elle savait que le servage était inacceptable dans un pays civilisé ; mais elle constatait la difficulté de le supprimer en Russie où il restait la forme dominante du statut paysan et de la propriété. Dans la *Grande Instruction* (Nakaz) qu'elle avait personnellement rédigée pour servir de guide à la grande commission législative convoquée en 1767 pour moderniser le droit et les institutions russes, elle affirmait l'égalité de tous devant la loi et le devoir incombant aux institutions de la garantir. Comment, dès lors, concilier ce principe fondamental avec le servage dont çà et là, dans son texte, elle critiquait la persistance ? Cette conciliation était impossible. L'impératrice, qui ne pouvait néanmoins passer outre à l'opposition de la noblesse terrienne attachée à ses possessions, qu'elle devait aussi ménager dans la mesure où sa légitimité était fragile, opta pour une solution minimale en essayant d'humaniser par diverses dispositions le sort des serfs sans remettre en cause le servage.

Les conséquences de cette position ambiguë furent considérables. En évoquant, même avec d'infinies précautions, le problème du servage, elle avait ouvert une boîte de Pandore qui ne sera jamais refermée. Ses propos « libéraux » éveillèrent les espoirs d'une élite que l'on retrouvera dans la révolution manquée de 1825 ; mais son refus d'agir réellement déçut cette élite naissante et contribua à donner à sa réflexion sur la nécessaire modernisation de la Russie un tour plus radical. Pour la paysannerie, le changement suggéré et aussitôt interrompu eut pour effet d'encourager des tendances à l'extrémisme dont la révolte de Pougatchev attestera quelques années plus tard. La noblesse terrienne, enfin, un moment effrayée par la perspective d'une réforme agraire, sera ensuite confortée par le constat que nul, y compris même l'impératrice toute-puissante, n'ose s'y attaquer, et campera plus solidement que jamais dans son refus de toute évolution sociale en Russie. Quel souverain serait, dans de telles conditions, assez audacieux pour engager une révolution des rapports sociaux ?

À l'aube de son règne, le fils de Catherine II, Paul Ier, partisan certes du servage, mais d'un servage réglementé, tenta d'améliorer la condition des paysans par des dispositions limitant strictement la corvée *(barchtchina)* imposée aux serfs sans autre restriction que le bon vouloir de leurs propriétaires. Le Manifeste promulgué en 1797 dans cette intention interdisait le travail dominical des serfs et partageait les six jours restants entre corvée due au propriétaire et temps réservé au paysan. Le temps de corvée était réduit à trois jours par semaine. Mais, pour appliquer cette règle et empêcher les propriétaires d'exiger plus de temps de corvée de leurs serfs, il eût fallu disposer d'instruments de contrôle qui n'existaient pas. La bureaucratie, qui eût dû mettre en place ces contrôles, était issue de la noblesse terrienne, propriétaire de serfs, et était par conséquent peu encline à prendre le parti des paysans. Les dispositions du Manifeste sur les corvées eurent en définitive peu d'effets sur l'existence paysanne, mais le texte lui-même est important dans la mesure où il représente une première tentative du souverain de s'immiscer de manière normative dans les rapports entre propriétaires et serfs. L'hostilité de la noblesse à Paul Ier, qui conduira à son assassinat en 1801, devra beaucoup à ce projet.

Alexandre Ier, qui lui succéda et que la Grande Catherine avait voulu pour héritier au lieu de son fils, fut d'emblée confronté au problème du servage. Comme Catherine II, il en aura eu une vision généreuse, tempérée par des hésitations et des tentatives manquées qui contribuèrent à l'ébranlement du système. Sous l'influence de son conseiller et ami le prince Czartoryski – membre, on l'a vu, du Comité intime –, il voulut s'attaquer au servage et deux mesures de portée limitée témoignent de cette intention. La principale, dite *Loi des cultivateurs libres*, autorise en 1803 les propriétaires terriens à vendre aux serfs leur liberté, assortie d'un lopin de terre, les transformant ainsi en paysans libres. Cette loi ne pouvait changer de fond en comble la condition paysanne, car elle supposait que deux conditions soient remplies : les serfs devaient disposer de moyens suffisants pour conclure un tel marché, et les propriétaires fonciers dont ils étaient le bien devaient en être d'accord. Ce texte permit néanmoins l'affranchissement de 47 153 familles sous le règne d'Alexandre Iᵉʳ, et de 67 149 autres familles sous celui de Nicolas Iᵉʳ. Le nombre de serfs émancipés fut en définitive bien faible au regard de l'immense masse de paysans relevant de ce statut. Le texte de 1803 modifia donc peu le sort de la paysannerie, mais il eut l'insigne mérite d'ouvrir la question lancinante de la réforme du servage sans laquelle aucune modernisation de la Russie n'était possible. Dès lors, le débat ne cessera plus et les sociétés secrètes se mirent toutes à avancer des propositions.

Pour autocrate convaincu qu'il fût, Nicolas Iᵉʳ resta hanté, durant ses trente années de règne, par la question paysanne. Pas moins de neuf comités secrets furent chargés par lui d'apporter une réponse précise à la question : comment libérer les paysans du servage ? Il confia à la Vᵉ section de sa chancellerie, placée sous l'autorité d'un esprit remarquable, connu pour ses idées libérales, le général Paul Kisselev, le soin de proposer des réformes. « Tu seras mon chef d'état-major pour les questions paysannes », décréta l'empereur. La confiance qui unit Nicolas Iᵉʳ au général ne peut néanmoins dissimuler la contradiction qui les oppose d'emblée : Kisselev considère qu'il faut libérer les paysans en leur donnant la terre ; Nicolas Iᵉʳ pose pour condition première à la réforme le respect des biens des propriétaires terriens que l'on ne doit pas aliéner.

Conscient de cette contradiction et des oppositions auxquelles il allait se heurter, Paul Kisselev concentra sa réflexion sur le statut des paysans de la Couronne, qu'il voulait fondre avec celui des serfs, ce qui aurait

eu pour conséquence d'interdire aux propriétaires terriens de disposer de leurs paysans. Contrairement au
texte très restrictif de 1803, les propositions élaborées
par Kisselev s'appliquaient à une masse considérable
de paysans. Le recensement de 1835 dénombrait, sur
une population totale de 60 millions d'habitants,
20 millions de paysans de la Couronne et 25 millions
de paysans privés ou serfs. Pour organiser la fusion
projetée des deux catégories de paysans et gérer plus
efficacement les paysans de la Couronne, un ministère
des Domaines d'État fut créé en 1837, qui empiétait
sur les prérogatives des propriétaires terriens au prétexte d'unifier le statut de tous les paysans. Le sort de
la paysannerie n'en fut pas réellement modifié, même
si le nombre de serfs proprement dits décrût
quelque peu, et il en alla de même du nombre des
propriétaires terriens. Au bout du compte, cette
réforme eut pour conséquence d'alourdir la bureaucratie et de mécontenter tout à la fois la paysannerie,
qui ne comprenait pas les intentions du pouvoir, et la
noblesse terrienne, inquiète pour ses possessions.

Le servage demeura ainsi la face sombre de cet
empire qui se prétendait civilisé. Et la persistance du
servage, alors que de règne en règne on débattait de la
nécessité de l'abolir ou de l'amender, était lourde de
conséquences pour la Russie. Elle provoquait des
sursauts paysans sporadiques, tantôt locaux, tantôt
étendus à des régions entières, tel celui qui, en 1839,
souleva les paysans de douze gouvernements de la
Russie centrale, faisant poindre la menace d'un embrasement général qui, comme celui de Pougatchev, eût
pu mettre en péril le pouvoir.

Mais les désordres et le mécontentement latent qui
les sous-tendaient étaient peut-être moins graves pour

la Russie que les conséquences économiques et morales du servage. Dans la première moitié du XIXᵉ siècle, la population de l'Empire croît rapidement, surtout dans les régions déjà les plus peuplées. La terre manque, la détresse des paysans, fort visible, tourne à la misère, et la productivité s'en ressent. La « passivité » du paysan russe, qui a nourri tant de récits complaisants de voyageurs, est en fait le signe d'un profond découragement, entraînant manque d'initiative et méthodes de travail archaïques qui ne font qu'aggraver les difficultés économiques de la Russie.

En 1828, alors que Nicolas Iᵉʳ le charge de réfléchir au problème paysan, Paul Kisselev porte sur la situation russe un jugement que la défaite de Crimée confirmera : « La Russie est un État sans argent ni industrie, un colosse aux pieds d'argile. » Le retard économique qu'il constate ne cessera d'empirer tout au long du règne de Nicolas Iᵉʳ. Il se traduit par un déficit grandissant que la guerre de Crimée rendra intenable et qu'il faudra combler par des emprunts intérieurs ou à l'étranger. En 1855, à l'heure du bilan, la dette de l'État russe s'élève à un milliard de roubles.

Pas d'argent, note Kisselev, mais aussi un retard industriel et avant tout une dramatique insuffisance du réseau ferroviaire, qui aura lourdement pesé sur l'issue de la guerre. La construction de la ligne Moscou-Saint-Pétersbourg n'aura été commencée qu'en 1843, et au début de la guerre la Russie ne dispose encore que de 980 verstes[1] (1 045 km) de voies ferrées, alors qu'en France on en compte déjà plus de 5 000, en Angleterre 13 000, et que l'Amérique en possède près de 30 000. Comment transporter troupes et muni-

---

1. Une verste = 1,067 km.

tions dans de telles conditions à travers l'immense espace russe ? L'industrie ne progresse pas davantage. Riche en charbon et minerais, la Russie peine à concurrencer l'Angleterre dans le domaine de la métallurgie ; elle ne peut pas non plus tirer utilement profit de son coton, faute de machines qu'il lui faut importer. Et, pour se protéger d'importations excessives, elle s'entoure de barrières douanières, ce qui a surtout pour effet de freiner ses propres exportations céréalières.

En définitive, toute la politique financière et industrielle de la première moitié du XIXᵉ siècle aura été caractérisée par un manque de vision et par l'adoption de mesures protectionnistes qui contribuent à accentuer le retard russe par rapport aux pays d'Europe occidentale.

Ce sombre bilan – retard en tous domaines, puissance apparente dissimulant des faiblesses que la guerre de Crimée a mises à nu – hante les esprits à l'heure où disparaît le « tsar de fer » et où monte sur le trône un héritier dont nul ne sait encore s'il saura, en dépit d'un tel héritage, réformer le pays de fond en comble. Piotr Valouev, qui sera ministre du nouveau souverain, définit ainsi l'état du pays qu'il aura mission de gouverner : « En haut, l'éclat ; en bas, la pourriture. »

CHAPITRE II

Alexandre avant Alexandre II

Loin de provoquer des pleurs, la mort de Nicolas Ier fut accueillie dans la liesse. Et cette humeur joyeuse entoura aussi l'avènement d'Alexandre. Mais que sait alors de lui son pays ? Qui est ce souverain élevé dans l'ombre d'un père autoritaire dont le conseil ultime à son héritier fut de « tout tenir » – en d'autres termes, de persévérer dans la voie qui avait conduit au désastre ? Conseil d'autocrate convaincu de la légitimité de l'autocratie. Pourtant, le destin d'Alexandre semble placé d'emblée sous le signe de la rupture. N'est-il pas né en 1818, année où son grand-père Alexandre Ier promettait une constitution à la Russie ? Mais il a été proclamé héritier le 14 décembre 1825, jour tragique où ceux qui criaient « Vive la Constitution ! » sur la place du Sénat ont été massacrés. Entre ces deux dates symboliquement contraires qui jalonnent sa vie, de quel côté va se porter le choix d'Alexandre ?

Pas plus que son père, le futur « tsar libérateur » n'était destiné à régner. Alexandre Ier n'ayant pas d'héritier mâle, la couronne devait revenir à son frère, Constantin, qui, refusant le trône, le laissa à Nicolas, troisième fils de Paul Ier. Du mariage de ce dernier avec une princesse de Prusse devenue orthodoxe sous le nom d'Alexandra Feodorovna était né Alexandre, premier enfant d'une famille qui sera nombreuse. Il n'a que sept ans et demi quand son père monte sur le trône et que lui-même en devient l'héritier. Jusqu'alors, rien ne distinguait le petit garçon insouciant des autres enfants du couple. Mais, en un instant, dans la cour du palais encore toute agitée du tumulte de la révolte et de la répression, le petit Alexandre, que son père présente solennellement à la Garde, découvre à la fois l'anxiété générale, le danger encore présent et son nouveau statut.

Une éducation impériale

Sept ans était, en Russie, l'âge où l'on commençait l'éducation des enfants. S'agissant de l'héritier, l'empereur décida de le préparer dès l'enfance à la fonction qui serait un jour sienne et lui donna les meilleurs maîtres. Pour précepteur, le souverain fit appel au capitaine Karl Karlovitch Mörder, dont il respectait la rigueur morale et la clarté d'esprit. Il lui appartenait, lui dit-il, d'insuffler à son jeune élève l'esprit militaire et de l'initier aux exigences de l'armée. Mais la direction intellectuelle du jeune prince est confiée à un homme tout différent, le poète Joukovski, réputé pour ses facultés remarquables et qui fut le fondateur de l'école romantique russe.

Vassili Andreievitch Joukovski était un homme de vaste culture, pétri de poésie européenne, traducteur de Victor Hugo, de Schiller, de Byron, tout à la fois chrétien pratiquant et formé à l'esprit des Lumières. Il entendait donner au jeune prince une éducation ouverte sur le monde, respectueuse du droit, de la dignité des personnes, autrement dit le préparer à changer son pays. De tous les monarques russes, Alexandre II est probablement celui qui reçut l'éducation la plus soignée, la plus propre à le former à ses responsabilités. Joukovski s'employa à organiser ses études jusque dans le moindre détail, après avoir étudié avec attention les programmes et les théories pédagogiques qui avaient cours en Europe. Le poète pensait avant tout à la personnalité de son impérial élève, il voulait lui apprendre à réfléchir par lui-même, en toute indépendance d'esprit, plutôt que de le gaver de connaissances sollicitant davantage la mémoire que l'intelligence. Une tête bien faite avant que d'être bien pleine : telle était l'ambition de Joukovski, mais, en même temps, le programme d'études qu'il élabora était d'une précision et d'une richesse propres à dispenser aussi à Alexandre un savoir très divers.

Trois stades d'enseignement avaient été définis. De huit à treize ans, l'enfant acquerrait tous les savoirs fondamentaux ; de treize à dix-huit, les études seraient consacrées à approfondir ses connaissances. Ensuite, durant deux années, l'héritier se familiariserait avec les disciplines nécessaires à la conduite des affaires de l'État : droit, histoire, relations internationales, techniques diplomatiques. Dans le cours de ses études, l'héritier aura ainsi assimilé l'histoire de la Russie et l'histoire mondiale, la géographie, les littératures d'Europe, l'histoire du christianisme associée à un enseignement religieux précis, les mathématiques, la chimie, la physique, la géologie et la botanique, la zoologie. Ses connaissances linguistiques étaient tout aussi considérables. Joukovski considérait qu'un souverain devait d'abord connaître à la perfection sa propre langue et il s'attacha à la lui faire enseigner comme cela n'avait été fait pour aucun de ses prédécesseurs. Alexandre s'exprimait dans un russe non seulement très pur, mais caractérisé par une grande richesse de vocabulaire, et ses maîtres avaient aussi veillé à la qualité de sa prononciation et au développement de ses dons oratoires. À côté du russe, Alexandre apprit parfaitement le polonais, combien nécessaire à un souverain qui devrait faire face aux difficiles relations avec ses voisins, ainsi que le français, l'anglais et l'allemand. Les arts d'agrément ne furent pas oubliés : Alexandre était bon musicien et dessinait avec un certain talent.

La vie quotidienne de l'adolescent fut organisée de manière rigoureuse et précise afin de lui permettre d'acquérir une telle masse de connaissances. Il était levé à six heures du matin et couché à dix heures du soir. Les cours, qui avaient lieu de sept heures du matin à sept heures du soir, étaient coupés de longues pauses consacrées aux exercices physiques, ou encore à des lectures choisies par ses maîtres. L'emploi du temps des jours fériés n'était pas moins dense ; les cours étaient alors remplacés par des travaux manuels pour lesquels un atelier avait été aménagé, mais aussi par la culture physique, l'escrime, l'équitation, la danse, toutes disciplines dans lesquelles Alexandre excellait.

Au terme de journées si chargées, l'héritier devait consigner dans un journal intime le bilan de ses activités et ses propres réflexions. Joukovski avait posé pour règle que l'inaction était inacceptable, de même que le moindre accroc à ce programme rigoureux. L'ordre établi devait toujours être respecté, et tout moment libre devait être consacré à la lecture. Si l'on ajoute à cela qu'Alexandre fut dans le même temps initié aux affaires militaires, pour lesquelles il manifestait un goût particulier, on comprend aisément combien ces années d'apprentissage furent occupées, mais aussi très formatrices. Sans doute le caractère de l'héritier ne le portait-il pas à accepter volontiers une formation si rigoureuse et contraignante, et l'on sait que ses préférences allaient vers l'armée et le temps qui lui était dévolu. Mais la qualité des maîtres qui l'entouraient, leur persévérance, l'attention portée par Joukovski aux méthodes d'enseignement – il avait passé des semaines en Allemagne auprès de pédagogues réputés pour fixer son choix –, tout explique qu'Alexandre se soit soumis à la discipline qui lui était imposée et ait été si parfaitement préparé à son rôle futur de monarque.

Dans la dernière phase de ses études, il fut entouré par des hommes qui avaient participé au pouvoir ou y avaient encore part, et qui lui apportaient le fruit de leur expérience. Le plus illustre de tous fut l'ancien collaborateur d'Alexandre Iᵉʳ, Mikhaïl Speranski, chargé de l'initier au droit public et qui sut lui faire comprendre que le système autocratique, pour légitime et indispensable à la Russie qu'il fût, devait être combiné avec la justice, seule limite au pouvoir absolu du souverain. Le jeune prince répétait assidûment l'une des formules favorites de Speranski : « Il n'est pas de pouvoir sur terre, ni dans les frontières de l'Empire, ni en dehors d'elles, qui puisse limiter le pouvoir suprême du monarque russe. Toutes les lois de l'Empire sont au service de ce pouvoir. »

Le ministre des Finances de Nicolas Iᵉʳ, Égor Frantsévitch Kankrine, un de ces Allemands qui irritaient tant les Russes, fut chargé d'initier l'héritier aux problèmes économiques et monétaires, tandis qu'un grand diplomate, d'origine allemande lui aussi, le

baron Philip von Brünnow, qui avait été ambassadeur
de Russie à Londres et participera plus tard à la négociation du traité de Paris, lui enseignait la politique
étrangère en partant du principe que l'Occident, la
France en premier lieu, étaient des manipulateurs de
révolutions, alors que la Prusse et l'Autriche en proté-
geaient la Russie. Le diplomate s'employa à convaincre
son élève qu'il aurait pour tâche d'écarter de la Russie
les menaces révolutionnaires, mais aussi de maintenir
l'influence de son pays en Orient. Le programme d'action extérieure du futur souverain lui fut ainsi tout
tracé par un maître convaincu des mérites de la Sainte-
Alliance et des responsabilités russes dans la question
d'Orient. Il ne pouvait prévoir qu'Alexandre monte-
rait sur le trône alors que la Sainte-Alliance serait en
ruine.

Joukovski avait même envisagé de recourir à un
autre collaborateur d'Alexandre Ier pour parfaire l'éducation de son élève : le comte Capo d'Istria, mais
celui-ci, qui avait été durant sept ans un quasi-
ministre des Affaires étrangères de Russie, était devenu
en 1827 président du premier gouvernement national
grec. La volonté de Joukovski de l'associer à son projet
éducatif met une fois encore en lumière l'importance
des étrangers dans le système politique russe, particulièrement dans la diplomatie. Allemands, Grecs, Français étaient nombreux dans l'entourage du souverain.
Leur présence et le fait que beaucoup d'entre eux ignoraient le russe exaspéraient les sujets de Nicolas Ier. Il
est remarquable que Joukovski, attaché à donner une
formation linguistique russe très poussée à son élève,
ait néanmoins fait appel à plusieurs non-Russes. C'est
ainsi qu'il invitera l'ancien chef d'état-major du maréchal Ney, le baron Jomini, venu servir la Russie en

1813, à participer à la formation militaire de l'héritier dont il sera le professeur de stratégie.

Nicolas Ier suivait très attentivement les progrès de son fils. Les cours avaient lieu au Palais et deux adolescents, le Polonais Joseph Vielgorski et le Balte Alexandre Patkul, furent invités à les partager et à se soumettre avec l'héritier aux examens de fin d'année, auxquels l'empereur assistait. La discipline à laquelle était soumis Alexandre sera par deux fois assouplie lorsqu'il atteindra l'âge de la majorité – fixée pour l'héritier à seize ans – et ensuite à vingt et un ans. La première majorité, en 1834, fut célébrée solennellement, Alexandre prêtant serment de servir son pays et le souverain. C'est alors qu'aux études théoriques va s'ajouter une étape destinée à le familiariser avec les réalités de la vie russe, puis de l'Europe.

La découverte du « Grand Livre russe »

Déclaré majeur à seize ans, Alexandre va être progressivement associé par son père à des tâches de représentation. Surtout, il sera convié à découvrir ses sujets et la réalité de l'Empire qu'il devra un jour gouverner. En 1837 commence cette initiation concrète qui vient compléter ses études jusqu'alors très théoriques. Le voyage qu'il va entreprendre a probablement aussi pour but de forger le caractère d'un prince dont les qualités intellectuelles – aptitude à comprendre, mémoire – sont incontestables, mais qui, par goût, est plus attaché à la parade, aux détails, et fait preuve d'une certaine faiblesse de caractère, voire d'un manque d'énergie. Joukovski devait souvent le ramener à l'essentiel, lui enjoindre de se dominer, de se montrer spontanément actif. En le contraignant à connaître de visu les réalités de son pays, ses maîtres pensaient aussi le préparer à travailler un jour au bien de l'État. Joukovski avait résumé ainsi les finalités du grand voyage qu'Alexandre allait effectuer à travers la Russie : « La Russie est un livre, un livre vivant. Votre Altesse Impériale devra le lire, et ce livre devra en retour découvrir son lecteur. Cette découverte réciproque est le but du voyage. »

Il quitta la capitale au printemps de 1837 pour un périple de sept mois, escorté de plusieurs maîtres dont, naturellement, en premier lieu, celui qui avait voulu et préparé toute l'expédition : Joukovski. Durant ce voyage, il visita non seulement la Russie d'Europe, mais alla, au-delà de l'Oural, en Sibérie jusqu'à Tobolsk. Partout il devait visiter les cathédrales et les églises, les monastères, les monuments évocateurs de l'histoire russe et de ses tragédies dans les plus vieilles cités et leurs kremlins, à Moscou, Novgorod, Kostroma d'où venait la dynastie dont il était issu, ainsi que les champs de bataille où son pays avait reconquis son indépendance. Mais il se rendit aussi dans les fabriques, chez des artisans, sur des marchés où se rassemblaient les paysans. En théorie, ce voyage d'initiation devait lui permettre d'appréhender l'état réel du pays, son arriération dont témoignaient les serfs, mais aussi le clergé des campagnes et une bureaucratie qui, loin du pouvoir central, était caractérisée par l'indolence et la corruption. Partout il fut accueilli par des foules considérables. À Kostroma, ses sujets, anxieux d'apercevoir leur futur souverain, se pressèrent si nombreux qu'ils durent l'attendre debout jusque dans la Volga, des heures durant.

Alexandre fut le premier héritier des Romanov a avoir visité la Sibérie. Et ce voyage, les lieux où il se rendit, étaient riches de signes prémonitoires. À Simbirsk, où il s'arrêta, naîtront plus tard deux hommes dont les ambitions politiques pèseront lourd sur le destin de la dynastie : Alexandre Kerenski et Vladimir Oulianov qui deviendra un jour Lénine et dont le frère, Alexandre, sera pendu en 1887 pour avoir préparé un attentat visant à commémorer par la terreur le meurtre d'Alexandre II. Ainsi, à Simbirsk, c'est avec sa propre mort à venir et avec le terrorisme qui le poursuivra des années durant qu'Alexandre est déjà confronté. Mais comment, dans ce voyage où des foules immenses l'acclament, aurait-il pu imaginer cet avenir sanglant, le sien et celui où sombrera la monarchie, auquel travailleront des hommes nés à Simbirsk ? Et à Ékaterinbourg, où il s'arrêta aussi, comment aurait-il pu prévoir qu'y seront massacrés un jour son petit-fils Nicolas II et toute sa famille ?

Au cours de ce périple sibérien, Alexandre se sera donc arrêté avec émotion dans les lieux qui virent sa lignée naître (Kostroma) et être annihilée (Ékaterinbourg). Comment ne pas ajouter ces signes inquiétants aux dates déjà si particulières qui jalonnent sa vie pour faire le constat du sceau fatal qui marque son destin ?

En Sibérie toujours, s'arrêtant dans la petite ville de Kourgan, située sur la route de Tomsk, il se rendit à l'église, comme il le faisait partout. Là, il vit un groupe de malheureux tournés vers lui, image d'une infinie détresse morale que ce prince préservé de tout n'avait jamais encore rencontrée. Ce sont des décembristes condamnés après la tragédie de 1825 et qui implorent la clémence du souverain. Joukovski, dont l'esprit de justice a profondément marqué le jeune prince, avait préparé ce face-à-face. À la fin de l'office, l'héritier salua en pleurant les exilés et en appela ensuite à la générosité de son père. La réponse fut à la hauteur du caractère entier du souverain. Père aimant, il ne voulut pas laisser l'appel de l'héritier sans réponse, mais, autocrate implacable, il se refusa à pardonner. Sa décision fut un chef-d'œuvre d'ambiguïté : les décembristes furent autorisés à quitter la Sibérie si dure à l'homme, mais il leur fut ordonné de se rendre au Caucase pour y participer à la guerre contre les montagnards de Chamil, combat impitoyable où les armées du tsar faisaient piètre figure devant les irréductibles combattants du chef religieux. Au retour de ce long périple, Alexandre remit à son père seize mille suppliques dont bien peu reçurent une réponse.

Hors la rencontre avec les décembristes, dont le souverain n'avait pas eu connaissance au préalable et qu'il n'eût sans doute pas autorisée, Alexandre vit davantage les paysages russes, les monuments, les foules que la réalité sociale de son pays. Les rencontres avec des individualités furent essentiellement mondaines. Partout des parades militaires, des réceptions brillantes, des bals étaient organisés à son intention par les autorités locales, mais les Russes « ordinaires », il ne les vit que groupés, et de loin. La Russie qu'il avait parcourue durant sept mois était une Russie malheureuse, apathique, abîmée par la corruption, celle des paysans partagés entre révolte et abêtissement, celle d'Oblomov, celle du *revizor*. Mais tout témoigne qu'il n'en eut pas réellement conscience parce que cette Russie quotidienne était dissimulée derrière une Russie officielle que lui présentaient les gouverneurs et les personnalités chargées de le recevoir.

À son retour, le 10 décembre 1837, les images du voyage seront d'ailleurs vite effacées par l'émotion due aux deux incendies qui embrasèrent en même temps le palais d'Hiver, entièrement consumé par les flammes, et le port des Galères où Nicolas Iᵉʳ envoya l'héritier surveiller les opérations de sauvetage. Cette mission, la première à lui avoir été confiée par son père, venait en point d'orgue couronner sa formation et témoigner que l'héritier était devenu, aux yeux du souverain, un adulte capable de prendre sa part des responsabilités du pouvoir.

La découverte de l'Europe

À peine eut-il fini de sillonner son pays que l'héritier fut expédié sur les routes d'Europe. Ce fut un très long voyage : Alexandre embarque le 29 mai 1838 à bord du vaisseau russe *Hercule* pour ne revenir en Russie qu'à la fin de juin 1839. Première étape, la Suède où Nicolas Iᵉʳ accompagna son fils pour le présenter au souverain suédois, fort surpris de cette visite inopinée du monarque voisin. Ensuite, Alexandre poursuivit son périple européen avec une importante suite qui ne le quitta pas de toute cette année : son maître Joukovski, le général Alexandre Kavéline, vétéran de la guerre de 1812, le prince Lieven, qui avait été ambassadeur de Russie en Prusse, puis en Angleterre, et qui ne survécut pas au voyage, cinq officiers de divers régiments de la Garde, et un médecin. Ce voyage européen était sans doute destiné à compléter la formation de l'héritier en lui faisant connaître les grands pays avec lesquels la Russie partageait les responsabilités du « concert européen », leurs souverains, et, dans la mesure du possible, même si cet aspect n'occupe pas une place considérable dans le programme élaboré par

Nicolas Ier à l'intention de son fils, les peuples des pays visités. Au vrai, ces contacts avec les habitants se réduisaient à la rencontre des élites – dans les cours, les universités, les spectacles et les armées –, tandis que les peuples à proprement parler n'étaient entr'aperçus que lors de sorties publiques où l'héritier voyait une foule indistincte massée sur le passage du cortège.

À défaut de rencontrer des Européens ordinaires, Alexandre visita la plupart des pays européens : Suède, Danemark, Prusse et plusieurs principautés allemandes, Autriche, Italie, Hollande et Angleterre. Le voyage et l'itinéraire choisi par le souverain devaient remplir plusieurs fonctions : compléter par l'expérience vécue l'éducation politique de l'héritier ; un but accessoire et momentané touchait à sa santé : Alexandre avait montré, au cours de l'« année russe », des signes de fatigue aggravés par une toux persistante qui, en un temps où la pénicilline était inconnue, faisait craindre une tuberculose ; les médecins ayant conseillé un séjour aux eaux, la station thermale d'Ems avait été choisie pour une cure de quelques semaines. Mais il y avait une explication plus importante encore que les autres à la décision de Nicolas Ier d'envoyer son fils à l'étranger pour une si longue période : l'héritier avait vingt ans et s'était entiché d'une jeune demoiselle d'honneur de la grande-duchesse Maria Nicolaievna[1], qu'il prétendait épouser, ce qu'interdisaient formellement les lois de la Couronne[2]. En

1. Fille aînée de Nicolas Ier, elle épousera en 1839 le duc de Leuchtenberg.

2. Les lois fondamentales de l'Empire russe, complétées le 5 avril 1797 de « dispositions sur la famille impériale », stipulaient que l'héritier devait contracter un mariage avec une princesse de famille royale régnante.

outre, les mariages dans des cours étrangères étaient tenus, depuis le règne de Catherine II, comme d'utiles instruments de politique internationale. Il convenait donc d'éloigner l'héritier de l'objet de sa flamme, et l'heure était venue, considérait Nicolas Ier, de penser à son établissement. L'empereur avait dressé une liste de princesses allemandes qui semblaient convenir à ses desseins, et le sage Joukovski était chargé de veiller à ce que le « grand tour » européen de l'héritier connût une conclusion matrimoniale. En dépit des sentiments qu'il portait à la jeune fille rencontrée à la Cour, Alexandre n'était pas en mesure de s'opposer sur ce point à son père, et il savait fort bien quelles intentions sous-tendaient l'équipée qui lui avait été imposée.

Ce voyage à l'étranger est très important pour la connaissance du caractère d'Alexandre. Il s'est en effet accompagné d'une abondante et permanente correspondance entre le père et le fils. Quatre-vingt-seize très longues lettres, la plupart écrites sur plusieurs jours : il s'agit donc presque de nouvelles quotidiennes. Leur lecture est révélatrice de la nature de leurs relations. Si l'on y ajoute le journal de voyage de l'héritier, les lettres adressées au souverain par l'un ou l'autre de ses accompagnateurs, celles de l'impératrice à son fils, on dispose là d'une sorte de conversation permanente qui témoigne de l'autorité du père sur son fils, des sentiments du fils envers ses parents, et de certains traits de son caractère – faiblesse, sursauts d'esprit frondeur vite réprimés, pensée très conforme à l'éducation reçue. Mais ce qui ressort aussi de cette précieuse correspondance intégralement conservée, c'est l'affection profonde et confiante qui unit Nicolas et Alexandre. Hors les moments où le souverain l'emporte sur le père – on y reviendra plus loin –,

Nicolas Ier se révèle au fil de ses lettres un père tendre, simple, familier, inquiet, durant toute la première partie du voyage, de la santé de son enfant, s'enquérant jour après jour des progrès, des rechutes, des soins reçus, de ce qu'il peut faire pour répondre aux besoins d'un fils visiblement très aimé.

Durant un an, au fil de ces longs échanges à distance, c'est à l'enfant et non à l'héritier que parle Nicolas Ier. L'on y sent le poids de l'absence quand le souverain raconte les menus faits de la vie familiale, ses préoccupations personnelles, comme pour combler l'éloignement et l'attente du retour. Lorsque des jours s'écoulent sans qu'arrivent des lettres d'Alexandre, l'anxiété, le chagrin du père qui se sent oublié imprègnent certaines missives. Dans l'autre sens, Alexandre adresse à son père d'interminables courriers non moins empreints de tendresse, où jamais ne se glisse une formule protocolaire ou empruntée. Il s'adresse toujours à son « gentil, précieux Papa », et lui raconte avec un même luxe de détails que celui qui caractérise les lettres paternelles l'évolution de son état de santé – lequel l'occupe beaucoup, cela est évident –, les lieux qu'il visite, dans quelles conditions, et les rencontres qu'il y fait. En livrant ainsi à son père – il n'écrit qu'occasionnellement à l'impératrice qui partage avec son mari les nouvelles du voyage – toute son existence et son cœur, Alexandre manifeste le souci de lui rendre compte loyalement de chaque instant passé loin de lui. Mais la tendresse qui colore ses lettres n'efface pas un certain ton de soumission à l'autorité paternelle.

Le 2 mai 1838, à la veille du grand départ, Nicolas Ier avait remis à son fils une « Instruction pour le voyage » dans laquelle il esquissait une sorte de code de conduite : « Tu vas visiter l'étranger en partie dans le même but [que lors du périple russe], c'est-à-dire apprendre à te munir d'impressions, mais en étant riche de ta connaissance de ton pays natal, et ce que tu verras, tu le compareras sans passion ni préjugés. Beaucoup te séduira, mais, à y regarder de plus près, tu pourras te convaincre que tout ne mérite pas d'être imité, et que beaucoup qui mérite d'être respecté sur place ne peut être importé chez nous. Nous devons toujours conserver notre caractère national, notre marque, et malheur à nous si nous nous en écartons ! C'est là qu'est notre force, notre salut, notre spécificité. »

Ces recommandations si fermes témoignent de l'inquiétude du souverain devant un trait de caractère de son fils qu'il connaît et appréhende : il le sait influençable et craint qu'à courir les cours européennes, il ne soit séduit par un esprit de liberté ou des habitudes que la Russie, considère-t-il, ne saurait faire siens. L'empereur ne se souvient que trop de 1825, mais aussi de l'attendrissement de son fils, dans une église de Sibérie, à la vue des décembristes exilés, pour ne pas s'inquiéter de le voir, lui si sensible, si sentimental, ébranlé et influencé par une Europe plus avancée politiquement que son propre pays. D'une lettre à l'autre, les mises en garde à ce sujet se multiplient.

Mais, au fil de cette correspondance, le projet matrimonial du souverain transparaît aussi. Quand le grand-duc visite la Suède, le Danemark ou l'Italie, nul ne s'inquiète de ses rencontres, car il n'y a pas, dans ces pays, de princesses à marier dont l'empereur aurait retenu le nom. Mais la question surgit dès le mois d'août. Durant plusieurs semaines, l'humeur quelque peu mélancolique qui transparaît dans les lettres d'Alexandre a été mise au compte de sa santé chance-

lante. Guéri, il continue à traîner cet air malheureux.
Il est vrai qu'il a demandé l'autorisation à son « précieux gentil Papa » de revenir pour un moment à
Pétersbourg. La réponse est tombée, sans appel : il
doit poursuivre ce voyage sans songer à quelque pause
russe. Alexandre se décide alors à parler à cœur ouvert
à son père dans une lettre écrite à Ems les 13/25 août,
dans laquelle il avoue que ses sentiments pour la jeune
Olga Kalinovskaïa, dont on l'a séparé d'autorité, n'ont
pas faibli [1]. Mais, lucide ou du moins conscient des
exigences de la dynastie, le jeune grand-duc constate
qu'il doit, « avec l'aide de Dieu, se consacrer à son
devoir sacré ».

Ce devoir, abandonner la jeune fille aimée et, pis,
épouser une princesse sans l'aimer, il ne saurait s'y
résoudre aisément. La lettre où il en fait l'aveu à son
père est à la fois émouvante et révélatrice des rapports
d'Alexandre avec Nicolas Ier. Sans doute, face à face,
n'aurait-il pas osé plaider sa cause. Mais, à distance, il
en appelle à son père, évoque le mariage d'amour et
le bonheur sans nuage que celui-ci partage avec
l'impératrice, et lui demande pourquoi lui, l'héritier,
devrait accepter une union sans amour, contraire à sa
conscience, reposant sur un mensonge ou sur l'illusion, encouragée chez une princesse condamnée en
dernier ressort à être malheureuse. La réaction du souverain est d'autant moins hésitante qu'il n'a cessé d'exprimer son inquiétude pour « sa grande faiblesse de
caractère. Il se laisse facilement séduire [2] ». De cette

---

1. « Le sentiment que je lui porte, d'amour pur et sincère,
d'attachement, a grandi chaque jour et vit encore. » Lettre n° 27
à Nicolas Ier.

2. Lettre à l'impératrice Alexandra du 6 juillet 1838.

passion pour la jeune demoiselle d'honneur, l'empereur ne veut rien entendre, d'autant moins, écrit-il à son fils, que ce n'est pas la première du genre, et qu'il a su oublier d'autres inclinations. Mais ce qui chagrine et offense le père, ce sont moins les états d'âme d'Alexandre que le fait qu'il se soit confié d'abord à son oncle Michel[1], ce que l'empereur tient à la fois pour un manque de confiance de son fils à son égard, pour une intrusion de son frère dans les relations père-fils, et comme un manquement aux égards que lui doit un frère plus jeune. Dans la lettre qui évoque cet épisode, Nicolas Ier se montre tout à la fois chagriné et autoritaire. L'impératrice adresse dans le même temps un message semblable à son fils. Tous deux le rappellent à son devoir premier, que la religion lui a enseigné : c'est vers ses parents que l'on doit se tourner avec confiance. Du coup, ayant pris en défaut l'héritier, le souverain en profite pour le rappeler à ses obligations et à la raison première du voyage. L'heure est venue de choisir celle qui montera sur le trône avec lui.

Ainsi grondé – car c'est bien un enfant que ses parents ont morigéné pour avoir un moment dissimulé, comploté, et avec qui ? avec l'oncle dont les infidélités désolent la Cour –, Alexandre se soumet, va visiter une cour étrangère après l'autre, raconte sa rencontre avec la princesse de Bade – bien placée sur la liste paternelle – et conclut : « Ce n'est pas du tout une personne à mon goût ». Une princesse de Wurtemberg n'obtient pas davantage de succès. Soudain,

---

1. Mikhaïl Pavlovitch, le plus jeune fils de Paul Ier, qui avait épousé la princesse Charlotte de Wurtemberg (devenue en Russie Elena Pavlovna) et dont les infidélités faisaient jaser la Cour.

par un hasard que nul n'avait imaginé, là où l'on ne l'attendait pas, la foudre s'abat sur Alexandre ; il s'est arrêté à Darmstadt simplement parce que cette principauté se trouve sur son chemin, et il y rencontre la fille du grand-duc Louis II de Hesse, la princesse Marie, âgée de quinze ans. Aussitôt il s'enflamme : « Elle m'a plu au premier coup d'œil, écrit-il... Je n'en ai pas vu qui soit mieux qu'elle. » Et il plaide pour convaincre son père : « Fasse Dieu que nous suivions votre exemple, mon gentil Papa et ma précieuse Maman ! »

Ce projet laisse Nicolas Ier surpris. Il eût pu aussi l'inquiéter, car – et la rumeur en vint aussitôt à lui – on mettait en doute que la jeune princesse fût bien la fille de Louis II. Le comte Alexis Orlov, diplomate chevronné, futur négociateur du traité de Paris, commis en 1839 pour accompagner l'héritier en Prusse, rapporta en termes voilés ces soupçons à l'empereur, qui lui répondit placidement : « Les doutes sur la légitimité de sa naissance sont plus fondés que vous ne le pensez... Mais elle porte le nom de son père, et personne ne peut rien y redire. »

L'indifférence de Nicolas Ier, si moralisateur et prude, à ce soupçon d'illégitimité de la future impératrice – soupçon qui, pour lui, était confirmé – peut étonner. Mais on peut aussi penser que, n'ayant cessé de s'inquiéter des réticences de son fils à l'égard de princesses dont on lui assurait qu'elles étaient charmantes, les attribuant probablement à des feux mal éteints à Pétersbourg, et impatient de trouver une issue heureuse à un voyage qui durait déjà depuis huit mois et ne pouvait s'éterniser, Nicolas Ier préféra se contenter de la princesse de Hesse-Darmstadt. Il l'écrit à Orlov : « L'essentiel est que ces jeunes gens se connaissent et s'apprécient. » Ainsi était-on débarrassé de l'importune demoiselle d'honneur.

L'empereur n'était cependant pas au bout de ses peines, car la passion toute neuve d'Alexandre va soudain faiblir là où nul ne l'attendait. Et l'épisode qu'on va relater ici, qui échappa à la vigilance des historiens, aurait pu, comme le nez de Cléopâtre, changer radicalement les destinées d'Alexandre, mais aussi peut-être de la Russie si l'on veut bien accepter l'idée que la personnalité d'un gouvernant contribue à façonner le sort de son pays.

Après la rencontre avec une princesse qu'il pensait enfin digne d'être épousée, le grand-duc a poursuivi son voyage en Angleterre. Il y rencontra une toute jeune reine de vingt ans, Victoria, et ce fut un nouveau coup de foudre. Victoria s'éprit elle aussi d'Alexandre. Elle note dans son journal : « Le Grand-Duc me plaît infiniment. Il est sincère et joyeux. Tout est facile en sa compagnie. L'héritier rayonne. » Mais Alexandre ne fut pas moins bouleversé et il en oublia instantanément l'élue de Darmstadt pour se livrer à cette nouvelle passion. « Il ne peut jamais cacher ses coups de foudre. Ils sont écrits sur son visage », écrivit de lui une demoiselle d'honneur de l'impératrice. Ce fut le cas à Londres. Victoria ne recula devant rien pour gagner définitivement le cœur de l'héritier de Russie. Elle l'entraîna dans un tourbillon de fêtes, de plaisirs, le présentant à la Cour comme celui qui allait régner à ses côtés. Le prince Albert de Saxe-Cobourg-Gotha n'était pas encore apparu dans sa vie. C'est lui qui la consolera ensuite de cette romance trop tôt arrêtée.

En attendant des jours plus sombres, Alexandre escorte la reine Victoria à l'Opéra, dans toutes ses promenades, et l'écho de cette idylle dont parle toute l'Angleterre finit par arriver à Pétersbourg. L'héritier lui-même raconte prudemment à son père – ses lettres se font alors plus rares, et Nicolas Ier s'en plaint – l'excitation que provoque en lui ce séjour londonien. Mais, au lendemain d'un bal que la reine Victoria rapporte dans son journal intime en concluant : « Jamais je n'ai été si heureuse », le grand-duc reçoit de son père un commentaire irrité : « Ne pas oublier Darmstadt », suivi d'un ordre : « Il est temps de se rendre à Darmstadt. »

Autour du souverain, les commentaires vont bon train, car à Pétersbourg comme à Londres, on ne parle plus que « du couple parfait », mais pour le déplorer, car la Russie n'accepte pas de perdre son héritier. Au vrai, quel sort serait le sien s'il restait en Angleterre ? Il ne serait que le prince consort d'une reine britannique. En fils soumis, le grand-duc s'incline aussitôt et prend le chemin de Darmstadt où il va séjourner pour la deuxième fois.

La passion éprouvée à Londres s'estompe, il revient à l'idylle qu'il avait un moment oubliée ou dédaignée. Son père l'y exhorte alors fermement, préférant donner son accord à un mariage qu'à la cour de Berlin on traite de mésalliance et mettre ainsi fin aux hésitations de son fils, voire à ses coups de tête. Il le sait inconstant et léger, l'épisode londonien l'a confirmé. Il écrit au comte Orlov, le 17 mai 1839 : « Que Dieu inspire mon fils et lui donne assez de raison pour qu'il se décide une fois pour toutes pour son bonheur et pour celui de l'Empire ! »

Le souverain a vu juste : l'inconstant héritier a oublié la reine Victoria dès qu'il l'a eu quittée. On ne peut certes réécrire l'histoire, imaginer ce qu'eût été la Russie gouvernée par Constantin, frère cadet d'Alexandre, plus libéral que lui mais aussi plus imprudent. Et qu'eût été la reine Victoria si, au lieu du solide prince consort Albert, elle avait partagé sa vie avec le grand-duc, si porté à être infidèle ?

Le sort et Nicolas Ier en ont décidé autrement.

Le bonheur en famille

Les fiançailles de l'héritier furent célébrées à Darmstadt lors d'un nouveau séjour, en avril 1840, et le 8 septembre de la même année, la princesse Marie de Hesse-Darmstadt faisait une entrée triomphale à Pétersbourg. Convertie à l'orthodoxie, devenue Maria Alexandrovna, elle épousa le grand-duc héritier le 16 avril 1841. L'empereur était lui aussi heureux : il n'avait plus à craindre les coups de cœur irréfléchis de l'héritier, ni un mariage morganatique, ni de le voir s'installer à Londres dans l'ombre d'une souveraine toute-puissante. Tout cela lui fit particulièrement apprécier la jeune grande-duchesse dont Orlov lui avait déjà vanté le charme, les qualités physiques, et en qui il retrouvait certains traits de l'impératrice. Il prit Maria Alexandrovna sous sa protection et il le fallait, car la Cour commença par lui faire grise mine. On critiqua la bouche trop mince, le nez pas assez droit, le français insuffisant de la princesse, et on colporta sournoisement des bruits infamants sur ses origines. Pour faire taire les médisants, Nicolas Ier dut faire preuve d'une très grande autorité, les menaçant de les exiler sur leurs terres. Ils firent silence.

Mais son autorité se tourna aussi contre le jeune frère de la nouvelle grande-duchesse qui l'avait suivie en Russie et divertissait la Cour par ses plaisanteries et des jeux de son invention. Par malheur, celui-ci s'éprit d'une demoiselle d'honneur de sa sœur et envisagea de l'épouser, faisant planer sur la famille impériale la menace d'une mésalliance. Refusant toute discussion, Nicolas Ier renvoya à Darmstadt le prince et sa bien-aimée. L'ordre politique et protocolaire était ainsi restauré à la Cour et la grande-duchesse retint de cet épisode qu'il convenait d'être soumise à l'empereur, d'accepter le mode de vie discipliné qui était le sien et qu'il imposait à tous, de respecter la vie religieuse plutôt astreignante d'une cour orthodoxe. Elle fut récompensée de sa docilité par l'affection qu'en retour lui prodigua l'empereur. Il dota le jeune couple d'une suite nombreuse : demoiselles d'honneur, aides de camp, mais aussi, dès que naquirent des enfants, toute une pléiade de gouvernantes et de précepteurs qui en fit une « petite cour » attrayante et prestigieuse.

Alexandre ayant sous les yeux, référence suprême, le couple de ses parents, il entendait les imiter, offrir à son peuple la même image d'harmonie. Sans doute des difficultés surgirent-elles progressivement, liées surtout à la santé fragile de la grande-duchesse qui souffrait de troubles pulmonaires. Mais, en ces temps-là, c'était monnaie courante. Une autre difficulté tenait au caractère du grand-duc que le mariage avait assagi mais qui n'en était pas moins resté frivole et inconstant, sujet à des élans imprévus. Pourtant, c'est une famille heureuse que le pays eut sous les yeux : huit enfants, six garçons – Nicolas, Alexandre, Vladimir, Alexis, Serge, Paul – et deux filles – Alexandra et Marie – naquirent en peu d'années. Alexandra mourut à l'âge de sept ans, et Marie fut l'enfant la plus chérie du couple et de la fratrie. L'empereur était comblé et s'attacha tout particulièrement à l'aîné de ses petits-fils, Nicolas, ainsi nommé en son honneur et que l'on appelait familièrement Niks, à qui il passait ses caprices tout en s'efforçant de le guider avec douceur. À l'exception de Paul Iᵉʳ, nul souverain Romanov n'avait pu jusqu'alors s'enorgueillir d'une si grande famille ni d'un si grand nombre d'héritiers mâles. L'avenir de la dynastie était bien assuré.

En dépit d'un perpétuel état de fatigue, la grande-duchesse accomplissait parfaitement les tâches qui lui incombaient, faisait preuve d'une constante dignité, nécessaire parfois lorsque les frasques de son époux se multipliaient, et gagnait les cœurs par ses qualités. Elle était assez intelligente et s'intéressait – avec prudence, toutefois, soucieuse de ne jamais mécontenter le souverain – aux idées libérales.

Durant les années qui séparent son mariage de son accession au trône, l'héritier resta très proche de son père, proche aussi de sa femme, et jamais la Cour ne fut troublée par des drames familiaux. Les seuls événements qui attristèrent le souverain et les siens furent les disparitions de membres de la famille. 1847 fut à cet égard une année particulièrement sombre, puisque la mort frappa une fille de l'héritier, mais aussi le grand-duc Michel, dernier frère survivant du souverain, auquel il était, comme son fils, très attaché. Mais, entre joies et tristesses, les années qui précèdent la fin de Nicolas Iᵉʳ furent, pour Alexandre, celles d'un paisible bonheur familial et un temps de formation aux devoirs qui lui échoiraient un jour.

Un prince prêt à régner

À partir de 1840, Nicolas Ier associe son fils au pouvoir, même s'il ne lui délègue pas pour autant d'autorité réelle. Mais il le fait participer à toutes les instances gouvernementales et l'envoie hors des frontières non plus comme un jeune prince censé s'instruire de ce qu'il voit, mais comme représentant du souverain. Alexandre entre au Conseil d'État, au Conseil des ministres, en divers comités, tel celui des Finances, ou encore au Comité secret chargé de réfléchir au problème paysan. Après un temps d'observation, il devient membre de plein droit de toutes ces instances et prend une part active aux débats et décisions. Au vrai, ce « plein droit » est plus théorique que réel. Il se heurte au caractère despotique du souverain, habitué à trancher de tout et qui a grand mal à combiner la pratique solitaire du pouvoir avec son désir de préparer au mieux son héritier à régner. En outre, dans toutes les questions sensibles – telles celles du servage ou du contrôle intellectuel et politique de la société –, où l'héritier serait tenté de se montrer plus souple, la doctrine de son père est claire : il ne faut rien changer à l'ordre existant sous peine de pousser à la déstabilisation qui menace toujours.

Les événements qui vont secouer l'Europe, le retour des révolutions confortent Nicolas Ier dans la doctrine que son ministre des Affaires étrangères, Nesselrode, avait définie : « La menace révolutionnaire en Europe oblige la Russie à défendre le pouvoir partout. » 1848 lui apporte confirmation de la justesse de sa politique. La Russie doit être la forteresse contre laquelle se briseront les vagues révolutionnaires et d'où partira la reconstruction de l'Europe sous le signe de l'absolutisme royal. Dans ces conditions, les velléités d'interventions réformatrices – timides, au demeurant – de l'héritier sont sans effet.

Néanmoins, sa présence dans certains comités n'est pas inutile à la préparation du futur souverain. Il y apprend la situation réelle des divers gouvernements[1]. Il accompagne son père dans quelques voyages à travers le pays, et, cette fois, il ne s'agit plus pour lui de découvrir des monuments ni d'assister à des fêtes, mais de rencontrer ceux qui, sur place, détiennent l'autorité et exposent au souverain les problèmes qu'ils doivent résoudre, lesquels touchent toujours au lancinant problème de la paysannerie ou encore sont liés à une agitation persistante.

Pour compenser ses frustrations – car Alexandre est conscient de la nécessité d'apporter des changements dans le pays –, l'empereur le charge de le représenter à l'étranger : il ira ainsi à Vienne porter ses félicitations à l'empereur François-Joseph qui a maté la révolte hongroise et rétabli l'ordre public avec l'aide de Paskiévitch, le « pacificateur » de la Pologne. Mais Alexandre apprécie surtout les fonctions militaires qui lui reviennent. À la mort du grand-duc Michel, il accède à celles qu'exerçait son oncle dans l'armée : il est nommé commandant des régiments de la Garde et des Grenadiers et assume la responsabilité de tous les établissements d'enseignement militaire. Il prend aussi la tête de deux comités militaires, l'un pour les problèmes d'organisation, l'autre pour ceux des armements et équipements. En 1842, alors que Nicolas Ier effectue un voyage officiel, l'héritier est chargé d'assurer un véritable intérim du pouvoir. Le souverain est

---

1. Il s'agit des provinces de Russie (en russe : *goubernia*).

ainsi attentif à mettre son fils en valeur dans toutes les instances du pouvoir, et en divers rescrits et manifestes il souligne le rôle qu'il joue à ses côtés, ne manquant jamais de le louer publiquement.

En 1850, il décide d'envoyer le grand-duc au Caucase. La guerre contre les mürides de l'imam Chamil [1] y battait son plein depuis deux décennies, et la puissante Russie n'arrivait pas, en dépit des immenses moyens déployés, à réduire les montagnards. Cette guerre fut en fait une effroyable tuerie. L'expédition de l'héritier sur le front du Caucase eût pu se terminer tragiquement. Loin d'un père autoritaire qui toujours décidait pour lui, Alexandre, qui aimait la vie militaire, les parades, mais aussi les exercices, ne voulut pas, sur ce front si exposé, être réduit, comme il l'était d'habitude, au rôle de spectateur. Il voulut prendre réellement part à cette guerre interminable, prépara une opération contre un fort situé dans la montagne tchétchène, se heurta à la résistance d'un détachement montagnard qu'il réussit à disperser, et le poursuivit au cours d'une dangereuse chevauchée. Les troupes de l'héritier l'avaient emporté, mais, dans ce combat hasardeux, la vie d'Alexandre se trouva menacée à diverses reprises. Instruit de cet exploit, Nicolas Ier le rappela aussitôt dans la capitale, le décora de la croix

---

1. La guerre du Caucase avait commencé dès le début du XIXe siècle, les tribus montagnardes refusant de reconnaître l'autorité russe dans la région que la soumission de la Géorgie à la Russie en 1801 y avait instaurée. Le 25 septembre 1829, à peine signé le traité d'Andrinople, Nicolas Ier donne mission au comte Paskiévitch de prendre le contrôle total de la région : « pacification pour toujours des peuples de la montagne ou destruction de ceux qui refuseront de se soumettre ». La guerre totale était alors engagée de part et d'autre.

de Saint-Georges, mais décida qu'en dépit de son incontestable courage et du désir qu'il manifestait de rester au front, le grand-duc ne devait plus être ainsi exposé. La Russie avait besoin de garder son héritier.

Le retour dans la capitale signifiait la fin d'une activité indépendante qui avait permis à Alexandre de donner libre cours, un temps, à son énergie toujours bridée, et de manifester des qualités qu'il ne trouvait guère à employer sous la houlette paternelle. Pourtant, le cours de sa vie allait bientôt changer et il allait pouvoir mettre à profit tous les enseignements qu'il avait reçus depuis des années. En 1853, Nicolas Ier se souvint fort opportunément qu'il était garant de l'ordre dans le monde, garant aussi du sort des chrétiens des Balkans et même de Palestine. Et ce fut la guerre de Crimée.

C'est alors qu'Alexandre fut appelé à soutenir l'action paternelle. Les régiments de la Garde furent envoyés au combat. Mais, les défaites décimant l'armée russe, Alexandre se vit confier la tâche quasi impossible de rassembler des troupes de réserve à propos desquelles son père écrira au prince Menchikov : « Celles-là arrivées, il ne nous reste plus rien à envoyer. » Il se rendit aussi à Sébastopol pour y constater que le port, fleuron de la Russie sur la mer Noire, garant de sa puissance, était en passe d'être conquis par l'ennemi. Il fallut rendre compte de la situation à son père et le préparer ainsi au désastre final. Ce fut peut-être, dans les relations du père et du fils, le moment le plus intense, celui où l'empereur, aux portes de la mort, désespéré, incapable de réagir, remit implicitement à son héritier le soin de gérer une situation catastrophique. Épuisé, malade, le souverain décida, contre l'avis de son médecin, de passer en revue les derniers renforts qu'il pouvait envoyer en Crimée. La journée était glaciale, un vent puissant balayait la ville, mais Nicolas Ier s'obstina à accomplir ce dernier geste. Ensuite, terrassé par le mal dont on l'avait menacé – une pneumonie –, il se prépara à la mort ; mieux encore, il alla à sa rencontre, car il ne voulait pas survivre à l'effondrement de l'univers auquel il avait toujours cru, celui d'une Russie puissante, parce que restée elle-même, mais vaincue par l'Europe plus moderne qu'il avait tant méprisée. Il pouvait mourir, maintenant que son fils était prêt à lui succéder. Tous ses efforts avaient porté sur la formation de l'héritier, nul n'était davantage instruit des affaires de son pays et de celles du monde qu'Alexandre. Et nul, pensait l'empereur mourant, n'était plus imprégné de la conception du pouvoir qu'il jugeait nécessaire à la Russie : le pouvoir absolu. Nul ne saurait mieux préserver ce pouvoir, il en était convaincu, que son héritier bien-aimé. Il pouvait donc mourir en paix.

CHAPITRE III

Que faire ?

Mourant, Nicolas Ier enjoint à son fils et héritier de « tout tenir ». Ce testament recouvre et résume les idées fondamentales qui président au système politique russe et sa volonté de puissance extérieure. Formé par son père à ces idéaux, fils loyal, Alexandre II est attentif à cet ultime message ; mais il est devenu l'empereur, et la Russie qu'il doit gouverner n'est pas semblable – ou ne l'est plus, il le sait – à celle qu'a voulu préserver son père. Depuis les premières décennies du siècle – le coup d'État de 1825 l'a montré –, des hommes nouveaux sont apparus, tandis que le pays lui-même connaît une véritable révolution culturelle.

L'éducation des hommes nouveaux

Catherine II avait légué à son petit-fils et héritier voulu, qui deviendra Alexandre Ier, la certitude que le progrès de l'éducation commandait toutes les réformes et aiderait à résorber le retard russe. Venu au pouvoir en 1801, Alexandre s'empressa de mettre en pratique un vaste programme destiné à élargir le champ d'action du système scolaire et universitaire. Le ministère de l'Instruction[1] qu'il créa en 1802 avait pour tâche de mettre en place une école primaire supérieure par district, un établissement secondaire par chef-lieu de province, une université par circonscription. Lorsque Nicolas Ier succède à son père, le bilan du ministère est brillant. La Russie compte alors six grandes universités – Moscou, Vilna[2], Dorpat, Saint-Pétersbourg, Kazan et Kharkov, les trois dernières fondées par Alexandre Ier. Il faut y ajouter une université pour le grand-duché de Finlande, et deux grands instituts dus à des initiatives privées : l'école de droit Demidov, à Iaroslavl', et un institut d'histoire à Néjine. L'enseignement secondaire dispose de quarante-huit grands lycées d'État, et trois cent trente-sept écoles primaires supérieures préparent les élèves à poursuivre leurs études. Enfin le grand lycée impérial de Tsarskoïe Selo a aussi été fondé par Alexandre Ier.

Sans doute ce système restait-il bien insuffisant. Première faiblesse : il tentait d'aller de pair avec l'organisation sociale de la Russie et de maintenir chaque catégorie sociale dans le niveau d'enseignement approprié à sa condition. Pour préserver ainsi les barrières sociales, maintes mesures furent adoptées : frais de scolarité élevés, certificats de « congés » imposés aux élèves des classes inférieures vivant en ville ou dans les villages pour pouvoir s'inscrire dans un établissement secondaire. Les enfants de serfs ne devaient recevoir

---

1. Le mot russe *prosvechtchenie* (« instruction ») vient de *svet* : « lumière ». On retrouve la même origine pour *Aufklärung* et *Aufklärer* qui s'appliquent aux penseurs des Lumières. Il recouvre *éclairer* et *instruire*, avec un sens spirituel implicite.

2. Après la révolte polonaise de 1830, l'université de Vilna fut fermée et remplacée par une université implantée à Kiev.

que l'éducation qui leur serait utile, c'est-à-dire du niveau élémentaire. De surcroît, le gouvernement de Nicolas Ier avait imposé un strict contrôle de l'orthodoxie politique des enseignements dispensés et des comportements des élèves et étudiants aussi bien que de leurs maîtres.

Pour autant, le progrès accompli dans la première moitié du XIXe siècle est considérable. Les universités disposent d'une large autonomie qui leur permet de combattre les contrôles tatillons du ministère. Leur statut, adopté en 1835, améliore notablement la condition matérielle des professeurs, et un effort semblable est accompli pour les maîtres du secondaire et du primaire. Les bibliothèques se multiplient, des étudiants sont envoyés apprendre à l'étranger. Nicolas Ier, s'il fut attentif à contrôler le système éducatif, s'employa tout autant à en élever la qualité et les moyens. En 1835, la première chaire d'histoire russe est fondée à l'université de Moscou, et l'historien Mikhaïl Pogodine nommé à sa tête.

L'exigence de qualité chère à Nicolas Ier permettait certes de limiter l'accès à l'enseignement supérieur selon des critères sociaux, mais l'université se trouva peu à peu débordée par le progrès intellectuel de classes plus modestes que la noblesse, première destinataire de son enseignement. La conséquence probablement la plus importante de ce progrès fut l'élargissement du nombre de ses bénéficiaires. En 1825, l'élite intellectuelle, on l'a vu, était une noblesse nourrie de l'esprit des Lumières. Mais cette noblesse éduquée était encore peu nombreuse. Dans les années qui suivent la répression, ses rangs s'élargissent, et nombre de nobles reprennent le flambeau d'une réflexion critique sur la Russie que le massacre de 1825 semblait avoir éteint. Quand, en 1831, on représente la pièce de Griboïedov, *Le Malheur d'avoir trop d'esprit*[1], c'est tout le paradoxe de la noblesse qui est mis en scène avec cruauté. Le héros, Tchatski, est certes l'« homme de trop », celui qui montre les ridicules et l'inutilité de la haute noblesse russe. Il suggère dans le même temps le conflit des générations qui s'annonce, et pose de manière implicite la question qui va hanter les élites durant tout le reste du siècle, soit pendant près de soixante-quinze ans : que faire ? Dès ce moment, aux comploteurs minoritaires et clandestins des années 1820 vont succéder des groupes toujours plus nombreux d'aristocrates qui se réuniront en petits cercles (*kroujki*[2]) pour débattre de l'avenir de la Russie en proposant des solutions contraires et souvent extrêmes.

Lorsque, en 1855, Alexandre monte sur le trône, le débat commence à s'élargir à de nouveaux milieux : des cohortes d'« hommes nouveaux » viennent l'enrichir et généralement le radicaliser.

L'âge d'or de la culture russe

La première moitié du XIXᵉ siècle fut, pour la Russie, malgré le despotisme de Nicolas Iᵉʳ, un véritable âge d'or. D'abord pour la littérature qui – Pouchkine en est le symbole – connut un véritable apogée, marqué par le triomphe d'une langue moderne allégée, fluide,

---

1. En russe *Gore ot uma*. La pièce était achevée dès 1824. Mais elle ne put être représentée que tardivement, avec de nombreuses coupures, tant la critique de la noblesse y était virulente.
2. Pluriel de *kroujok*, petit cercle, diminutif de *kroug*.

d'une incomparable richesse. L'influence du romantisme qui domine alors en Europe se fait sentir dans la poésie où Joukovski, dont on n'a fait jusqu'à présent qu'évoquer le rôle d'éducateur du futur Alexandre II, produit une œuvre poétique remarquable par sa musicalité, sa légèreté, la variété des formes qu'il utilise. Et sans se réclamer expressément du romantisme, les plus grands écrivains russes – Pouchkine, Lermontov, Gogol – en sont marqués. C'est aussi le moment où paraissent les premiers ouvrages de Tourgueniev, de Dostoïevski, de Tolstoï. Combien d'autres auteurs s'illustrent alors, tels Constantin Aksakov et le fabuliste Krylov qui pouvait rivaliser avec Ésope et La Fontaine.

Si des duels ont très tôt privé la Russie de Pouchkine (tué en 1837) et de Lermontov (1841), l'œuvre qu'ils ont laissée à leurs contemporains est immense et a servi de repère aux générations suivantes. Déjà ces deux immenses génies montraient la voie de la contestation qui caractérisera toute la seconde moitié du siècle. Lermontov n'a cessé, durant sa si courte vie, de combattre le monde qui l'entourait. À l'opposé de ce poète toujours révolté, à la différence de Pouchkine qui, dans une Russie revendiquant sa spécificité, en incarnait le visage européen, Gogol, qui se livra à la plus accablante dénonciation de la société russe dans *Les Âmes mortes* ou *Le Revizor*, chercha le salut dans la spécificité russe, soutenant qu'il était bon de conserver les paysans serfs dans l'ignorance, ce qui choqua profondément les Russes lettrés dont il était.

Avec la littérature, la science progressait elle aussi en Russie grâce à un mathématicien de génie, Nicolas Lobatchevski, qui élabora une géométrie non euclidienne ; le laboratoire d'astronomie le plus moderne du monde, construit à Poulkovo en 1839, attira tous les astronomes d'Europe et des États-Unis ; les sciences physiques et les sciences naturelles étaient de même en avance sur l'état des sciences dans le reste de l'Europe. Enfin, l'historien Karamzine fut le premier savant de sa discipline à atteindre un public populaire, ce qui lui permit de propager parmi ses compatriotes, dans sa monumentale *Histoire de l'État russe* tout à la fois savante et d'accès plaisant, ses certitudes politiques. La grandeur de la Russie reposait, pensait-il, sur l'autocratie et un État fort, ce qui interdisait de toucher à l'un et à l'autre. Karamzine avait averti le souverain qu'il ne pouvait partager son pouvoir avec la noblesse, sous peine de voir disparaître l'État, comme ce fut le cas de la Pologne livrée sans défense aux intérêts de ses voisins. Quant à abolir le servage, cela revenait à dresser contre lui la noblesse.

Il est sans doute paradoxal que la Russie ait pu combiner un système politique autoritaire, toujours enclin à interdire toute idée ou manifestation de l'esprit propre à encourager le dissentiment, voire la révolution, et cette explosion intellectuelle à nulle autre pareille. Ce qui est nouveau, dans cette période, c'est qu'une culture littéraire si brillante, un mouvement musical qui, partant de Glinka, annonce Rimski-Korsakov, Moussorgski, Tchaïkovski et Stravinsky, de si grands progrès scientifiques s'opèrent non comme, auparavant, dans l'ombre de la culture européenne et sous son influence, mais de manière autonome. Dans cette première moitié du siècle, la Russie voit enfin surgir ses propres élites, nourries de ses traditions, capables de contribuer au progrès général de la culture occidentale au lieu d'en dépendre.

Cet âge d'or de la culture russe, porté par la noblesse, témoigne que celle-ci change et qu'en son sein apparaissent des hommes nouveaux. C'est aussi le temps des idées nouvelles. La Russie découvre l'héritage de la révolte décembriste.

Slavophiles et occidentalistes

Au début du XIXe siècle, la franc-maçonnerie offrit un cadre à la réflexion des élites ; elle joua un rôle éducateur évident dont les héros de 1825 étaient les produits. Après leur échec et la réaction qui s'installe, les Russes cultivés débattent interminablement dans les salons, loin des oreilles de la IIIe section, des problèmes fondamentaux de leur pays. Ce n'est plus le temps des Lumières, les philosophes français sont dépassés ; l'heure est au romantisme et à la philosophie idéaliste allemande. Si les Russes lisent passionnément Schiller et d'autres auteurs romantiques, leur réflexion se nourrit surtout de Schelling et de Hegel.

Le premier à développer une pensée nouvelle propre à mobiliser les cercles intellectuels est Piotr Tchaadaev[1]. Franc-maçon, proche des décembristes, Tchaadaev avait voyagé en Europe après l'échec de 1825. Rentré en Russie, cet occidentaliste convaincu livre ses vues dans une *Lettre philosophique* que publie en 1836 *Le Télescope*. La réaction à ce texte est immédiate. « C'est un fou ! » proclame le souverain, qui fait aussitôt saisir le numéro portant le texte, interdit la revue et exile son rédacteur en chef.

Herzen, pour sa part, salue l'émergence d'une pensée proche de la sienne, et l'apparition de ce texte

---

1. Jeune officier, Tchaadaev (1794-1855) avait combattu les armées napoléoniennes et son épopée avait été louée par Pouchkine.

étonnant comme un « coup de feu éclatant dans les ténèbres ». Pour Tchaadaev, l'histoire de la Russie est une pure aberration, car ce pays, considère-t-il, n'a ni passé, ni présent, ni avenir. Elle n'a pas de place dans l'univers historique, puisqu'elle n'est ni d'Occident ni d'Orient, et n'a jamais contribué à la civilisation. Elle n'a d'autre leçon à apporter à l'Occident qu'un avertissement : elle peut lui montrer les dangers mortels inhérents à une telle spécificité.

Pourtant, Tchaadaev complétera peu après ce sombre diagnostic en le nuançant dans l'*Apologie d'un fou*. S'il reste convaincu que la Russie n'a pas de passé, il ne peut s'accommoder d'une absence de futur. Tout au contraire, il tire de cette absence d'histoire la certitude que c'est là, peut-être, la chance de la Russie. Que l'expérience des pays occidentaux peut, sur ce terreau vierge, assurer un développement si rapide que la Russie en viendra à les dépasser tous. Et qu'en dernier ressort, c'est elle qui offrira des réponses à l'Occident. La ligne de partage entre un passé inexistant et les considérables potentialités que Tchaadaev prête à la Russie se situe dans l'œuvre de Pierre le Grand, dont Herzen écrit qu'il a ouvert la voie à Pouchkine. Et Tchaadaev d'écrire à Tourgueniev : « Un jour viendra où nous serons le centre intellectuel de l'Europe. » Pour cet esprit brillant, l'un des plus remarquables précurseurs de la pensée russe moderne, la Russie doit se frayer un chemin entre deux voies également périlleuses : suivre l'Occident ou rejeter le modèle qu'il lui propose. La réponse à ce dilemme est malaisée à trouver. La Russie, pense Tchaadaev, doit rester elle-même tout en assimilant tout ce qui a permis à l'Occident de progresser.

À la lecture de la *Lettre philosophique*, c'est le mot folie qui a surgi dans l'esprit du souverain. Placé sous surveillance médicale pour le contraindre au silence, Tchaadaev en a profité pour approfondir sa pensée. Elle va influencer profondément la réflexion des slavophiles, qui se développe en Russie à partir de 1840 et va proposer une solution propre à la question de l'idée nationale.

Le gouvernement de Nicolas Ier et la droite avaient alors adopté la doctrine nationale développée par le comte Ouvarov, pour qui le système russe reposait sur la trilogie orthodoxie, autocratie, génie national *(narodnost')*[1]. Ce dernier élément était, selon lui, la caractéristique du peuple russe, ce qui scellait son union avec le pouvoir autocratique. Le débat sur la Russie, sur sa nature, le jugement porté sur l'œuvre de Pierre le Grand, modernisateur de la Russie, l'occidentalisant ou détruisant sa spécificité et son génie, mobilisent alors les cercles intellectuels et les cours dispensés par les historiens.

Au premier rang de ceux qui vantent l'idée russe, Mikhaïl Pogodine, né en 1800 dans une famille modeste de Moscou, incarne déjà l'intelligentsia non aristocratique, les *raznotchintsy*[2] qui, dans les années 1830-1840, viennent prendre part au grand débat russe. Slavophile mais loyal à l'autocratie, Pogodine combine dans sa réflexion trois éléments constitutifs, selon lui, du génie national russe : l'héritage de Byzance, c'est-à-dire le christianisme et la primauté du

---

1. *Narodnost'*, de *narod* (« peuple »), proche de l'allemand *Volksgeist* ou *Volkstum*, se traduit par « génie national ». Ouvarov lui-même le définissait ainsi pour Nicolas Ier : « Nécessité d'être russe par l'esprit. »

2. Composé de *razno*, « divers », et *tchin*, « le rang ». Ce mot rend compte de la diversité des origines sociales qui vont progressivement former la nouvelle élite.

pouvoir temporel ; l'apport de Pierre le Grand et la réforme du pays ; enfin le rôle de la noblesse, qui ne tire pas son autorité d'un droit féodal mais du service de l'État.

À l'opposé, Timofei Granovski, fils d'un propriétaire terrien ruiné, autre *raznotchinets*, fut invité, après des études à Saint-Pétersbourg et en Allemagne, à enseigner l'histoire à l'université de Moscou. Ses cours publics commencés en 1843 ont rencontré un succès immédiat et Herzen a demandé le droit de les publier. Son enseignement, comme celui de Pogodine, débat toujours du même problème : l'idée russe, mais il est porteur d'une conception occidentaliste de l'histoire. Alors que Chevirev, proche de Pogodine, mais qui enseigne la littérature, s'efforce de démontrer que la littérature russe puise son inspiration dans les tréfonds de l'histoire russe, et non pas au temps de Pierre le Grand.

L'idée nationale restera pourtant intimement liée au pouvoir ; elle ne suffit pas à nourrir le débat philosophique engagé sur la nature de la nation et sur celle de la Russie. C'est à cela que veut répondre la pensée slavophile, portée par Khomiakov, Kirievski, Aksakov, Odoïevski et Samarine. Les slavophiles vont constituer un groupe de pensée très actif qui se réunit à partir de 1840 dans divers salons moscovites. Influencés comme toute leur génération par la pensée allemande, ils l'ont cependant interprétée, assimilée, réélaborée à leur manière en « véritable théologie », dira fort justement Nicolas Berdaiev.

Les slavophiles étaient plutôt moscovites, de grande culture, aristocrates érudits ou propriétaires fonciers, ce qui, au temps du servage, n'était pas sans peser sur leur réflexion. Les chefs de file de cette école de pensée

avaient tous des compétences particulières qui leur
permettaient d'apporter une véritable contribution au
débat général. Alexis Khomiakov était théologien, ses
multiples curiosités allaient de l'histoire à la médecine
et à des inventions de pure technique. Ivan Kirievski
était le philosophe du mouvement ; il s'attacha à montrer l'unité d'une pensée russe fondée sur l'universalité
de l'orthodoxie. Il constata que cette particularité
entraînait, chez les Russes, un système de pensée glo-
bal où vie et pensée, vie intellectuelle, vie publique et
vie privée étaient totalement intriquées. Pierre Kirievski, frère d'Ivan, n'écrivait pas, mais participait à la
réflexion commune. Constantin Aksakov, écrivain
réputé, note à propos du projet des slavophiles qu'ils
ont « exalté la vocation historique et spirituelle de la
Russie en tant que représentante de l'Orient orthodoxe et de la tribu slave ». Iouri Samarine, qui jouera
un rôle important dans l'émancipation des serfs, a
consacré des ouvrages à divers sujets religieux et philosophiques, mais surtout aux réformes à venir. Enfin,
Vladimir Odoïevski, dans *Les Nuits russes*, récits ponc-
tués de dialogues philosophiques, développe la
conception nationale des slavophiles : « Le XIXe siècle
appartient à la Russie », écrit-il. Il insiste sur la jeunesse et la pureté de ce pays face à une vieille Europe
épuisée qui attend d'elle son salut.

Tous les slavophiles étaient d'accord pour affirmer
la supériorité de la Russie orthodoxe sur la Russie
impériale et sur l'œuvre de Pierre le Grand, qu'ils
déplorent. Le Tchaadaev de la *Lettre philosophique*
n'est pas loin. Ils accusent Pierre le Grand d'avoir
imposé, à un peuple dont la vocation était religieuse,
le pouvoir de l'État alors qu'à leurs yeux le pouvoir en
soi est pervers. Le peuple est naturellement uni dans

la *sobornost'*, communauté de croyants soudés, dans un esprit de liberté et de solidarité qui est l'essence même de l'orthodoxie, écrit Khomiakov, mais que le pouvoir détruit. Le pouvoir, celui de Pierre le Grand notamment, est d'essence occidentale : c'est le christianisme romain organisé et rationnel qui s'oppose à l'esprit de l'orthodoxie, porteur d'harmonie, de paix, de solidarité et d'amour.

Les slavophiles en appellent aux institutions russes du passé, la communauté paysanne *(mir)* et l'assemblée de la terre *(zemskii sobor)*. Ces instances premières représentaient, tout comme la famille, une vie sociale idéale, ignorant tout pouvoir extérieur. Mais, partant de ces prémices, les slavophiles aboutissent à des conclusions contradictoires. Anarchistes dans leur condamnation du pouvoir, ils sont revenus à une conception plus traditionnelle de l'organisation sociale en constatant que l'homme était trop faible pour vivre par lui-même, qu'un gouvernement lui était nécessaire, que l'autocratie était préférable aux systèmes occidentaux. S'ils acceptaient ainsi le pouvoir total du souverain russe, c'est parce que, seul porteur du poids des contraintes, il en assumait seul la responsabilité et donc la culpabilité, laissant le peuple libre de poursuivre son destin spirituel.

Les slavophiles plaidaient tous pour l'émancipation des serfs et pour des réformes politiques garantissant la liberté de parole et d'expression. Leur position était en définitive cohérente : s'ils acceptaient par nécessité un gouvernement, ils souhaitaient qu'il s'ingérât le moins possible dans la vie du peuple qu'ils pensaient assez sage pour décider seul de tout ce qui le concernait. Pour la liberté du peuple, contre la bureaucratie et ses empiètements sur cette liberté : leur propos était clair. Le pouvoir ne pouvait accepter un tel programme et n'hésita pas à saisir les publications des slavophiles, dont la liberté d'expression fut longtemps en butte à la censure et à l'interdiction.

Les occidentalistes, amis des Lumières, n'étaient pas moins utopistes, à leur manière, que les slavophiles. À la Russie idéale et pure de ces derniers ils opposaient un Occident idéal, propre à servir de modèle à la Russie pour la moderniser et lui permettre de prendre part à l'histoire commune. Contrairement aux slavophiles qui étaient presque tous issus de la noblesse, les occidentalistes annonçaient déjà la différenciation sociale qui va caractériser les hommes nouveaux de la génération suivante, celle des années 1860. Si Bakounine était d'origine noble, Belinski était fils d'un médecin pauvre. Slavophiles et occidentalistes se référaient à la philosophie idéaliste allemande et tiraient d'elle leur vision de la Russie et leurs propositions. Mais les premiers en concluaient à la spécificité russe et à la nécessité de construire l'avenir sur ce fondement. Les seconds prenaient l'Occident pour indispensable modèle. Au demeurant, les occidentalistes étaient divisés sur les problèmes religieux et sur la possibilité d'adapter la voie occidentale à la Russie, même si tous s'accordaient à saluer l'œuvre de Pierre le Grand comme point de départ de sa modernisation. Vissarion Belinski, critique réputé, qui exerça une grande influence sur la vie intellectuelle de son pays, affirmait que le peuple russe devait être un peuple athée, en dépit de son amour pour le Christ des miséreux. Idéaliste au départ, il évolua, dans les dernières années de sa vie, vers les positions politiques radicales exposées dans sa *Lettre à Gogol* qui circula dans toute la Russie. « Nos slavophiles, y écrit-il, m'ont bien aidé à rejeter la foi mystique dans le peuple. Où et quand le peuple s'est-il libéré tout seul ? Cela s'est toujours fait au travers de personnes. »

Cette *Lettre à Gogol* va, après la mort de Belinski en 1848, être lue dans les cercles radicaux et devenir le manifeste d'une jeunesse subversive. Dostoïevski s'en imprégnera. Sans doute certains occidentalistes étaient-ils plus modérés, prônant une évolution politique progressive et une éducation plus poussée pour le peuple. Parmi ces libéraux modérés, généralement croyants, figure Nicolas Stankevitch, proche de Bakounine, qui ne partageait pas son athéisme agressif, ou encore le professeur Granovski. Mais c'est Herzen qui donnera au courant occidentaliste sa dimension politique concrète, transformant un débat d'idées en mouvement orienté vers l'action révolutionnaire.

Avant d'en venir à Herzen, on ne peut laisser dans l'ombre le courant des disciples de Fourier qui réunit, à partir de 1845, un petit groupe autour d'un fonctionnaire du ministère des Affaires étrangères, Mikhaïl Petrachevski. Celui-ci rassemblait des fonctionnaires et des hommes de lettres dans son salon et prônait la transformation de la société en petites communautés autosuffisantes. À la vision utopique d'une société communautarisée, harmonieuse et pacifique par les seules vertus d'une telle organisation, Petrachevski ajoutait l'opposition systématique au régime politique russe. Et comme il était convaincu du bien-fondé de l'enseignement fouriériste, il installa dans son domaine un phalanstère destiné à ses paysans, lesquels s'empressèrent de l'incendier. Préfiguration du drame que vivront, deux décennies plus tard, les populistes.

Si Nicolas Ier se contentait de faire surveiller les cercles slavophiles et occidentalistes, d'interdire leurs publications, il était plus effrayé par Petracheveski et ses disciples, même si leur projet politique n'était pas toujours aisé à déchiffrer. Toujours est-il qu'il sévit impitoyablement contre eux. Les membres de ce groupe furent arrêtés et condamnés à mort, leurs peines commuées à la dernière minute. Dostoïevski fut du lot. Durant le procès, Petrachevski plaida que les phalanstères permettaient de combiner l'indispensable révolution sociale, le servage et l'autocratie. Les *petrachevetsy* représentaient déjà une nouvelle couche sociale de l'intelligentsia : avec eux, ce ne sont plus les nobles qui dominent ; les membres de ce groupe sont en majorité des fonctionnaires de moyen niveau, des étudiants et des officiers de rang inférieur. Il attire tout à la fois des sympathisants lucides, comme Dostoïevski, peu convaincu que les idées de Fourier soient applicables à la Russie, et les partisans d'une révolution radicale, comme Spiechnev qui sera le modèle de Stavroguine dans *Les Démons* du même Dostoïevski.

Nicolas Ier était effrayé par les diverses conceptions de l'avenir de la Russie agitées par tous ces groupes, mais il l'était davantage encore par les implications des idées des slavophiles pour la politique étrangère de la Russie. Aux yeux de ceux-ci, le fait *slave* était une préoccupation centrale. Pour eux, les Slaves partageaient la même pureté ethnique originelle. Les chantres russes de la spécificité slave se faisaient ainsi les avocats de la notion de *slavité*, donc de la solidarité entre tous les Slaves. Bakounine exhortera l'empereur à prendre la tête du mouvement de libération slave dont ce dernier ne voulait entendre parler à aucun prix, car, pour lui, les Slaves étaient naturellement trop portés à la révolte. En prenant la tête des Slaves,

« je prendrais la tête d'une révolution », commenta le
souverain. Il était d'autant plus hostile à de telles
conceptions qu'il voyait la Pologne se soulever en
1830, l'Ukraine où la confrérie de Cyrille et Méthode,
fondée par Kostomarov et Chevtchenko, cherchait à
fonder la liberté et la souveraineté du peuple ukrainien
sur son passé et sa spécificité, comme les slavophiles
faisaient pour le peuple russe. Quel ferment de subver-
sion ! constatait Nicolas Ier, préférant opposer aux
vertus slaves la doctrine nationale élaborée à son intention par son ministre Ouvarov.

Herzen et la déception occidentale

Dès la fin des années 1830, le romantisme et la
philosophie idéaliste allemande perdent du terrain en
Russie tandis que le socialisme se fraye lentement un
chemin grâce à l'intelligentsia dont les rangs tendent
à s'élargir et le propos à se radicaliser. Herzen en est
le plus remarquable représentant.

Au fond de son cœur, Herzen était un occidentaliste. Il admirait l'Occident, en rêvait, et vint s'y installer une première fois en 1847. Né en 1812, il était
issu, comme la plupart des slavophiles, d'une famille
noble moscovite, mais il était enfant naturel ; son père
le reconnut et l'éleva. Lorsqu'il s'exile, il est déjà un
journaliste réputé en Russie. Avec des amis, dont son
double, Nicolas Ogarëv, il a participé dans les années
précédentes à la création d'un petit groupe inspiré par
les idées de Saint-Simon. En 1834, le groupe entier a
été arrêté et Herzen emprisonné et exilé dans le Nord-
Est de la Russie, à Viatka. En relégation, il a écrit,
réfléchi à l'avenir russe, mis l'accent sur l'œuvre

accomplie par Pierre le Grand. Il a étudié l'idéalisme allemand, le XVIIIe siècle, les encyclopédistes, et adopté finalement les idées du socialisme français de Fourier et Leroux, tout en clamant son admiration pour George Sand.

Il rêvait de révolution. Il est à Paris lorsqu'elle se déclare, en 1848. Jusqu'alors, il n'avait pensé qu'à l'individu écrasé par le système dans lequel il vit, et cela l'a conduit vers les socialistes français. Mais ce qu'il voit en Occident l'effare : la révolution, et sa défaite. Il constate que des traits négatifs qu'il pressentait – le mercantilisme, un esprit petit-bourgeois – caractérisent les socialistes français et plus généralement les socialistes occidentaux. Bourgeoisie et mercantilisme ont toujours été honnis en Russie. Du coup, la réflexion de Herzen s'infléchit, se tourne à nouveau vers la Russie, rejoint pour partie celle des slavophiles. Dans son pays, en dépit de la nature despotique du système, l'esprit bourgeois est absent et le monde paysan détient peut-être les clés de l'évolution du pays. Herzen, qui a déjà effleuré ce problème dans les années 1830, au cours de discussions avec les populistes, qui admirait sans partager leurs vues des personnalités telles qu'Aksakov, Khomiakov, Samarine, s'en rapproche.

Il y est aidé par les travaux d'un chercheur allemand, Haxthausen [1], qui, partant de l'étude de quelques villages russes et de leurs coutumes, s'est enthousiasmé pour tout le système. Les recherches du savant confirment de manière scientifique l'existence

---

1. August Haxthausen publie en 1847 en allemand *Étude des relations internes de la vie populaire et plus particulièrement des institutions rurales en Russie.*

et l'importance d'un mode et d'un cadre de vie russes particuliers, l'*obchtchina* ou *mir*, qui, pour les slavophiles, est la preuve même de la spécificité russe et l'expression du sens de l'égalité de la société. Herzen et à sa suite les occidentalistes en tirent la conclusion que le paysan russe est socialiste par nature. Plusieurs décennies plus tard, Marx et Engels partageront cette conviction et écriront : « La propriété communautaire russe moderne de la terre peut être le point de départ du développement communiste. » Cette réflexion sur l'importance de la commune paysanne dans l'évolution souhaitable de la Russie conduit Herzen à réviser son jugement sur l'Europe, sur laquelle il porte un regard foncièrement pessimiste, et sur les potentialités d'une Russie propice à toute innovation. Jugement tranché : « Nous sommes moralement plus libres que les Européens, écrit-il, et ce n'est pas seulement parce que nous sommes libérés des grandes épreuves à travers lesquelles se développe l'Occident, mais aussi parce que nous n'avons pas de passé qui nous enferme. » Et pour ce qui est de l'avenir : « Je ne crois en Russie à aucune révolution autre qu'une guerre de paysans. » Ici, la *commune paysanne* lui apparaît comme le moyen de libérer le paysan du noble et de l'État, et de le prémunir contre le besoin. Elle peut aussi lui apprendre à s'autoadministrer : « Pourquoi la Russie perdrait-elle sa commune rurale, puisqu'elle a su la conserver pendant toute la période de son développement politique, puisqu'elle la garde sous le joug pesant du tsarisme aussi bien que sous l'autocratie à l'européenne des empereurs ? »

Ayant ainsi soumis à un réexamen d'ensemble les illusions des occidentalistes et des slavophiles, Herzen en vient, au terme de cette réflexion née de sa déception de 1848, à conclure que le socialisme peut se développer en Russie à partir des traits spécifiques de l'ordre social russe, et que l'heure est à un nouveau type de révolutionnaire qui se consacrerait au peuple. Ce disant, il ouvre la voie au populisme, qui va marquer une nouvelle génération. À Londres où va le conduire son exil et où il va se mêler à des émigrés italiens et surtout polonais, aussi déçus que lui par les échecs de 1848, il va développer sa réflexion politique. Il dispose dès cette époque d'un instrument de propagande, *La Libre Imprimerie russe à Londres,* qui, dotée de caractères cyrilliques, lui permet de publier et diffuser en russe des textes qui vont animer un milieu intellectuel paralysé par les contrôles du pouvoir. Il y pose le problème de l'émancipation des serfs et en appelle à la noblesse pour que, de son propre mouvement, elle renonce à ses privilèges, sous peine de voir soudain se lever contre elle une paysannerie révoltée. La liberté et la terre aux paysans : telle est, selon lui, la voie du salut pour la noblesse. Herzen l'invite à suivre l'exemple de la noblesse française dans la nuit du 4 août 1789.

Quand commence la guerre de Crimée, Herzen est déchiré. Défendre la Russie signifie défendre l'oppresseur du paysan ; c'est ce qu'il tente d'expliquer aux troupes russes stationnées en Pologne, les seules avec lesquelles il soit en contact. Mais il n'a guère confiance dans les puissances européennes ; il est convaincu que leur intention n'est pas d'abattre l'autocratie, ni même simplement de pousser l'autocrate à se réformer. Alors, qu'attendre de la guerre ? Il se tourne vers les forces subversives de la Russie, espérant qu'elles sauront profiter de la faiblesse militaire de l'Empire qu'il a tôt fait de constater. C'est en Russie même, dans la volonté de liberté, la conscience collective des paysans, que peut résider le salut, pense-t-il, et il va le crier au cours d'un meeting tenu à Londres, auquel assistent tous les grands noms de l'émigration : Victor Hugo, Louis Blanc, Mazzini, Karl Marx, Kossuth. Quelques jours après, Nicolas Ier meurt, et Herzen, emporté par l'enthousiasme, pense que le fil de l'histoire va être renoué avec 1825, et que les trente années terribles qui viennent de s'écouler vont laisser place à un bouleversement total dans son pays.

Il fonde alors l'*Étoile polaire*, revue au titre symbolique, puisque repris d'un organe créé par des décembristes au début des années 1820. De son exil, il en appelle à celui qui va monter sur le trône, car il est convaincu que la défaite et l'avènement d'un nouveau souverain doivent conduire à la rupture si longtemps attendue. En 1855, il imagine cette rupture en termes de coopération historique entre l'intelligentsia et le nouveau tsar, il convie à l'œuvre commune tous ceux qui se sont épuisés depuis près de trois décennies à chercher la voie du progrès russe, qu'ils soient slavophiles ou occidentalistes, car seul compte à ce moment l'accord sur l'abandon de l'autocratie. Il va se consacrer un temps à mobiliser par ses écrits l'intelligentsia qu'il entend placer à l'avant-garde du combat. Et pour mieux atteindre tous ceux qu'il veut associer à cet immense projet, il ajoute en 1857 à l'*Étoile polaire* une autre revue dont le retentissement sera considérable, *Kolokol* (la Cloche).

Le géant Bakounine

Dernier personnage et non des moindres parmi cette pléiade intellectuelle qui, en Russie ou en exil, a voulu, en comprenant le passé et le destin russes, assurer la transformation du pays : Mikhaïl Bakounine. De deux ans plus jeune que Herzen, issu lui aussi de la noblesse, son enfance s'est passée dans un milieu certes libéral, mais où le discours tenait lieu d'action. Après avoir reçu comme la plupart des jeunes nobles une éducation militaire, puis s'être morfondu dans une ville de garnison en Lituanie, il se lie avec Stankevitch qui lui fait découvrir la philosophie allemande, avant tout Hegel. Mais, pour Bakounine, c'est Fichte qui détient les réponses aux questions qui le hantent. Il quitte rapidement l'armée pour participer aux petits cercles moscovites où gravitent les amis de Stankevitch, de Belinski, de Granovski, et tente de trouver son propre chemin dans la réflexion sur la philosophie de l'histoire.

Déjà, il impressionne ceux qui le côtoient, tel Belinski, par son tempérament puissant et un orgueil qui ne l'est pas moins. Avec l'aide de Herzen, il émigre en Allemagne, puis en Suisse, et dans son activité de publiciste développe ce qui va devenir la doctrine de l'anarchisme.

On ne saurait assez dire combien cet aristocrate proche des slavophiles, des hégeliens, de Belinski et de Herzen, est un personnage hors du commun. Il est tout à la fois représentatif de l'intelligentsia des années 1840 et, en même temps, il ouvre la voie à la pensée et à l'action radicales des années 1870. C'est un véritable intellectuel, mais aussi un homme d'action qui prend part à toutes les révolutions. Auparavant, il aura développé une conception du destin russe et un projet qui n'appartiennent qu'à lui. Dès 1842, à peine arrivé dans cette Allemagne dont les philosophes avaient un moment retenu son attention, il tourne le dos à la philosophie pour se consacrer, il l'écrira lui-même, aux hommes, à leur avenir, à une activité pratique. Il méprise la théorie, qui, dit-il, freine l'action. À Paris où il s'installe ensuite, il est aussitôt accueilli par un cercle d'intellectuels et de politiques qui débat sans fin de la révolution : George Sand, Proudhon, Louis Blanc, Jules Michelet, autant dire la plupart de ceux qui vont être les acteurs en vue de la révolution de 1848. Et il y rencontre Marx qui, avec ses compagnons d'exil, entend rassembler les socialistes allemands autour d'une publication, *Vorwärts*. Paris est, à la veille de 1848, le lieu où se retrouvent exilés allemands et russes. Marx jette sur ces derniers un regard étonné, lourd d'un certain sentiment de supériorité. Les nobles russes lui semblent bien fantasques dans leur enthousiasme révolutionnaire. Mais ce n'est pas Marx qui sera l'interlocuteur privilégié de Bakounine. Celui-ci préfère les socialistes français et polonais aux Allemands, et c'est de Proudhon qu'il se sent le plus proche. Tous deux soupçonnent les Allemands d'assaisonner le socialisme de tendances despotiques.

Le gouvernement russe fait surveiller Bakounine et craint tant cette forte personnalité qu'il lui ordonne de rentrer au pays. Bakounine y oppose un net refus, ce qui lui vaut d'être privé de ses droits et de sa dignité de noble en 1844. Il est menacé d'être, à son retour, condamné aux travaux forcés en Sibérie et de voir ses biens confisqués. Indigné, il publie alors en Occident un grand article pour y informer la société de la réalité des relations entre un pouvoir despotique et la noblesse. Il y déclare que le peuple russe, pour asservi qu'il soit, est prêt à la révolte. Et que, dans la noblesse, une partie de la jeunesse, gagnée aux idées libérales, est disposée à participer à l'œuvre d'émancipation des paysans : « Ils suivent avec amour les progrès de la civilisation et de la liberté en Europe, et se donnent toutes les peines du monde pour se rapprocher du peuple... Ils se cherchent mutuellement dans cette nuit profonde, dans cette atmosphère empoisonnée par l'esclavage, la délation et la crainte qui les enveloppent et les isolent. »

Mais Bakounine ajoute que s'il espère voir cette fraction de la noblesse « agir non *comme* nobles, mais *quoique* nobles », pour la cause de la liberté, il craint cependant que, par faiblesse, sous la pression de tout son milieu, cette jeunesse ne se corrompe. Il multiplie tant les déclarations, les manifestations et les appels à la révolte en Russie que le gouvernement russe obtient enfin son expulsion de France. Après un séjour à Bruxelles, il y reviendra pour participer à la révolution de Février dont il dira « que ce furent ses jours les plus heureux ».

Son activité en 1848, en France puis en Allemagne[1], lui vaut, après maintes péripéties et maints procès, d'aller chercher asile en Suisse d'où le gouvernement russe obtient enfin, en mai 1851, que le « criminel d'État » lui soit livré. Il est enfermé à la forteresse Pierre-et-Paul, et c'est là qu'il écrit à l'intention de l'empereur une étonnante confession, document que lui a suggéré de rédiger le comte Orlov, qui dirige la IIIe section. Bakounine y expose ses vues de politique intérieure et étrangère, et propose un programme de transformation de la Russie qui rejoint les vues exposées au début des années 1820 par Pestel

---

1. Arrêté en mai 1849 pour sa participation active à la révolution de Dresde, il est condamné à mort en 1850, remis à l'Autriche, de là réfugié en Suisse, enfin livré à la Russie.

dans la *Vérité russe*, puis, plus tard, par Herzen. Comme eux, Bakounine pense que la Russie n'est pas faite pour s'accommoder d'un système politique modéré et parlementaire à l'occidentale ; qu'elle doit composer avec son caractère extrême, spécifique, et avec une histoire dont le cours a été si particulier. Nicolas Ier lut le document avec attention, l'annota, et le remit à son héritier en lui disant : « Lis-le. C'est fort curieux et fort instructif. »

En effet, n'était-il pas étrange qu'un tel texte soit adressé à son geôlier par un prisonnier jugé dangereux ? Que le prisonnier y traitât son geôlier en égal, le conseillât, et que Nicolas Ier lût cette confession comme si elle émanait d'un égal, véritable dialogue de pair à compagnon ? Ce n'est qu'en Russie qu'une relation si insolite entre le maître d'un empire attaché à le conserver et celui qui entendait le détruire a pu ainsi s'établir.

Pour autant, la curiosité ne conduit pas Nicolas Ier à l'indulgence. Bakounine passera trois ans dans la forteresse Pierre-et-Paul, puis sera transféré dans la forteresse de Schlüsselbourg [1], de sinistre mémoire. Le tsar Ivan VI, « le prisonnier numéro un », n'y avait-il pas été enfermé en 1746 par l'impératrice Élisabeth, et assassiné en 1764 par un gardien au cours d'une tentative d'évasion sous le règne de Catherine II ? Bakounine sera ensuite exilé en Sibérie, et Alexandre II n'étant pas plus disposé que son père à faire montre de clémence à son égard, il ne lui restera plus que le

---

1. Schlüsselbourg était connue au début du XVIIIe siècle sous le nom de Noteburg, forteresse que les Suédois avaient arrachée à Novgorod. En 1702, elle fut conquise par Pierre le Grand qui lui donna le nom de Schlüsselbourg, qu'elle conserva par la suite.

recours à l'évasion, qu'il réussira en 1861. Décidément, Bakounine, dont Nicolas Ier avait lu avec tant d'intérêt la confession, effrayait !

Les idées qu'il développe dans son exil et dans la *Confession* expliquent la peur qu'il inspire aux deux souverains, et leur volonté continue de l'écarter de toute activité politique. Sans doute, sur le plan international, son discours pouvait-il à certains égards convenir à Nicolas Ier. Pour Bakounine, la Russie doit en effet obéir à son destin propre et être consciente que l'Occident peut se révéler menaçant. Nicolas Ier y puise des arguments pour étayer ses propres conceptions en politique étrangère : la Russie doit user de sa puissance pour se défendre et assurer dans le même temps la préservation de l'ordre établi dans une Europe dangereusement séduite par les idées révolutionnaires.

Cette convergence apparente dans le jugement porté sur l'Europe par le révolutionnaire Bakounine et le souverain conservateur n'est en réalité que le fruit d'un malentendu. Ce qu'on a appelé le panslavisme de Bakounine dépassait les problèmes spécifiques aux Slaves. S'il en appelle aux sentiments nationaux des Slaves qui se manifestent si fortement, en 1848, en Pologne et en Bohême, ce n'est pas pour le nationalisme qu'ils portent en tant que tel, mais pour qu'ils viennent en soutien aux mouvements révolutionnaires. Tel est le sens de son *Appel aux Slaves*, publié à Leipzig en 1848. La *Fédération slave* qu'il évoque dans le même temps est elle aussi destinée à unir les peuples slaves dans une entreprise révolutionnaire ; la fédération n'est donc pas le but ultime, elle est le moyen de l'action révolutionnaire. Au demeurant, Nicolas Ier se méfiait, on l'a déjà dit, du panslavisme, qu'il interprétait, à l'inverse de Bakounine, comme un instrument au service des nationalismes slaves que la Russie ne pourrait utiliser à son profit.

Dans cette *Confession* dont la sincérité doit d'ailleurs être mise en doute au vu des lettres qu'il envoie dans le même temps à sa famille, Bakounine exprime sa déception devant les échecs révolutionnaires de 1848. « Les jours heureux » ont tourné pour lui au cauchemar au vu de l'effondrement des révolutions auxquelles il a cru. Il n'espère plus rien de l'esprit révolutionnaire européen. Qu'attendre d'une Europe qui, après un moment de griserie révolutionnaire, s'est soumise à ses maîtres d'hier ? Comme Herzen après 1848, il ne croit plus à la capacité révolutionnaire de l'Europe, pas même à celle de la France où il a tant attendu d'un Proudhon et d'un Louis Blanc. Du coup, c'est en Russie que, comme d'autres, il va trouver l'espoir en misant sur les chances de transformation radicale de son pays.

Cet accent mis sur la Russie et ses aptitudes révolutionnaires s'explique aussi, chez Bakounine, par sa détestation de l'Allemagne que ses relations difficiles avec Marx ont renforcée. Il avait donné pour titre à un ouvrage de jeunesse *L'Empire knouto-germanique et la révolution sociale*. Pour lui, les socialistes allemands, Marx en tête, sont par nature attachés à l'État et à l'organisation. Bakounine considère au contraire que c'est dans les profondeurs de la société que gît l'énergie capable de transformer le monde. À cet égard, nulle société ne lui semble plus apte que la société russe, l'histoire l'a montré. Les grandes révoltes paysannes qui ont secoué périodiquement la Russie témoignent de la capacité révolutionnaire du moujik. Le paysan russe est toujours prêt à suivre ceux qui l'invitent au soulèvement, que ce soit Stenka Razine ou Pougatchev, parce que, contrairement aux Allemands, il n'a aucune conscience étatique, aucun sens de l'organisation. En revanche, le moujik est caractérisé par une conscience insurrectionnelle constamment prête à se manifester.

Bakounine se méfiera toujours de l'inconstance révolutionnaire des élites, mais il espère néanmoins que, fascinées par l'humeur naturellement révolutionnaire du peuple russe, elles sauront se rallier à lui et soutenir sa lutte. Et il écrit plus tard : « Aussi bien, un des principaux devoirs de la jeunesse révolutionnaire est-il d'établir coûte que coûte et par tous les moyens possibles un lien vivant de révolte entre les communautés rurales. La tâche est difficile, mais pas impossible : l'histoire nous montre qu'au temps des Troubles [...], lors des révoltes de Stenka Razine et de Pougatchev, de même qu'au temps du soulèvement de Novgorod, les communautés rurales s'efforcèrent d'établir de leur propre chef ce lien salutaire. »

Les paysans, mais aussi l'*obchtchina*, l'organisation communautaire de la paysannerie, sont donc, aux yeux de Bakounine, les composantes essentielles de la révolution à venir. Car « les paysans ne disent pas la terre de *notre* maître, mais *notre* terre. Ainsi le caractère de la révolution sociale est déjà marqué, il tire ses racines du caractère même du peuple et de son organisation en *obchtchiny*. La terre appartient à l'*obchtchina*, le paysan a seulement le droit de l'utiliser ». C'est cette organisation si spécifique à la Russie qui devait, selon lui, conférer un caractère social à la future révolution russe.

On comprend aisément que les appels de Bakounine à de nouveaux Pougatchev aient pu sembler suffisamment inquiétants au souverain pour qu'il ait pris un si grand soin à l'enfermer dans des forteresses de sinistre réputation. Parmi toute l'élite intellectuelle qui débattait sans fin de l'avenir de la Russie, le révolté Bakounine, avec son rejet de toutes les structures organisées, a certainement été perçu comme le plus dangereux, l'ennemi qu'il fallait à jamais écarter du peuple russe. Nicolas Ier et ses collaborateurs entrevoyaient déjà, derrière son discours, l'anarchisme qui allait si profondément marquer la Russie des années à venir.

Avec l'appel passionné de Bakounine à l'opposition et à la révolte contre toute forme d'ordre et de soumission se clôt une période de l'histoire intellectuelle russe ouverte par les conspirateurs de 1825. Entre l'insurrection de la place du Sénat et l'année 1855, trois décennies se sont écoulées, durant lesquelles l'effervescence intellectuelle n'aura cessé de grandir, préparant déjà des propositions plus radicales et plus violentes. Tout aura commencé avec l'enthousiasme constitutionnel de jeunes nobles utopistes, peu conscients encore de la nécessité pour tout mouvement protestataire de disposer d'une base sociale. Parce qu'ils ignoraient cette exigence politique, les conjurés de 1825 l'avaient payé de leur vie. Les leçons qu'en tira pour sa part le successeur d'Alexandre Ier expliquent l'évolution ultérieure du régime russe et celle du mouvement qui s'oppose à lui. Le durcissement politique, la défiance à l'égard des élites, caractéristiques du règne de Nicolas Ier, ne laissaient guère de chances à une opposition organisée. C'est pourquoi, en face de ce pouvoir replié sur lui-même, qui avait établi un système de censure très strict et inscrit dans le Code criminel de 1832 que toutes suggestions ou tentatives visant à limiter l'autorité du souverain ou à modifier le mode de gouvernement constituaient des crimes contre l'État, aucune opposition n'était à même de s'organiser. L'intelligentsia qui va naître de ce temps que Lamartine a si heureusement qualifié pour la Russie d'« immobilité du monde » a été le produit d'une situation ne laissant place à la réflexion qu'au sein de groupuscules. Où débattre ? Où se réunir sans tomber sous le coup des interdits du pouvoir, si ce n'est dans ces petits cercles qui vont se multiplier dans les deux capitales, Moscou et Pétersbourg, dans les universités et certains salons ?

Leur naissance a été favorisée par les progrès de l'éducation voulus par le souverain et par une évolution sociologique de l'élite qui en bénéficie. Longtemps l'éducation de la noblesse fut confiée à des maîtres privés, puis aux écoles de formation d'officiers, l'université attirant surtout les rejetons des couches moyennes de la société : clergé, petits fonctionnaires, marchands, paysans libres. Ce sont eux que l'on appela les *raznotchinsty* ; l'université leur conféra une certaine identité commune et le moyen de trouver leur place dans une société ultra-hiérarchisée. Mais, à la fin des années 1830, l'université connaît un changement social. La noblesse commence à s'intéresser aux études supérieures et envoie ses enfants à l'université de Moscou où ils se mêlent aux *raznotchinsty*, partagent les mêmes préoccupations et se retrouvent finalement au sein de petits cénacles de discussion autour des grandes figures intellectuelles slavophiles ou occidentalistes.

Ainsi, en une dizaine d'années, de 1830 à 1840, les contours sociaux de ce que l'on appelle l'intelligentsia, c'est-à-dire les Russes cultivés insatisfaits du monde dans lequel ils vivent, préoccupés d'y trouver des solutions, se modifient. La noblesse, qui, en 1825 et au début des années 1830, constituait cette élite, s'ouvre à ceux qu'elle croise sur les bancs des universités. Un trait remarquable de l'intelligentsia qui se constitue alors et s'élargit socialement est qu'elle ne se définit que par son esprit de révolte, ses interrogations, et non par quelque lien social. Elle n'est pas un groupe social, encore moins une classe sociale ; elle est un état d'esprit, une communauté d'inquiétudes, refusant le monde auquel elle appartient et en quête de solutions.

Un autre trait caractéristique de cette élite est la liberté de ses débats, détachés de toute capacité d'action. L'intelligentsia est isolée de l'ensemble de la société : par prudence, d'abord, car sa réflexion se situe aux marges de la criminalité telle que la conçoit le pouvoir, et parce qu'elle est consciente d'être dans l'incapacité d'agir. De là ces interminables discussions dont, plus tard, le théâtre de Tchekhov sera rempli.

Dans ces cercles condamnés à la clandestinité, les intellectuels débattent à l'infini des problèmes russes, et d'abord de celui qui hante tous les esprits depuis le XVIIIe siècle : le servage. Au regard du serf, toutes les autres couches de la société sont privilégiées, et le maintien de ce privilège apparaît au XIXe siècle comme un scandale social, voire, plus encore, comme un scandale moral. En ces années de la fin du règne de Nicolas Ier, plus que politique, la réflexion de l'intelligentsia est morale, marquée par un profond sentiment de culpabilité et par la certitude qu'il faut en payer le prix. Culpabilité, rachat : quelles que soient les convictions religieuses de l'intelligentsia, les termes du débat qui la rassemble sont empreints de religiosité, ils traduisent une vision apocalyptique de l'histoire russe et appellent des solutions extrêmes.

L'intelligentsia russe, toutes tendances confondues, partage ce sentiment. À la fin des années 1850, elle entend passer du discours à l'action, s'engager aux côtés de la paysannerie dont elle fait un symbole quasi sanctifié. La voie est ouverte à des actions extrêmes, préparées par une pensée qui devient d'autant plus radicale qu'elle n'a pu jusqu'alors se traduire en actes. Mais que disparaisse le despote, que le système s'infléchisse, et l'intelligentsia pourra transformer sa révolte en action. Cette évolution est d'autant plus prévisible que son élargissement continu fait entrer dans ses rangs, au tournant des années 1860, des hommes de moindre culture et de moindre envergure intellectuelle, parfois plus cyniques, qui vont contribuer à la transformation qui s'annonce.

CHAPITRE IV

L'abolition du servage

Nicolas Ier, gendarme de l'Europe, celui que l'on nomme partout le Despote, s'éteint dans son palais, le 14 février 1855, en présence des siens, ayant fait ses adieux à chacun d'eux. À son fils aîné et héritier, il dit dans un dernier souffle : « Je voulais, ayant pris sur moi tout ce qui était difficile et pénible, te laisser un pays en paix, organisé et heureux. La Providence en a décidé autrement. »

Pourtant, au moins sur un point, la Providence se montra clémente avec l'héritier qui recueillait ce testament : la succession était pour une fois paisible, légale, sans l'ombre de querelles ni de contestations, ce qui, pour celui qui montait sur le trône, constituait une chance inédite. Tout se passa selon les règles qui n'avaient presque jamais été observées en Russie. Sitôt la mort du souverain annoncée, Alexandre lui succéda. Le Manifeste du 15 février annonça qu'Alexandre était empereur et que son fils aîné, le grand-duc Nicolas Alexandrovitch, âgé de treize ans, était son héritier. Cette succession si normale était garante de la stabilité du régime à l'heure même où, comme l'avait reconnu l'empereur défunt, le temps des difficultés s'ouvrait devant Alexandre II.

Un bonheur n'arrivant jamais seul, le nouveau souverain eut la joie de trouver au sein de sa famille le soutien inespéré de son frère cadet, Constantin. Celui-ci avait souvent fait figure de rival, par le passé, car il était plus brillant, plus léger peut-être que son aîné, et parfois plus populaire. Mais il prêta sans hésiter serment de loyauté à Alexandre II en déclarant : « Je veux que tout le monde sache que je suis le premier et le plus fidèle de tes sujets. » Dès cet instant, la concurrence qui avait assombri les relations entre les deux frères se trouva éteinte, et le grand-duc Constantin Nicolaievitch devint le plus ferme appui de son aîné, l'aidant de toute son énergie et de son esprit éclairé à s'engager dans les réformes que le pays attendait.

C'est ainsi que, dès le lendemain des funérailles de Nicolas Ier, le grand-duc suggéra que la Russie devait être réformée sans délai. Car le bilan que les deux frères avaient sous les yeux était effroyablement éloquent : un Trésor public épuisé, une armée dévastée, des armements désuets, une flotte à vapeur, jadis joyau de la Russie, impuissante à rétablir l'équilibre des forces. Et quel fossé avec l'Europe dont la Russie se prétendait membre ! Le servage persistant, alors que le reste du continent n'en gardait pas le souvenir ; les châtiments corporels toujours en usage, qui depuis longtemps avaient été abolis ailleurs ; une corruption qui ravageait les tribunaux et le monde des fonctionnaires à tous les échelons et qui, pour tout Russe éduqué, était un sujet de honte. Face à cette situation, le grand-duc Constantin suggéra au souverain d'annoncer une rupture radicale avec l'ensemble du système. Mais, bien qu'il fût d'accord sur la justesse du bilan établi, Alexandre II se montra plus pondéré : « Il est vrai que nous sommes confrontés à une faillite générale, dit l'impératrice Marie, interprète de son impérial époux ; mais il nous faut respecter un temps de silence pour préserver la mémoire de notre père. Érigeons-lui un monument, ensuite nous commencerons les réformes. »

Le monument sera érigé sur la place Saint-Isaac – à proximité de la place du Sénat où Nicolas Ier avait brisé les décembristes – et inauguré en 1859, mais la Russie était alors déjà engagée dans l'immense changement préconisé quatre ans plus tôt par Constantin.

Le dégel

Bien avant la disparition de Nicolas Ier, tous les esprits libres de Russie déploraient que le mensonge fût au cœur du système. Déjà Pogodine, pourtant peu suspect d'être un opposant, avait conseillé à Nicolas Ier de « chasser le mensonge délétère du trône et d'y installer la vérité dure et nue », et Valouev, alors gouverneur de Courlande, notait que « l'organisation de l'État russe repose sur le mensonge officiel à tous les niveaux ». Ce mensonge avait sans doute contribué à aveugler le souverain sur l'état réel de son pays, en attendant que la défaite de Crimée fasse voler en éclats toutes les illusions.

Alexandre II avait été associé au pouvoir dans l'ombre d'un père qu'il respectait, et il n'avait pu, jusqu'en 1855, exprimer ses doutes, s'il en avait. N'étant pas l'héritier, le grand-duc Constantin, son journal en atteste, avait toujours été plus lucide et plus libre de ses réflexions. À l'heure même où commence son règne, c'est l'honnêteté intellectuelle qui va l'emporter chez Alexandre II, même s'il pense qu'un temps de décence s'impose avant une vraie rupture ; mais il est conscient qu'il faut reconnaître le désastre, accomplir l'œuvre de vérité que, depuis des années, Khomiakov, Aksakov et combien d'autres réclament à cor et à cri. D'emblée, malgré les sentiments de respect et d'affection qu'il conserve pour la mémoire de son père, malgré l'éducation reçue, censée faire de lui une copie conforme de Nicolas Ier, il n'hésite pas à s'engager dans la voie de la vérité, du parler vrai, de la *glasnost'* qu'un siècle et demi plus tard un autre réformateur russe, Gorbatchev, mettra à la mode. Et, tout en s'employant à arrêter la guerre, à négocier une paix honorable, il multiplie les dispositions clémentes qui, mieux que tout discours, témoignent que la rupture est engagée.

En l'espace de quelques mois, le pays constate que l'atmosphère répressive qui a caractérisé le règne précédent connaît de nets infléchissements. L'entrée dans les universités, soumise à de sévères contraintes, se libéralise et les étudiants sont à nouveau autorisés à partir pour l'étranger. La censure, qui pesait sur tous les écrits, est allégée et nombre d'œuvres jusque-là interdites sont enfin publiées. Dans le domaine religieux, les sectes en butte à des contrôles permanents sont libérées de ces mesures vexatoires, et l'Église catholique en Pologne bénéficie elle aussi de ces dispositions libérales. Le Manifeste du couronnement efface les arriérés d'impôts pour les sujets les plus pauvres de l'Empire et exonère de l'impôt les régions qui ont souffert de la guerre de Crimée. Ces exonérations fiscales s'étendent aussi aux Juifs. Enfin, une amnistie est proclamée pour tous les prisonniers ou exilés politiques, notamment les décembristes. Seul Bakounine sera exclu de ces mesures de clémence.

La paix proclamée, le souverain glisse dans le Manifeste qui l'annonce des phrases suggérant qu'au-delà de ces mesures partielles, un véritable changement est en vue, « avec l'aide de la Divine Providence... Puisse la prospérité de la Russie être renforcée et améliorée, la vérité et la clémence régner... Que chacun puisse, sous la protection des lois également justes pour tous et assurant à tous une égale protection, jouir de son labeur... ». Sans doute ne sont-ce là encore que des propos prudents témoignant d'intentions, certes bienveillantes, mais encore floues. Pourtant, les mesures de clémence adoptées et le Manifeste sont caractérisés par un ton et des orientations inédits. Amnistier ceux qui avaient été condamnés pour s'être opposés au système, prêter attention aux plus démunis ou aux marginaux (les sectes, les Juifs, voire les catholiques), évoquer des lois *justes pour tous* et l'égalité devant la loi : autant de dispositions et de propos qui condamnaient ouvertement l'esprit et la pratique du règne de Nicolas Ier, et montraient que son fils s'en éloignait déjà. Même si, à l'aube de son règne, Alexandre II a songé un instant à protéger la mémoire de son père, ses premiers actes en étaient la condamnation. Et, au-delà des actes, son discours de vérité fut compris de toute une société qui scrutait les premiers gestes du nouveau souverain et attendait beaucoup de lui.

Des changements de personnes dans son entourage encouragèrent aussi ceux qui espéraient en des temps nouveaux. Sitôt la paix venue, le ministre des Affaires étrangères, Nesselrode, dont le nom était lié à la défaite, céda sa place au prince Gortchakov. Peu après, le ministre de la Marine, le prince Menchikov, était remplacé par le grand-duc Constantin qui nourrissait de grands projets pour réformer la marine et corriger ses faiblesses ; mais il était avant tout connu pour ses idées libérales. À peine nommé, il appela auprès de lui des personnalités acquises aux idées du changement technique, mais aussi politique. Et l'on put très vite mesurer cette évolution à la lecture de l'organe du ministère – *morskoi sbornik* – qui, de revue consacrée aux problèmes maritimes, devint une publication politique où trouvaient place toutes les réflexions sur les problèmes de société et de pouvoir. Autour du grand-duc se rassemblèrent les libéraux appelés au gouvernement, et il devint le symbole et le porte-parole des projets de réforme.

C'est aussi dans son entourage que l'on propage un pseudo-« testament » oral de l'empereur mourant – en réalité apocryphe – qui aurait déclaré à son héritier : « J'avais deux projets : libérer les Slaves du joug turc et les paysans du pouvoir de leurs propriétaires ; j'ai échoué pour le premier, mais je te lègue le second. » La phrase a été certainement inventée de toutes pièces, mais elle était destinée à préparer ceux qui en appelaient à l'autorité du souverain défunt pour combattre les réformes à l'idée qu'il leur faudrait, en dernier ressort, les accepter et peut-être même participer à leur mise en œuvre.

Comme il est de tempérament prudent, Alexandre II soutient par moments le contraire. En mars 1856, il déclare ainsi aux maréchaux de la noblesse : « Le bruit court que j'ai l'intention d'annoncer l'émancipation de la paysannerie. Ce bruit est sans fondement... Cela viendra en son temps. Mais vous serez d'accord avec moi qu'il vaut mieux que cela vienne d'en haut plutôt que d'en bas. » Ces propos en apparence contradictoires ne sont pas ressentis comme tels dans la Russie de la fin des années 1850 ; et la raison en est claire : nul n'ignore que si la paysannerie retient son souffle dans l'attente non seulement d'une réforme, mais de l'éternel « grand partage » des terres, que si l'intelligentsia est attentive à tous les gestes du souverain, dans la noblesse, chez les possédants, à quelques exceptions près, l'idée de réforme agraire soulève d'avance une violente opposition. Les souverains qui y ont songé – Catherine II ou Alexandre Ier – n'ont jamais osé s'attaquer à la noblesse ni à ses privilèges. Et nul n'attend d'elle qu'elle accepte spontanément d'y renoncer dans une version russe de la nuit du 4 Août.

Pourtant, Alexandre II ouvre progressivement le débat et crée les instances qui permettront de passer des intentions aux actes. L'empereur est convaincu qu'en dépit des oppositions prévisibles, la Russie ne peut conserver le servage. Entre ses prédécesseurs et lui, en quelques décennies, ce n'est pas seulement la Russie, mais le monde qui s'est transformé. L'économie de marché s'impose peu à peu en Europe, la concurrence pour les débouchés croît, et le servage n'est guère adapté aux nouveaux besoins économiques du pays. S'ajoute à cela que la main-d'œuvre serve est peu qualifiée et rapporte peu à ses maîtres qui souvent s'appauvrissent, arrivent à peine à la nourrir. Le servage, l'empereur et ceux qui le suivent le savent, contribue, dans la deuxième partie du XIXe siècle, au retard économique de la Russie tout autant qu'à sa réputation déplorable dans le monde civilisé.

Réformer « par en haut »

Réformer le statut de la paysannerie imposait à l'empereur de faire face à deux menaces, l'une venant des couches privilégiées de la société russe qui auraient à payer le prix de la réforme, l'autre de ses bénéficiaires. Or Alexandre II ne pouvait ignorer combien la noblesse était attachée à ses biens et que, pour les protéger, elle était capable de se dresser contre celui qui les mettrait en cause. La longue histoire des révolutions de palais et des coups d'État en Russie était là pour lui servir d'avertissement. De l'autre côté – les nobles y insistaient –, la paysannerie émancipée risquait de devenir incontrôlable, ingouvernable, s'abandonnant à sa tendance naturelle à se soulever, à se rassembler dans de grandes équipées insurrectionnelles à travers le pays, telles celles qu'avaient jadis conduites Stenka Razine ou Pougatchev.

Pour faire face à ces deux périls ou les neutraliser, le souverain ne disposait que de peu de soutiens : son frère Constantin, qu'il va associer étroitement à l'élaboration de la réforme, et sa tante la grande-duchesse Elena Pavlovna[1]. L'impératrice, que sa générosité naturelle aurait pu rallier aux vues d'Alexandre, était plus réservée, peut-être parce que les problèmes russes n'étaient pas très aisés à comprendre pour une princesse allemande, peut-être aussi parce qu'à cette époque, le souverain s'intéressait d'un peu trop près à l'une de ses demoiselles d'honneur, la princesse Alexandra Dolgorouki, qui affichait des convictions ultra-libérales et soutenait bruyamment l'idée des réformes, ce qui irritait manifestement la jeune souve-

_____
1. Veuve d'un de ses oncles.

raine. Mais, en dehors du soutien de ses parents les plus proches, Alexandre II ne pouvait compter que sur la fermeté de ses intentions pour contraindre la noblesse à les accepter.

Quelques chiffres permettent de mieux comprendre les données du problème que le souverain avait à résoudre. La population totale de la Russie était en 1858 de 74 556 300 personnes dont la majeure partie (59 415 400) vivait en Russie proprement dite. La population paysanne se répartissait en serfs des domaines privés (20 173 000, dont 9 803 000 mâles), en serfs des domaines impériaux (2 019 000, dont 955 000 mâles), en travailleurs des mines et des usines qui avaient été à l'origine des paysans d'État (616 000, dont 299 000 mâles), et en paysans de l'État « donnés » aux usines privées (518 000, dont 241 000 mâles). Le problème de la réforme concernait au premier chef les serfs des domaines privés, ceux de l'État étant déjà libres.

Ce qui caractérise la démarche d'Alexandre II dans cette réforme, c'est la volonté d'y associer la noblesse, plus que réticente. Mais pouvait-il agir contre elle ?

Le 1er janvier 1857, un Comité secret fut créé, chargé de préparer la loi qui abolirait le servage. Avant cela, le souverain avait demandé à son ministre de l'Intérieur, le comte Lanskoï, une étude et des propositions pour une réforme, complétés par un tableau détaillé de l'évolution du servage depuis l'époque de Pierre le Grand. Lanskoï nourrissait des convictions libérales, mais il n'était guère capable de convaincre la noblesse de la nécessité d'une telle réforme, alors que c'est ce que l'empereur attendait avant tout de lui. De là la formation du Comité secret, au demeurant difficilement maniable. Le souverain le présidait et en confiait la charge, lorsqu'il était absent, au prince Alexis Orlov [1], aristocrate farouchement hostile à toute mesure de ce genre, comme d'ailleurs la majorité des membres du Comité. Seul Lanskoï y était favorable ; il était franc-maçon et vivait dans le souvenir nostalgique du sacrifice des décembristes. Mais il était bien isolé.

Des comités de réforme avaient aussi été créés dans les provinces, parallèlement au Comité secret, pour présenter des propositions qui devaient être transmises à une Commission de rédaction où siégeaient des représentants du gouvernement et des experts choisis par le ministre de l'Intérieur en raison de leurs positions favorables à la réforme.

Il revenait au Comité secret d'élaborer le projet final. Ses membres les plus influents – le comte Victor Panine, ministre de la Justice, le prince Gagarine, le prince Alexis Orlov qui en fut le président de 1858 à 1860, le comte Mikhaïl Mouraviev, ministre des Domaines d'État, qui avait pourtant été décembriste dans sa jeunesse – formaient un groupe soudé, décidé à empêcher toute réforme d'aboutir. Face à ces conservateurs, le grand-duc Constantin, qui relate dans son journal les conflits permanents au sein du Comité, et Lanskoï se retrouvaient toujours en minorité. Toute solution relevait donc en définitive de la volonté du souverain.

D'entrée de jeu, Alexandre II exposa les données du problème en se référant au mémoire préparé pour l'occasion par son ministre de l'Intérieur. Dans quelles conditions les paysans devaient-ils être affranchis : sans

---

1. Il s'agit de celui qui, siégeant au congrès de Paris, était alors comte Orlov. Alexandre II lui conféra le titre princier le 25 novembre 1856.

qu'on leur allouât des terres ou simplement avec leur *usadba*[1] ? Ou bien devait-on leur allouer des parcelles de terre en échange d'indemnités ? Le projet avançait très lentement, en dépit du rôle actif joué par le grand-duc Constantin au sein du Comité secret qu'il va présider par la suite. À la fin de 1857, la discussion piétine et l'empereur s'impatiente. C'est alors qu'arriva dans la capitale le gouverneur de Lituanie, le général Nazimov, porte-parole de la noblesse locale, qui demandait qu'on lui confiât le soin de préparer son propre projet de réforme. Ce zèle réformateur dissimulait en fait une préoccupation intéressée : la noblesse espérait, en prenant l'initiative de la réforme, faire entériner un projet d'émancipation des paysans sans allocation de terres, tel celui qui avait été appliqué dans les provinces baltes quelques décennies auparavant.

Conscient du piège qu'on lui tendait, Alexandre II promulgua un décret, dit *rescrit Nazimov*, chargeant celui-ci de convoquer des comités de la noblesse dans chaque province qu'il administrait (Grodno, Kovno et Vilno) pour préparer la réforme. Puis ces dispositions furent étendues à tous les gouvernements de Russie où les comités de la noblesse devaient se conformer, en élaborant leurs projets, aux vues du souverain. Dès lors, la réforme devint l'affaire de tout le pays. La censure, qui par le passé interdisait de traiter publiquement des questions du servage, n'empêchait plus le débat, et tout un chacun s'en empara. Non seulement

---

1. Le terme *usadba*, dont la définition a fait l'objet de très vives discussions au sein des commissions, recouvre la maison individuelle ou *izba*, les bâtiments d'exploitation, le terrain sur lequel se trouve l'ensemble, et une étendue variable de terrain contigu.

les membres de l'intelligentsia – Herzen rédige à Londres un article enthousiaste sur le tsar, et le *Kolokol*, qui le publie, circule librement en Russie –, mais aussi les élites conservatrices ne se privent pas de défendre leur point de vue avec véhémence.

Ce combat, commencé en 1857, va durer encore trois ans. Le 16 février 1858, le Comité secret est transformé en *Comité principal pour les questions paysannes*. Les projets dont la Commission de rédaction est saisie et dont elle fait la synthèse doivent lui être transmis puis être soumis en dernier ressort à l'approbation du Conseil d'État. La direction des travaux du comité principal avait été confiée par l'empereur à Iakov Ivanovitch Rostovtsev. Ce dernier, un décembriste, s'était repenti à la veille même du soulèvement de 1825, et avait averti Nicolas Ier du complot qui se tramait. À l'heure des réformes, il devient l'homme de confiance de l'empereur. Sa conviction personnelle était que l'on ne pouvait émanciper les paysans sans leur allouer des terres, et, soutenu par les partisans de la réforme, il en était venu à considérer que celle-ci devait donner aux paysans, au-delà des allocations initiales, les moyens de devenir propriétaires, donc de racheter des biens fonciers.

Tandis que Rostovtsev et le comité principal élaboraient un projet, les comités provinciaux préparaient de leur côté leurs propres propositions, souvent très différentes les unes des autres, en tenant compte des conditions particulières de la région (population, endettement des propriétaires), des traditions, mais aussi de la nature et du rendement des terres. À l'heure de la remise des rapports, trois conceptions s'opposaient : pour la première, les propriétés de la noblesse étaient inaliénables ; pour la deuxième, l'affranchissement ne pouvait s'accompagner que de l'octroi de l'*usadba* ; enfin, les commissions les plus généreuses proposaient que l'on allouât aux paysans les moyens réels de leur émancipation, en terres labourables, prairies et bâtiments. Au sein des commissions, on se disputait sur la dimension des parcelles et sur le délai accordé aux paysans pour obtenir la jouissance de la terre. Aucune décision ou proposition ne fut adoptée de manière unanime. Sur un point, cependant, toutes les commissions s'accordaient : l'octroi des parcelles devait se faire dans des conditions clairement établies. Mais, à partir de là, une nouvelle ligne de fracture apparaissait entre ceux qui souhaitaient un regroupement des parcelles distribuées et ceux qui ne voulaient en aucun cas voir modifier la répartition existante des terres.

Ces propositions désordonnées, souvent contradictoires, furent soumises aux commissions de rédaction qui avaient dû accepter au départ le principe de l'affranchissement des paysans avec attribution de terres. Ce principe était en accord avec la volonté clairement exprimée par Alexandre II que le paysan affranchi fût obligatoirement doté de terres labourables qui lui seraient données en pleine propriété. À l'été 1859, les représentants des commissions provinciales de la noblesse furent conviés dans la capitale pour présenter leurs travaux aux commissions de rédaction. Leurs propositions étaient généralement contradictoires, et ils avaient à affronter des rédacteurs dont les vues étaient, elles aussi, loin d'être univoques. À la veille de leur arrivée à Saint-Pétersbourg, Milioutine [1], nommé

---

1. Nikolai Alekseevitch Milioutine appela à lui des collaborateurs remarquables qui soutinrent son effort : Iouri Samarine,

adjoint du ministre de l'Intérieur Lanskoï en 1858, et partisan farouche de la réforme, avait rédigé un mémoire analysant les travaux et propositions des comités provinciaux et concluant au danger de voir se former de véritables partis parmi les députés convoqués à Saint-Pétersbourg. Ils y étaient conviés, rappelait fermement Milioutine, dont le rôle réformateur en cette ultime étape fut considérable, pour donner leur avis non pas sur le fond, puisque l'orientation tracée par l'empereur ne pouvait être discutée, mais seulement sur les conditions d'application de la réforme, compte tenu de la situation existant sur le terrain dans chaque province.

La modération de Milioutine, ses efforts pour rapprocher les diverses parties ne furent pas inutiles, car le combat faisait rage entre les partisans de la réforme, soutenus par le souverain et conduits au sein des commissions de rédaction par Rostovtsev, et ses adversaires, qui accusaient les réformateurs de vouloir ruiner la noblesse, conduire le pays à la révolte paysanne et à l'anarchie, et, plus grave peut-être encore, de préparer de façon sournoise le passage à une monarchie constitutionnelle. Ces opposants à la réforme doutaient d'ailleurs que l'empereur eût une position ferme et bien arrêtée, car ils le croyaient plus influencé par les libéraux de son entourage que personnellement convaincu de la nécessité de réformer. Et ils pensèrent un bref moment avoir raison.

Le 6 février 1860, Rostovtsev disparut, sans doute épuisé par une tâche trop lourde et par les attaques constantes portées contre lui par la noblesse. Pour le

Iakov Alexandrovitch Soloviev et le prince Vladimir Alexandrovitch Tcherkasski.

remplacer, Alexandre II nomma deux semaines plus tard à la tête des commissions de rédaction le comte Panine qui appartenait au groupe des plus ardents adversaires de la réforme. Tous les conservateurs, dont une grande partie de la noblesse, virent dans cette nomination une confirmation de leur espoir qu'Alexandre II, abusé par les libéraux, se reprendrait et redresserait le cours des événements. Maria Miliou-tina, épouse de Nikolaï, qui suivait avec attention ce débat, nota dans son journal : « Les aristocrates voyaient en Panine leur représentant le plus influent et leur protecteur, et la joie qu'ils éprouvèrent en apprenant sa nomination ne connut pas de limites. »

Sans doute Panine n'avait-il jamais dissimulé son hostilité au projet de réforme, mais, dans le même temps, il était respectueux des consignes données par l'empereur à la Commission de rédaction, qui n'ou-vraient la porte à aucune inflexion. Milioutine nota à ce propos : « Actuellement, pour Panine, le nom de Rostovtsev paraît sacré. Il suffit que l'on dise "Iakov Ivanovitch pensait ainsi" pour que Panine réplique : "Ah, si Iakov Ivanovitch le voulait ainsi, alors il n'y a pas lieu de discuter." » Le choix d'Alexandre II, qui paraissait de prime abord mala-droit et ambigu, se révéla vite d'une extrême habileté. Sans doute Panine tenta-t-il à quelques reprises d'éprouver la volonté du souverain en suggérant quelques infléchissements aux projets examinés. Ses tentatives ayant été repoussées, il s'installa dans une position d'attente que Valouev résumera de la manière suivante dans son propre journal : « Le comte Panine renvoie au Comité principal la lutte avec les *rédaction-nistes* ; s'il est décidé à combattre, dans l'intervalle il leur laisse la possibilité de développer le projet comme ils l'entendent. »

Mais, une fois encore, les instances chargées de la réforme furent modifiées et les illusions de Panine, s'il en avait quant à la liberté de manœuvre dont il pourrait disposer au sein du Comité principal, furent déçues. Le 10 octobre 1860, les comités de rédaction étant dissous, les projets de statut furent soumis à l'examen du Comité principal. Le souverain écarta le prince Orlov – brillant négociateur du congrès de Paris, devenu un conservateur obstiné – de la présidence du Comité et le remplaça par son propre frère, le très libéral et loyal grand-duc Constantin. Celui-ci – son journal en porte sans arrêt témoignage – batailla avec Panine pour imposer ses vues, c'est-à-dire celles de l'empereur. Au demeurant, il était vain, pour les conservateurs, de compter sur Panine pour les défendre, car il agissait en tenant compte de la situation dans laquelle il se trouvait et en fonction de son caractère qu'un fonctionnaire du ministère de l'Intérieur, Alexandre Ivanovitch Artemev, décrit ainsi : « Panine méprise toute la noblesse à l'exception de l'aristocratie, de la Cour et à l'exception de lui-même. Il est probable qu'il traitera [1] les intérêts des nobles de telle façon qu'ils gémiront ensuite bien plus encore qu'ils ne le firent du traitement que leur infligea Rostovstev. »

Dès lors, les événements vont se succéder à un rythme si rapide que la noblesse sera privée de toute possibilité de réagir. Le grand-duc Constantin fait pression sur tous. En moins de quatre mois, après une série de séances harassantes, l'empereur vient en

---

1. L'auteur de cette note emploie l'expression fort méprisante *ottraktovat'*, qui peut se traduire par traiter, négocier, manipuler.

personne présider la dernière, le 26 janvier 1861, et annonce qu'ayant invité la société russe à un débat libre et général, il entend que la conclusion en soit tirée dès le 15 février, soulignant d'ailleurs qu'il appartient au seul pouvoir autocratique de dire la loi. Le projet est aussitôt soumis au Conseil d'État et, après trois années de travail préparatoire et législatif intense, le Manifeste du 19 février 1861 proclamant la fin du servage est promulgué.

La réforme du 19 février 1861

La réforme de 1861 est constituée d'un ensemble complexe de textes : un Manifeste « octroyant aux serfs les droits des sujets ruraux libres » ; un statut général des paysans libérés du servage ; une loi sur le rachat des tenures paysannes ; une autre loi organisant l'administration des affaires paysannes ; un règlement d'application de la nouvelle législation agraire. Des textes complémentaires précisaient les règles générales applicables aux diverses régions de l'Empire et selon « les catégories de paysans ». L'ensemble de ces textes représentait trois cent soixante pages imprimées, vingt-deux dispositions légales distinctes, lois ou décrets, et une centaine de chapitres. On comprend mieux, au bout de ce long parcours réformateur, en quoi la décision d'Alexandre II d'y confier une place éminente au très conservateur ministre de la Justice avait été adroite. La nomination de Panine était apparue à la noblesse comme une véritable garantie de la modération de l'empereur. Et la noblesse fit confiance à sa capacité de résister aux réformateurs, ce en quoi elle s'illusionnait. Mais cette présence d'un adversaire

résolu des réformes au sein de la commission chargée
de la conduire à son terme neutralisa jusqu'à un certain point critiques et oppositions. Et lorsqu'il parut
avéré que Panine n'était là que pour apporter à la
réforme la caution d'un chef de file du conservatisme,
il était trop tard, le Manifeste était proclamé. En cette
occasion, pour la première fois peut-être de son règne,
Alexandre II, soupçonné souvent d'être peu « politique », avait démontré qu'il l'était infiniment plus
qu'on ne l'imaginait.

Le Manifeste fut lu au peuple par les prêtres dans
les églises ou sur leur parvis dans une atmosphère de
gravité, voire de perplexité. Les paysans comprenaient
qu'ils étaient libérés du servage, mais, s'ils en étaient
émus, le sens général de la réforme ne leur apparaissait
pas clairement. La perplexité, le doute accompagnèrent et tempérèrent les manifestations de joie. Ce
que les paysans comprirent, c'est qu'ils devenaient des
hommes libres, des agriculteurs disposant de tous les
droits civils. Et qu'ils recevaient la jouissance perpé-
tuelle de leur maison, ainsi que de l'enclos attenant.
Mais, à partir de là, se posait la question de la terre et
des conditions de son attribution, car, pour le paysan,
sans la terre, la liberté ne signifiait rien. Or le système
retenu paraissait bien complexe. Certes, le paysan
était bien doté des tenures qu'il avait déjà exploitées,
mais il devait les racheter au propriétaire à qui ces
terres appartenaient. En fait, la réforme – c'est ce qui
déconcertera les paysans et suscitera chez eux de vives
réactions de mécontentement, parfois même violentes – était conçue comme un processus en trois
temps. Le premier, celui qui fut mal compris lors de
la lecture du Manifeste, était un *temps de transition* de
deux ans, allant du 19 février 1861 à l'entrée en

vigueur des « chartes réglementaires », laps de temps pendant lequel le paysan, doté de tous les droits civils, restait soumis à la juridiction des seigneurs et devait être astreint aux mêmes charges – corvées et redevances – que par le passé. Puis venait le temps de la *dépendance temporaire* où les paysans et le seigneur négociaient directement, par contrat, l'étendue des terres allouées en jouissance collective à la communauté, et le montant des charges. Enfin venait le *temps du rachat* des terres collectives avec prêts d'État, ce qui mettrait un terme définitif au lien subsistant entre les paysans et leurs anciens maîtres. Tous les paysans deviendraient alors propriétaires, tandis que disparaîtraient les derniers vestiges de la domination seigneuriale.

Des *arbitres de paix* étaient chargés d'« examiner les plaintes réciproques qui pouvaient naître du maintien des liens de dépendance entre propriétaires et paysans », mais aussi les plaintes des propriétaires contre l'administration communautaire dans le cas où elle s'avérerait incapable de maintenir l'ordre public ou de faire remplir des obligations, enfin les doléances des paysans contre les propriétaires qui présenteraient des exigences excessives. Les arbitres de paix devaient aussi donner force légale aux accords passés entre propriétaires et paysans, et exercer les fonctions administratives que la réforme ôtait aux anciens propriétaires. La réforme, qui donnait un réel pouvoir à ces arbitres aux multiples fonctions, précisa insuffisamment comment ils seraient recrutés. Certes, ils devaient être issus de la noblesse héréditaire de chaque district – propriétaires de domaines relativement importants, il s'agissait donc de grands et moyens propriétaires – et ils devaient être élus. Mais le statut de 1861 ne précisait pas qui étaient leurs électeurs, ni les procédures électorales. Au début, les arbitres de paix furent nommés par les gouverneurs de province parmi les personnes qui remplissaient les conditions requises. Plus tard viendront les élections, source de nombreux ressentiments.

Le statut de 1861 créait surtout deux problèmes : celui du rachat des terres à crédit et celui de la communauté paysanne, le *mir*, qui devient d'abord le véritable propriétaire des terres. Le rachat des terres correspond à une exigence politique et économique et à un souci d'équité. La noblesse perdait dans cette réforme ses privilèges ancestraux et des ressources. La sagesse politique imposait au pouvoir de prendre en considération le sacrifice qui lui était imposé. Pouvait-il négliger le fait que la noblesse avait toujours, dans son écrasante majorité, été opposée à une telle réforme ? Et que, privée de privilèges qu'elle tenait pour intangibles, elle risquait de mettre en danger le souverain ? La noblesse gardait en mémoire que c'était elle qui avait porté les Romanov sur le trône en 1613, qu'à maintes reprises elle avait rejeté le souverain régnant pour lui en substituer un autre de son choix. Alexandre II était contraint de tenir compte de ce passé. De surcroît, les pertes de terres qui sont infligées à la noblesse imposent que des compensations lui soient accordées pour qu'elle puisse, dans les domaines qu'elle conserve, embaucher et payer des salariés et participer ainsi à la vie économique du pays. L'État, ruiné par la guerre de Crimée, ne pouvait assumer ces compensations, mais il put indemniser les propriétaires avec des bons du Trésor et financer la réforme par le crédit. Les paysans devaient payer les terres rachetées grâce à un crédit de quarante-neuf ans à un taux très bas. Mais le montant final du rachat leur sera très lourd, car un crédit accordé sur une si longue période coûte cher, et, par ailleurs, la valeur des terres avait partout été surévaluée, à l'exception de celles appartenant à des Polonais qui, pour des raisons politiques, furent estimées à un cours légèrement inférieur à leur valeur réelle. Au bout du compte, les paysans constateront que le montant des paiements de rachat excédait largement leurs revenus, et que les arriérés ne cessaient d'augmenter. En 1905, lorsque ces paiements furent abolis, ils purent constater que le montant total du rachat s'était élevé presque au triple du prix réel de la terre.

L'autre problème concerne le maintien de la commune rurale, ou *mir*. Les idées des slavophiles sur le caractère bénéfique de l'organisation communautaire de la paysannerie pour son développement et celui de la société avaient largement inspiré nombre de réformateurs. Le propriétaire des terres, tel que le définit la réforme, n'est pas le paysan individuel, mais le *mir* dont tous les membres sont collectivement responsables du paiement de la dette. Les paysans ne comprirent pas grand-chose à cette notion de débiteur solidaire, pas plus qu'ils ne comprirent le maintien de l'autorité communale. La commune était aussi chargée de partager les terres entre ses membres, elle était responsable du paiement des impôts et du recrutement des conscrits. Enfin, rien n'était plus déconcertant que la possibilité de donner gratuitement à tout paysan émancipé un quart du lot qui lui était concédé – ce qu'on appelait la « part du mendiant ». Cette disposition, contraire à l'esprit de la réforme, fut adoptée sous la pression du Conseil d'État, hostile à l'ensemble de la loi et qu'Alexandre II avait contraint à se soumettre à ses vues.

Telle quelle, avec ses défauts et ses insuffisances, la réforme de 1861 arrachait la Russie à une situation honteuse et l'installait dans la communauté des États européens. Le comte de Montebello, ambassadeur de France à Pétersbourg et observateur attentif de l'entreprise, écrivit, dans une dépêche adressée à son ministre : « Cette mesure, quelle qu'en soit la suite, est l'œuvre capitale d'Alexandre II. » Ce qui ne l'empêchait pas de souligner, relatant le voyage de l'empereur à Moscou en juin 1861, « l'accueil chaleureux des paysans, mais la froideur de la noblesse qui s'est retirée dans ses terres » pour ne pas le saluer.

La réaction des paysans ne fut pas aussi paisible que les rédacteurs du projet avaient pu l'espérer. Le chargé d'affaires français Fournier note à la fin de l'année 1861 : « Les paysans pensent que le dernier mot de la réforme n'est pas dit, ils pensent qu'ils ont droit à la terre, c'est-à-dire à la terre sans conditions, car pour eux, parce qu'ils l'ont toujours travaillée, elle leur appartient. » Mais les paysans n'étaient pas toujours frustrés ni revendicatifs ; parfois aussi, ils étaient effrayés par le changement et auraient préféré s'en tenir à leur ancien statut. Le comte Nicolas Egorovitch Komarovski note ainsi dans ses *Souvenirs* (rédigés certes des années après la réforme, promulguée alors qu'il n'avait que seize ans) : « Je me souviens de ma stupéfaction lorsque, quelque temps après le Manifeste, des paysans du gouvernement de Iaroslavl', payant l'*obrok*[1], vinrent chez ma mère et lui deman-

---

1. Rente que percevait le propriétaire, en nature ou en argent, frappant les produits agricoles à la vente. Après la réforme, désigne l'indemnité payée par le paysan pour les terres mises à sa disposition.

dèrent, en pleurant et en la saluant jusqu'à terre, que la liberté qui leur était concédée ne les concerne pas, assurant qu'ils vivraient parfaitement sans cela. Et demandant à ma mère de faire les démarches nécessaires pour qu'ils soient laissés dans leur statut précédent. »

Ces propos ne relevaient pas seulement de l'imagination d'une noblesse dépossédée, mais soulignent un désarroi paysan que l'on retrouve dans maints témoignages. Celui dont il est fait état ici est dû à un témoin qui, il faut le souligner, considérait la réforme comme un événement « établissant la dignité nationale [1] ».

La réforme de 1861 comportait un certain nombre de faiblesses que l'avenir mettra au jour. Les lots alloués aux paysans furent insuffisants, ils étaient très souvent inférieurs à ceux qu'ils avaient cultivés avant la réforme, alors même qu'elle prévoyait que leur surface serait identique. Dans les régions fertiles du Sud, l'écart entre les terres cultivées avant 1861 et celles attribuées ensuite était beaucoup plus important, atteignant parfois 40 % de ce qui devait théoriquement revenir au paysan. De plus, lors du partage, les lots des paysans étaient souvent séparés des bois et des cours d'eau, et, pour y accéder, il leur fallut négocier encore avec leurs anciens propriétaires et se soumettre à de nouvelles obligations. De manière générale, on a estimé que 42 % des paysans reçurent des lots insuffisants pour assurer leur subsistance. Trente mille nobles restaient propriétaires de 95 millions de déciatines [2] des meilleures terres, tandis que 20 millions de

---

1. On trouvera en annexe, pour illustrer la réforme, les dispositions qui s'appliquaient sur deux domaines de ce témoin.
2. Une déciatine = 1,09 hectare.

paysans « affranchis » devaient se partager 16 millions de déciatines de terres arables. On conçoit que les paysans qui tenaient la terre qu'ils cultivaient pour leur propriété aient parfois réagi avec violence à cette situation.

À plus long terme, deux autres problèmes découlant de la réforme apparurent. Tout d'abord, le chômage sévit dans les campagnes, car, passé la période de transition, les anciens serfs ne devaient plus de travail à leurs anciens propriétaires, mais, ayant moins de terre à cultiver, ils ne trouvaient pas toujours à s'employer. Quant au *mir*, préservé comme cadre de la réforme – et même si les raisons qui avaient présidé à cette décision étaient justes à maints égards : pouvait-on abandonner le paysan libéré à sa seule initiative après des siècles de servage ? –, il pesa aussi sur la vie rurale en freinant sa modernisation. Or celle-ci va s'imposer d'autant plus qu'en quelques années, la progression démographique de la Russie[1] – dont la population passe, en vingt ans, de 70 à 99 millions d'habitants – va avant tout concerner les campagnes qui comptent chaque année près d'un million de personnes supplémentaires. La terre ne suffit pas à nourrir une population grandissante, il y faut une modernisation des techniques agricoles et la communauté rurale est fort peu propice à de tels changements. Confrontés à ces difficultés et à leur endettement, les paysans manifesteront un mécontentement croissant et rêveront de se voir allouer de nouvelles terres, celles que les propriétaires ont conservées.

---

1. L'expansion de l'Empire en Asie ne lui apporte que quatre millions d'habitants, l'essentiel de la croissance est dû à une natalité élevée et au recul de la mortalité.

Ces faiblesses de la réforme expliquent des lendemains parfois violents. Les précautions prises lors de la lecture du Manifeste – surveillance policière accrue, interdiction des rassemblements spontanés – assurèrent au début un calme relatif. Mais, en peu de mois, des troubles éclatent, souvent parce que les paysans sont convaincus qu'il existe un *véritable* manifeste, fruit de la volonté d'Alexandre II de leur donner la terre, auquel la noblesse aurait substitué un faux manifeste réduisant les dotations à eux accordées. Le comte de Montebello, rapportant cette agitation que l'on constate surtout sur les bords de la Volga, rappelle à son ministre la tradition russe des usurpateurs tentant de se faire passer pour le vrai souverain, et y rattache cette idée d'un faux manifeste, destinée, comme le faux tsar, à abuser le peuple. Alexandre Nikitenko, fils de serf et professeur à l'université de Moscou, notera dans son journal : « On redoute les conséquences de la réforme, c'est-à-dire des désordres paysans. Beaucoup n'osent aller dans leur campagne cet été », et il ajoute : « Nous sommes entraînés dans un flot de révolte qui nous mènera dans des lieux que nous ne pouvons encore imaginer. » Les désordres qui ont gagné à l'été 1861 diverses régions confirment à Alexandre II que l'émancipation des paysans ne règle pas tout, que d'autres réformes fondamentales sont indispensables, lesquelles étaient d'ailleurs en cours d'élaboration dans le même temps qu'avançait le statut de 1861.

La réaction nobiliaire : les débuts d'une opposition

Pour la noblesse, à l'exception d'une petite fraction qui professait des vues libérales, la réforme marquait, après l'échec du complot nobiliaire de 1825, une seconde défaite. Le souverain avait aboli d'un trait de plume un ordre social reposant sur le servage et le statut privilégié de la noblesse. Dès ce moment, elle entreprit de réfléchir à sa place et à son rôle au sein de la société.

Malgré son hostilité affichée à la réforme, la noblesse avait été incapable de l'empêcher de voir le jour. Si Alexandre II l'avait associée aux travaux préparatoires, ç'avait été pour lui lier les mains, non pour lui permettre de défendre ses positions. Milioutine avait d'ailleurs clairement exposé les données du problème politique russe en 1859 : « Tant que je suis au pouvoir, je ne permettrai jamais que la noblesse prétende à un rôle décisif dans les questions touchant aux intérêts et aux besoins du peuple. C'est le gouvernement qui en a la charge. C'est à lui et à lui seul qu'appartient l'initiative de toute réforme touchant au bien du pays. »

Cette conception heurtait la noblesse, mais celle-ci ne put s'y opposer durant le grand débat des années 1858-1861. En revanche, sitôt la réforme adoptée, elle exprima ses vues avec véhémence et décida de s'organiser pour défendre au mieux ses intérêts et pouvoir poursuivre l'exploitation de ses terres dans les meilleures conditions. Dès le début de 1861, des congrès de la noblesse s'organisent dans la plupart des gouvernements pour répondre à la situation nouvelle, et peut-être anticiper ou atténuer d'autres réformes tout aussi déplaisantes.

Sans doute toute la noblesse n'adhère-t-elle pas à la position extrême d'un Nicolaï Alexandrovitch Bezobrazov qui, dès le lendemain du Manifeste, contestait la légalité des dispositions adoptées et réclamait une nouvelle discussion des principes fondamentaux de la réforme. Il envoya à la noblesse de la plupart des gouvernements un mémoire exposant ses vues, essayant de gagner assez d'adeptes pour constituer un véritable groupe, voire un parti d'opposition. Si cette démarche radicale ne fut que très modérément suivie, l'action entreprise par le comte Vladimir Petrovitch Orlov-Davydov reçut en revanche davantage d'écho. Pour lui, il était certes trop tard pour contester la réforme, puisque le transfert des terres s'effectuait déjà ; mais il était indispensable d'organiser l'agriculture selon des méthodes modernes et d'inciter les nouveaux propriétaires à une activité individuelle. Le rôle dévolu à la communauté rurale, disait-il, paraissait à cet égard incompatible avec les exigences d'une transformation des rapports à la campagne, notamment avec l'établissement de relations apaisées entre propriétaires et paysans affranchis.

Pour Orlov-Davydov et son collaborateur Vassili Andreievitch Kraïnski, grand propriétaire qui avait participé, au sein du comité provincial de son gouvernement, à la préparation de la réforme à la fin des années 1850, les erreurs commises dans l'organisation de la vie rurale en 1861 l'avaient été sous l'influence du « parti démocratique qui mêlait adroitement des théories communistes à la question de l'émancipation paysanne ». C'est à ce parti, disait Orlov-Davydov, que l'on devait, dans la préparation de la réforme, l'opposition toute artificielle entre pouvoir et noblesse, et le divorce tout aussi vain et dépourvu de fondement entre noblesse et paysannerie.

Le point qui mérite ici de retenir l'attention est le désir manifeste de rapprocher le pouvoir et la noblesse en les opposant à ceux qui prônent des « idées communistes », et surtout à la bureaucratie, tenue pour largement responsable de l'isolement de la noblesse. On touche en effet ici à un problème fondamental d'organisation politique : celui des ordres. En 1859 déjà, un grand économiste libéral, Vladimir Bezobrazov – qui ne doit pas être confondu avec le champion du conservatisme cité ci-dessus –, écrivait que « la noblesse, en s'enfermant dans son statut d'*ordre*[1], préparait la domination de la bureaucratie et le pouvoir absolu de l'*État*. Mais, au lendemain de la réforme, la majorité des aristocrates optèrent pour une position inverse, considérant que leur indépendance face à la bureaucratie ne pouvait être garantie que par un attachement accru à la division sociale en ordres et à leurs traditions. Pour y parvenir, nombre de nobles considèrent alors que l'ordre de la noblesse doit devenir une véritable institution politique indépendante avec laquelle l'État impérial traitera à égalité et non comme avec un vassal.

Les assemblées de la noblesse qui se réunissent en 1862 ont longuement débattu des positions qu'il convenait d'adopter face à la réforme du statut paysan, mais elles se sont aussi penchées sur le statut de la noblesse et sur ses intérêts. C'est sur le premier de ces deux points que l'on s'arrêtera ici, les questions politiques soulevées alors se rattachant aux réformes suivantes.

Dans sa grande majorité, la noblesse admettait que la réforme était irréversible, et même certains de ses membres n'hésitaient plus à déclarer ouvertement que

---

1. *Soslovie* en russe, correspondant à ce que connaissait l'Ancien Régime en France et traduisant la condition ou les structures de la société en ordres ou états.

l'ancien statut de la paysannerie et le privilège de la possession des terres par les nobles avaient fait leur temps. Deux problèmes découlaient de cette vision réaliste du changement, liés à la possibilité pour la noblesse de s'y adapter sans dommages. Tout d'abord, comment éviter qu'elle perde une trop grande proportion de ses biens dans ce transfert partiel de propriété ? Pour la plupart, les assemblées de la noblesse souhaitent que les opérations de rachat soient accélérées afin que le propriétaire puisse être indemnisé non par des titres de rachat (billets de la banque d'État et certificats), mais par des espèces. Dès lors qu'elle accepte la réforme, la noblesse considère que la terre est un objet de marché que l'on vend et achète, et souhaite que l'on supprime tous les obstacles à cette transformation de la propriété terrienne. Mais, en réalité – c'est le second problème dont la noblesse va vite devoir prendre conscience –, la terre n'est pas une marchandise comme les autres qui se puisse convertir en argent, car « elle n'est plus vraiment le bien du propriétaire et elle n'est pas vraiment le bien du paysan. Comment espérer dès lors que quelqu'un nous donnera de l'argent pour notre terre, alors que nous ne savons même pas quelle partie de cette terre est la nôtre ? ».

C'est aussi pourquoi nombre de participants aux assemblées de la noblesse plaident pour une « véritable liberté du paysan », passant par le droit de sortir de la commune *(mir)*. Dès 1863, les difficultés d'application des conventions de rachat se font jour. Les paysans, qui avaient naïvement cru qu'au terme de deux années de transition un nouveau manifeste leur octroierait gratuitement la terre, avaient fait, durant cette période, obstruction à l'établissement des chartes réglementaires préparant les contrats de rachat. Du coup, au terme de la même période, les propriétaires en tirèrent le sentiment que le rachat ne résoudrait pas les problèmes. C'est ce qui explique que, dès ce moment, les opérations de rachat vont se ralentir, la noblesse ne s'y intéresse plus guère et s'oriente vers les questions politiques que d'autres réformes mettent à l'ordre du jour. Surtout, elle va s'interroger de plus en plus sur les modes d'organisation qui lui permettront de peser sur les décisions du pouvoir en matière de réforme.

En dépit des critiques qu'ont suscitées diverses dispositions et son application, la réforme du statut paysan est assurément un des actes les plus courageux du règne d'Alexandre II et probablement de toute l'histoire russe. L'émancipation d'une part importante de la société russe – la réforme toucha près de cinquante millions de paysans, dont vingt millions appartenant à des propriétaires privés – représente, pour la Russie, un progrès moral considérable et un bond historique vers la modernité politique. Certains historiens russes qui ont sérieusement étudié non seulement le principe de la réforme, mais aussi ses modèles, ont fort justement noté que, malgré ses insuffisances, la grande loi d'Alexandre II avait été mieux conçue que celle qui émancipa les paysans en Prusse au début du XIXe siècle, et que les dotations en terres avaient été plus favorables aux paysans en Russie qu'elles ne l'avaient été en d'autres pays dans les mêmes circonstances.

On prend mieux la dimension de ce que réussit Alexandre II en le comparant au cas américain. La libération de quatre millions d'esclaves noirs y fut accomplie presque au même moment, mais le prix à payer en fut une longue et sanglante guerre civile, alors qu'Alexandre II arriva au même résultat pour un nombre combien plus considérable de serfs et de propriétaires, en trois années de débats et de préparation légale, dans un climat de paix qui ne fut assombri que par des manifestations d'hostilité verbale. Le souverain russe mérite bien de figurer dans l'histoire, aux côtés d'Abraham Lincoln, comme l'un des acteurs majeurs de l'émancipation des opprimés. Mais, une fois encore, il faut souligner que, faisant preuve de patience, d'une grande habileté politique, d'une rare aptitude à apaiser les tensions, à éviter les pièges, toutes qualités que nul n'aurait imaginées avant 1855 chez le fils soumis de l'intransigeant et despotique Nicolas Ier, Alexandre II aura pu accomplir en très peu d'années la réforme qui avait hanté tous ses prédécesseurs et à laquelle aucun d'entre eux n'avait osé s'attaquer de crainte de soulever la noblesse et d'ébranler la monarchie. Cette dernière en fut tout au contraire consolidée. Certes, la noblesse sortit pour sa part affaiblie de cette épreuve, mais elle n'avait pas su ni pu s'opposer à la volonté si ferme d'un souverain qu'elle avait à tort pris pour un homme faible et influençable.

L'abolition du servage montra à la Russie un Alexandre II insoupçonné, sous-estimé, qui avait, dès le début de son règne, acquis dans l'histoire russe des mérites égaux à ceux de ses deux grands illustres devanciers, Pierre le Grand et Catherine la Grande.

CHAPITRE V

Vivat Polonia

L'abolition du servage représentait pour la Russie un énorme progrès historique ; mais cette réforme constituait aussi une menace pour l'Empire dans la mesure où tout le système politique existant depuis Pierre le Grand se trouvait soudain remis en cause.

En 1847 encore, le comte Ouvarov, père de la doctrine officielle de la nationalité, évoquant la perspective d'une telle réforme, confiait à l'historien Pogodine : « L'édifice de Pierre le Grand peut en être ébranlé. Il se peut même que certaines de ses parties s'en séparent, telle la Courlande et plus particulièrement la Pologne. » Propos visionnaire, même si toute l'histoire des relations russo-polonaises aurait dû apprendre au souverain russe que ses réformes pourraient avoir de telles conséquences.

Un lourd contentieux

Le partage de la Pologne, qui avait mis fin en 1795 à son existence politique, n'avait pourtant supprimé ni le sentiment national polonais, ni les velléités de révolte, et il avait indigné les esprits libéraux en

Russie. Alexandre Ier, le petit-fils préféré de la Grande Catherine, hanté par ce problème, chercha le moyen de rendre à la Pologne une existence nationale sans pour autant affaiblir l'Empire. Le congrès de Vienne, réuni en septembre 1814, lui fournit la solution rêvée.

Sans doute le congrès n'était-il pas censé *a priori* se préoccuper de ce problème, ce dont témoigne le fait qu'aucun Polonais n'avait été convié à y prendre part. Mais Lord Castlereagh y présenta un *Mémorandum sur la question polonaise* qui proposait trois projets de reconstitution d'un État polonais : une Pologne rétablie dans ses frontières de 1772, donc antérieures au premier partage ; le retour au statut de 1791, avec la Constitution du 3 mai [1] ; enfin un partage du duché de Varsovie selon une ligne courant le long de la Vistule. Aucun de ces projets ne pouvait convenir à Alexandre Ier. Mais le retour de Napoléon de l'île d'Elbe effraya si fort les participants au congrès, Anglais, Prussiens, Autrichiens et Russes, qu'ils décidèrent de s'entendre au plus vite sur un compromis qui maintiendrait leur alliance contre l'empereur. Or il fallait pour cela satisfaire au préalable aux demandes d'Alexandre Ier. Les trois puissances « partageantes » des années 1772 à 1795 amendèrent chacune leur « lot ». Alexandre Ier proclama alors la Pologne – celle qui lui revenait après rectification de frontières autour de Bialystok – *royaume indépendant* dont il était le souverain.

Pour les Polonais, ce royaume nouveau, plus exigu que le seul duché de Varsovie de 1809, et dont l'exis-

_____

1. Sur la Constitution du 3 mai 1791 et le partage final de 1795, cf. Carrère d'Encausse (H.) *Catherine II,* Paris, Fayard, 2002, p. 168-172 et 493-527.

tence fut confirmée par le traité du 3 mai 1815 signé par les trois États qui s'étaient partagé leur pays, n'était qu'une pitoyable parodie d'indépendance qu'ils baptisèrent semi-affectueusement, semi-ironiquement, *Kongresowka* (« le petit État du congrès »).

Pourtant, tout n'était pas dérisoire dans cette création qui contribua en définitive à la survie de la nation polonaise. Le royaume de 1815 était organisé autour de la capitale historique, Varsovie. Avec un territoire de 127 000 km² et trois millions et demi d'habitants, il constituait une entité viable dont attestera la croissance rapide de sa population, qui, à la veille des événements de 1863, forte de six millions d'habitants, aura déjà presque doublé. Sur le plan politique, le jeune État avait aussi quelques chances de pouvoir progresser. Sans doute l'empereur de Russie, devenu roi de Pologne, détenait-il l'essentiel du pouvoir, et d'abord celui de nommer, sans consulter quiconque, un vice-roi, de convoquer, voire de dissoudre la Diète *(sejm)*, et de contrôler la politique étrangère polonaise qui devait être élaborée en accord avec celle de l'Empire et en tenant compte des intérêts russes. Mais la nouvelle Pologne conservait néanmoins bien des prérogatives, et d'abord celle d'être presque une monarchie constitutionnelle, c'est-à-dire en avance politiquement sur le reste de l'Empire auquel elle était pourtant subordonnée. La Pologne disposait aussi d'une armée de 30 000 hommes parfaitement équipée et entraînée. Des écoles militaires formaient le corps des officiers et le recrutement des troupes était assuré par la conscription, d'une durée de dix ans. Le polonais était la langue unique d'une armée rassemblée autour du seul drapeau polonais. Le royaume disposait de ses propres institutions et conservait l'espoir non négligeable de pouvoir un jour s'étendre à l'est pour incorporer dans ses frontières l'ancien grand-duché de Lituanie et ressusciter ainsi une partie de l'ancien royaume de Pologne-Lituanie, si puissant par le passé. Le traité de 1815, qui prévoyait cette possibilité de modifications du tracé de la frontière russo-polonaise, renvoyait en fait la décision de l'avenir territorial de la Pologne à la bonne volonté du souverain russe.

Les dispositions qui créaient ce royaume étaient en définitive assez libérales, si l'on considère qu'Alexandre Ier, l'un des vainqueurs des guerres napoléoniennes, remettait pour partie en cause l'annexion par sa grand-mère de la Pologne orientale. De surcroît, la Sainte-Alliance et le congrès de Vienne n'étaient guère favorables à l'idée d'émancipation des peuples, non plus qu'à celle de constitution. Pourtant, c'est à eux que la Pologne devait une relative renaissance et la perspective d'une évolution constitutionnelle. Elle leur devait aussi de pouvoir donner libre cours à une activité culturelle et éducative intense qui servira un nationalisme polonais déjà très vivant. Les universités, des organisations politiques légales, et surtout la franc-maçonnerie, qui comptait en 1815 trente-deux loges dans le nouveau royaume, diffusaient idées nationales et esprit libéral. À tous égards, le royaume de Pologne offrait à la Russie un modèle de transformation politique pour elle-même et pour ses confins.

Alexandre Ier avait voulu la renaissance de la Pologne. Il était, comme son père Paul Ier, franc-maçon et partiellement acquis aux idées libérales. C'est pourquoi il ne tenta à aucun moment de limiter les avantages politiques accordés au royaume né en 1815. Pourtant, à la fin de son règne, la situation changea. Les premiers signes inquiétants furent perçus en Russie au début des années 1820, lorsque le représentant personnel d'Alexandre Ier en Pologne, Nikolaï Novosiltsov, tira la sonnette d'alarme. Il exposa au souverain que les associations politiques et culturelles se développaient en Pologne, qu'elles avaient tissé des liens avec l'université de Vilno, centre du nationalisme lituano-polonais en territoire russe, et qu'elles propageaient l'idée d'une réunification. Puis vint le coup d'État manqué des décembristes et la réaction brutale de Nicolas Ier, qui imputa à la faiblesse et aux concessions d'Alexandre Ier la dérive de l'Empire. Soupçonnant que le complot avait des ramifications en Pologne, Nicolas Ier y institua une commission d'enquête chargée de faire la lumière sur les sociétés secrètes et sur tous les mouvements libéraux. Le temps du royaume indépendant était achevé.

Pourtant, ce durcissement du pouvoir russe après les années de dégel d'Alexandre Ier ne suffit pas effrayer les élites polonaises. Nicolas Ier avait *ordonné* à la *sejm*, sans aucun ménagement, de juger les responsables de groupes nationalistes pour trahison, ce à quoi ses membres se refusèrent à quelques exceptions près. Le souverain réagit en faisant déporter en Sibérie les supposés « complices des décembristes », et exigea que tous les officiers renouvellent le serment d'allégeance au tsar qu'ils avaient dû prêter en entrant dans l'armée. Exigence insupportable, qui ouvrit un grand débat parmi le corps des officiers polonais. Puisque le nouveau souverain russe devait venir en Pologne pour s'y faire couronner, ne serait-ce pas l'occasion rêvée d'en finir avec l'oppression en l'assassinant ? Parallèlement à ce projet, d'autres conspirateurs – des civils, cette fois – imaginèrent d'assassiner le grand-duc Constantin [1], frère de Nicolas Ier.

---

1. Constantin Pavlovitch, fils de Paul Ier.

La situation politique était donc on ne peut plus tendue, en Pologne, à la veille des événements européens de 1830. Cette tension va déboucher sur le dramatique soulèvement de novembre, et conduire à une diminution radicale des prérogatives du royaume indépendant.

1830 est pour la Pologne l'année de tous les espoirs, suscités par les révolutions qui, ailleurs, mettent en cause l'ordre de la Sainte-Alliance : indépendance de la Grèce, de la Belgique, à Paris chute des Bourbons au profit des Orléans. La capitale française est alors le centre de ce premier « Printemps des peuples », et Casimir Delavigne met l'accent sur la solidarité entre la France et la Pologne en appelant, dans la *Varsovienne,* les Polonais à se joindre au mouvement :

Il s'est levé, voici le jour sanglant ;
Qu'il soit pour nous le jour de la délivrance !
Dans son essor, voyez notre aigle blanc,
Les yeux fixés sur l'arc-en-ciel en France.
Au soleil de juillet dont l'éclat fut si beau,
Il a repris son vol ; il prend les airs ; il crie,
Pour ma noble patrie,
Liberté, ton soleil, ou la nuit du tombeau !
Polonais, à la baïonnette !

Du côté polonais, l'attirance pour la France n'était pas moindre que celle de Delavigne pour la Pologne, et lorsque le bruit courut que Nicolas Ier, « gendarme de l'Europe », pourrait faire appel à l'armée polonaise pour écraser la révolution française, l'agitation gagna tous les corps de troupes. La riposte du pouvoir russe ne se fit pas attendre : l'ordre de mobilisation générale de l'armée polonaise et des troupes de Lituanie fut proclamé, ce qui mit un comble à l'exaspération des

Polonais. Dans la nuit du 29 au 30 novembre 1830, la révolte éclata. Mais elle avait été très mal préparée. Les conjurés voulaient tout à la fois désarmer les troupes russes, prendre d'assaut l'arsenal, et tuer ou faire prisonnier le grand-duc Constantin. Ils échouèrent sur toute la ligne. Au château du Belvédère, au lieu du grand-duc Constantin qui s'était adroitement caché dans une pièce voisine, ils poignardèrent un garde posté à sa porte et qu'ils confondirent avec lui. Ils furent incapables d'empêcher une foule incontrôlée de se joindre à leur mouvement, lequel tourna vite à la pagaille. À l'arsenal, les troupes polonaises n'arrivèrent pas à faire refluer cette foule, et nulle part elles ne purent désarmer les troupes russes. L'affaire finit dans une confusion totale.

Le prince Lubecki, le prince Czartoryski et le général Chlopiski décidèrent d'un commun accord de chercher un compromis avec Nicolas Ier pour tenter de sauver le système politique polonais et de préserver pour l'avenir les chances d'une unité polono-lituanienne. Ils pouvaient se prévaloir d'être maîtres du terrain que leur avait abandonné le grand-duc Constantin, rentré paisiblement en Russie, après avoir rétabli l'ordre, avec ses troupes et les prisonniers qu'il avait pris au passage. C'était méconnaître Nicolas Ier : il n'entendait pas négocier avec une rébellion qui, à ses yeux, était déjà un début de révolution, alors que, dans les faits, ceux qui recherchaient le compromis étaient décidés à s'accommoder de la Russie pour sauvegarder ce qui pouvait l'être. Dès que lui parvinrent les premières nouvelles de la rébellion, Nicolas Ier avait déclaré : « C'est à la Russie ou à la Pologne de périr ! » Et en janvier 1831 il lança ses troupes à l'assaut de la Pologne, ce qui eut pour effet de transformer une

révolte locale – au demeurant manquée – en guerre
nationale.

La guerre russo-polonaise de 1831 dura presque
une année : trois cent vingt-cinq jours. Un gouvernement polonais exerça en théorie le pouvoir, mais son
instabilité était totale : tantôt le pouvoir était détenu
par le général Chlopiski, qui cherchait à engager le
dialogue avec la Russie, tantôt dans les mains des libéraux de la *sejm*, enfin il fut capté par ceux qu'on appelait les « rouges », c'est-à-dire les représentants du
peuple. Après une première phase consacrée durant
tout le mois de janvier à rechercher le compromis, la
sejm prit le contrôle de la situation et, pour commencer, prit deux décisions propres plus que toutes autres
à exaspérer Nicolas Ier. Le 24 janvier, elle célébra de
manière publique et solennelle la mémoire des décembristes exécutés en 1825 ; puis elle annonça que le
tsar n'était plus reconnu comme roi de Pologne.
Une constitution nouvelle définirait l'autorité
suprême du pays. Le prince Adam Czartoryski devint
président du nouveau gouvernement, fonction qu'il
conserva quatre mois. La personnalité de Czartoryski,
qui, en 1815, avait été si proche d'Alexandre Ier, puis
l'un des quatre membres de son « Comité intime »
destiné à réformer la Russie, aurait peut-être pu rassurer Nicolas Ier et le faire fléchir si, entre-temps, l'irréparable – son éviction du trône polonais, enclenchant
la guerre – n'était advenu.

Cette guerre fut d'abord défavorable à la Russie en
dépit de ses moyens militaires très supérieurs à ceux
des Polonais. Il est vrai que les troupes polonaises
étaient animées d'une ardeur nationale qui contrastait
avec l'humeur relativement placide, voire passive, des
troupes russes. Et dans la mesure où chaque Polonais

était convaincu qu'il y allait de la survie de son pays, le conflit tourna vite à la guerre totale, épousant la forme d'une guérilla qui harcelait les Russes et contraignait leur armée à immobiliser partout des troupes pour tenter de contrôler l'ensemble du territoire.

La situation bascula au cours de l'été 1831 quand le général Paskiévitch remplaça le général Diebitch, victime du choléra. Paskiévitch dut tout à la fois faire face à une situation militaire difficile et au soulèvement de Varsovie où, le 15 juillet, le peuple en armes ouvrit les portes des prisons, et, avec le renfort des hommes exaspérés par leur enfermement, exécuta des militaires. Durant trois semaines, l'insurrection de Varsovie symbolisa la possible émancipation de la Pologne. Mais les insurgés ne purent tenir davantage, et même si les combats entre armées polonaise et russe se poursuivirent jusqu'à la seconde moitié d'octobre, la fin de l'insurrection avait sonné le glas de tous les espoirs. La victoire revint assez aisément à la Russie.

Le prix payé par la Pologne fut terrible. En termes politiques, d'abord : la Constitution de 1815 fut remplacée par le Statut du 14 février 1832. Le pays fut gouverné dès lors par un pouvoir quasi militaire. La Diète, l'armée, les universités furent dissoutes. Progressivement, l'organisation de l'État polonais fut alignée sur celle de l'État russe. Les *voïvodines* cédèrent la place aux *gouvernements*, au code Napoléon fut substitué le Code criminel russe, et au zloty polonais, le rouble. En 1848, toutes les institutions polonaises avaient cessé d'exister.

Le prix humain du désastre fut tout aussi lourd. Une partie de l'armée polonaise, accusée de trahison, fut transférée en Russie et utilisée sur le front, ô combien meurtrier, du Caucase où l'armée russe n'arrivait pas à dompter les peuples qui s'opposaient à sa progression. Les aristocrates liés au mouvement national furent arrêtés, leurs propriétés confisquées. Nombre d'entre eux furent déportés en Sibérie dans les pires conditions d'un voyage à pied auquel beaucoup ne survécurent pas.

Le sort de la Pologne vaincue fut diversement ressenti. Pour la Sainte-Alliance, l'abolition de cette indépendance relative montrait la nécessité de se mobiliser contre toute tentative de déstabilisation nationale révolutionnaire en Europe. Dans la plupart des pays européens, les élites libérales s'indignèrent, critiquant violemment la Russie, ce qui provoqua en retour en Russie une réaction de fierté nationale offensée, jusque dans les milieux libéraux. C'est ainsi que Pouchkine s'éleva contre l'immixtion des Européens dans une querelle de famille entre Slaves. Plus généralement, les libéraux russes reprochèrent aux Polonais d'avoir bien inutilement provoqué Nicolas Ier, de l'avoir ainsi conduit à se raidir et à abandonner toute idée de réformes en Russie comme dans le reste de l'Empire. Et il est vrai que les soulèvements et la guerre de 1831 s'étaient révélés non seulement inutiles, mais avaient démontré une certaine légèreté politique de la part des élites polonaises. Même après les mesures restrictives des années 1825-1830, leur pays jouissait alors de libertés inconnues du reste de l'Empire ; elles les compromirent dans un bel élan d'ardeur nationale, certes, mais irréfléchi et où la Pologne perdit tous ses avantages.

En 1848, la révolution des peuples passa à côté de la Pologne, tout comme elle laissa la Russie intacte. Sans doute le mouvement révolutionnaire en Europe débattit-il du sort des Polonais dont Karl Marx disait :

« La libération de la Pologne est l'affaire d'honneur de tous les démocrates européens. » Mais, en réalité, ce pays était loin des préoccupations immédiates de ceux qui voulaient changer le leur. Lamartine déclara : « Nous aimons la Pologne... Mais, par-dessus tout, nous aimons la France. » Il exprimait ainsi un sentiment assez largement partagé en Europe : la sympathie pour la cause polonaise, mais aussi la certitude que l'heure n'était pas à la défense des causes perdues.

Une seconde chance pour la Pologne

La guerre de Crimée allait-elle faire resurgir la question polonaise ? Napoléon III et son ministre le comte Walewski y songèrent un moment, mais y renoncèrent, de crainte d'engager dans le conflit, par réaction, la Prusse et l'Autriche. Certes, des détachements composés de Polonais émigrés furent formés et combattirent contre la Russie ; et Mickiewicz caressa le projet de mettre sur pied des troupes qui se joindraient aux Turcs contre les armées russes. Mais la mort le gagna de vitesse à Constantinople où il défendait cette idée, et celle de Nicolas Ier, survenue au même moment, allait ouvrir à la Pologne de nouveaux horizons.

Alexandre II, dont toute la vie d'héritier avait été marquée par les tragédies polonaises, était conscient que la défaite de Crimée lui imposait ici aussi des changements ; mais il était encore incertain des solutions à y apporter et souhaitait, là comme en Russie même, éviter de désavouer trop brutalement la politique de Nicolas Ier. Une attitude quelque peu ambiguë caractérise la manière dont il aborda alors la

question. Le nouvel empereur – on l'a déjà dit, mais
cela mérite d'être encore souligné – était doué d'un
caractère paisible, bon, porté à s'intéresser à autrui. Il
décida sans hésiter que l'amnistie dont bénéficièrent
les décembristes à l'occasion de son couronnement
devait être aussi étendue aux Polonais. Puis il se rendit
à Varsovie dès le début de 1856. Il y avait remplacé
Paskiévitch, que les Polonais haïssaient, par le frère de
Gortchakov, devenu chancelier. Le nouveau vice-roi lui
fit les honneurs de la Pologne. Alexandre II annonça
diverses mesures de clémence : avant tout l'amnistie
pour tous les condamnés des événements de 1830-
1831, et plus généralement pour tous les adversaires
politiques ; le droit au retour dans leur patrie de tous les
exilés. Il décréta la réouverture des institutions universitaires et culturelles, et appela les propriétaires polonais
à réfléchir au problème de l'émancipation paysanne. La
porte semblait ouverte à de grands changements, ce qui
fut confirmé encore par la restauration de la Diète.

Dans le même temps, Alexandre II jugea utile d'in-
diquer les limites de l'évolution engagée et, s'adressant
à Varsovie, en mai 1856, aux dignitaires de l'Église et
de l'État polonais, ainsi qu'à la noblesse, il multiplia
les mises en garde : « Vous devez savoir que pour le
bien des Polonais, la Pologne doit rester à jamais en
union avec la grande famille des empereurs de
Russie... Arrêtez de rêver, chers amis ! » Cette dernière
phrase faisait écho – mais était-ce intentionnel ? – aux
propos que Nicolas Ier avait tenus à Varsovie en 1835
sur les « rêves mensongers » que les Polonais devaient
au plus tôt abandonner sous peine de représailles. Et
à cette allusion au discours paternel, Alexandre II
ajouta, dans une autre allocution prononcée elle aussi
à Varsovie : « Je ne changerai rien à ce qui a été fait
par mon père, car cela a été bien fait. »

Les Polonais étaient ainsi ballottés entre l'espoir suscité par les premières mesures libérales, l'atmosphère générale de dégel, et les mises en garde du souverain. Ils attendaient en outre que leur statut politique fût précisé.

En même temps qu'il émancipe en Russie les paysans serfs, Alexandre II dote les Polonais de « l'autonomie administrative » (oukaz du 12 mars 1861) qu'ils attendaient depuis cinq ans – depuis la mort du « Despote ». En dépit de cette réforme, ils estimèrent qu'ils avaient perdu cinq ans, et leur humeur collective s'en ressentit. Comme cela avait déjà été le cas par le passé, les décisions favorables à la Pologne étaient affaiblies, et du coup mal perçues, du fait de certaines prudences d'Alexandre II, toujours inquiet de perdre le contrôle de la situation. Alors même qu'il songeait à confier le gouvernement de la Pologne à son frère, il décida d'y maintenir le régime militaire. Le ministre de la Guerre, Milioutine, définit ainsi sa politique à l'égard de Varsovie :

« Il me semble qu'il y eut alors, dans l'esprit du souverain, une lutte féroce entre deux tendances contraires : d'un côté, il était mécontent, indigné par toutes les manifestations révolutionnaires des Polonais, par leur attitude méprisante envers le pouvoir russe, par les désordres dans la rue et les propos grossiers [à l'égard des Russes]. Il était chagriné de l'ingratitude des Polonais devant les concessions et les privilèges qu'il leur accordait. Ces sentiments l'ont conduit à se persuader qu'il fallait de rudes mesures de répression, n'excluant pas l'usage de la force armée. D'un autre côté, sa bonté naturelle et sa nature bienveillante le poussaient à des mesures modérées, apaisantes, et lui suggéraient d'utiliser tous les moyens pour rétablir la concorde entre la Russie et la Pologne. Pour cette raison, il était prêt à toutes les concessions, à tous les sacrifices compatibles avec la dignité et les intérêts de l'Empire. Il me semble que le souverain est disposé à accorder à la Pologne le même statut que celui dont jouit le grand-duché de Finlande au sein de l'Empire. Mais, pour que la Pologne atteigne à cette situation si favorable, il faudrait que les responsables polonais fassent preuve du même bon sens, du même caractère paisible et contrôlé que celui qui caractérise les dirigeants finlandais. »

L'espoir formulé par le ministre russe de voir les Polonais s'assagir, prendre modèle sur les Finlandais, fut vite déçu. Profitant du dégel que connaissait la Pologne depuis le couronnement d'Alexandre II, diverses organisations politiques se reconstituèrent. Deux d'entre elles vont jouer un rôle considérable dans l'effervescence qui va se développer à Varsovie jusqu'en 1863.

La *Société d'agriculture*, d'abord, présidée par le comte Andrei Zamoyski, avait pour raison d'être officielle de traiter de l'amélioration des conditions de travail et de vie dans les campagnes. Mais elle devint rapidement une véritable assemblée représentative de la Pologne, comptant soixante-dix-sept organisations œuvrant sur tout le territoire, et plus de quatre mille membres. À la fin du mois de février 1861, la Société d'agriculture rassembla pour sa conférence annuelle plusieurs milliers de personnes dans une atmosphère politique exaltée que les responsables avaient déjà le plus grand mal à contrôler.

L'autre organisation, nommée *Délégation municipale*, vit le jour à Varsovie sous l'autorité d'un industriel, Leopold Kronenburg, dans le but affiché de servir d'intermédiaire entre les citoyens de la capitale et le vice-roi. En dépit de ce programme modeste, la délégation se dota, à peine créée, d'une police. Et en son sein se retrouvaient des groupes radicaux, des officiers libéraux qui tissaient des liens avec des éléments mécontents de l'armée russe, des populistes recrutés principalement parmi les étudiants qui s'efforçaient, à l'exemple de leurs émules russes, d'agiter la paysannerie. Les adeptes de diverses religions – pourtant antagonistes en Pologne –, catholiques et juifs, se retrouvaient dans des discussions passionnées touchant à l'avenir de la Pologne ; de même que se formaient des groupes communs de Polonais et de minorités soudain soudés par l'hostilité au pouvoir russe. Tous les prétextes étaient bons pour mobiliser des foules dans des manifestations souvent fort bien préparées. Ainsi en alla-t-il du voyage du prince Napoléon en Pologne, qui donna lieu à un rassemblement populaire impressionnant. Parfaitement informé de ces conséquences, pour lui inattendues et décevantes, du dégel et des mesures libéralisantes qu'il avait voulus, Alexandre II suivait la situation avec attention et cherchait la réponse la mieux adaptée.

C'est pour réduire cette agitation qu'en ce difficile printemps 1861 il nomma le marquis Wielopolski comme son représentant personnel à Varsovie. Grand seigneur polonais de sensibilité slavophile – tendance peu répandue chez ses compatriotes –, Wielopolski semblait être l'homme capable de réconcilier Russes et Polonais. Une des raisons de la confiance impériale dans le « providentiel marquis », comme l'appela dans une lettre le grand-duc Constantin, était son caractère notoirement prudent et pondéré, illustré par ce jugement porté sur ses compatriotes et leur manque de sagesse politique : « Ne cherchez pas à faire quelque chose avec eux, mais cherchez ce que vous pourrez faire pour eux », avait-il pour habitude de dire à ses interlocuteurs russes.

Sa nomination fut pourtant accueillie favorablement par les Polonais, d'autant plus que ses premières propositions contribuèrent précisément à rétablir une petite partie du statut de la Pologne du début des années 1830. En séparant pouvoir civil et pouvoir militaire, en mettant en place un Conseil d'État aux compétences essentiellement consultatives, en réformant le système éducatif dans un sens plus libéral, en mettant en place des organes d'administration locale, Alexandre II, qui avait entendu Wielopolski, pensait avoir fait un pas important en direction des Polonais. Mais le marquis demandait toujours plus de concessions, car, pour être accepté par ses compatriotes comme leur porte-parole, et non comme un simple représentant de la Russie, il devait leur démontrer constamment que sa présence leur garantissait des avantages réels, conquis de haute lutte. L'empereur tardait à répondre, en dépit des appels alarmistes du marquis. La situation s'envenima et les manifestations, qui souvent dégénéraient et où le sang coulait, se multipliaient. Responsable de l'ordre public – c'était la condition première fixée par Alexandre II à sa nomination et à l'accord donné à ses projets –, Wielopolski dut sévir et la Pologne entra dès l'été 1861 dans un cycle de manifestations et de répression impossible à endiguer, tandis que des Polonais organisaient leurs propres forces armées, s'efforçant de rééditer le cours des actions conduites en 1831.

Exaspéré par cette crise montante, alors qu'il avait, à son avis, déjà beaucoup concédé, l'empereur convoqua Wielopolski à Saint-Pétersbourg pour lui expliquer les raisons de ses hésitations et surtout lui faire entendre les critiques russes. Pendant que le marquis était ainsi morigéné à Saint-Pétersbourg, la situation devint si intolérable en Pologne que le souverain se résolut à jouer encore une fois cette carte polonaise. Et Wielopolski rentra à Varsovie en juin 1862 doté de pouvoirs accrus et du titre de responsable de l'administration civile.

En même temps que s'achevait ce séjour russe de plusieurs mois, un autre changement de taille était décidé par Alexandre II : son frère, le grand-duc Constantin Nikolaïevitch, était nommé vice-roi de Pologne. Le symbole était fort, Constantin étant connu pour ses idées libérales et pour les encouragements qu'il avait prodigués aux réformes russes. Autre symbole : il portait le même prénom que le grand-duc Constantin Pavlovitch, son oncle, qui avait été vice-roi de Pologne avant 1831, c'est-à-dire alors qu'existait encore la Pologne du congrès de Vienne.

Les deux hommes en charge du sort de cette partie si troublée de l'Empire, le frère de l'empereur et le plénipotentiaire polonais, s'installèrent dans un pays où plus rien ne semblait pouvoir enrayer la révolte montante. Sans doute certaines mesures positives adoptées alors auraient-elles dû freiner le mécontentement général. Les universités avaient été rouvertes et accueillaient les étudiants sans restriction. Les paysans pouvaient transformer en paiement en numéraire les corvées qui subsistaient encore en Pologne en cette période de transition. Toujours en vertu de sa conviction qu'il fallait compenser les concessions par des contrôles qui pouvaient d'ailleurs tourner à une véritable répression, Wielopolski multipliait aussi les arrestations préventives, cherchant à neutraliser tous les éléments séditieux. Or ceux-ci étaient nombreux dans le milieu militaire. C'est à l'armée qu'il s'en prendra donc lorsque des attentats – manqués certes, mais combien inquiétants – viseront le sommet de la hiérarchie russe.

À l'été 1862, les coups furent portés contre le grand-duc Constantin qui en réchappa miraculeusement, puis contre Wielopolski, qui, malgré son impopularité, n'avait pas imaginé que ses compatriotes s'en prendraient à lui avec une telle violence. Décidant alors de priver le mouvement national de ses appuis militaires, Wielopolski entreprît de manipuler la conscription pour recruter d'autorité les jeunes hommes qui semblaient peu sûrs à la Russie. La levée des recrues était fixée au 14 janvier 1863, mais le projet fut ébruité et les conséquences de cette fuite furent dramatiques. Outre que nombre de recrues potentielles, informées du sort qui leur était réservé, décidèrent d'y échapper en se cachant, le projet déclencha l'incendie qui, depuis 1861, couvait et que ni les concessions ni les dispositions répressives n'avaient pu étouffer.

Vivat Polonia

Le soulèvement avait été soigneusement préparé et sa date fixée au 22 janvier 1863, soit une semaine après l'ouverture de la conscription manipulée. Pour maintes raisons, les événements de 1863 n'allaient pas répéter, en dépit des apparences, ceux de 1831. Les causes de l'effondrement polonais, trente ans plus tôt, avaient été analysées de part et d'autre, et les protagonistes du futur conflit avaient mis en place, chacun de son côté, un scénario destiné pour les Russes à prévenir un soulèvement ou à l'étouffer rapidement, pour les Polonais à éviter les erreurs passées. En organisant une conscription à sa manière, propre à indigner les Polonais et à provoquer des désertions massives, Wielopolski pensait avoir tendu à la rébellion un piège efficace qui la priverait de troupes, celles-ci étant soit mobilisées, soit contraintes de se cacher. En provoquant les désertions et la désobéissance civile, il pensait aussi disposer d'un prétexte pour multiplier des mesures de maintien de l'ordre public qui paralyseraient en dernier ressort toute velléité ou possibilité d'insurrection. Mais, concentré sur son projet, il n'avait pas été suffisamment attentif aux évolutions intervenues dans le camp des nationalistes polonais. Il raisonnait toujours dans les termes de 1831, alors que les Polonais avaient élaboré une stratégie insurrectionnelle de nature bien différente, tenant précisément compte des leçons du passé. Pour eux, l'aventure précédente avait été marquée par deux travers majeurs : la spontanéité et l'amateurisme. En 1863, une approche professionnelle de l'insurrection et une très longue préparation changeaient les données du problème.

Les Polonais avaient élaboré un programme politique précis pour mobiliser la société et accompagner chaque étape du soulèvement. Ils avaient rassemblé d'importants moyens financiers qui leur permettaient de payer des troupes et d'acheter des armes. Cet effort avait été accompli de manière clandestine durant les années de désespoir qui avaient suivi l'échec de 1831, et Wielopolski, à sa grande surprise, allait voir surgir non pas des rebelles inorganisés, mais un véritable système politique fonctionnant déjà dans l'ombre. L'organisation politique était assurée par un *Comité national* qui s'était substitué au Comité urbain de Varsovie, centre stratégique de la lutte en 1831. Sans doute les moyens militaires dont disposaient les Polonais étaient-ils insuffisants, voire inférieurs à ceux de 1831, puisque la suppression du royaume de Pologne avait entraîné la liquidation de l'armée polonaise, mais, à une confrontation militaire impossible – à laquelle s'était néanmoins préparé Wielopolski –, ils préféraient une stratégie de harcèlement de l'adversaire, donc, en termes contemporains, de guérilla. Tandis que Wielopolski employait ses troupes à tenter d'attraper les recrues en fuite, des groupes parfaitement organisés surgissaient en divers points du pays, attaquant les casernes et semant le désarroi dans le camp russe.

Mais, en dépit de projets élaborés dans la clandestinité, les insurgés étaient confrontés à un sérieux problème, celui de l'unité politique. Peut-être en raison du secret qui avait entouré les préparatifs de l'insurrection et d'une atmosphère de conspiration et de défiance, alors que tous les Polonais avaient pour objectif commun de conquérir leur indépendance au sein d'un État restauré, la réalité est qu'ils étaient en désaccord sur les moyens politiques d'y parvenir. La résistance polonaise rassemblait les tendances les plus diverses, et le Comité national lui-même comptait en son sein des éléments modérés, des centristes et des extrémistes de gauche. Tous ces courants étaient en rivalité dès lors qu'il fallait choisir celui qui conduirait le mouvement et incarnerait l'État. Le 21 mars fut proclamé un gouvernement national dont le chef était le général Mieroslawski, qui avait préparé le soulèvement de Cracovie en 1846 et commandé brièvement des forces polonaises en Sicile en 1848. Entre Mieroslawski, Marian Langiewicz, qui porta un moment le titre de dictateur, et Karol Majewski, la rivalité était grande, chaque camp poussant son candidat, et les tentatives de coup de force au sein du mouvement national se multipliaient. On peut s'étonner que, dans ce climat délétère, l'ébauche de pouvoir polonais ait si longtemps résisté, d'autant plus que les mesures répressives pleuvaient.

À l'été 1863, le grand-duc Constantin fut remplacé par le général Berg, qui faillit périr dans un attentat. Les responsables polonais étaient conscients que, face à ce nouvel homme fort, leur faiblesse politique, née de querelles de commandement, les conduirait au désastre ; ils finirent par s'entendre, en octobre 1863, sur la personne de Roman Traugutt pour assurer l'unité politique qui faisait défaut à l'insurrection. Traugutt avait les qualités requises pour apaiser les susceptibilités des insurgés et remettre de l'ordre dans leurs organisations. Issu de l'aristocratie polonaise, il avait épousé une parente de Kosciuszko, ce qui ne contribuait pas peu à son prestige. Officier de l'armée russe, il avait participé à la guerre de Crimée et ne s'était rallié que tardivement à l'insurrection. Mais, dès qu'il parut à Varsovie pour y rencontrer Majewski, alors en charge du commandement militaire, il fut décidé qu'il assumerait la responsabilité totale des opérations. Il se rendit ensuite secrètement en France – voyageant sous l'identité d'emprunt d'un marchand de Galicie – pour y rencontrer Napoléon III et tenter de le convaincre d'apporter l'aide de la France à l'insurrection, puis il alla à Bruxelles acheter des armes, qui manquaient cruellement aux insurgés. Dans cet effort désespéré pour obtenir des soutiens extérieurs à la cause polonaise, il se tourna aussi vers le Vatican, suppliant le pape de choisir son camp, de soutenir les catholiques polonais contre des schismatiques acharnés à éliminer la religion romaine de l'Est de l'Europe.

Rentré à Varsovie, fort de ces missions accomplies qui ajoutaient à son autorité, il négocia avec le gouvernement national, qui décida alors de se saborder, son accord à la formation d'un pouvoir dictatorial qu'il assumerait totalement. Sa première préoccupation fut de réduire au silence toutes les voix discordantes pour présenter enfin, face à la Russie, l'image d'un mouvement national polonais unifié. Remarquable organisateur, il songea à décréter une *levée en masse* de Polonais pour disposer d'une véritable armée de libération. S'il n'y réussit pas, il obtint néanmoins une aide matérielle des Polonais réfugiés hors de leur pays. Et, en dépit de l'état de guerre, il s'efforça de mettre en route des réformes à la campagne.

Durant ces mois d'action si intenses, le gouvernement clandestin polonais « doubla » pratiquement les institutions russes en territoire polonais. Il disposait, pour ce faire, du concours de la majeure partie de la population, gagnée au mouvement. Des citoyens en apparence paisibles, menant au grand jour leurs activités officielles, se transformaient par moments en fonctionnaires, voire en ministres ou diplomates du gouvernement clandestin, et remplissaient pour lui une infinité de tâches qui se superposaient à celles qu'accomplissaient les collaborateurs du vice-roi. Ainsi fonctionna pendant plus d'un an, dans ce pays insurgé, un double pouvoir : celui à qui Alexandre avait délégué son autorité, conduit par le vice-roi, et celui d'une Pologne renaissante.

La « dictature » si efficace de Roman Traugutt pris fin de manière aussi inattendue que stupide, puisqu'il se laissa arrêter en avril 1864 à son domicile, au cœur de Varsovie, où il vivait toujours sous la fausse identité qui lui avait servi à passer les frontières de l'Empire russe. Il fut victime des aveux d'un jeune étudiant participant à l'insurrection, qui, arrêté et interrogé par la police, lui avait fourni l'information permettant d'arrêter le dictateur. Mais, dans les six mois séparant l'accession au pouvoir de Traugutt de son arrestation, la rébellion avait accompli de considérables progrès non seulement en Pologne, mais – ce qui était beaucoup plus inquiétant pour Alexandre II – en d'autres parties de l'Empire, grâce aux efforts de Polonais qui venaient y semer les idées de révolution.

Certains émissaires polonais, inspirés du mouvement populiste russe, couraient en effet les campagnes d'Ukraine, essayant de convaincre des paysans indécis de la communauté de leur malheur, de l'oppression russe et de la nécessité de l'éliminer. En Ukraine même, leurs efforts ne connurent guère le succès. En Biélorussie, où vivait une importante communauté juive et où les paysans pauvres étaient plus attentifs à ces appels, un mouvement de révolte s'esquissa. Mais c'est surtout en Lituanie que l'appel à la solidarité des insurgés fut entendu. Cet appel invoquait une longue et glorieuse histoire commune, puisqu'il s'adressait « à la nation polono-lituano-ruthène ». Les Lituaniens montrèrent par leur réaction que cette *nation* n'était pas pour eux un simple rappel du passé. Les armes du gouvernement national polonais incorporaient aussi celles de Lituanie et de Ruthénie. La nation revivait !

Les opérations militaires se succédaient, peu importantes par le nombre de combattants et par les objectifs visés, car les insurgés ne pouvaient s'attaquer à aucune grande installation russe, mais elles suffisaient à alimenter les révoltés en victoires symboliques qui leur donnaient le sentiment rassurant d'éroder, voire d'épuiser les forces russes. L'une des rares confrontations d'importance eut lieu à la fin de février 1863 dans la région de Kielce. Des troupes conduites par le général Langiewicz firent face aux troupes russes avec tant de détermination que le grand-duc Constantin, qui suivait avec anxiété le déroulement de la bataille, salua, dans son journal, la défaite et l'arrestation du général insurgé alors qu'il tentait de franchir la frontière, et ajouta cette note vindicative : « La liquidation de Langiewicz n'intéresse personne. »

En réalité, le combat était fondamentalement politique : il s'agissait de savoir ce que l'Empire russe pouvait ou non accepter en Pologne. Du côté polonais, on espéra longtemps parvenir à la restauration du statut de 1815, voire – mais c'était là un rêve insensé – à la résurrection de l'unité polono-lituanienne. Mais, pour les réalistes comme Traugutt, l'extension du soulèvement à la Lituanie était plutôt perçu comme un moyen de pression ou de négociation avec Alexandre II. Le dictateur espérait qu'à brandir le spectre de l'unité polono-lituanienne, il obtiendrait à un moment donné, d'un empereur effrayé par cette perspective, d'importantes concessions sur le statut politique de la Pologne en échange de l'abandon du rêve unitaire.

Mais c'était compter sans la conception que se faisait Alexandre II de l'avenir polonais et des intérêts de l'Empire. En cela, tout au long de ce soulèvement qui constituait pour la Russie un immense défi, le souverain se montra conséquent et précis dans la manière de défendre ses idées et la politique qu'il avait choisie. Avant même l'insurrection, il avait réfléchi à la question du panslavisme, drapeau de certains libéraux russes et polonais qui affirmaient qu'une politique souple à l'égard de la Pologne, fondée sur la confiance dans les solidarités panslaves, pouvait permettre de dessiner les contours d'un ensemble politique nouveau, original et favorable à la Russie. Qu'en somme, au sein du panslavisme, l'intérêt national russe et celui du nationalisme polonais pouvaient cohabiter harmonieusement. Conscient du caractère séduisant de cette théorie, Alexandre II avait écrit à son frère, alors qu'il le nommait vice-roi de Pologne :

« Nombreux sont ceux qui vont compter sur le panslavisme et le flatter. Ces idées, même si elles sont séduisantes, sont dangereuses pour la Russie et la monarchie, car elles portent en elles non seulement la décomposition de l'Empire en États distincts, mais, plus probablement, en républiques ennemies. L'unité des Slaves est une utopie qui ne peut être réalisée. »

Et, à la veille du soulèvement, il complétait ainsi cet avertissement :

« Ma conviction sur cette question [le panslavisme] n'est pas nouvelle, mais elle est devenue plus forte : je ne vois aucun salut dans le panslavisme, mais la *perte de l'Empire de Russie*, sans parler de celle de notre dynastie, qui est à mes yeux presque secondaire. C'est pourquoi, aussi longtemps que je vivrai, je ne permettrai pas que l'on cède à cette idée. »

« Mater Dolorosa »

Quand le soulèvement éclata, Alexandre II montra une détermination sans faille. Alors que son frère penchait pour un retour au système de 1815, à tout le moins pour des concessions dont la principale pourrait être la restauration de la Diète, symbole d'une vie politique polonaise, Alexandre II demeura inflexible. La répression fut l'un des volets de sa réaction, destinée à montrer qu'il était maître de la situation. Il nomma le général Mouraviev gouverneur de Vilno. Au moment de sa nomination, celui-ci était ministre des Domaines de l'État, mais, pour les Polonais, il était avant tout l'homme qui avait maté la révolte de 1831 en Lituanie et qui y avait déjà gagné le surnom de « Mouraviev le gibet ».

À l'été 1863, la lutte était très inégale. Le vice-roi avait reçu le renfort de troupes fraîches équipées d'armements nouveaux, deux avantages qui manqueront aux rebelles. La contre-attaque russe porta sur tous les fronts à la fois, y compris religieux : car prêtres et moines catholiques étant favorables à la rébellion, les couvents donnaient asile aux rebelles, voire servaient de lieux de rassemblement. Sur l'ensemble du territoire, les lieux de culte furent perquisitionnés, fermés lorsque des soupçons de collusion avec l'insurrection pesaient sur eux, et les communautés religieuses furent dispersées. Pie IX protesta auprès d'Alexandre II, sans succès. Le souverain fut si irrité de son intrusion dans le conflit qu'il dénoncera en août 1867 le concordat signé avec le Vatican.

Mais la répression, particulièrement dure à partir de novembre 1863, n'était qu'un des aspects de la réaction d'Alexandre II. Ferme dans son refus d'accorder des concessions politiques à la Pologne, il avait décidé de vaincre le nationalisme en le divisant sur le plan social. Des réformes plus avancées encore qu'en Russie : telle était son idée pour sortir d'une situation qui exigeait quelque sorte de concessions. Il rappela donc à ses côtés ceux qui avaient travaillé avec lui à la réforme de 1861 : Milioutine, revenu en urgence de l'étranger où il se trouvait, Samarine, Soloviev, Tcherkasski. Il exposa à ce groupe d'hommes gagnés aux idées libérales, en qui il avait confiance, sa conception de la « solution polonaise ». La répression pouvait, pensait-il, terrifier et calmer un temps les Polonais, mais elle ne suffirait pas à prévenir le retour de semblables événements, et la Russie ne pouvait tous les trente ans faire face à des insurrections polonaises renouvelées. La faute en incombait, pour Alexandre II, à la partie la plus élevée de la société polonaise, la noblesse, toujours hantée par la volonté de diriger le pays et animée d'une soif d'indépendance nationale qu'aucun effort russe, aucune concession ne pourraient jamais satisfaire. La solution résidait donc, l'empereur en était convaincu, dans une politique qui isolerait cette partie de la société de la grande masse, c'est-à-dire des paysans. Il fallait donc gagner les paysans à la Russie par de grandes réformes qui les satisferaient. Ainsi la paysannerie serait-elle stabilisée et la société polonaise, toujours prête à s'agiter, serait dotée d'un important pôle conservateur.

La solution imaginée en 1863 par Alexandre II pour répondre à une situation périlleuse est doublement remarquable. D'abord parce qu'elle témoigne de lucidité et d'équilibre. Ce souverain que l'on a toujours dépeint comme un homme timoré, hésitant à répondre de manière claire aux problèmes qui surgissaient, montra, dans l'affaire polonaise, une détermination continue et une grande subtilité. À la différence de Nicolas Iᵉʳ, il comprenait que réprimer ne suffisait pas, qu'il fallait équilibrer les mesures répressives par des dispositions modifiant les données du problème et préparant l'avenir. L'autre point qui mérite ici d'être souligné, c'est que la solution envisagée en Pologne par Alexandre II – stabiliser la paysannerie par des réformes – annonce déjà la politique prônée en Russie, après 1905, par Stolypine.

Alexandre II envoie alors ses conseillers dans les régions les plus agitées de Pologne pour y mettre en place la nouvelle politique agraire. Milioutine, qui proclame que « la situation révolutionnaire appelle des mesures révolutionnaires », sert ainsi de contrepoids à l'implacable Mouraviev. La réforme décidée au début de 1864 va faire l'objet d'une loi qui accorde la terre gratuitement aux paysans polonais. Cette loi, promulguée le 19 février 1864, troisième anniversaire du Manifeste qui avait émancipé les serfs, est à bien des égards remarquable. Tout d'abord, elle retourne contre les insurgés et la noblesse polonaise une réforme que Roman Traugutt avait déjà décidée mais que les circonstances militaires l'avaient empêché de transformer en réalité. Aux termes de cette loi, les paysans polonais, à la différence de leurs homologues russes, ne doivent pas racheter leur lopin, il leur est donné, et l'État supporte le poids de la compensation versée pour leurs terres perdues aux propriétaires polonais. Samarine précisera d'ailleurs qu'ils furent les grands perdants de la réforme. La paysannerie libre se trouva ainsi détachée d'un coup de la noblesse, et la société polonaise divisée cessa de soutenir le mouvement insurrectionnel, qui allait en mourir. Tandis qu'il montrait aux paysans polonais l'intérêt que leur portait la Russie, Alexandre II refusa toute concession aux nobles, notamment une représentation limitée au Conseil d'État, proposée par Valouev.

Au chapitre de la répression, il faut inscrire les procès des responsables nationaux arrêtés à la même époque, en tête desquels se trouvait Roman Traugutt. Jugés, ils furent accusés de banditisme, un grand nombre d'entre eux furent condamnés à mort, mais beaucoup virent leurs peines commuées en travaux forcés ou en déportation en Sibérie. Le 5 août 1864, seuls Traugutt et quatre autres condamnés furent pendus à Varsovie. C'était la fin du rêve national.

Pour une longue période, la Pologne aura appris le prix des soulèvements, les décisions politiques accompagnant la victoire russe lui ôtant plus encore qu'en 1831 tout espoir d'exister par elle-même. Son sort fut réglé de manière drastique. Le choix du souverain en faveur d'une punition excluant tout compromis national était prévisible dès l'été 1863, lorsqu'il avait arbitré le conflit opposant son frère à Mouraviev en faveur de ce dernier. Tandis que le grand-duc Constantin s'obstinait à prôner une politique tenant compte des aspirations nationales des Polonais, Alexandre II exigeait qu'il prît les dispositions les plus sévères. Le débat entre les deux frères et entre les deux thèses sur l'avenir de la Pologne connut un tour aigu, en août 1863, lorsque le grand-duc, convoqué à Pétersbourg, fut soumis à une vive critique et se vit imposer des propositions déjà élaborées par Milioutine, Dolgorouki et Valouev. Constantin parle dans son journal d'un coup monté contre lui, d'un piège dans lequel l'empereur lui-même serait tombé. Mais sa thèse d'un Alexandre II manipulé par des conseillers

extrémistes résiste mal à l'examen de ses propres propos. Dans ses notes sur les journées pétersbourgeoises
de la deuxième quinzaine d'août, il rapporte qu'à sa
critique virulente de la politique et du comportement
de Mouraviev en Pologne, Alexandre II répondit
« qu'il n'était pas sous le charme [1] de son action, mais
qu'il était complètement sous le charme des résultats
obtenus par lui ». Ayant opté, malgré les supplications
de son frère, pour une extension territoriale du pouvoir de Mouraviev, l'empereur décida en définitive de
mettre fin à la mission du grand-duc en Pologne. Son
choix était dénué de toute ambiguïté. Le général Berg,
qu'il nomma à sa place chef des opérations militaires,
était haï des Polonais. Ce sera d'ailleurs le dernier vice-
roi de Pologne.

Dès 1864, toutes les institutions qui avaient survécu
à la remise en ordre de 1831 furent supprimées et
Alexandre II confia à une Commission administrative
dirigée par Nikolaï Milioutine le soin de substituer au
défunt royaume de Pologne une province russe.
Toutes les administrations locales allaient être placées
sous l'autorité des ministères russes correspondants. La
même année 1864, si fatale à la Pologne, vit disparaître le royaume et le nom même de Pologne, tous
deux biffés d'un trait de plume. Alexandre II renonça
au titre de roi de Pologne. Des *goubernia* (« provinces »)
polonaises furent instituées, la plus importante étant le
privlinskii krai ou territoire de la Vistule, qui recouvrait
toute la région de Varsovie. Tout le système éducatif fut
russifié. Un nombre important de Polonais de Pologne
et de Lituanie furent exilés en Sibérie, et les domaines

---

1. En français dans les notes du grand-duc en date du
15 août 1863.

de ces réprouvés confisqués. La Pologne n'existait plus que dans la mémoire de ceux qui avaient fui à l'étranger ou qui, condamnés en Sibérie, attendraient perpétuellement une amnistie. Il faudra pas moins qu'une guerre mondiale et une révolution pour mettre un terme à l'exil des survivants.

L'Europe face au soulèvement polonais

Les Polonais avaient longtemps espéré qu'une réaction de l'Europe intimiderait Alexandre II et le contraindrait à se montrer conciliant. Des émissaires polonais – le plus actif fut Traugutt, mais il était loin d'être le seul – couraient les grandes capitales d'Europe, suppliant qu'on aidât la cause nationale polonaise. En France, en Grande-Bretagne, en Autriche, souverains et populations éprouvaient une grande sympathie pour la Pologne, et Napoléon III voulut même intervenir. Il plaida, avec les autres souverains européens, que depuis le congrès de Vienne et la création de la Pologne les affaires de ce pays avaient acquis un statut international et qu'il était légitime, pour tous ceux qui y avaient pris part, de défendre ses intérêts. Mal lui en prit : Gortchakov répliqua vertement que non seulement aucune puissance ne pouvait légitimement interférer dans un problème intérieur à l'Empire russe, mais que, de surcroît, l'ingérence de la France était particulièrement mal venue, car elle donnait asile à une émigration polonaise bruyante, qui s'activait à mobiliser l'opinion française contre la Russie. Gortchakov était d'autant plus à l'aise pour traiter par le mépris les velléités d'intervention franco-anglo-autrichiennes qu'il était convaincu – à juste titre –

qu'elles ne dépasseraient pas le stade des protestations verbales.

Il était de surcroît assuré que la Prusse pencherait du côté russe. Il avait raison : Bismarck se méfiait tout autant qu'Alexandre II du panslavisme. Il craignait qu'à pousser la Russie à faire montre d'un comportement libéral à l'égard de la Pologne, on encourage une alliance *slave* des libéraux polonais et russes, qui exercerait une influence néfaste sur les Polonais dominés par la Prusse. Enfin, Bismarck souhaitait qu'en échange de son soutien à Alexandre II, celui-ci n'entrave pas, dans un avenir proche, son projet unitaire.

En définitive, les gouvernants que les Polonais appelaient à l'aide se contentèrent d'adresser à Alexandre II deux notes de protestation dont l'effet politique fut nul. Dans le même temps, un puissant courant antirusse souleva partout les peuples. La Pologne, le courage des Polonais étaient salués dans la presse européenne, loués par toutes les opinions publiques, et les Polonais en exil faisaient l'objet de manifestations chaleureuses. Mais, de tout cela, la Pologne elle-même ne bénéficiait pas.

Au contraire, la vague de sympathie propolonaise et d'indignation antirusse qui déferlait sur l'Europe souda en Russie une opinion nationale qui découragea même les libéraux d'apporter leur soutien à la Pologne. Toutes tendances confondues, les Russes tenaient rigueur aux Polonais d'avoir tenté de faire exercer des pressions occidentales sur leur pays, ils leur reprochaient encore davantage d'avoir réveillé en Europe des sentiments antirusses latents. Dans l'imaginaire russe, Napoléon III rejoignait le marquis de Custine dans le catalogue des grands « russophobes ».

Et l'on vit alors l'élite russe, slavophiles et occidentalistes, libéraux et conservateurs, s'unir dans une condamnation unanime des « traîtres polonais », si oublieux de ce que leur avait accordé Alexandre Ier. Sans doute les libéraux ne défendaient-ils pas le partage de la Pologne intervenu au siècle précédent, mais ils considéraient que l'injustice de Catherine II avait été largement réparée par son petit-fils. Les Polonais avaient été dotés en 1815 d'institutions très avancées par rapport à celles des autres peuples de l'Empire, et ils avaient répondu à ce statut exceptionnel par deux révoltes. En d'autres termes, ils s'étaient d'eux-mêmes précipités dans la catastrophe de 1864-1866. Méritaient-ils historiquement d'avoir leur propre État ? À cette question, un homme comme Samarine répondait sans hésiter par la négative, même s'il reconnaissait aux Polonais une culture, une langue et tous les éléments d'une conscience commune, qui devaient subsister. Mais, ajoutait-il, l'histoire de la Pologne a condamné ses chances de connaître une vie étatique propre. Les Polonais ont refusé de comprendre les exigences et les solidarités qu'impliquaient leur nature slave, et lui ont préféré une latinité superficielle et mal comprise. La seule voix discordante dans ce chœur violemment antipolonais fut celle de Herzen, qui, dans le *Kolokol*, prit la défense de la Pologne et intitula « *Vivat Polonia !* » un article dans lequel il assimilait soulèvement polonais et défense de la liberté ; puis lorsque la Pologne fut condamnée, il retraça son martyre sous le titre éloquent de *Mater Dolorosa*.

*

La Pologne rayée de la carte, subsiste une question, qui touche au prix payé par l'Empire pour cette suppression. L'image extérieure de l'Empire – celle d'un pays où, quelques années plus tôt, les serfs ont été émancipés – est désormais celle d'un pays attardé et oppresseur. N'y avait-il donc pas d'autre voie que celle de l'écrasement, qui a nourri, dans le cœur de générations de Polonais – et ce, encore au début du XXIe siècle –, un sentiment mêlant haine et crainte de la Russie ?

L'Empire russe a eu à faire face ailleurs, dans ses rapports avec les Finlandais, au même problème : celui du respect d'une nation. De la date de son entrée dans l'Empire en 1809 à la révolution de 1917, la Finlande aura joui d'un statut politique, le grand-duché, qui fut maintenu sans crise ni difficultés particulières. Pourquoi la Russie s'est-elle dans le même temps acharnée à réduire la liberté polonaise ? Le statut de 1815 n'était pas même une véritable reconstitution de la Pologne indépendante, c'était un statut de large autonomie, alors que la Finlande fut toujours traitée avec les plus grands égards, comme un prototype des progrès futurs de l'Empire.

Dans sa monumentale histoire de la Pologne, Norman Davies apporte à cette question des réponses d'importance variable, mais toutes justes. D'abord, la Pologne était stratégiquement plus importante pour la Russie que la Finlande. Elle commandait les relations russes avec l'Europe entière, alors que la seconde ne s'ouvrait que sur l'Europe du Nord, combien plus modeste. En raison de cette importance stratégique, la Russie maintint toujours des troupes en Pologne et ne cessa d'y exercer un contrôle, ce qui entraînait des relations plus difficiles avec la population. Mais peut-être faut-il surtout faire place à la différence essentielle entre une Finlande qui rassemblait tous les Finlandais dans ses frontières alors qu'une histoire tourmentée avait réparti les Polonais entre divers États, ce qui les conduisait à rêver de leur réunion dans le cadre d'un seul, ce rêve nourrissant leur nationalisme et inquiétant les grandes formations territoriales au sein desquelles l'histoire les avait enfermés. Les nations divisées n'ont-elles pas toujours été tenues pour un facteur d'instabilité par les États puissants ? Enfin, les Polonais étaient slaves et la Russie attendait d'eux qu'ils se sentissent membres de la communauté des peuples slaves qu'elle voulait rassembler ; alors que les Polonais, eux, se sentaient catholiques, revendiquaient leur solidarité avec les peuples d'Europe occidentale, et se détournaient du monde slave. À l'inverse, les Finlandais, libérés de la Suède et qui n'avaient rien de slave, étaient traités par la Russie comme des partenaires étrangers d'autant plus dignes d'autonomie qu'ils lui devaient une protection contre toute velléité suédoise de revenir sur le terrain.

Les deux situations, si dissemblables, ajoutées peut-être à une tradition de retenue chez les Finlandais et de romantisme chez les Polonais, expliquent pourquoi les souverains russes furent toujours enclins à traiter les Polonais comme des « frères », certes, mais des frères turbulents, incontrôlables, à qui pouvait s'appliquer le principe bien connu « Qui aime bien, châtie bien ». En réalité, si une peur mêlée de haine marquait les rapports des Polonais avec la Russie, du côté russe prévalait toujours une grande méfiance, d'autant plus que, derrière la Pologne dominée dès le XVIIIe siècle, survivait le spectre du puissant et ambitieux royaume de Pologne et de Lituanie contre lequel la Russie avait dû, dans un lointain passé, et jusqu'au temps des Troubles, combattre pour conquérir son indépendance.

Un lourd passé, des intérêts géopolitiques, des passions exacerbées se sont ainsi combinés, en 1863-1866, pour effacer un temps l'image du souverain-libérateur au profit du traditionnel despote russe.

CHAPITRE VI

Le Printemps russe (1861-1865)

La période qui suivit la réforme du servage fut, comme l'avaient redouté tous ses adversaires, celle du danger, de l'instabilité de toutes les couches sociales et de toutes les régions du pays. 1862 devait pourtant être une année de gloire, celle où serait célébré le millénaire de la Russie[1]. Alexandre II se rendit à Novgorod avec toute sa famille, mais, au lieu des festivités envisagées auparavant pour marquer ce millénaire, ce périple se déroula dans une totale discrétion. C'est que le pays était en effet, non pas, comme l'avaient annoncé les pessimistes, à feu et à sang, mais secoué de troubles divers. Des incendies dont l'origine restera un mystère éclatent çà et là, notamment dans les villes qui bordent la Volga. Le plus spectaculaire est celui qui, en mai 1862, dévaste le palais Apraxine et que l'enquête de police rapprochera de divers appels non signés au soulèvement populaire. De ces désordres, Alexandre II conclut à la nécessité de réduire la liberté accordée à la presse, et l'on interdit alors *Sovremennik* et *Russkoe Slovo*.

---

1. Selon la *Première Chronique*, c'est en 862 que Rurik vint régner sur Novgorod.

À Saint-Pétersbourg, dès l'automne 1861, l'agitation a gagné l'université. Professeurs libéraux et étudiants s'indignent du style et des mesures autoritaires adoptés par le ministre de l'Éducation nouvellement nommé par le souverain, l'amiral Poutiatine, plus habitué à commander des vaisseaux qu'à évoluer dans un milieu intellectuel.

Dans les provinces, premières conséquences de la réforme agraire, les incidents se multiplient, opposant autorités locales et arbitres de paix dont les fonctions ne sont pas encore comprises ni acceptées de tous. Le nouveau ministre de l'Intérieur, Valouev, instruit de tels troubles, donne toujours tort aux arbitres de paix, et, en 1862, certains d'entre eux, aux tendances libérales par trop proclamées, sont même arrêtés dans la région de Tver.

Si l'on ajoute à ce climat intérieur qui se dégrade rapidement les nouvelles en provenance de Pologne dès décembre 1862, on comprend combien il est difficile à Alexandre II de résister aux pressions d'une large fraction de la noblesse, heurtée par la réforme de 1861. Les assemblées qu'elle tient dans toutes les régions durant cette période agitée (1861-1863) montrent qu'il existe entre tous les participants – en dépit de différentes positions idéologiques – une certitude commune : la noblesse doit chercher à organiser son avenir en dehors de l'État et indépendamment de lui. Les liens que le servage avait tissés depuis des siècles entre la noblesse, qui en était bénéficiaire, et l'État, qui lui avait reconnu le pouvoir sur les serfs en échange de son service et de sa loyauté envers lui, n'ont plus de fondement.

Des groupes restreints de nobles ont cependant manifesté alors un véritable libéralisme et cherché à encourager les réformes en y associant la noblesse [1]. L'assemblée de Tver, siégeant en 1862, en porte témoignage. Elle annonça lors de cette session qu'elle renonçait à tous ses privilèges et réclama la convocation d'une Assemblée constituante pour instaurer un nouvel ordre politique représentant l'ensemble de la société russe. Mais cet exemple reste marginal. Dans sa grande majorité, la noblesse tente de peser sur le pouvoir pour limiter les effets de la réforme du servage et surtout arrêter l'élan réformateur qu'elle perçoit chez son souverain. Cette large fraction conservatrice va disposer, dès la fin de 1862, d'un organe de presse porteur de ses conceptions, *Russkii listok* (« la Feuille russe »), hebdomadaire publié dans la capitale. En août 1863, cet organe prendra un nouveau titre, *Vest'* (« la Nouvelle »), qui conserve le même format et la même périodicité, mais adopte progressivement un ton plus vif et un contenu plus polémique. Il sera perçu, jusqu'au terme de son existence en 1870, comme l'organe des « propriétaires », mais, en réalité, ceux qui animeront cette publication dans les années suivantes – le prince V. P. Orlov-Davydov, N. A. Bezobrazov, qui comptent parmi les chefs de file du mouvement conservateur de la noblesse – entendent lui donner les moyens de faire entendre leurs thèses jusque dans le bureau de l'empereur.

Confronté à une mobilisation de la noblesse qui vise, pour une minorité, à le pousser à rompre radicalement avec le système sociopolitique russe, mais, pour

_____

1. Les représentants les plus actifs de ce groupe, Alexandre Unkovski, les frères Nikolai et Alexei Alexandrovitch Bakounine, furent arrêtés et assignés à résidence loin de leur région.

une large majorité conservatrice, à l'arrêter sur la voie des réformes, confronté aussi à une agitation sociale croissante, le souverain n'en est nullement intimidé. La réforme du statut paysan exigeait des efforts complémentaires, notamment une refonte de l'organisation territoriale et administrative de l'Empire. Alexandre II eût certes pu céder à l'inquiétude de la noblesse et à son propre tempérament qui ne l'incitait pas à tourner le dos au passé. Pourtant, ce fut lui qui décida qu'il fallait poursuivre. Sans doute eût-il pu poser alors le problème de manière différente et s'attaquer d'emblée au système politique. Il avait fait un premier pas dans cette direction dès novembre 1857 en créant un Conseil des ministres, mais celui-ci ne remplit jamais les fonctions d'un véritable gouvernement moderne. Il ne se réunissait en effet, en ces premières années du règne où le souverain hésitait encore, qu'à l'initiative d'Alexandre II, dans son bureau, et se séparait quand celui-ci le décidait.

En 1862, le ministre de l'Intérieur Valouev proposa une réforme politique qui, sous un aspect très modeste, ouvrait déjà la voie à une certaine représentation populaire. Il suggérait que le Conseil d'État fût transformé et divisé en deux chambres. Ce qui fit dire à Gortchakov, au cours des discussions présidées par l'empereur, que la Russie allait tout droit, si l'on adoptait cette proposition, vers un système représentatif. Pour défendre son projet, Valouev invoqua l'isolement du pouvoir face à une société divisée où l'on voyait apparaître des éléments toujours plus radicaux. Il évoqua aussi – y insistant surtout au début de l'insurrection polonaise – la perspective des concessions qu'il faudrait à un moment donné consentir aux Polonais pour éviter un embrasement général de l'ex-royaume. Alexandre II décida alors de clore la discussion et d'oublier le projet Valouev.

On comprend cette décision en la replaçant dans la politique d'ensemble imaginée par l'empereur. S'agissant de réforme politique, c'est-à-dire constitutionnelle, il avait une vision d'autant plus conservatrice que, décidé à continuer de réformer, il pensait que, pour garder le contrôle de tout ce processus et éviter d'être emporté par le courant de changements continus, il lui fallait préserver son autorité personnelle, celle de l'autocrate. Il était en outre tributaire de la tradition autocratique russe, de l'éducation reçue de son père, et même des exemples qu'il pouvait voir autour de lui. Dans une lettre adressée en 1859 au souverain pontife, il lui expliqua que le roi de Prusse, son oncle, « était effrayé par la Constitution qu'il avait eu la faiblesse d'accepter ». Et il répondit le 10 novembre 1861 à l'ambassadeur de Prusse, Bismarck, qui lui demandait s'il avait l'intention de doter la Russie d'une constitution : « Dans tout le pays, le peuple voit dans le monarque le représentant de Dieu... Ce sentiment, qui est quasi religieux, est inséparable d'une relation personnelle avec moi... On ne peut ignorer le respect profond et inné qu'éprouve le peuple envers le trône depuis les origines. »

À Milioutine qu'il envoyait en Pologne pour faire face à l'insurrection et qui plaidait pour une restauration de la Diète et de la Constitution, il expliquait dans le même temps qu'il ne pouvait le faire sans convoquer l'assemblée de la terre *(Zemskii sobor)* pour qu'elle délibérât sur ce point, et là, concluait-il, « je crains bien que le peuple russe n'ait pas encore acquis la maturité nécessaire pour décider de tels changements ».

Ce débat, qui se déroule à l'arrière-plan des événements qui agitent la Russie entre 1861 et 1863, permet de mieux comprendre comment raisonne le souverain. Il veut réformer, mais il se heurte à la question qui hantera tous les réformateurs en Russie et ailleurs : jusqu'où est-il possible d'aller sans ébranler tout l'édifice ? Cette question sera aussi celle que se posera plus d'un siècle plus tard Mikhaïl Gorbatchev, qui, comme Alexandre II, conclura que c'est à l'intérieur même du système politique existant que l'on peut réformer et reconstruire sans courir de risques excessifs.

La question constitutionnelle était pourtant à l'ordre du jour et l'on vit alors apparaître dans l'entourage du souverain un projet de constitution. Ce projet est justifié par la situation particulière du grand-duché de Finlande et, à un degré moindre, par celle du royaume polonais, lesquels, avant de faire partie de l'Empire, avaient été dotés de statuts constitutionnels ou d'éléments de constitution. Valouev insistait pour que la Finlande, dont la Diète était réduite à une vie fantomatique depuis 1809, recouvrât cette institution. L'insurrection polonaise convainquit Alexandre II qu'il serait dangereux de poursuivre les travaux sur un projet constitutionnel et l'affaire fut pour un temps enterrée.

Alors qu'il repoussait toute idée de réforme politique, Alexandre II s'engagea sans hésiter, après l'abolition du servage, dans une refonte presque totale des structures administratives, judiciaires, universitaires et militaires russes. Et, malgré les avertissements qui lui étaient prodigués et les obstructions, il fit des années 1862-1865 un véritable « printemps politique » de son pays. Car si le « toit », c'est-à-dire la Constitution, est mis entre parenthèses, le reste de l'édifice va en quelques années devenir méconnaissable.

La première réforme, marquée tout à la fois par la volonté de transparence conforme à la *glasnost'* proclamée dès le début du règne et par la nécessité de restaurer les finances de l'État, fut consacrée au budget. En mai 1862, pour la première fois dans l'histoire russe, le budget de l'État est rendu public, détaillé par postes, et sa parution dans la presse accompagnée d'analyses et de commentaires économiques et politiques. Cette décision est reçue par la société comme une reconnaissance de son droit à connaître la manière dont les décisions sont prises et dont le pouvoir fonctionne.

À la veille de l'insurrection polonaise, une réforme financière était aussi en préparation, due, comme l'élaboration et la publicité du budget, au brillant ministre nommé en 1862 à la tête des finances, Mikhaïl Reutern. Celui-ci avait voyagé aux États-Unis, en Prusse, étudié comment fonctionnait un système financier sérieux. Il espérait rétablir rapidement la convertibilité du rouble, mais l'insurrection polonaise porta un coup très rude aux finances russes, et la réforme fut repoussée à de lointains lendemains. Néanmoins, grâce à un budget bien tenu, à la banque d'État créée au même moment, qui unifiait les diverses institutions financières, et par-dessus tout à un ministre compétent, la Russie apprenait enfin ce qu'étaient des finances publiques.

Mais le temps des réformes ne faisait encore que commencer et Alexandre II s'impatientait, ayant imaginé un très ample programme de changement.

La réforme des universités

La brutalité de l'amiral Poutiatine avait été largement cause de l'agitation qui s'était développée dans
les universités en 1861-1962. À la fin de l'année 1861,
Alexandre II, constatant les erreurs commises par
son ministre de l'Instruction, le démit et nomma à sa
place Alexandre Vassilievitch Golovnine, bras droit du
grand-duc Constantin, qui restera ministre jusqu'en
1866. Comme le grand-duc, Golovnine était un libéral convaincu, et la réforme qu'il prépara et réussit à
conduire à son terme en témoigne. Pour bien montrer
que le libéralisme inspirait son projet, Golovnine
rouvrit d'emblée les universités qui avaient été fermées
ou dont les cours étaient suspendus, réintégra les
étudiants exclus lors des troubles, et les autorisa à se
présenter aux examens. Ainsi put-il préparer la
réforme dans une atmosphère apaisée.

Pour la première fois, la méthode d'élaboration de
la réforme reposait sur une étude attentive des expériences faites dans les universités étrangères. Le
ministre envoya à cette fin des membres de la commission de réforme en France, en Prusse et en Suisse,
attendant leurs rapports pour en enrichir son projet.
L'autre innovation de taille fut le dialogue engagé avec
le monde universitaire, destiné à l'associer étroitement
à la réforme. Ce mode de travail était d'autant plus
heureux que, dès 1858, une autre commission avait
été créée pour recenser les problèmes les plus urgents
faisant obstacle au progrès – pénurie de professeurs,
faiblesse des contacts entre professeurs et étudiants,
isolement des savants russes, souvent découragés de
se rendre à l'étranger, etc. À l'issue de ses travaux,
la commission, ayant œuvré en collaboration avec les

universités, devait proposer une solution globale. Soucieux de ne pas perdre de temps et de mettre à profit ses travaux, Golovnine élargit cette commission en y faisant entrer un certain nombre d'experts. En associant ainsi des personnalités compétentes dans le domaine universitaire à ceux pour qui la réforme était élaborée, il rencontra d'abord une difficulté imprévue : tout fut remis à plat, objections et contre-projets pleuvaient, aussi nombreux que les participants, et le ministre dut remettre plusieurs fois l'ouvrage sur le métier. Mais, en dernier ressort, les mérites de cette manière ouverte de réformer apparurent : des propositions claires, acceptées par tous, et les amendements et remarques ayant été pris en compte, furent présentées à l'empereur en juin 1863, avec l'aval du Conseil d'État.

La réforme reposait sur la reconnaissance, souhaitée par tous ceux qui avaient affaire à l'université, de l'autonomie universitaire, laquelle existait déjà mais avait, depuis 1835, subi de multiples amputations. Et l'*élection* devait présider au choix du corps enseignant et des instances de direction. Dans chaque université, le corps professoral devait élire le recteur, choisi en son sein pour un mandat de quatre ans. Celui-ci était entouré d'un conseil composé lui aussi de professeurs élus qui partageraient avec lui les responsabilités pédagogiques et administratives. Enfin, la réforme créait une instance originale permettant de renforcer l'autonomie des universités en un temps où les troubles y étaient fréquents : c'était la *Cour de discipline universitaire*, composée d'un professeur de droit et de deux assesseurs – tous deux aussi professeurs – élus ; tous les problèmes relevant de la discipline estudiantine dépendaient de cette institution. Le recours à la police ou à la justice en cas de troubles ne pourrait être qu'exceptionnel, limité aux situations les plus extrêmes. Mais, de manière générale, l'université était seule responsable de l'ordre public, du comportement des étudiants, et constituait un « sanctuaire ». Un curateur nommé par le ministre, ayant pour rôle d'assurer la liaison entre les gouvernements et les universités, était aussi garant de leur autonomie, cependant que les inspecteurs d'éducation, qui traditionnellement représentaient le ministère auprès des universités, perdaient l'essentiel de leurs attributions.

La réforme Golovnine accorda beaucoup d'attention à deux problèmes urgents : la formation des maîtres, pour laquelle d'importantes dispositions furent mises sur-le-champ en application, et l'aide à apporter aux diplômés afin qu'ils pussent poursuivre leur formation dans des universités étrangères. Lors des travaux conduits par la commission, tous les participants avaient insisté sur la quasi-rupture des liens avec le monde universitaire européen et sur la nécessité de les renouer par l'envoi d'étudiants à l'étranger.

La réforme impulsa un remarquable élan à la vie universitaire en créant des université à Tomsk (qui jouira jusqu'à la révolution de 1917 d'un immense prestige en Russie), à Varsovie, à Iaroslavl'. Mais, sur deux points auxquels le ministre était très attaché, ses propositions libérales furent battues en brèche en 1863. Il avait souhaité que les corporations (on ne disait pas encore syndicats) d'étudiants soient autorisées à s'organiser à l'intérieur des universités, et que des moyens matériels leur soient fournis pour faire connaître leur existence (lieux de réunion, affichage et même bulletins). Il voulait aussi ouvrir l'université aux jeunes filles. Sur ces deux points, la doctrine conservatrice prévalut. Les étudiants faisaient peur, les troubles qu'ils suscitaient périodiquement dans leurs universités suggéraient qu'à leur accorder trop de liberté pour s'organiser, faire de la propagande, on encouragerait des tendances séditieuses toujours prêtes à se manifester. La loi de 1863 qui sanctuarisait les universités rendant les contrôles difficiles, mieux valait, pensa-t-on, limiter les risques de les voir se transformer en centres de contestation. Quant à l'ouverture des universités aux jeunes filles, la Russie s'aligna sur ce qui prévalait encore dans la plupart des pays européens. La Suisse, qui ne connaissait pas ces limitations, deviendra dès lors le pôle d'attraction pour des jeunes Russes émancipées, désireuses de poursuivre leur formation au-delà du niveau d'études que la bienséance recommandait.

En dépit de ces restrictions, la réforme comptait suffisamment d'aspects novateurs pour transformer le monde universitaire russe et lui permettre un progrès intellectuel remarquable. Sans doute l'agitation estudiantine reprendra-t-elle quelques décennies plus tard, mais, pendant une période assez longue, l'université sera, en Russie, un lieu privilégié de modernisation des mentalités. Elle va attirer des professeurs remarquables et formera une génération d'étudiants dont le pays aura le plus grand besoin, à la fin du siècle, pour participer à un effort de modernisation économique et technique sans précédent.

Le cycle secondaire n'avait pas été négligé par Golovnine. À l'enseignement traditionnel classique des gymnases (lycées) fut ajouté un autre type de lycées (les écoles réales), dispensant en priorité une éducation mathématique et scientifique.

Seul l'enseignement primaire échappa au programme si chargé des réformateurs, mais il relevait des autorités locales.

Liberté d'expression

Toujours au chapitre du progrès intellectuel, il faut inscrire une immense conquête datant de cette période de reconstruction de la Russie : la liberté nouvelle d'expression. Dès 1855, le Comité de censure est supprimé. Son président, le baron Korff, quoique chargé d'une fonction si impopulaire, défendait des idées libérales et était peu convaincu de l'efficacité de l'instance qu'il dirigeait. Il avait froidement déclaré que « l'action du Comité conduit parfois à un résultat contraire à ses buts ; la littérature manuscrite se propage, beaucoup plus dangereuse, car elle est dévorée avec passion et les dispositions policières ne peuvent rien contre elle ». Alexandre II applaudit à ce diagnostic. Il constatait que les journaux édités par Herzen à Londres circulaient en Russie en dépit de tous les obstacles que tentait d'y mettre la censure ; il les voyait lus et commentés au sein de sa propre famille, et même entre les mains de l'impératrice.

Les mesures de clémence décidées montrèrent aussi que la censure ne pouvait survivre à ce nouveau climat. Ces mesures avaient ouvert la porte au débat public, partout on commentait les nouvelles, on s'enhardissait à émettre vœux et critiques. Le dégel aura les mêmes effets dans l'URSS du milieu des années 1980 et poussera naturellement Gorbatchev à accélérer l'adoption de dispositions libérales. La liberté de publier encouragea la multiplication des journaux et revues. Les chiffres témoignent d'une véritable révolution en ce domaine. En moins de dix ans, le nombre des journaux autorisés passa de six à soixante-six, et celui des périodiques de dix-neuf à cent cinquante-six. En 1857, de nouveaux textes modifièrent le contrôle régissant les publications. La censure préalable à laquelle étaient soumis auparavant les écrits fut supprimée, le pouvoir espérant qu'auteurs et journaux, dès lors qu'ils traiteraient d'un sujet politique, s'imposeraient d'eux-mêmes une certaine retenue. Les délits de presse et d'opinion, qui, jusqu'alors, relevaient des tribunaux, furent déférés à une instance administrative ayant autorité pour décider sinon de sanctions, du moins de mesures encadrant leur liberté de s'exprimer et de se diffuser, instance beaucoup plus souple que la censure existant avant 1857. Grâce à ce système, la littérature russe put un temps s'épanouir sans entraves et la presse circula presque librement.

Cette souplesse avait néanmoins un revers : aucune loi n'avait clairement confirmé les dispositions pratiques régissant la liberté d'expression, ce qui laissait une grande latitude d'appréciation aux responsables des nouvelles instances. Leur jugement sur une publication dépendait largement de l'humeur des hommes, ou encore du moment où il était émis. Que survienne quelque désordre et ceux qui assuraient cette semi-censure devenaient soudain intransigeants. D'une manière générale, on constate qu'aussi longtemps qu'Alexandre II imposa aux réformes un cours tumultueux et qu'il encouragea le débat public, comme ce fut le cas pour la réforme des universités, la liberté d'expression fut respectée. Quand viendra le temps d'un certain recul, le système de censure retrouvera ses moyens de fonctionner. Mais, durant les années de dégel, entre 1855 et 1866, les libertés d'expression et d'opinion caractérisent le climat de la Russie aussi bien dans la sphère du pouvoir que dans la société. Les réformes qui se poursuivent à un rythme accéléré ont besoin du soutien de l'élite intellectuelle et de l'adhésion de toute la société appelée à comprendre les changements en cours.

Une justice plus humaine

Aux yeux de tout libéral, la Russie méritait d'être accusée de barbarie à cause du servage, mais aussi d'une organisation de la justice dont déjà, au XVIIIe siècle, l'abbé Chappe d'Auteroche écrivait : « J'ai vu que dans toutes les chancelleries éloignées, la justice s'y vendait presque publiquement et que l'innocent pauvre était presque toujours sacrifié au criminel opulent. » À la vénalité du système judiciaire que tous les voyageurs ont dénoncée et dont les Russes étaient conscients et honteux s'ajoutait l'usage des châtiments corporels, autre manifestation de barbarie. Chappe d'Auteroche note : « Les supplices, depuis l'avènement de l'impératrice Élisabeth, étaient réduits à la batogue et au knout », mais, après cette remarque lapidaire, il consacre de nombreuses pages à décrire, dessins à l'appui, « les batogues, considérées en Russie comme de simples corrections », et il raconte avec un grand luxe de détails effrayants une de ces corrections à laquelle il a assisté : « La victime, en l'occurrence une jeune fille, est à moitié déshabillée et fouettée jusqu'au moment où elle s'effondre, méconnaissable ; son visage et son corps étaient couverts de sang et de boue. » Ayant interrogé les spectateurs – car il y en avait, et même beaucoup – pour savoir « quel grand crime était ainsi puni », l'abbé apprit d'eux qu'il s'agissait d'une femme de chambre qui avait « mécontenté sa maîtresse pour avoir manqué à quelque devoir de son état ».

Après les batogues, c'est sur la manière de donner le knout qu'enquêta l'abbé ; et il explique : il y a le *knout ordinaire*, « qui ne déshonore point parce que, dans ce gouvernement despote, chaque particulier y est exposé », et le *grand knout*, « qui tient du supplice de la roue en France ».

Si la roue proprement dite, l'empalement et la peine de mort, en usage presque jusqu'au milieu du XVIIIe siècle, ont alors disparu, certains supplices que décrit ce précieux témoin restaient fort usités, et s'y ajoutaient « les traitements effroyables infligés aux criminels », qui pouvaient d'ailleurs n'être coupables que de délit d'opinion. Ces traitements appliqués dans les prisons étaient si horribles, écrit Chappe d'Auteroche, que pour nombre d'accusés, la peine de mort était préférable.

Ce sombre tableau, que d'innombrables voyageurs ont confirmé, pouvait encore valoir pour la Russie, un siècle plus tard, et surtout s'appliquait aux serfs sans défense devant leurs maîtres. Or l'abolition du servage supprimait la possibilité de recourir aux mauvais traitements. La question des châtiments corporels fut donc posée dès 1861, au lendemain du Manifeste, dans un projet de loi présenté à Alexandre II. Ce texte fut débattu en Conseil des ministres où nul ne songea évidemment à défendre ces pratiques barbares. Le 17 avril 1863, jour de l'anniversaire du souverain, un *oukaz* consacrait la disparition des châtiments corporels. Quelques vestiges cependant en subsistaient. Les tribunaux du premier degré pouvaient encore inclure dans leurs sentences des peines de knout ; et le knout survécut dans les bataillons disciplinaires de l'armée et en prison où les gardiens avaient tout loisir de s'en servir pour réprimer les tentatives insurrectionnelles ou les évasions. Mais il s'agissait là de cas extrêmes, et les autorités militaires et carcérales étaient appelées à la plus grande vigilance pour éviter que de telles exceptions deviennent la règle. L'usage du knout fut condamné au nom de la morale. Et l'*oukaz* précisa qu'il ne devait sous aucun prétexte être utilisé contre des condamnés politiques, ni en prison ni dans l'exil sibérien.

Cette abrogation qui rompait avec des pratiques et un ordre barbares était un premier pas sur la voie de la grande réforme du système judiciaire que l'opinion libérale tenait pour aussi indispensable que celle portant abolition du servage. Le système existant était non seulement inadapté à une société qui se transformait rapidement, mais réputé pour ses pratiques archaïques, le poids excessif de la bureaucratie en son sein, la corruption généralisée qui y régnait. De plus, la procédure était entièrement écrite et secrète, les juges se contentaient de prononcer le jugement en public, ce qui faisait peser sur tout verdict le soupçon d'illégalité ou de fraude. Ivan Aksakov avait écrit : « Nos vieux tribunaux ! À ce seul souvenir, les cheveux se dressent sur la tête, et l'on a la chair de poule. » Dès le début des années 1860, les libéraux réclament à cor et à cri les trois changements indispensables : des procès publics, des jurys légalement constitués, des juges inamovibles. Très attentif à ces demandes, Alexandre II chargea dès 1861 un Comité secret, présidé par le comte Dimitri Bloudov, de préparer une réforme en s'inspirant des modèles européens les plus respectés.

À la base de toute réforme du droit, il fallait établir la séparation des pouvoirs qui n'existait pas en Russie, en dépit des efforts accomplis au siècle précédent par

Pierre le Grand et surtout par Catherine II, grande lectrice de Montesquieu. Jusqu'au règne de Nicolas Ier, la Russie avait conservé le Code des lois de 1649 ; celui-ci fut ensuite amendé, puis remplacé par un nouvel ensemble de textes sans pour autant refondre le système judiciaire lui-même. Dans la pratique, ces changements avaient abouti à une confusion générale où lois, décrets, ordonnances administratives, tous textes soumis à l'approbation du souverain bénéficiaient ensuite d'un statut d'égalité. Des lois modifiant le système politique russe ou les lois fondamentales de la monarchie avaient même valeur qu'un texte donnant satisfaction à une demande locale, telle l'installation d'une fabrique dans une bourgade ! Certains textes étaient promulgués solennellement, mais d'autres, non moins importants, n'étaient jamais portés à la connaissance des gens. Enfin, les Russes ne distinguaient guère ce qui séparait divers domaines du droit, ce qui se rapportait à l'État et aux institutions de ce qui relevait de la justice criminelle ou du droit civil. La confusion qui régnait dans ce domaine avait d'ardents défenseurs qui la tenaient pour nécessaire à l'autorité de l'État. C'était, par exemple, la position du chef de la police secrète de Nicolas Ier, le comte Benckendorff, qui prônait que « la loi est écrite pour les sujets, pas pour l'autorité ».

C'est ce système partial, contraire à toute l'évolution du système juridique européen, qu'Alexandre II soumit au Comité Bloudov en le chargeant de le repenser de fond en comble. Le comte et son Comité se montrèrent soit réticents, soit inefficaces, soit les deux, et l'attentisme qui caractérisait leurs travaux irrita le souverain, décidé à joindre cette réforme à celle qui émancipait la paysannerie. Pour imposer ses

vues au Comité, il l'élargit, à l'automne 1861, y associant des juristes et plusieurs personnalités connues
pour leur attachement aux idées libérales. Parmi les
nouveaux membres, deux y jouèrent un rôle particulièrement actif : Dimitri Zamiatine, qui, un an plus
tard, remplacera Panine, très hostile au changement,
au ministère de la Justice, et son adjoint Sergueï
Zaroudny, qui sera un acteur aussi essentiel à la
réforme que l'avait été Milioutine dans la transformation du statut paysan.

Alexandre II était passionnément attaché à cette
réforme du système légal qu'il tenait pour un enjeu
essentiel de son règne. Ce qui explique qu'il s'y engagea personnellement, expliquant à chaque instant à
ceux qui l'élaboraient le résultat qu'il voulait obtenir,
la nature même du système auquel il fallait aboutir.
Cette mesure étant à ses yeux une étape décisive sur
la voie de l'européanisation du pays, ses auteurs
devaient donc étudier les systèmes existant en Europe
et s'en inspirer. Tout au long des travaux du Comité,
Alexandre II ne cessera de les suivre, de préciser ses
choix, de critiquer, de proposer. Et, ainsi impulsée par
lui, la révolution juridique fut accomplie en moins de
trois ans. Comme les autres réformes, elle avait été
préparée avec la société, et non dans le secret des
bureaux.

En septembre 1862, le souverain approuva les principes de la réforme que lui avait transmise le Conseil
d'État, unanime pour une fois dans son soutien au
projet. Le document était accompagné d'une étude
approfondie des tares du système en vigueur et proposait des solutions. Les principales propositions avancées – qui s'inspiraient des critiques portées depuis des
décennies contre la justice russe – étaient : séparation

rigoureuse des domaines de la justice et de l'administration, installation des jurys dans les procès criminels, élection des magistrats au niveau des justices de paix, et surtout instauration de procès contradictoires et publics. Ces divers documents soumis au souverain furent aussitôt communiqués à la société, qui fut conviée à commenter, critiquer, proposer.

Cet appel ne s'adressait pas aux seuls juristes, mais aussi bien aux universitaires, aux hommes de plume, voire à toute personne intéressée au débat. Il ne fut pas vain, puisque de tout le pays affluèrent quatre cent quarante-six commentaires parfaitement élaborés qui trouvèrent place dans les textes préparés. Enrichis de cette contribution venue de la société, les travaux du Comité débouchèrent sur un ensemble juridique impressionnant : un système judiciaire transformé et jusqu'aux textes préparatoires, mais déjà fort élaborés, à un Code civil et à un Code de procédure criminelle. Le Conseil d'État y apporta quelques amendements et Alexandre II l'approuva et le promulgua par l'*oukaz* du 20 novembre 1864.

Deux principes étaient au cœur de la réforme, sur lesquels l'*oukaz* insistait : la justice est indépendante, et la loi s'impose à tous, y compris même au souverain et à tous ceux qui participent à son pouvoir. Quelle révolution pour un pays où ceux qui gouvernaient s'étaient toujours exonérés de respecter les lois et prétendaient que, puisqu'elles émanaient d'eux, ils se trouvaient au-dessus d'elles. La réforme posait de manière ferme et explicite le principe de l'égalité de tous devant la loi.

Parmi les dispositions pratiques les plus importantes, il faut citer en premier lieu l'inamovibilité des juges, garantie de leur indépendance. Leur traitement était considérablement augmenté afin d'assurer leur indépendance matérielle. Ce statut ne connaissait qu'une limite : ils étaient démis s'ils étaient convaincus de malversations dans l'exercice de leur fonction. La nécessité d'éradiquer la corruption dans le système judiciaire avait hanté les réformateurs, conscients que la réforme ne vivrait qu'autant que serait assurée l'honnêteté des juges.

La procédure écrite et secrète était remplacée par le débat public et contradictoire ; les accusés étaient défendus par un avocat et toutes les affaires criminelles soumises à des jurys. La justice était rendue à deux niveaux : justice de paix pour les affaires mineures, avec une procédure d'appel devant une assemblée de juges du district. Les juges de paix étaient élus par leurs concitoyens dans le cadre des zemstvos ou des doumas municipales. Au-dessus des justices de paix, l'organisation judiciaire plaçait les tribunaux d'arrondissement et les cours d'appel. L'ensemble était coiffé par le Sénat, auquel n'échappaient que les tribunaux militaires et les tribunaux ecclésiastiques.

Cette réforme fut sans doute la plus aboutie de toutes et celle qui eut le plus grand retentissement dans la société. Mais sa mise en application en un temps très bref – car toute réforme, pour réussir, doit être mise en œuvre aussitôt qu'elle a été promulguée – rencontra une difficulté : le monde des juristes en Russie était insuffisant pour répondre aux besoins. Il fallait former d'urgence des magistrats instructeurs, des juges, des procureurs et des avocats. Il fallait aussi constituer des jurys dont les membres sachent prendre leurs distances avec le groupe social ou la communauté dont ils étaient issus. On a assez souligné la tendance de paysans devenus jurés à juger les délits à l'aune de leurs propres coutumes ou convictions.

Le fait remarquable, qui tient au climat de liberté prévalant à l'époque du dégel, c'est que cette réforme de la justice suscita un élan, des vocations vers tout ce qui avait trait au droit. Les institutions – ministère de la Justice, services juridiques du Conseil d'État et du ministère de l'Intérieur, secrétariat du Sénat – firent appel à de nouveaux collaborateurs, généralement jeunes, libéraux, désireux de mettre leurs idéaux au service de la grande transformation en cours, celle de la justice mais aussi, par voie de conséquence, des mentalités. Aussi longtemps qu'il resta ministre de la Justice, soit jusqu'en 1866, Zamiatine mobilisa toutes ces bonnes volontés.

De même, la nécessité de constituer un barreau et une magistrature dignes de ce nom encouragea-t-elle les universités à s'ouvrir largement aux aspirants juristes pour les former à ces nouvelles professions. La possibilité donnée aux avocats de participer librement et dans des conditions de véritable légalité aux procès politiques contribua à « politiser » cette profession en attirant vers elle des étudiants nourris d'idées libérales. Le droit va ainsi devenir la discipline qui rassemble les élites politiques les plus avancées ; Kerenski ou un certain Vladimir Oulianov, qui, exilé tout jeune en Sibérie, y préparera assidûment ses examens de droit, en seront de bons exemples.

Sans doute pourrait-on déplorer certaines insuffisances de la réforme. En premier lieu qu'elle ne fut – l'absence de personnel judiciaire qualifié l'explique – mise en œuvre que progressivement, d'abord dans les gouvernements des deux capitales, Saint-Pétersbourg et Moscou, avant d'être étendue à partir de 1866 au reste de la Russie. Un autre défaut tenait à la persistance de certaines pratiques passées. Habituée à se mêler de tout, l'administration était encore tentée de le faire et certains jurys avaient tendance à quêter l'avis des autorités. Si ces faiblesses sont incontestables – mais, encore une fois, comment transformer en un clin d'œil le système judiciaire d'un pays qui ignorait jusqu'à la notion d'État de droit en un système judiciaire digne de ce nom en l'absence de professionnels de la justice et dans une société pas toujours adaptée à de tels changements [1] ? –, c'est cependant la réussite rapide de la réforme qui mérite ici d'être soulignée. Si la Russie fut transformée par ces nouvelles pratiques judiciaires, en dépit même de leurs imperfections, c'est qu'Alexandre II considérait sa réforme comme un outil de modernisation du pays et des mentalités.

C'est plutôt dans la réussite de la réforme que l'on peut trouver l'origine de certaines faiblesses qui se manifesteront ultérieurement : en cette période d'État de droit naissant, la réussite première de cette réforme est qu'elle suscita une liberté d'expression inconnue jusqu'alors. Les délits politiques sont en effet soumis aux mêmes tribunaux que les autres délits et bénéficient des mêmes garanties de publicité, y compris la publication des actes des procès dans le « Messager du Gouvernement » *(Pravitel'stvennyi vestnik)*. Faut-il dès lors s'étonner que les accusés des procès politiques et leurs avocats aient voulu utiliser ce système et transformer les tribunaux en tribunes politiques afin de donner une audience nationale à leurs idées ? Cette évolution, que les auteurs de la réforme n'avaient pas imaginée, conduira tout naturellement les forces

---

1. Les archives judiciaires sont riches de témoignages de justiciables offrant des « pots-de-vin » à leurs juges, parce qu'ils restaient convaincus de leur « utilité »...

conservatrices – dans les cercles du pouvoir et dans l'élite – à tenter d'intervenir dans les décisions de justice en mêlant pouvoir administratif et justice, en contravention avec les fondements mêmes des textes de 1864. D'une certaine manière, au fil des ans, la grande réforme de la justice, qui dotait la Russie d'un système moderne et renforçait la liberté d'expression, pâtira de la manière dont les éléments les plus avancés de la société « progressiste » utiliseront cette liberté à leur profit, provoquant ainsi un raidissement de la fraction conservatrice des élites à qui Alexandre II avait imposé, dans les années 1860-1864, sa volonté réformatrice.

Mais, jusqu'en 1866, l'autorité du souverain et l'énergie du ministre de la Justice protègent la réforme de toutes les tentatives visant à la dévoyer ou à l'abolir.

La tradition bureaucratique contestée. Les zemstvos

La réforme de l'administration fut aussi conçue par Alexandre II pour accompagner l'abolition du servage ; elle constitue un remarquable défi à la tradition bureaucratique russe centralisée, en lui opposant, par le statut de 1866, une administration locale autonome.

Au milieu du siècle, lorsque Alexandre II monte sur le trône, la bureaucratie russe est parfaitement organisée, stable, et, ce qui n'est pas négligeable, convaincue de sa légitimité. La pyramide du pouvoir est dominé par le Conseil d'État, qui élabore les lois, et par les ministères, qui les appliquent. Le ministère de l'Intérieur coiffe pour sa part presque toute l'administration locale. Les gouvernements (*goubernia*) ou provinces,

créés par Catherine II en 1776, qui fonctionnent sous
l'autorité des gouverneurs, renforcent la centralisation
de l'État. La réforme du servage, la difficulté de gérer
un immense pays avec le seul concours d'institutions
centralisées, surtout par ce temps de profondes transformations, et une certaine fronde de la noblesse
contre la bureaucratie, qu'elle rend responsable du
retard russe et d'une réforme du servage mal appliquée, requièrent que l'administration locale soit elle
aussi réorganisée de fond en comble. Alexandre II en
est d'emblée convaincu et y réfléchit alors même qu'il
met en chantier la réforme du servage.

En 1859, des commissions sont créées sur place
pour étudier la répartition réelle des pouvoirs et des
responsabilités dans les provinces. Une commission est
chargée au même moment, dans la capitale, de lancer
une grande réflexion sur la réforme de l'administration
locale. Sur ce sujet comme sur celui du statut paysan,
réformateurs et représentants de la haute bureaucratie
sont en opposition totale.

La commission fut d'abord présidée par l'un des
inusables frères Milioutine, Nicolas. Le camp libéral
comptait en effet parmi ses membres les plus actifs
deux frères Milioutine : Nicolas, l'un des pères de
l'abolition du servage, et Dimitri, qui s'illustra au
Caucase, puis au ministère de la Guerre. Lorsque, en
avril 1861, Nicolas, tombé en disgrâce, sera nommé
sénateur, la présidence de la commission reviendra à
Valouev qui conduira le projet à son terme. Milioutine et Valouev après lui – il est significatif que l'on
retrouve les mêmes hommes aux commandes de
presque toutes les réformes – partageaient, s'agissant
de l'administration, une même conviction : il fallait
faire participer la société au pouvoir ; mais, dans le

même temps, il fallait préserver l'autorité de l'État. La réforme devait en dernier ressort renforcer l'autorité de l'État en la rendant acceptable, précisément parce que la société trouverait sa place dans la chaîne du pouvoir, au niveau local où la bureaucratie représentait jusqu'alors l'État.

Deux problèmes se posaient aux réformateurs. D'abord celui du rapport entre *ordres* au sein des organes du pouvoir local, donc celui d'une représentation sociale équitable. Le débat sur ce point était tendu : la noblesse tenait à préserver sa spécificité au sein des assemblées locales, alors que les démocrates souhaitaient que celles-ci transcendent les différences entre ordres et soient des institutions incarnant l'unité de la société. Le compromis porta à la fois sur la définition de la représentation et sur son mode. Les assemblées seraient une « réunion des ordres », et non leur fusion. Chaque ordre devait élire ses représentants dans un collège électoral distinct, et Valouev chercha une formule permettant à la noblesse de disposer d'une position majoritaire. Mais le conflit le plus aigu porta sur l'autorité du zemstvo : devait-il être autonome, ou dépendant de la bureaucratie ? Pour ceux qui voulaient préserver la centralisation, les ministères centraux devaient conserver le contrôle des nouvelles institutions, c'est-à-dire les zemstvos ; leurs adversaires réformateurs voulaient au contraire que leur autonomie eût un contenu réel et que l'aptitude des élus de terrain à gérer eux-mêmes leurs affaires ne soit jamais mise en question. S'ajoutait à cela le débat portant sur la compétence et les attributions des nouvelles institutions. Enfin, l'accord était loin d'être total, s'agissant du partage des tâches entre ces institutions et les instances du pouvoir central.

Aussi longtemps que Milioutine présida la commission, le poids des libéraux y fut prééminent. Lorsqu'il fut remplacé par Valouev qui succédait alors à Lanskoï au ministère de l'Intérieur, le rapport des forces devint plus difficile à déterminer. Valouev était certes convaincu de la nécessité de créer de nouvelles structures, mais, en tant que ministre de l'Intérieur, il pensait d'abord à préserver le pouvoir central ; il savait la difficulté de composer avec les particularismes locaux et des traditions différentes ; enfin, il était soumis aux pressions de la noblesse qui clamait ses griefs : n'avait-elle pas été dépossédée par l'abolition du servage ? N'avait-elle pas accepté de perdre ses privilèges ? Ces sacrifices consentis ne devaient-ils pas être compensés par le maintien d'une certaine autorité dans le domaine administratif ?

Aussi longtemps que la question resta dans le cadre de la commission, les positions restèrent tranchées. Mais lorsque le Conseil d'État en fut saisi et que de nouveaux interlocuteurs prirent part au débat – les frères Milioutine, le ministre des Finances Reutern, l'éphémère ministre de l'Éducation Kovalevski, le baron Korff –, la recherche d'un compromis prévalut. Le débat en Conseil d'État ayant duré toute l'année 1863, l'empereur s'impatienta et exigea pour la fin de l'année la remise du texte. Le 1er janvier 1864, le statut des institutions territoriales était promulgué. Depuis le règne de Catherine II, c'était la plus importante réforme administrative que l'Empire eût connu.

Le texte adopté était sur bien des points un compromis reflétant les positions que l'on pourrait qualifier de « centristes » de Valouev. Celui-ci avait réussi le difficile pari de concilier les changements nécessaires, les exigences de son ministère et de la noblesse, et jusqu'à celles de Panine en échange de son soutien, avec les revendications radicales des libéraux. Le texte consacrait l'habileté et la modération du ministre. Les deux camps s'étaient particulièrement querellés sur la délicate question du choix du président de l'assemblée des zemstvos. Qui choisir, et comment ? Était-ce une prérogative des députés ? ou bien la fonction revenait-elle d'office au maréchal de la noblesse ? La seconde solution fut en définitive retenue, le souverain faisant pencher la balance en sa faveur. La bataille fut tout aussi rude sur la question des compétences des zemstvos. Les libéraux s'opposaient à ce que le ministère de l'Intérieur pût superviser les activités des zemstvos, alors que le clan Valouev optait pour qu'une certaine primauté fût accordée au Centre. Une fois encore, ce fut Alexandre II qui décida, et une part d'autorité fut conservée aux instances centrales.

Le statut des zemstvos, parce qu'il avait dû incorporer des propositions contraires, n'était pas exempt d'ambiguïtés. Il combinait adroitement des éléments importants d'autonomie locale et certaines prérogatives des organes bureaucratiques du Centre. Tel quel, il représentait une indéniable rupture avec la tradition centralisatrice de l'administration russe. Et les zemstvos étaient bien, malgré toutes les manœuvres d'arrière-garde, les représentants de toute la société. La rupture n'était pas seulement inscrite dans l'esprit du texte adopté, mais elle ressortait de l'étendue des domaines de compétence des zemstvos, de la continuité de leur action, des moyens dont ils allaient disposer.

Ces institutions de pouvoir local étaient créées à deux niveaux : dans le district et au gouvernement, qui rassemblait de dix à douze districts. À chaque

niveau, des assemblées ou zemstvos étaient composées
de représentants élus : de douze à quatre-vingts pour
le district, de quinze à cent pour la province. Le mandat des élus était de trois ans. Dans les districts, les
collèges électoraux étaient séparés : les élections étaient
censitaires pour les deux premiers collèges (les propriétaires, c'est-à-dire la noblesse, et la population urbaine) ;
pour les paysans, sans être censitaires, les élections
étaient à plusieurs degrés. Les zemstvos de province
étaient élus directement par les assemblées de district.
Le système censitaire dans les districts accordait une
majorité (47 %) au collège des propriétaires, ce qui
leur permettait de dominer le système à l'échelle pro-
vinciale. Organes consultatifs et de contrôle, les zemstvos étaient complétés par un organe exécutif
– l'*ouprava*[1] – composé d'un président et de plusieurs
assesseurs dont le nombre allait de deux à six.

À l'origine, le système des zemstvos fut appliqué
dans trente-quatre provinces de Russie ; neuf en
étaient exclues, situées dans la partie occidentale du
pays : l'agitation couvant en Pologne, le pouvoir
craignait d'y mettre en œuvre une réforme accordant
à la population une autorité nouvelle. La Lituanie, la
Biélorussie et trois provinces de l'Ukraine furent
elles aussi écartées de la réforme. À considérer les
problèmes posés par certaines régions, on comprend
aisément que son application ait été différée.

Dans les provinces où la réforme fut appliquée, la
noblesse, majoritaire dans les nouvelles institutions,
était intéressée à jouer le jeu du pouvoir central, ce
qui lui permettait de prendre sur le terrain sa revanche
sur une bureaucratie dépossédée de son autorité ; du

---

1. De *oupravlenie* – administration, gestion.

coup, on pouvait s'attendre à ce que les zemstvos participent à la stabilisation de l'État. Mais, dans les provinces agitées où la noblesse était à l'avant-garde des volontés nationales, le pouvoir craignait qu'elle ne se saisisse des nouvelles institutions pour en faire l'instrument de ses aspirations. Voilà qui explique le refus d'étendre les zemstvos à toute une partie de l'Empire.

L'idée d'un zemstvo national avait été avancée dans les débats, mais elle fut rejetée, là aussi pour des raisons proprement politiques. Alexandre II craignait que la noblesse russe rassemblée dans un organe central ne l'utilise comme contrepoids à son pouvoir, n'en fasse une sorte de parlement de la noblesse qui serait ainsi devenue une seconde bureaucratie centrale.

Les compétences dévolues à ces assemblées étaient loin d'être négligeables. Elles avaient pour première fonction de gérer « les intérêts économiques locaux des provinces et districts ». Cette formule recouvre de multiples domaines : d'une part, ceux que l'État transmet au zemstvo ; de l'autre, ceux dont il s'empare de sa propre initiative. Au premier chapitre, les zemstvos étaient responsables des problèmes de locaux des administrations, du logement de certaines catégories de fonctionnaires, du traitement des nouveaux fonctionnaires élus – arbitres de paix, juges de paix – à la suite des réformes ; on trouve aussi à ce chapitre toutes les charges traditionnelles d'entretien des routes, des ponts, des moyens de transport. Mais le plus intéressant résidait dans les compétences liées aux besoins de la population en matière de santé, d'hygiène, de services vétérinaires, mais aussi au crédit destiné aux paysans, aux assurances, aux coopératives. Ces attributions faisaient appel aux sentiments de responsabilité sociale et de solidarité nourris par les élites intellectuelles qui avaient souhaité si ardemment les réformes.

L'éducation primaire, enfin, figurait au chapitre des compétences les plus importantes des zemstvos. Si les écoles paroissiales continuaient à dépendre du Saint-Synode, les zemstvos héritaient de la charge des écoles placées sous l'autorité du ministère de l'Instruction publique. Il leur incombait, aux termes de la réforme, de développer l'éducation dans les campagnes en assumant la responsabilité des établissements existants et en en créant de nouveaux. Sans doute le zemstvo n'était-il pas maître des programmes fixés par l'État, et il ne pouvait décider de l'ouverture ou de la fermeture des écoles, pas plus que de la gestion de l'enseignement et de la nomination des maîtres, ces derniers relevant des conseils scolaires qui devaient travailler en collaboration avec eux. Mais il leur revenait d'en assurer l'organisation matérielle, et, au sein des conseils scolaires formés de cinq membres, les deux élus du zemstvo local se trouvaient en position d'égalité avec les deux représentants de l'État, dominant ainsi l'unique représentant de l'Église.

Pour fonctionner, le zemstvo disposait en premier lieu de la durée : trois années de mandat pour les élus ; une session annuelle de dix jours pour les zemstvos de district, de vingt jours pour ceux des provinces, et la possibilité de convoquer des sessions extraordinaires en cas de nécessité ou à l'invitation du gouvernement. Les maréchaux de la noblesse présidaient de droit ces assemblées [1]. La permanence des zemstvos était assurée par leur exécutif, l'*ouprava*, dont ils rétribuaient les membres. Les moyens financiers dont disposèrent les zemstvos n'étaient pas négligeables : l'État leur

_____

1. Les maréchaux de la noblesse sont élus par leur ordre tous les trois ans lors des assemblées de la noblesse.

avait transféré des biens en propriété personnelle – le zemstvo étant une personne morale – sous forme d'immeubles, d'entreprises, de capitaux. Les zemstvos pouvaient contracter des emprunts, mais leur principale source de financement était les impôts locaux. L'État gardait pour lui les impôts indirects et l'impôt sur les « âmes paysannes [1] », et laissait aux zemstvos le soin de taxer la terre et les propriétés, bâties ou non. Ces ressources se révélèrent vite insuffisantes par rapport aux charges des zemstvos qui devaient déjà en consacrer près du tiers à la santé publique, et 15 % à l'éducation. L'entretien des routes dans un pays au rude climat et aux longues distances pesait aussi très lourd dans leur budget. Il leur restait peu de moyens à accorder à l'agriculture et à l'amélioration du revenu des paysans.

Ces problèmes financiers vont rapidement conduire à des conflits avec les autorités centrales, et nourriront le mécontentement de la population devant les réticences des zemstvos à assumer certaines charges. Toujours à court d'argent, ces assemblées multiplieront les emprunts ; comme la banque d'État renâclera à prêter aux zemstvos réputés mauvais payeurs, ils se tourneront vers le fonds de l'assurance obligatoire, financé par les primes payées par les paysans, lesquels seront ainsi en dernier ressort les véritables prêteurs et la principale source de revenus d'autorités locales constamment déficitaires. C'est pourquoi l'impôt foncier ne cessera d'augmenter, pesant lourdement sur les paysans, d'autant plus que l'assiette de l'impôt, très disparate selon les régions et les statuts, affectera souvent davantage le simple paysan que le propriétaire.

----

1. C'est-à-dire sur toute personne de sexe masculin.

Faut-il le considérer dès lors comme un impôt de classe favorisant les nobles, dans la mesure où les zemstvos qui en décidaient étaient dominés par la noblesse, ou comme un impôt compliqué auquel les nobles éduqués savaient mieux se dérober, minimisant la qualité et le rapport de leurs terres, que le simple paysan ? Il est en tout cas certain que l'application de la réforme, alors que les services fiscaux ne disposaient pas des outils statistiques et des éléments cadastraux nécessaires à l'évaluation des terres, a – au moins dans un premier temps – ajouté à la confusion et aux difficultés matérielles des paysans.

Aux problèmes financiers des zemstvos s'ajoutent les difficultés nées de leurs relations toujours conflictuelles avec la bureaucratie. Une incontestable faiblesse du statut de 1864 est qu'il fut greffé sur l'administration en place, surajouté à elle, sans que rien ne fût modifié des structures existantes. Il n'y avait pas de relation clairement définie entre le zemstvo et les représentants locaux des divers ministères, pas plus d'ailleurs qu'entre les zemstvos et le plus bas niveau de la société. Le premier niveau de la réforme, celui du district, était, compte tenu de la taille de cette unité administrative, souvent trop éloigné du village ou de la paroisse, ce qui ne permit pas à cette institution de s'enraciner au plus près de la population. À l'autre extrémité de la société politique, il manqua toujours au zemstvo de pouvoir accéder au centre du pouvoir, au processus législatif. Un zemstvo national eût pu jouer ce rôle ; il n'exista jamais. La bureaucratie locale tenait les zemstvos pour des instances de second rang qui n'avaient aucun droit à exercer sans contrôle leur activité. Elle voyait dans toute initiative de leur part des empiètements sur son domaine de compétence. Le plus souvent, une guerre d'usure s'installa entre bureaucratie et zemstvos, ce qui se révéla en définitive nuisible aux deux parties : par le temps dépensé en pure perte et par l'effet négatif dans la société, qui cherchait toujours à identifier les véritables détenteurs de l'autorité. Si ce conflit entre administration et instances d'autogestion fut la règle générale, il exista par endroits et par moments une réelle coopération entre ces deux pôles d'autorité de la vie locale. Mais la méfiance et les mesquineries qui souvent présidèrent à leurs relations empêchèrent la réforme de remporter le succès escompté.

Dans les critiques adressées aux zemstvos, la domination de la noblesse n'est pas la moins fréquente ; elle mérite pourtant examen. Sans doute la part accordée aux paysans par le texte de 1864 – 40 % des sièges dans l'assemblée de district – ne correspond-elle pas à leur proportion écrasante dans la société. Mais leur représentation a aussi varié selon les régions. Là où les nobles conservaient d'importantes propriétés, ils disposaient de plus de sièges que les paysans, parfois bien au-delà de la quote-part qui leur était assignée. Mais, parfois, là où la propriété nobiliaire était inexistante, les paysans disposaient d'une majorité relative. Il faut surtout constater que les paysans n'ont pas toujours su utiliser les possibilités qui leur étaient offertes par le statut en élisant des représentants actifs et intéressés par la fonction. Comprenant mal l'importance du zemstvo et l'usage qu'ils pouvaient en faire, ils s'en sont souvent remis à la noblesse, puisqu'ils avaient la possibilité de choisir des candidats en dehors de leur ordre, et ce, particulièrement au niveau du zemstvo

provincial et davantage encore à l'*ouprava*. Ou encore
ils élisaient des petits fonctionnaires, des prêtres, ou
les *starostes* (« anciens ») de village, en raison de leur
habitude de voir ceux-ci régler leurs différends et de
les représenter auprès de l'administration.

Bien des raisons expliquent une pareille situation.
Entrant en vigueur si peu de temps après son émancipation, le statut de 1864 prenait au dépourvu une
paysannerie déjà déconcertée par le profond changement qu'impliquaient pour chacun la liberté, la nécessité d'acquérir les terres, l'exercice de responsabilités
personnelles. La paysannerie était, en 1861, illettrée
dans sa quasi-totalité, et elle n'aura pas acquis, trois
ans plus tard, les bases de connaissances élémentaires
qui l'auraient aidée à affronter un monde si différent
de celui dans lequel elle avait toujours vécu.

Les archives locales témoignent cependant que,
pendant les toutes premières années de création des
zemstvos, les paysans s'y impliquèrent davantage qu'ils
ne le firent les années suivantes, parce qu'ils avaient
alors compris que les questions traitées par ces instances – taxes foncières, monétarisation des corvées –
étaient liées à leur nouvelle condition de paysans
libres. L'école de village aura aussi été pour eux une
raison de s'intéresser au zemstvo qui en assume la responsabilité. Mais ils auront souvent été découragés par
les divers problèmes financiers ou techniques relevant
des zemstvos, qu'ils ne comprennent pas, et rendus
méfiants à l'égard d'institutions qui les mettent en
contact, sur un pied d'égalité théorique, avec leurs
anciens maîtres. Traiter en égal avec le seigneur dont
on fut hier le serf n'est pas un changement de perspective aisé. Pas plus d'ailleurs que ce ne l'aura été pour
la noblesse. Enfin, le zemstvo étant chargé de perce-

voir des impôts, le paysan aura tendance à voir en lui un percepteur de plus, non un nouvel acteur de la vie rurale et sociale assumant des charges que l'État et le propriétaire lui ont abandonnées. Même lorsqu'il participe au zemstvo en tant que député, un paysan ne croit pas pouvoir contrôler l'usage fait des impôts levés sur lui, pas plus qu'il ne peut, il le sait, contrôler l'usage fait des impôts levés par l'État. Dès lors, comment s'identifierait-il au zemstvo ?

Ces divers facteurs entraîneront en peu d'années, une fois passée la phase de curiosité, une certaine indifférence paysanne à l'égard de ces instances, un manque de zèle à y prendre part en votant ou, plus encore, en se faisant élire. Peut-on aussi tenir pour négligeable le fait que, pour des raisons de principe, par crainte de favoriser la corruption, on ait décidé que les élus des assemblées de province devraient se déplacer et se loger à leurs frais lors des sessions qui se tenaient au chef-lieu, souvent à plusieurs journées de marche de leur lieu de vie ? Si les délégués du premier ordre pouvaient consentir de telles dépenses, elles étaient difficiles à supporter pour un élu paysan qui, dans le même temps, abandonnait aussi pour plusieurs jours le travail de la terre.

En dépit des critiques, justes ou infondées, qui accompagnèrent la réforme de 1864 et sa mise en œuvre, on ne peut oublier l'enthousiasme qui l'accueillit, même s'il était mêlé d'ambiguïtés et d'espoirs qui, avec le temps, seront déçus. Il n'empêche : le bilan de l'activité des zemstvos est impressionnant. Des écoles furent créées là où il n'y en avait pas ; des dispensaires et des hôpitaux de campagne furent construits (le médecin de campagne de Tchekhov y œuvra), et les agriculteurs furent entourés de conseils et dotés des moyens financiers et techniques dont ils manquaient jusque-là cruellement. Enfin, était-il une disposition plus urgente, pour assurer la sécurité des paysans, que l'assurance contre les incendies, dans une campagne où les constructions de bois prenaient feu à tout moment ? Tout cela, le zemstvo en avait la charge, et il remplit en général ses obligations. Au regard d'une campagne attardée dans ses modes d'exploitation, d'une paysannerie illettrée, égarée face à des changements très rapides, l'apport des zemstvos fut certainement insuffisant et, par là, condamné à décevoir. Mais on ne peut sous-estimer à quel point tout le système de pouvoir existant – l'autocratie appuyée sur une bureaucratie paralysante – se trouva affaibli par ces nouvelles structures. On ne peut non plus sous-estimer les conséquences de cette réforme sur les mentalités. Même si, en 1864, le système politique russe semblait intact et même renforcé, les germes des ébranlements futurs étaient là.

Une armée nouvelle

L'armée était aussi un domaine où la réforme s'imposait. Tout d'abord parce que la défaite de 1856 avait révélé la faiblesse militaire russe, aussi bien en termes de défaillances dans l'organisation de l'armée, de sous-équipement de la marine, et, on l'a déjà dit, de retard dans la construction ferroviaire, qui a interdit de transporter vers le front les renforts en hommes, en armes et en vivres. Sur ce dernier point, Alexandre II avait tiré dès 1857 les leçons du désastre en décidant de développer rapidement, presque en priorité, le réseau ferroviaire russe. En 1857, la *Société des Chemins de fer* est créée et fait appel avec succès au capital étranger. Les plus grands établissements financiers et industriels européens – Pereire, Fould, Schneider, Hottinger, Sellière – n'hésitent pas à investir. Malgré la défaite, le mirage d'une Russie, terre d'enrichissement, subsiste. S'agissant de la marine, Alexandre II confia dans le même temps la responsabilité de redresser la situation au grand-duc Constantin dont la correspondance, entre 1857 et son départ pour la Pologne, atteste qu'il fut entièrement mobilisé par cette mission, qui, au demeurant, le passionnait.

Enfin, il fallait aussi réformer une armée que l'Europe, avant la guerre de Crimée, avait imaginé être la plus puissante du monde. Cette illusion tenait à la politique militaire de Nicolas Ier qui, non content de disposer d'une armée permanente de plus d'un million d'hommes, avait pratiquement militarisé tout son pays. Chacun, de l'écolier à l'étudiant et au fonctionnaire, portait l'uniforme et obéissait à une discipline quasi militaire. Cette discipline s'étendait à la Cour, et la Russie avait toutes les allures d'une caserne, ce qui rendait encore plus atterrante la défaite subie. L'armée dévorait alors plus de 40 % du budget du pays. C'est pourquoi, prenant le pouvoir, Alexandre II était déjà convaincu de la nécessité de réformer l'armée.

À la défaite s'ajoutait un constat politique et moral. L'agitation du début des années 1860 avait gagné les écoles militaires et les jeunes aspirants se délectaient des tracts socialistes qui les appelaient à rallier le mouvement révolutionnaire.

Le ministre de la Guerre, Dimitri Milioutine, s'attaqua au problème dès 1861, mais il lui faudra plus de dix ans pour réussir, de réforme en réforme, à doter la Russie d'une armée moderne. Réformer le service militaire était peut-être le plus urgent. Dès 1859, le service obligatoire, qui était de vingt-cinq ans lorsque Alexandre monta sur le trône, faisant par là peser une charge économique et morale insupportable sur la société, fut ramené à quinze ans pour l'armée, et quatorze pour la flotte. On ferma aussi les colonies militaires qui rassemblaient des enfants recrutés de force dès l'âge de douze ans (juifs, le plus souvent) pour y entamer un service militaire d'un quart de siècle.

Milioutine s'attaqua aussi, dans les années où tout était réformé en Russie, à l'administration militaire. Il divisa le pays en *régions militaires*, ce qui créa un lien nécessaire entre le centre et les troupes, modifia l'instruction militaire en dotant chaque arme – infanterie, cavalerie, etc. – d'établissements spécialisés dispensant une instruction propre à chacune. Enfin, le ministère de la Guerre fut libéré de toutes les tâches régionales pesant inutilement sur lui, pour se consacrer aux problèmes proprement militaires d'organisation et de réflexion stratégique. En 1874, cet effort sera couronné par l'instauration du service militaire universel, une réduction drastique de sa durée qui ne sera plus que de six ans dans le service actif et le reste dans la réserve. Mais, dès le début des années 1860, les mesures adoptées par Milioutine modifient à la fois le climat moral de l'armée et le regard que la société porte sur elle.

Quand on dresse le bilan de ce temps si bref qui va du couronnement d'Alexandre II au milieu des années 1860, c'est le flot de réformes qui s'impose à l'esprit, tout comme les changements profonds qui s'opèrent dans la société et les mentalités. Que les hommes adhèrent à ces changements ou qu'ils y résistent, nul n'y échappe, nul ne peut manquer d'en être marqué. Le libre débat ouvert sur toute réforme par Alexandre II, l'appel à toutes les contributions lorsqu'il s'agit de transformer l'université ou l'administration locale, ont fait souffler un air nouveau sur le pays. Alexandre II ignore alors le propos de Tocqueville qui insiste sur l'extrême danger que doit affronter tout système politique dès lors qu'il se lance dans des réformes qu'il est nécessaire d'accomplir. Il ne sait pas non plus que les réformes déchaînent des forces imprévisibles qui les amplifieraient si elles venaient à les accompagner, mais qui peuvent, lorsqu'elles jouent un jeu contraire, briser le système en train de s'amender, emportant avec lui les réformes et ceux qui les ont voulues.

Mais, en 1865, la Russie en est encore à la phase heureuse de cette volonté de modernisation, même si des esprits chagrins, attachés à conserver un ordre devenu intolérable, annoncent déjà, en écho à Tocqueville, des lendemains tragiques. Entre 1861 et 1866, la Russie a connu un printemps comme sa malheureuse histoire ne lui en offrit que peu. La suite, plus difficile, ne saurait effacer ou conduire à sous-estimer l'immense acquis de ces années bénies.

CHAPITRE VII

La puissance retrouvée

L'effondrement de la Russie en Crimée étant perçu comme la conséquence du retard intérieur, Alexandre II, en lançant ses réformes, entendait avant tout rendre à son pays la puissance et la place perdues sur la scène internationale. Mais, avant même qu'il eût mis en chantier son ambitieux projet de redressement intérieur, le souverain avait compris que la vision internationale de la Russie et la politique qui en découlait étaient tout aussi périmées que son ordre social.

Depuis le début du XVIIIe siècle, la Russie avait orienté sa politique étrangère tantôt vers la Prusse, tantôt vers l'Autriche, plus rarement vers la France qui avait toujours manifesté du mépris à son endroit. Catherine II avait opté en 1762 pour le « système du Nord » proposé par Panine, qui, pour faire pièce à l'axe des Bourbons-Habsbourg, c'est-à-dire l'axe franco-autrichien, avait fait le choix de s'appuyer sur la Prusse et l'Angleterre. Mais les partages de la Pologne avaient créé une relation privilégiée entre Saint-Pétersbourg et les deux autres puissances copartageantes, Prusse et Autriche. Les guerres napoléoniennes allaient encore renforcer cette entente. Au vrai, c'était moins une alliance tripartite qu'un jeu d'équilibre que la Russie s'efforçait de maintenir entre Berlin et Vienne, afin de neutraliser leurs ambitions montantes. Sans doute des difficultés avaient-elles pesé sur l'entente russo-autrichienne dès le milieu des années 1840, et le soutien de Vienne aux ennemis de la Russie, en 1854, allait définitivement briser cette alliance. Néanmoins, Nesselrode, maître d'œuvre de la politique étrangère de Nicolas Ier, exposa à son successeur, le 11 février 1856, que la Russie devait conserver la ligne suivie jusqu'alors : « Depuis le partage de la Pologne, il existe entre la Russie, la Prusse et l'Autriche une solidarité d'intérêts. Nous sommes, de ces trois puissances, celle à laquelle la conservation de cette solidarité est le plus nécessaire. »

Cette injonction fit peu d'effet sur Alexandre II, conscient que le temps d'une révision de la politique étrangère était venu. Malgré la guerre de Crimée, la France n'apparaît plus, alors, comme l'adversaire de toujours. Le prince Orlov s'en était convaincu lors de la signature du traité de Paris en constatant que Napoléon III s'efforçait par moments de lui venir en aide. À l'intérieur du pays, la société s'exaspérait du poids des « Allemands[1] » dans la politique extérieure russe, comme elle l'avait déjà fait au temps où le chancelier Osterman l'incarnait. Le temps de Nesselrode était à son tour achevé, mais il ne partit pas dans l'in-

---

1. En 1725 déjà, Osterman, un Allemand venu chercher fortune en Russie, en avait conduit la politique étrangère. Il fut démis par l'impératrice Élisabeth en novembre 1741, jugé et condamné à mort. Il fut gracié alors qu'il était déjà sur l'échafaud pour être écartelé, et exilé en Sibérie. Cette fin de règne provoqua des manifestations de masse dans toute la Russie qui y vit « la fin de la domination des Allemands ».

dignité : sa démission, au lendemain du traité de Paris, était naturelle et lui ouvrait une retraite honorable. Alexandre II appela pour le remplacer le prince Gortchakov, personnage en tous points différent de son prédécesseur et qui avait en premier lieu, aux yeux de ses compatriotes, le mérite d'être russe.

Le « *favori du destin* »

Le prince Alexandre Mikhailovitch Gortchakov était issu d'une très ancienne famille de l'aristocratie russe. Au lycée de Tsarskoïe Selo, pépinière des talents russes, il fut le condisciple de Pouchkine. Adulte, il opta pour la diplomatie, mais le succès ne fut pas toujours au rendez-vous : durant un quart de siècle, il fut victime de ses difficiles relations avec Nesselrode, ce qui lui valut d'être envoyé dans des postes diplomatiques peu importants pour son pays. Mais il y gagna une expérience très diverse, et surtout un « riche carnet d'adresses », pour user de termes contemporains. Il était aussi réputé pour des dons d'expression qui faisaient de ses correspondances une véritable œuvre littéraire, louée partout.

C'est au cours de la guerre de Crimée que le sort commença de lui être favorable. Il était alors ambassadeur à Vienne. Dans ce poste, il eut en 1855 à préparer les pourparlers de paix en cherchant à limiter les concessions que la Russie devrait accepter. C'est alors qu'il put faire la preuve tout à la fois de ses qualités de négociateur, d'une grande aptitude à charmer ses interlocuteurs, et d'une incontestable fermeté de caractère, tous traits qui contribuèrent à donner de la diplomatie russe une brillante image. Il n'est pas étonnant, dès lors, qu'Alexandre II ait fait appel à cet être si doué pour diriger la politique étrangère russe qu'il conduira pendant vingt-cinq ans. Aux yeux du souverain, il ajoutait à son habileté de diplomate une grande vertu : son adhésion aux idées libérales qui inspiraient la politique de réforme.

Gortchakov était respecté dans tous les pays où il avait exercé son activité. Son autorité était grande, son prestige intellectuel et politique ne l'était pas moins. Son sens aigu de l'intérêt national russe était réputé, et son arrivée à la tête du ministère des Affaires étrangères, après les « règnes allemands », semblait promettre à la fois un redressement et la prise en compte d'une conception russe des relations avec le monde, que tout le pays espérait. Au lendemain de l'humiliante guerre de Crimée, l'ascension politique de cet esprit fin, spirituel, élégant, connu dans toutes les capitales européennes pour ses qualités de diplomate et pour son immense culture, semblait annoncer, en ce domaine comme en tant d'autres, le temps du changement. Ne surnommait-on pas Gortchakov « le favori du destin », comme l'avait fait son ancien condisciple Pouchkine ?

Sans doute Gortchakov avait-il aussi de sérieux défauts de caractère. Vaniteux, trop sûr de lui, surtout du jour où la fortune lui sourira, prompt à s'attribuer tous les mérites de la politique suivie, et à s'en louer bruyamment, il inspira à Milioutine ce propos désabusé : « Il prend toujours la pose, jette de la poudre aux yeux, et, dans les affaires les plus importantes, s'occupe d'abord de se placer en pleine lumière. » Au « favori du destin », ses détracteurs opposaient une autre image, celle du « Narcisse de l'encrier ». Et l'on se plaisait, parmi les critiques du ministre, à rappeler qu'il avait dit un jour à Bismarck, alors ambassadeur de Prusse à Saint-Pétersbourg : « En Russie, il n'y a que deux hommes qui comprennent la politique du gouvernement : l'empereur qui la fait et moi qui la prépare et l'exécute. »

Mais, en dépit des propos de ceux qui, à l'admiration vouée au diplomate, opposaient les mesquineries de l'homme, c'est le rôle éminent de Gortchakov dans le redressement du prestige de son pays qui retient l'attention. Il comprit d'emblée qu'il fallait réfléchir à l'ensemble des équilibres internationaux recherchés par la Russie, à ses appuis et à ses adversaires traditionnels ; il comprit aussi qu'il fallait adapter à une nouvelle politique étrangère son instrument, c'est-à-dire les structures et les missions du ministère dont il avait la charge.

Le ministère des Affaires étrangères avait souvent été conduit à assumer des tâches qui le détournaient de l'essentiel, telles que la censure des publications politiques et l'administration de certaines régions situées aux marches de l'Empire. Gortchakov renvoya ces tâches sur d'autres administrations, de même que l'organisation protocolaire des diverses cérémonies de l'Empire, ne conservant sous sa tutelle que ce qui concernait réellement la politique étrangère. Libéré de missions peu conformes à ses intérêts, le ministère fut aussi réorganisé de manière à être allégé de directions superflues et à développer la coordination entre ses diverses instances. Le ministre put dès lors s'appuyer sur un cabinet, une chancellerie et trois départements dont celui d'Asie, dont l'influence sera considérable. Les Archives furent réparties entre les deux capitales. Les missions consulaires furent développées. Enfin, Gortchakov fit entrer le principe de transparence, la *glasnost'*, tant à l'honneur en ces débuts de règne, dans son ministère. Dès 1861, on publie l'*Annuaire du ministère des Affaires étrangères* où figurent de très nombreux textes relatifs à la politique en cours – notes, accords, protocoles, etc.

La qualification des diplomates s'élève elle aussi. Le nouveau ministre procède à de nombreux recrutements qui renouvellent le corps, et les exigences en matière de formation universitaire sont plus grandes que par le passé. Des futurs diplomates on exige non seulement qu'ils aient accompli leurs études dans des établissements prestigieux – le lycée de Tsarskoïe Selo occupant la première place –, mais qu'ils soient bien formés pour le moins en histoire, géographie et droit international, et connaissent parfaitement deux langues étrangères. Gortchakov entend disposer, il le dira, d'un corps diplomatique préparé à ses missions et plus professionnel qu'il ne l'était jusqu'alors.

L'un des grands atouts du ministre des Affaires étrangères fut de comprendre que l'on ne pouvait plus gouverner avec les méthodes passées. Au premier rang des changements nécessaires, il fallait tenir compte de l'opinion publique. Et Gortchakov s'y employa sans relâche, s'informant de son état et de ses attentes, multipliant notes et explications destinées à la gagner.

« *La Russie se recueille* »

En s'installant dans ses nouvelles fonctions, Gortchakov voulut tout de suite prendre ses distances avec la politique passée de la Russie. Le 16 avril 1856, il adressa une dépêche à tous les représentants russes à l'étranger pour leur annoncer sa nomination et expliquer sa conception d'une nouvelle politique étrangère. Il y reconnaissait que la Sainte-Alliance avait fait son temps et qu'elle était inadaptée à l'époque qui s'ouvrait. La politique de la Russie devait être fondée, disait-il, sur la bienveillance et la confiance. Peu après, le 21 août 1856, il indiqua à toute l'Europe ce que serait la ligne suivie par son pays : privilégier l'intérêt national sans pour autant ignorer les intérêts des autres nations. Il indiquait qu'il vivait un temps particulier, celui où « la Russie se recueille » (ou se concentre).

Dans cette période de réflexion et de reconstruction de la diplomatie, l'émergence d'une nouvelle élite, que l'on vient d'évoquer, était l'une des préoccupations du ministre. Aux grands postes, dans les pays avec lesquels la Russie allait redéfinir ses relations, une pléiade de nouveaux ambassadeurs fut nommée. À Vienne, l'ancien collaborateur du ministre et proche de lui, V. P. Balabine. À Londres, le comte M. I. Khreptovitch remplaça le baron von Brünnow, qui, pour sa part, au terme d'un très long séjour dans la capitale anglaise, était nommé à Berlin. À Paris, c'est le comte Paul Dimitrievitch Kisselev, ministre des Domaines de l'État en 1856, diplomate habile, qui sera chargé de renouer des fils rompus par la guerre de Crimée. En Asie et en Extrême-Orient, on envoya des militaires qui avaient souvent participé aussi aux réformes : l'amiral Poutiatine, un temps chargé des universités, le comte Nicolas Mouraviev et le comte Ignatiev que l'on retrouvera quelques années plus tard à Constantinople. Enfin, un savant géographe et spécialiste des Balkans, E. P. Kovalevski, fut placé à la tête du département d'Asie.

Ainsi soutenu par des ambassadeurs énergiques et compétents, par un corps diplomatique largement rajeuni et par une administration plus efficace, Gortchakov put élaborer, au terme du laps de temps nécessaire au « recueillement », une vision nouvelle des intérêts russes. Le catalogue des priorités était aisé à établir. En tête figurait le traité de Paris, qui restreignait de manière fort humiliante la liberté d'action de la Russie. Se débarrasser des clauses les plus insupportables était pour Gortchakov un objectif primant tous les autres, et qui impliquait de jeter un regard neuf sur les alliances passées et sur celles qu'il lui faudrait conclure. Parmi les premières, l'Autriche était l'objet de sa vindicte ; il ne pouvait pardonner à cette alliée traditionnelle, liée à la Russie par le dépeçage de la Pologne, de l'avoir trahie. Il ressentait ce fait comme un affront personnel qu'il devrait laver. Il ressentait aussi le traité de Paris comme une tragédie personnelle qu'il aurait à corriger. Enfin, le rétablissement des positions russes dans les Balkans était un autre objectif, d'autant plus important qu'il pourrait modifier la situation de la Russie dans les Détroits.

L'illusion française

La défaite avait isolé la Russie, confrontée en même temps à l'hostilité française et à l'abandon autrichien. Comment renouer avec le monde extérieur ? Sur qui s'appuyer ? Entre le souverain et son ministre, l'accord sur les réponses à apporter à ces interrogations était loin d'être total.

Par son éducation, par ses relations familiales, aussi par tempérament, Alexandre II éprouvait un vif penchant pour la Prusse. C'est là que le jeune héritier avait éprouvé de grands bonheurs à voyager, à rencontrer les siens. Culturellement, il était aussi proche de ce pays. Et le ministre de son père, Nesselrode, n'avait cessé de lui répéter que ce serait une grave erreur que de s'écarter de cette alliance traditionnelle, de même qu'il lui conseillait de ne pas envenimer davantage les rapports avec l'Autriche ; Nesselrode lui serinait que ces affinités, mais aussi le refus de l'aventurisme politique, dont la France, toujours tentée par les révolutions, était le symbole, avaient été les bases des orientations internationales de Nicolas Ier. L'alliance prussienne était garante de la stabilité intérieure et internationale, alors que l'alliance avec Paris ne pouvait qu'encourager les nostalgiques des révolutions. Cette vision tranchée des perspectives offertes par l'alliance avec Berlin, par opposition à celle avec Paris, était naturellement soutenue par les milieux conservateurs, alors que les libéraux étaient quant à eux favorables à un rapprochement avec la France.

Gortchakov, pour sa part, était sceptique sur les avantages d'une alliance prussienne qui, pensait-il, n'ajouterait rien au prestige russe. Vis-à-vis de l'Autriche, il partageait le ressentiment que Nesselrode avait inculqué au souverain. Par convictions libérales, mais aussi en procédant par élimination – car l'Angleterre, il le savait, était peu encline à soutenir la Russie –, il était résolu à s'appuyer sur la France et était tout aussi décidé à en convaincre Alexandre II, certes moins francophile que prussophile, mais qui éprouvait une certaine curiosité pour la France et avait surtout une excellente connaissance de son passé, de sa culture et de sa langue, qu'il utilisera presque toujours lorsqu'il écrira, dans les années suivantes et durant quinze ans, à la femme qui sera le grand amour de sa vie, Catherine Dolgorouki.

Gortchakov réussit peu à peu à intéresser le souverain à son « projet français ». À ceux qui ont contesté son influence sur Alexandre II, répétant qu'il n'avait rien apporté de neuf dans la politique étrangère russe, il est aisé de répondre que l'alliance française fut son œuvre et qu'il y avait travaillé avant même de savoir quelles responsabilités l'empereur allait lui confier.

Alors qu'il était encore ambassadeur à Vienne, en plein conflit, Gortchakov correspondait avec le duc de Morny et cherchait avec lui les moyens de sortir d'une guerre dont tous deux estimaient à juste titre qu'elle ébranlait profondément l'équilibre européen. Napoléon III sut reconnaître l'utilité de ces tractations. Il envoya son demi-frère Morny, de surcroît marié à une princesse Troubetzkoï, représenter la France au couronnement d'Alexandre II, et le nomma ambassadeur à Saint-Pétersbourg alors que Gortchakov devenait le maître de la politique étrangère russe. Les contacts personnels ébauchés durant la guerre avaient marqué une étape dans le rapprochement entre les deux pays, et le rendaient d'autant plus aisé.

Gortchakov avait d'emblée compris qu'après la guerre qui les avait opposées, la France et la Russie avaient intérêt à se réconcilier au plus vite. Pour la France, triomphante en 1856, les ambitions d'extension territoriale étaient à l'ordre du jour – Nice, la Savoie, la rive gauche du Rhin lui semblaient soudain accessibles –, mais il fallait, pour atteindre ces objectifs, neutraliser l'Autriche, soutenue par l'Angleterre qu'inquiétait la soudaine montée en puissance du Second Empire napoléonien. Le 13 septembre 1857, les deux empereurs en quête de dialogue se rencontrèrent à Stuttgart. Ce rendez-vous avait été soigneusement préparé par les deux ministres des Affaires étrangères.

Du côté russe, on laissa entendre à Napoléon III qu'on ne mettrait pas d'obstacle à ses visées italiennes dans la mesure où il soutiendrait la volonté russe de révision des clauses du traité de Paris.

La rencontre de Stuttgart avait aussi été précédée par une négociation portant sur le départ des troupes franco-anglaises de Grèce et par un réexamen de la frontière de la Bessarabie, demandé par la Russie. Ces discussions, au cours desquelles la France avait accédé sans réticences aux requêtes russes, semblaient ouvrir la voie à un traité en bonne et due forme que le grand-duc Constantin était venu négocier à Paris à la veille de la rencontre de Stuttgart. Mais il avait été effrayé par la perspective d'engager la Russie dans un nouveau conflit armé que pourraient provoquer les projets annexionnistes de Napoléon III, lequel promettait d'ailleurs à la Russie de soutenir, en échange, une politique d'annexion en Galicie. Se heurter à l'Autriche, alertée par ces conversations à propos de la Galicie, inquiétait le grand-duc, qui avait préféré renvoyer à la rencontre entre les deux empereurs la concrétisation de l'alliance.

Ainsi préparé de rencontre en rencontre, le rapprochement franco-russe semblait pouvoir aboutir rapidement. Mais, dans les faits et malgré les discours chaleureux de Stuttgart, le projet d'alliance va échouer, car sur deux sujets les deux pays s'opposeront : la politique turque et, surtout, en 1863, le soulèvement polonais.

Avant qu'on ne constate à Paris comme à Saint-Pétersbourg l'existence de ces désaccords, Gortchakov jurait en 1858 que le bilan des efforts accomplis des deux côtés était positif. Les deux pays s'étaient en effet employés, la même année, à freiner ensemble l'agressivité turque au Monténégro, et avaient réussi à faire plier la Sublime Porte. L'année suivante, la Moldavie et la Valachie, bénéficiant de la coopération franco-russe, virent reconnaître leur autonomie par la conférence, réunie à Paris, qui aboutit à la réunion des deux principautés sous l'autorité du prince Alexandre Cuzo. La Roumanie est alors en train de naître, et le sultan va reconnaître en 1861 l'œuvre accomplie par les négociateurs franco-russes. En principe, l'« entente cordiale » entre les deux capitales portait donc ses fruits et un accord formel devait voir le jour.

Au même moment, Napoléon III et Cavour débattirent à Plombières d'une expédition contre l'Autriche. Estimant avoir largement satisfait ses demandes dans les Balkans, l'empereur français voulut tester l'attitude de la Russie. Pour ce faire, il envoya à Varsovie son frère, le prince Jérôme Napoléon, ardent partisan d'une « explication décisive » avec l'Autriche. La réponse russe à la question posée fut mitigée. Pour Gortchakov, une neutralité bienveillante devait suffire. Le propos déçut Napoléon III, qui confia alors à ses envoyés – son frère et un officier de marine, La Roncière – deux projets d'accord destinés à lier la Russie. Le premier précisait l'interprétation française de la « neutralité bienveillante » : Napoléon III entendait par là que l'empereur de Russie déploie des troupes à la frontière autrichienne et envoie des forces navales en Méditerranée pour montrer qu'il appuyait réellement la France. De plus, il attendait d'Alexandre II qu'il usât de son influence sur la Prusse pour la convaincre de ne pas se mêler au conflit.

Les demandes de Napoléon III étaient certes accompagnées d'offres de « compensation » pour l'aide que la Russie apporterait à sa politique. Compensation

territoriale en Galicie, toujours, si Pétersbourg déclarait la guerre à l'Autriche, ce dont Alexandre II ne
voulait pas entendre parler, à la fois parce que l'Autriche restait à ses yeux, en dépit de tout, un pôle de
stabilité politique – vestige de la Sainte-Alliance – et
parce qu'il ne tenait pas à être entraîné dans une
guerre. L'empereur russe, lui, souhaitait avant tout le
soutien français à une révision des clauses du traité de
Paris qu'il n'avait jamais acceptées – or, sur ce point,
Napoléon III lui tenait des propos dilatoires. De projet en projet révisés, portés dans la capitale russe par
La Roncière, il en revenait toujours à la même sugges-
tion : que la Russie commence par déployer ses
troupes à la frontière autrichienne en signe d'amitié.
Quant à garantir la révision du traité, comme le réclamait instamment la partie russe dans ses contre-
projets, Napoléon III faisait mine de ne rien entendre.

Le ministre français des Affaires étrangères Walewski,
maître d'œuvre du congrès de Paris, et l'ambassadeur
russe Kisselev débattaient à l'infini de toutes les
variantes de ce qui était en fait un dialogue de sourds,
quand l'Autriche entra dans le jeu, voulant s'assurer
pour elle-même la neutralité russe dans le conflit
franco-autrichien que toute l'Europe savait sur le
point d'éclater. Gortchakov hésita un instant, mais
comprit qu'à changer de camp, à s'aliéner l'appui
français et anglais dans ce qui était la priorité de la
politique étrangère russe – la révision du « traité cau-
chemardesque », selon l'expression d'Alexandre II –, la
Russie serait perdante. Lorsque la guerre éclata, et
malgré leurs réserves, Alexandre II et Gortchakov
prirent le parti de la France en lui prêtant un appui
diplomatique. Gortchakov dépêcha ses émissaires en
Prusse et dans toutes les cours allemandes pour plaider

l'abstention dans le soutien à l'Autriche. La démarche russe contribua sans doute à écarter les principautés allemandes du conflit, donc à faciliter les victoires napoléoniennes de Magenta et de Solferino. Mais, en dépit de ce précieux concours, Napoléon III, négociant à Villafranca avec l'empereur François-Joseph en juillet 1859, oublia totalement d'évoquer les intérêts russes.

La guerre avec l'Autriche fut suivie d'une autre désillusion pour la Russie. Entre 1860 et 1862, la situation des chrétiens dans les Balkans pousse celle-ci à leur prêter secours, et elle invite la France à faire pression avec elle sur la Porte pour les soutenir. L'indifférence de Napoléon III aux appels de Gortchakov assombrit encore les rapports entre les deux pays. L'heure des comptes n'est pas encore venue, mais Alexandre II, toujours plus prussophile que francophile, qui a rencontré à Varsovie en 1860 François-Joseph et Guillaume Ier, sans se résoudre encore à tourner le dos à la politique de rapprochement avec Paris, peut à bon droit s'interroger. Quels bénéfices son pays a-t-il retirés des efforts accomplis depuis 1857 et du soutien réel apporté à Paris durant sa guerre avec l'Autriche ? Les demandes russes de soutien en faveur d'une révision du traité de 1856 sont restées lettre morte. Napoléon III est toujours aussi proche de l'Angleterre, grande puissance rivale de la Russie, et continue à privilégier les intérêts français dans les Balkans, ce qui lui donne deux bonnes raisons de ne pas soutenir les actions russes dans cette région.

La seule crise qui unit un moment les deux pays dans les Balkans fut celle qui éclata en Serbie au début des années 1860 lorsque les princes Obrénovitch décidèrent, ayant repris leur trône, d'en faire le point de départ d'une « Grande Serbie » rassemblant toutes les terres serbes. La réponse turque à ce projet fut brutale et tourna en 1862 à la confrontation militaire. Tandis qu'à Londres et à Vienne, les sympathies allaient à la Porte, Gortchakov réussit à obtenir l'appui de la France à la cause serbe ; le résultat en fut le démantèlement de deux forteresses turques et le renforcement du statut de la Serbie, quand bien même la domination turque restait encore réalité. La Russie constate alors que l'équilibre des forces dans les Balkans est en train de changer. Avec la Serbie naît un grand État slave qui servira de point d'appui à l'influence russe dans la région. De plus, le soutien actif de la Russie au Monténégro et à la Serbie contre l'Empire ottoman a contribué à la réinstaller dans les Balkans et y a démontré sa capacité à jouer le rôle de défenseur des chrétiens. Tel est probablement le principal effet de l'alliance esquissée avec Paris. Napoléon III ne l'avait pas envisagée ainsi, mais la Russie lui doit malgré tout un retour sur la scène internationale qui commence à estomper le désastre de 1856.

Dans le même temps, la fin du rapprochement russo-français était prévisible. Trop de désillusions rappelaient à Alexandre II que la Prusse pouvait être une alliée plus sûre. Le soulèvement polonais de 1863 allait en fournir une preuve éclatante, tant les positions de la France et de la Prusse y prirent un tour contraire.

Lorsqu'éclate ce soulèvement, les pays opposés à la Russie durant la guerre de Crimée se retrouvent aux côtés des Polonais. Pour la France, défendre ces derniers est servir la cause de la démocratie, et s'impose par solidarité avec les catholiques de Pologne. L'Angleterre applaudit au soulèvement parce qu'il brise l'entente franco-russe. L'Autriche, qui, dans ses terres, n'a jamais hésité à réprimer les velléités insurrectionnelles des Polonais, les soutient dès lors qu'elles affaiblissent l'Empire russe. Le seul pays ami de la Russie est alors la Prusse. Bismarck manifeste d'emblée son hostilité au soulèvement et envoie un émissaire à Saint-Pétersbourg, le général von Alvensleben, qui signera avec Gortchakov une convention scellant une coopération russo-prussienne en vue de rétablir l'ordre en Pologne. Du point de vue de la Prusse, le soulèvement polonais arrive à point nommé pour mettre fin au fâcheux rapprochement entre Paris et Saint-Pétersbourg, qui risque de menacer le projet unitaire caressé par Bismarck. Celui-ci a besoin d'une Russie qui y soit favorable, sachant que la France, elle, ne l'acceptera pas. De surcroît, l'idée d'une Pologne rétablie dans son indépendance est inacceptable pour la Prusse, qui redoute l'alliance entre cette puissance voisine et la France.

La convention russo-prussienne met fin au long débat amorcé dès 1856 sur les orientations de la politique étrangère russe. Si Gortchakov et son allié le grand-duc Constantin ont imposé dans un premier temps leur vision – en dépit du peu d'entrain de Napoléon III à répondre à leurs demandes –, Alexandre II reprend la main en 1863 et en revient à son inclination naturelle, favorable à une entente avec Berlin. Il triomphe d'autant plus aisément que Napoléon III prétend recréer la Pologne de 1815 et, par là même, redessiner la carte européenne. Alexandre II a aussi choisi son camp parce qu'il n'accepte pas la prétention française à lui dicter sa conduite en Pologne. Gortchakov, lui aussi heurté par les désaccords et malentendus qui ont jalonné le rapprochement avec

Paris, est désormais prêt à écouter Bismarck qu'il a déjà eu l'occasion d'observer attentivement durant les trois années où celui-ci fut ambassadeur à la cour de Russie (de 1859 à 1862).

La Russie n'avait nul besoin du soutien prussien pour réduire l'insurrection polonaise, du moins militairement parlant. Mais ce soutien lui permit de n'être pas isolée sur la scène politique européenne durant cette période où ses adversaires taxèrent sa politique répressive de « barbarie ». Il fallait cependant « payer » cet appui prussien. Pour Bismarck, ce fut l'occasion rêvée, après la victoire russe, d'avancer dans son projet unitaire. En 1864, la Pologne est réduite au silence, mais les troupes prussiennes, qui n'y étaient pour rien, pénètrent en territoire danois, invoquant le sort des minorités allemandes qui y vivent. La Prusse s'empare du Schleswig et du Holstein, ainsi que du port de Kiel, sans que la Russie, pourtant proche du Danemark, réagisse. Ce n'est là qu'un premier pas. Deux ans plus tard, c'est au tour de l'Autriche de faire les frais des ambitions prussiennes. Avec la défaite de l'Autriche à Sadowa au terme d'une guerre très brève qui permet à la Prusse d'entamer la construction d'un puissant État regroupant toutes les terres situées au nord du Main, la Russie, comme tous les pays européens, constate que c'est tout l'équilibre de l'Europe voulu par les vainqueurs de Napoléon Ier qui se trouve avoir disparu.

De nouveau se pose la question des orientations de la politique étrangère russe. Faut-il accepter la puissance montante de la Prusse et poursuivre dans la voie de l'amitié avec ce pays qui menace les coalisés de la guerre de Crimée ? C'est ce que pense Alexandre II. Faut-il au contraire freiner Bismarck et en revenir au rapprochement – aussi décevant qu'il ait été – avec la France ? À l'été 1866, le Kronprinz, accompagné du général Manteuffel, négocie à Saint-Pétersbourg un accord formel sur ce qui peut unir les deux pays. Gortchakov accepte de ne pas faire obstacle au projet d'une Confédération de l'Allemagne du Nord conduite par la Prusse, tandis que ses interlocuteurs prussiens s'engagent à soutenir la révision des clauses du traité de Paris défavorables à la Russie, à commencer par la neutralisation de la mer Noire.

Dix ans tout juste après le traité abhorré, la Russie a trouvé un interlocuteur qui accepte explicitement de défendre sa cause. L'alliance franco-russe, toujours esquissée, maintes fois manquée, est cette fois bel et bien morte. Le silence persistant de Napoléon III sur cette question, si sensible en Russie, aura assuré la victoire du camp prussien et permis à Bismarck d'avancer, sans être gêné par un accord franco-russe, vers l'unité allemande rêvée. Alexandre II et Napoléon III ont sous-estimé, chacun pour des raisons propres, la transformation rapide de la Prusse en empire.

Mais, à cette époque déjà, les yeux de tous ceux qui gouvernent la Russie sont rivés sur un autre horizon, le Caucase et l'Asie centrale : les routes qui permettent de défier l'éternel rival anglais.

« Caucase rebelle, soumets-toi ! »

Cette phrase a été écrite en 1821 par Pouchkine, fasciné tout à la fois par la forteresse, en apparence imprenable, qu'est alors le Caucase, et par la fureur de vaincre du conquérant russe. À la mort du poète, en 1837, son injonction est encore bien loin d'avoir produit son effet : deux décennies encore seront nécessaires à Nicolas Iᵉʳ, puis à son fils, pour mater des peuples réputés presque invincibles.

La guerre du Caucase avait commencé alors qu'Alexandre II n'était pas né. L'affaire remonte à son arrière-grand-mère Catherine II. Après avoir conquis la Crimée, poussé ses États aux abords de la mer Noire, la grande impératrice tourna ses regards vers le Caucase. La situation y était propice à ses ambitieux projets. Des royaumes chrétiens – Kartvelie, Kakhétie et Imerétie [1] – l'appelaient au secours contre les deux puissants empires musulmans voisins, perse et ottoman. En 1783, Catherine II plaça ces royaumes sous protectorat russe. Cette protection des chrétiens du Caucase lui ouvrait d'étonnantes perspectives au nord où vivaient Tchétchènes et Daghestanais, et à l'est où les territoires du khan de Karabakh étaient peuplés par les Arméniens très anciennement christianisés.

Mais le Caucase est une région d'une complexité que Catherine et son conseiller Potemkine n'avaient pas bien mesurée. Une infinité de peuples et de langues n'avaient en commun que l'islam et le refus d'être dominés par la Russie. Dès 1785, un chef müride tchétchène, Cheik Mansour [2], prêchait la révolte contre les *giaours* (« infidèles »), c'est-à-dire contre les Russes. Mansour (« le Vainqueur » en arabe), coiffé d'un turban, portant un châle vert, soulevait les foules tchétchènes par ses prêches et par sa

---

1. C'est la Géorgie orientale d'aujourd'hui.
2. Membre de la confrérie soufie müride, réunie autour d'un chef religieux disposant d'une autorité totale sur ses disciples. Réfugié auprès des troupes ottomanes, il combat à leurs côtés et est fait prisonnier lors de la prise de la forteresse turque d'Anapa. Expédié en Russie, il y mourra en 1794.

réputation de sainteté, mais aussi de guerrier invincible au service de l'islam. Alarmées par l'effet de ces discours enflammés, les autorités russes donnèrent l'assaut au village de Cheik Mansour, précipitant le soulèvement qu'il préparait. À la stupéfaction des Russes, non seulement Cheik Mansour leur échappa et demeura insaisissable jusqu'à sa capture en 1791, mais, surtout, la révolte qui éclata devint le prélude à la grande guerre des musulmans du Caucase.

Cheik Mansour avait réussi dans un premier temps à soulever d'autres peuples du Caucase : Avars, Kabardes, Nogaïs, Koumyks. Malgré le courage de leur chef, ces peuples insurgés ne réussissent cependant pas à surmonter les clivages de clans qui les opposent. Mais ils ont déjà en commun la volonté de protéger l'islam contre le christianisme porté par les Russes. Si cette première « guerre sainte » échoue à unir les peuples de la région, elle leur laisse néanmoins un souvenir fort qui contribuera à les ancrer dans l'attachement à leur foi.

En 1795, on eût pu croire le Caucase sauvé de la mainmise russe. Le nouveau shah de Perse envahit la Géorgie, brûle Tiflis et chasse les Russes de la région. C'est plus que Catherine II, partout triomphante, n'en peut supporter. Son nouveau et dernier favori, Platon Zoubov, attaque les Perses, reconquiert la Géorgie et propose d'avancer, à partir de là, vers l'Inde. La mort de l'impératrice met fin à cet imprudent projet, mais les conquêtes faites durant cette dernière campagne de son règne – Bakou et Derbend – ont installé la Russie au bord de la Caspienne dans une position qui la pousse à nouveau vers le Caucase.

Sitôt monté sur le trône, Paul Ier retient précisément de l'héritage d'une mère haïe que le Caucase est nécessaire à la Russie. Et il annexe tout simplement la Géorgie en 1801, alors que celle-ci s'était spontanément placée sous la protection russe deux décennies plus tôt.

Personnage compliqué, Paul Ier était à la fois brutal – cette annexion le prouve – mais aussi désireux de composer avec les peuples musulmans du Caucase dont il pressentait qu'ils seraient difficiles à intégrer dans l'Empire sans concessions à leur foi. Mais il fut assassiné et Alexandre Ier opta au Caucase pour une politique tout aussi brutale, sans nuances. Pour lui comme pour son représentant en Géorgie, le général Tsitsianov, la Géorgie est asiatique et le Caucase tout entier est un repère de brigands et de pillards. Au surplus, en montrant sa force au Caucase, ce sont les deux empires musulmans voisins que la Russie entend impressionner. À cette fin, elle construit un premier fort à Grozny, en pays tchétchène. C'est pourtant de ce pays que va partir la guerre sainte contre la Russie, guerre qui, cette fois, sera longue de près d'un demi-siècle, chacun y reprenant le flambeau de l'islam que Cheik Mansour avait été contraint de laisser tomber.

Malgré la révolte de 1785, la Russie n'avait pas prévu le mouvement qui va embraser le Caucase. Le pays tchétchène avait été islamisé tardivement, et nul n'avait prêté attention à l'expansion du soufisme en ce début du xixe siècle. Jusqu'alors, l'animisme et diverses divinités locales avaient cohabité avec l'islam, faiblement implanté par des missionnaires tatars ou turcs, et tous s'opposaient au christianisme. Mais le soufisme, mouvement mystique incarné dans des confréries *(Tarika)* dirigées par des maîtres spirituels dont l'enseignement remonte à celui du Prophète, avait gagné le Caucase, conférant à l'islam de cette région un caractère particulier. La confrérie qui y domine est en effet celle des Naqshbandi[1], née en Asie centrale et importée au Caucase au début du XIXe siècle par un cheik ottoman, Khelid. Vers 1820 enfle au Caucase la rumeur que dans les villages les plus reculés des maîtres du soufisme enseignent à des disciples la « voie de la vérité révélée », version mystique de l'islam. Si, à l'origine, cet enseignement est pacifique, ouvrant la voie à l'union mystique avec Dieu et invitant le fidèle à une lutte intérieure contre ses propres démons, le müridisme évolue rapidement. La croisade antirusse – puisque ce sont les *giaours* russes qui menacent l'islam au Caucase – se développe, et la confrérie Naqshbandi, qui s'est imposée au Daghestan et en pays tchétchène, va en porter le drapeau.

Un trait caractéristique de cette confrérie est que le thème du pouvoir politique y prend une place croissante, que la méditation y tourne vite à l'activité sociale à laquelle la guerre sainte va donner un contenu. Dès 1827, les prédicateurs appellent les fidèles au *gazavat* (« guerre sainte ») contre l'envahisseur russe infidèle, et ce combat va durer plus d'un quart de siècle.

Quelques chefs émergent un moment, dont le prédicateur Qazi Mollah qui tenta, vers 1830, de devenir chef de guerre et réunit 8 000 mürides pour les lancer à l'assaut des positions russes. Sa défaite et sa mort au combat en 1832 rassurent un temps les responsables russes, dont le général Paskiévitch, qui observent avec anxiété ces troubles récurrents. Leur soulagement tient à ce qu'ils ignorent que, loin d'être éteinte avec la disparition de Qazi Mollah, la véritable guerre sainte

---

1. Du nom de Baha ud din Naqshband, théologien du XIVe siècle, originaire de Bukhara.

est à la veille d'éclater sous les ordres d'un chef prestigieux encore dans l'ombre, Chamil.

Chamil fut le troisième imam [1] – chef de guerre et
chef d'État – du Caucase. Fin lettré, leader religieux,
fondateur d'un État théocratique, redoutable stratège,
guerrier hardi, il était animé d'une foi profonde et
convaincu d'être investi d'une mission spirituelle
et temporelle. Il venait du Daghestan. Reprenant le
flambeau de Cheik Mansour, il fut adopté comme son
continuateur par les Tchétchènes. Contre ces montagnards intraitables, porteurs d'une foi que la Russie ne
voulait pas reconnaître, la seule réponse des généraux
russes Ermolov et Paskiévitch était le recours à une
véritable terreur. Avant même que Chamil ne l'incarne, la guerre sainte se solde par des dizaines de milliers de morts de part et d'autre, des villages rasés, des
populations déplacées, mais aussi des famines et des
épidémies qui déciment les montagnards et les troupes
russes.

Chamil sait que pour réussir à faire front contre
l'envahisseur, il doit unifier le Caucase sous la ban-
nière noire des mürides ; pour cela, il lui faut briser
les clans. Pour y parvenir, il va user d'une incroyable
cruauté contre tous ceux qui refusent de le rejoindre,
pillant et incendiant les villages, coupant les mains,
décapitant. La violence paie : il rassemble Tchétchènes, Daghestanais, Avars du Caucase oriental que
Hadji Mourat [2], le héros de Tolstoï, lui amène, mais
il échoue à rassembler durablement les Ossètes, les

---

1. Après Qazi Mollah et un éphémère successeur assassiné.
2. Issu d'une famille noble du Daghestan, Hadji Mourat fut
le rival de Chamil avant de le rejoindre. Guerrier remarquable,
il était aussi d'une cruauté incomparable. Il sera pris et décapité
en 1853, et immortalisé par Tolstoï dans son roman éponyme.

Tcherkesses et surtout les Kabardes, ce qui sera son point faible.

Face à Chamil, la Russie aligne à partir de 1840 150 000 hommes bien équipés, dirigés par des chefs compétents. Chamil refuse le combat frontal, conduit une guérilla qui déroute les stratèges russes, déjà désemparés par un relief montagnard peu propice à la guerre classique. Comme la pacification n'est pas possible, l'extermination est à l'ordre du jour. Dans la mémoire collective des peuples du Caucase, Chamil sera toujours un héros révéré, et la guerre russe ne sera jamais ni oubliée ni pardonnée. Nicolas Ier, qui, pendant trente ans, attendit un succès russe, mourut sans l'avoir vu. Il reviendra à Alexandre II de sortir – en partie – de l'étau caucasien.

En 1856, la guerre de Crimée achevée, celui-ci peut envoyer sur le front du Caucase tous les renforts nécessaires. Chamil est doublement désemparé : par l'intensification de la guerre, mais aussi par les efforts de son fils aîné, Djamal Eddin, pour le convaincre de se rapprocher de la Russie.

Ce fils illustre certains aspects originaux de la politique de conquête russe, qui a toujours tenté d'utiliser les élites des peuples conquis. Combien de membres de familles illustres tatares, et plus tard caucasiennes, ont ainsi été attirés à la Cour et dotés de fonctions prestigieuses, témoignant par leur exemple d'une possibilité de s'intégrer au peuple vainqueur ? Le 29 août 1839, à l'issue de la bataille d'Akhoulgo, un des premiers grands faits d'armes personnels de l'imam Chamil, les troupes russes réussissaient à s'emparer de Djamal Eddin. Envoyé à Moscou d'abord, puis à Saint-Pétersbourg, il y fut traité en hôte précieux par l'empereur. Élevé au corps des cadets, il y bénéficia d'une formation soignée, et même d'un enseignement religieux musulman. Il devint donc un musulman accompli, mais aussi l'invité choyé des bals de la Cour et de tous les salons. L'empereur songea même à le marier avec une jeune fille de la meilleure société russe, et le nomma lieutenant.

Pour Chamil, ces nouvelles sont abominables : son fils est l'otage de l'Empire et, des années durant, son rêve le plus cher sera de le libérer. En 1854, il en tient l'occasion, ayant réussi, à la tête de ses Tchétchènes, à s'emparer des membres de deux familles princières géorgiennes. Ce sont les otages de Chamil, qu'il entend négocier contre d'autres otages, dont son fils.

Rendu à son père, Djamal Eddin est tout aussi désemparé que peut l'être Chamil. Ce dernier mesure l'éloignement de son fils, nostalgique du monde russe, de la culture russe, de ses amis russes, et qui le supplie de négocier avec la Russie afin d'obtenir la paix. Chamil s'y refuse, mais « il sait qu'il a perdu son fils une seconde fois », ainsi que l'écrira Alexandre Dumas[1]. N'est-ce pas déjà sa propre défaite qu'il enregistre ?

Deux cent mille soldats affluent au Caucase, sous les ordres du prince Bariatinski. Ils sont là pour mettre fin à une lutte qui dure depuis le début du siècle sous des formes diverses. Du côté russe, c'est une guerre totale, destinée à vaincre militairement et à isoler moralement Chamil. La plaine tchétchène est l'objet de toutes les attentions de l'armée russe qui y favorise la vie quotidienne, le commerce, les rapports entre communautés. Par opposition, la montagne, domaine

---

1. Djamal Eddin sombrera dans la dépression, refusant de lutter contre la phtisie qui s'était déclarée, et mourra en juin 1858.

des combattants, est étouffée. Les vivres y manquent et le découragement gagne les troupes de Chamil. Les défections se multiplient, et même Hadji Mourat capitule. Chamil perd un à un tous ses alliés. Son fils aîné vient de mourir et c'est alors qu'il décide de se rendre, le 27 juillet 1859. Dans un face-à-face pathétique, Bariatinski reçoit sa reddition, et, à Kharkov, l'imam rencontre pour la première fois Alexandre II qui lui rend les honneurs dus aux guerriers valeureux, et l'assure de son amitié. Ce propos fait écho à ceux qu'il avait tenus à son fils, l'infortuné Djamal Eddin. C'est probablement pour cela que Chamil s'incline, accepte de résider à Kalouga où, avant lui, ont été assignés à résidence d'autres vaincus : le dernier khan de Crimée et le sultan de la Petite Horde kirghize. L'Empire traite bien ses nouveaux sujets, et en 1870 Chamil peut réaliser son vœu de se rendre à La Mecque, mais aussi à Constantinople et au Caire, enfin à Médine où il meurt en bon musulman.

L'épopée de Chamil était achevée dès 1858, mais la guerre du Caucase ne l'était pas pour autant. Magnanime avec l'imam, Alexandre II voulait aussi l'être avec les peuples du Caucase, espérant transformer les rebelles en sujets pacifiques. Aux Tchétchènes qui s'identifiaient à leur chef vaincu, combien de concessions ne furent pas faites ! Ils furent assurés de pouvoir pratiquer leur foi librement. Le droit musulman devait rester en vigueur, confié à des tribunaux locaux choisis par les populations. Les Tchétchènes étaient exemptés du service militaire. Ils conservaient la propriété de leurs terres, alors même que commençait la colonisation du Caucase par les Cosaques. Trois années d'impôts leur étaient remises. Toutes les règles coutumières pouvaient en définitive être conservées, à l'exception de la vendetta. Peut-être ces principes auraient-ils pu suffire à apaiser les Tchétchènes, mais ils s'accompagnèrent d'une politique de peuplement qui leur était inacceptable.

Le pouvoir russe avait constaté que la montagne abritait des clans d'humeur plus belliqueuse que ceux de la plaine. Chamil était le chef de la confrérie Naqshbandi qui dominait dans la plaine, et, après sa reddition, tous ses fidèles avaient suivi son exemple. Mais son autorité ne s'étendait qu'à un moindre degré à la montagne où une autre confrérie, la Qadyria, était implantée ; les clans qui s'y rattachaient refusèrent d'imiter Chamil et poursuivirent la guérilla. Pour briser cette résistance, les autorités russes décidèrent de déplacer la population de la montagne en incendiant les villages, les forêts, la rendant par là impropre à la vie. Les montagnards furent ainsi repoussés vers les plaines où ils se heurtèrent aux colons cosaques à qui étaient attribuées les terres les plus fertiles.

En mai 1860, une révolte éclate dans la région d'Argoun, précipitée par les ordres de déplacement de populations. C'est alors l'enchaînement classique des révoltes et des répressions, et quand après plus d'un an le soulèvement est écrasé, la paix n'est qu'apparente. Un nouveau chef spirituel rassemble les clans montagnards : c'est Kounta Hadji, qui, au nom de la Qadyria, lève à son tour le drapeau de l'islam. La confrérie s'organise, multiplie les réseaux, quadrille les villages, organise un véritable contre-pouvoir souterrain. Les autorités russes, qui avaient cru la partie gagnée en 1859, s'affolent de ce mouvement qui attire et mobilise les montagnards, et décident de prévenir un embrasement général.

En janvier 1864, c'est au tour du chef qadiry, Kounta Hadji, d'être arrêté et envoyé en forteresse au cœur de la Russie. Cette arrestation, loin d'apporter la paix, provoque des conflits locaux qui vont encore se multiplier des années durant. Ce qui affaiblit pourtant les peuples du Caucase et empêche les sursauts sporadiques de tourner à la guerre totale, c'est, d'une part, leur division, et, de l'autre, la tentation de fuir vers l'Empire ottoman, solution qu'adoptent de nombreux Tcherkesses, Tchétchènes, Abkhazes et Kabardes. Ces vagues d'exilés, qui réduisent numériquement les populations, sont pour elles source d'amertume et de faiblesse. Mais les exilés entretiendront aussi dans l'Empire ottoman de véritables mouvements antirusses que l'on retrouvera à l'heure d'une nouvelle confrontation entre la Russie et la Sublime Porte.

Pouchkine avait rêvé de la soumission du Caucase. Certes, celui-ci est vaincu et dominé en ces premières années du règne d'Alexandre II, mais il n'est nullement soumis. Et la guerre d'usure qui n'en finit pas va peser lourdement sur le Trésor russe déjà épuisé par la guerre de Crimée. La chance du souverain est qu'en ces années, le monde extérieur et ses propres compatriotes ont les yeux fixés sur les réformes entamées ou sur le point de l'être. De la guerre du Caucase, on retient la spectaculaire reddition de Chamil, non les révoltes sporadiques, moins visibles. On retient surtout l'image d'un souverain qui a fini par triompher d'un adversaire prestigieux, donc celle d'une puissance rétablie. Et cette puissance est d'autant mieux perçue que la Russie, dans le même temps, malgré les opérations récurrentes au Caucase, se constitue en quelques années un nouvel empire en terre d'islam, dans la steppe et au Turkestan.

Le « Grand Jeu » en Asie centrale

Le « recueillement » cher à Gortchakov ne fait pas l'unanimité dans les administrations qui s'occupent de politique étrangère. Au ministère de la Guerre, au département Asie du ministère des Affaires étrangères, ce sont les possibilités d'expansion en Asie centrale qui ont la faveur des responsables. L'intérêt pour cette région est loin d'être une nouveauté en Russie. Dès le XVIᵉ siècle, sitôt la domination mongole repoussée, la question centre-asiatique est posée. Elle l'est d'abord pour des raisons commerciales qui touchent aux hommes et à l'économie. Le commerce des captifs et des esclaves constitua longtemps un lien entre Russie et Asie centrale. On vendait sur les marchés lointains beaucoup de captifs, russes notamment, ce que la Russie appréciait d'autant moins qu'elle-même manquait de main-d'œuvre. Et voir ses sujets chrétiens proposés à des trafiquants d'esclaves venus des émirats centre-asiatiques, voire indiens, l'incita à chercher des solutions à ce problème, tel le traité signé en 1842 entre Boukhara et l'Empire, stipulant entre autres que l'émirat ne capturerait plus de sujets russes au cours de razzias conduites dans les plaines kazakhes et turkmènes. La Russie entendait aussi assurer la sécurité de son commerce, achetant en Asie centrale de la soie, du coton, des turquoises, pour les revendre à l'Europe.

Deux autres raisons poussent la Russie vers l'Asie centrale : l'expansion anglaise qui vise les mêmes régions ; la guerre de Sécession en Amérique.

Les exportations américaines de coton sont arrêtées. La Russie pourrait s'y substituer, à condition d'avoir la haute main sur les marchés centre-asiatiques. Elle

en ressent d'autant plus le besoin que sa propre industrie textile se développe. Les souverains russes, on l'a
dit, ont commencé à regarder vers la steppe dès le
XVIe siècle, sitôt Kazan pris et pacifiée la région de
la Volga. Catherine II a entrepris d'y consolider des
positions en installant des colons russes, mais aussi
allemands, et en poursuivant la construction de lignes
militaires fortifiées. Dès le début du XIXe siècle, on
pouvait mesurer les effets de cette politique. Par ses
établissements, la Russie était arrivée au contact de la
steppe peuplée de Kazakhs nomades et turcophones
dont l'immense territoire s'étendait du sud de l'Oural
aux bords de la Caspienne d'un côté, de l'Altaï au
Tian Chan et à la Chine de l'autre, et du nord au sud
de la Sibérie aux khanats centre-asiatiques. Le voisinage du puissant Empire russe imposait aux Kazakhs,
déjà menacés à l'est par les Mongols occidentaux, de
chercher un équilibre entre ces voisins inquiétants,
tantôt en traitant avec la Russie en échange d'une protection, tantôt en harcelant les Russes, marchands,
militaires et colons, voire même en se soulevant. En
1837, la révolte conduite par le kazakh Khan Kenne-
sary Kasymov mettra la présence russe en péril ; il faudra dix années de combats pour rétablir dans la zone
un ordre précaire.

Durant ces années de sourde avancée dans la steppe,
la Russie joua sur trois registres : par l'influence exercée sur les khans des diverses hordes constituant le
peuple kazakh, soutenant les uns, affaiblissant les
autres, encourageant les conflits entre eux pour ensuite
les arbitrer et en acheter certains ; par une présence
militaire appuyée sur la construction de forteresses, au
prétexte de protéger les colons russes ; enfin, dès le
début du XIXe siècle, par un véritable exode poussant

les paysans russes qui fuyaient le servage vers les terres de la steppe réputées fertiles, encourageant ce mouvement et amplifiant, pour le protéger, sa présence militaire, ce qui eut pour effet d'augmenter encore le mouvement migratoire.

Aux révoltes des nomades la Russie avait ainsi répondu par une colonisation rampante, mi-spontanée mi-encouragée, ce qui posa vers le milieu du siècle le problème d'une colonisation plus systématique. Quelques opérations furent lancées pour intimider les Kazakhs en les isolant des émirats d'Asie centrale qui les soutenaient. En 1839, le général Perovski tenta à cette fin de s'emparer de l'émirat de Khiva. L'expédition fut piteuse, mais elle montre que cette sorte de projet était déjà à l'ordre du jour.

À la fin de la guerre de Crimée, la Russie dominait déjà la steppe kazakhe et il apparaissait clairement qu'elle allait se heurter, dans sa marche en avant, à l'Angleterre. Celle-ci, qui a affermi sa position en Inde, étend sa présence à l'Afghanistan et tente aussi de prendre pied dans les émirats d'Asie centrale par l'envoi de nombreux émissaires militaires ou civils. Un jeune diplomate russe, nommé attaché militaire à Londres en 1856, qui sera quatre ans plus tard directeur d'Asie au ministère des Affaires étrangères, Ignatiev, partisan acharné de l'expansion, écrit à son ministre : « Ce n'est qu'en Asie centrale que nous avons quelques chances de l'emporter sur l'Angleterre. » À peu près au même moment, le général Skobelev complète ainsi ce propos : « Donnez-moi cent chameaux, et je pourrai conquérir l'Inde. »

Tandis que Gortchakov se tourne obstinément vers la France, l'Angleterre est, on le voit, au cœur des ambitions de nombre de ceux qui dirigent la Russie.

Lui-même n'est pas partisan d'une politique expansionniste, qu'il juge peu compatible avec le temps du « recueillement ». Il est soutenu dans sa volonté de prudence par le ministre des Finances, Reutern, soucieux de préserver le Trésor russe de nouvelles avanies. Pourtant, peu d'années plus tard, Gortchakov justifiera l'expansion par des arguments défensifs : « La situation de la Russie en Asie centrale est celle de tous les États civilisés qui viennent à entrer en contact avec des populations barbares... L'État doit alors choisir ou bien de se consacrer à une tâche toujours à recommencer [des expéditions périodiques contre elles], ou bien s'enfoncer toujours plus profondément dans ces territoires sauvages... Tel a été le sort de tous les États confrontés à ce problème. Les États-Unis en Amérique, la France en Afrique, la Hollande dans ses colonies, l'Angleterre en Inde orientale, tous y furent contraints, moins par ambition que par nécessité d'opter pour la marche en avant. »

Tiraillé entre les expansionnistes et les partisans de la prudence, Alexandre II, soutenu par son ministre de la Guerre, Milioutine, tente de garder une position équilibrée. Mais tous deux devront céder aux hommes de terrain qui assurent que la Russie peut, sans grands risques et à faibles coûts, gagner en puissance dans cette partie du monde. La nécessité de préserver les positions acquises dans la steppe s'imposera aussi progressivement à l'esprit du souverain, toujours anxieux de rendre à son pays son lustre perdu.

Les hommes de terrain agissent de leur côté en toute liberté. Alors même que la Russie était encore aux prises avec les montagnards du Caucase et la guerre de Crimée, le général Perovski testait la faiblesse des émirats. En juillet 1853, il s'empara d'une forteresse de Kokand, qu'il baptisera Fort Perovsk et dont il fera un tremplin pour de futures avancées. Dès ce moment, la frontière russe se déplace d'Orenbourg jusqu'aux limites du Turkestan. Deuxième étape : la prise de la partie méridionale du lac Balkach et la fondation en 1854 de Verny, qui, plus tard, sera nommée Alma-Ata. Cette progression s'accomplit sans l'aval explicite du souverain, mais, fort de ses succès militaires, le général Perovski avait insisté auprès de son ministre, dès 1854, sur la nécessité d'aller au-delà : « Des agents du gouvernement turc sont venus à Boukhara essayer de convaincre l'émir de profiter des événements [la guerre de Crimée] pour attaquer les Russes... Des démarches semblables ont été faites à Kokand et à Khiva... Les Turcs agissent à l'instigation des Anglais... »

Plutôt que de suivre le général dans sa volonté de conduire une action militaire continue, Alexandre II décida d'abord de négocier avec les souverains d'Asie centrale pour y neutraliser les agents anglais. Le colonel Ignatiev en fut chargé, mais il conclut que « depuis Boris Godounov, toutes les missions pacificatrices aboutissent au même résultat. Nous obtenons l'assurance de l'amitié de l'émir et un refus formel de réaliser la moindre des demandes du tsar ».

Durant quelques années encore, la prudence et la priorité accordée à la politique seront les bases de la doctrine officielle. Mais, en 1863, cette doctrine subit un changement de cap radical, et c'est l'insurrection polonaise qui en est cause. La Pologne est soutenue par la France et surtout par l'Angleterre. Dès lors, pourquoi faudrait-il hésiter à défier cette dernière là où elle est la plus vulnérable, en Asie centrale ? En novembre 1864, Alexandre II prend résolument parti pour le projet préparé en commun par les ministres de la Guerre et des Affaires étrangères : conquérir l'Asie centrale en s'attaquant en premier à l'adversaire le plus coriace, l'émirat de Kokand.

Le général Tcherniaev ayant réussi à s'emparer des villes de Turkestan et Chimkent, restait à prendre la plus grande cité d'Asie centrale, Tachkent, forte de 100 000 habitants, pour dominer les riches vallées de la Ferghana et l'oasis de Tachkent où vivaient trois millions d'habitants ouzbèkes, kazakhs et kirghizes. Le général Tcherniaev se trouve alors en position de force, car il vient d'être nommé gouverneur de tous les territoires conquis entre la mer d'Aral et la région d'Issyk-Koul rattachée à Orenbourg. « Homme fort » de la région, il se lance à l'assaut de Tachkent avant même que la décision en ait été prise en haut lieu. Près de 2 200 canons sont pointés du côté russe sur les 30 000 défenseurs de Tachkent. Ces derniers sont mal équipés, désemparés face à la rapidité de manœuvre des Russes. En quelques jours, la partie est gagnée, et le 7 juin 1865 le drapeau russe flotte sur Tachkent. L'émir de Boukhara s'agite, destitue de son propre chef le khan de Kokand qui avait fui Tachkent durant l'assaut, et le remplace par un de ses proches. Il multiplie aussi les opérations de harcèlement contre les positions russes : peine perdue.

En Russie, la presse fait entendre la voix des marchands et des entrepreneurs qui réclament, pour favoriser les échanges, la consolidation définitive des conquêtes en Asie centrale, c'est-à-dire l'annexion des territoires conquis. Ces appels sont entendus : les territoires en question sont érigés en *Gouvernement du Turkestan* et placés sous l'autorité du général Constantin von Kauffman, qui reçoit, pour les administrer, des pouvoirs illimités.

Pour l'émir de Boukhara, c'est une insupportable provocation ; il y riposte en appelant, par le truchement de son clergé, les peuples de toute l'Asie centrale à la guerre sainte contre l'*infidèle*. Il lance aussi ses troupes contre celles du conquérant et offre au général von Kauffman l'occasion de remporter une splendide victoire à Samarkand, qui vient s'ajouter aux possessions russes. Les troupes de l'émir fuient, elles sont écrasées et il doit capituler.

Le 30 juin 1868, un traité de paix est signé avec l'émir de Boukhara aux abois. Dans sa capitale, ses adversaires, prenant prétexte de la défaite subie à Samarkand, manœuvrent pour l'éliminer. Le traité transforme Boukhara en État vassal de la Russie.

Sans doute le « Grand Jeu » russe n'est-il pas encore terminé. La Russie domine Kokand, elle a neutralisé Boukhara, mais les tribus montagnardes de cet émirat ne sont pas pacifiées, et celui de Khiva conserve une certaine marge de manœuvre. Ces réserves ne suffisent cependant pas à amoindrir un bilan remarquable. La Russie contrôle totalement les vallées des deux grands fleuves qui assurent la vie de toute l'Asie centrale, le Syr-Daria et l'Amou-Daria. Le gouvernement du Turkestan est confié à l'un des meilleurs administrateurs russes et relève du ministère de la Guerre, tout comme la steppe kazakhe et son gouvernement. Ces conquêtes, qui connaissent un temps d'arrêt, car il faut organiser les territoires conquis et y installer les colons qui y affluent par vagues rapprochées, ont été peu coûteuses en hommes pour la Russie, en dépit de la difficulté d'avancer dans les déserts, d'affronter la chaleur et les maladies. Le « tsar blanc », comme le nomment ses nouveaux sujets, a eu la chance de ne rencontrer sur son chemin que des adversaires divisés, des troupes pauvrement équipées et mal entraînées. Quelques années ont suffi pour que la chevauchée en Asie centrale ait considérablement élargi les frontières de l'Empire et pour que le rival anglais s'inquiète de cette progression russe qui pourrait mettre en péril ses positions afghanes. Certes, les tribus turkmènes opposent dans cette région une barrière à l'avancée russe, mais pour combien de temps encore ?

Alexandre II répondra à cette question quelques années plus tard. En ce milieu des années 1860, il lui faut organiser ses possessions extrêmes, et l'Asie centrale n'est pas son unique champ d'intérêt.

Les limites de l'expansion

La réflexion sur la politique étrangère engagée par Gortchakov impliquait que la Russie fît le compte exact de ses amis, de ses adversaires potentiels, des États qu'il lui faudrait gagner ou apaiser. En Asie et aux abords du Pacifique, cette réflexion imposera des choix en apparence contradictoires. Première décision spectaculaire : la Russie va abandonner de lointaines possessions américaines, héritage de la politique suivie au XVIIIe siècle.

La Sibérie, conquise un siècle auparavant, avait ouvert à l'expansion russe l'Extrême-Orient et la route maritime de l'Alaska. En Extrême-Orient où elle s'était progressivement heurtée à la Chine, et après une série d'accrochages défavorables pour elle, elle avait dû, par le traité de Nertchinsk signé en 1689, abandonner pour plus d'un siècle l'idée de nouvelles avancées au sud. Du coup, elle s'était tournée vers la route maritime de l'Alaska, domaine de la loutre de mer dont la fourrure était recherchée dans toute l'Europe et que convoitaient les marchands russes. La Compagnie russo-américaine, fondée en 1797, reçut le monopole du commerce des fourrures ; mais colons et marchands russes se heurtèrent à l'hostilité de petits peuples – notamment les Aléoutiens, menacés par les conséquences de la présence russe, porteuse de vodka, de tabac et de maladies diverses. Ces conflits et les difficultés matérielles d'existence incitèrent les colons à aller plus au sud et la Russie décida, pour y marquer sa présence et protéger ses représentants, de construire comme ailleurs des forteresses, la principale étant Fort Ross, qui deviendra un jour San Francisco. La Californie devenait ainsi terre de peuplement russe ! Mais, là encore, la Russie se heurta à un adversaire, l'Empire espagnol, qui l'empêcha d'avancer le long de cette côte.

Les États-Unis, en revanche, n'avaient pas été défavorables de prime abord à la progression des Russes en Californie, dans la mesure où elle indisposait l'Angleterre. Mais ces lointaines possessions n'étaient guère conformes à la perception qu'avaient les responsables russes des intérêts de l'Empire. Tous – à commencer par Alexandre Iᵉʳ qui n'avait pas voulu, en 1812, placer les îles Hawaï sous son protectorat – concevaient l'Empire comme un *espace continu*. Dès 1842, la Russie cède donc Fort Ross et s'interroge sur l'avenir de sa présence en Alaska. En 1855, le comte Nicolas Mouraviev, gouverneur de la Sibérie orientale, essaie de persuader Alexandre II que l'Alaska est inutile à la Russie et qu'en cédant cette terre aux États-Unis, elle sera plus libre en Extrême-Orient. Convaincu par cet argument, Alexandre II ordonna en 1858 à son représentant à Washington d'informer le gouvernement américain qu'il lui était possible d'obtenir l'Alaska. Le projet présentait des avantages : le Trésor russe, vidé par la guerre de Crimée, y gagnerait, et les relations avec les États-Unis en seraient renforcées, ce qui porterait un coup à l'Angleterre.

Aux États-Unis, l'acquisition de l'Alaska était loin de faire l'unanimité. Cette « terre glacée », dont la richesse du sous-sol était encore inconnue, cette « Amérique russe », fut néanmoins achetée, après de longs débats, pour sept millions de dollars, un peu moins que ce qu'espérait la Russie, mais plus que ce qui lui avait été offert au départ. En dépit du prix reçu, l'opinion russe critiqua cet abandon de territoire, d'autant plus qu'il succédait à un autre abandon dont le Japon était le bénéficiaire.

En 1855, en effet, l'amiral Poutiatine signe avec le Japon un traité qui laisse à ce dernier trois des îles Kouriles. Pour comprendre ce que représentaient ces îles pour la Russie, il faut replacer les relations avec le Japon dans la vision globale de ses intérêts internationaux. Depuis longtemps, les souverains russes voulaient obtenir des facilités portuaires au Japon. Au XIXe siècle, l'intérêt russe pour l'archipel nippon s'accroît dans la mesure où toutes les grandes puissances européennes et les États-Unis s'activent pour y prendre des positions commerciales et politiques. Pour la Russie, cela est d'autant plus inquiétant que le Japon est proche de ses terres d'Extrême-Orient. S'y ajoute le fait que les frontières ne sont pas claires entre les installations japonaises et russes dans les îles, et que la pêche aux abords de Sakhaline oppose aussi les deux pays.

Ayant pris la tête d'une « délégation » navale forte de trois bâtiments et 463 hommes – de quoi, pensait

Nicolas Ier, encore en vie, intimider ses interlocuteurs –, l'amiral Poutiatine se rendit au Japon pour y négocier un accord sur les divers points qui préoccupaient la Russie. Les États-Unis avaient, cette même année, obtenu le droit d'entrer dans un certain nombre de ports japonais, ce qui facilita son projet. Poutiatine se saisit de ce précédent et finit – après que les Japonais l'eurent longtemps fait attendre, berné de faux espoirs, alternant promesses et refus – par l'emporter. Le traité fut signé le 26 janvier 1855 : le Japon acceptait d'ouvrir les ports de Hakodate, Nagasaki et Simode aux bâtiments russes ; des consulats russes y seraient installés. Le prix payé par la Russie était la fixation de la frontière russo-japonaise entre les îles Itouroup et Ouroup, soit l'abandon au Japon de trois des îles Kouriles et la reconnaissance du caractère « indivis » de Sakhaline.

Le problème de Sakhaline pèsera par la suite, durant deux décennies, sur les relations russo-japonaises que la Russie pensait avoir apaisées par ses concessions territoriales. Plus grave encore que le conflit larvé avec le Japon était le fait que les représentants anglais et américains dans ce pays s'employaient à créer sans cesse des difficultés à la Russie. Au début du règne d'Alexandre II, la politique orientale restera empoisonnée par ces rivalités mettant aux prises trois pays – Russie, Angleterre, États-Unis – dans le double but d'obtenir des positions privilégiées dans les ports et dans le commerce nippons. Après que la Russie eut fait main basse sur l'Amour et les provinces maritimes, Sakhaline devint son principal enjeu stratégique. Un comité spécial présidé par le grand-duc Constantin, véritable maître d'œuvre d'une politique japonaise, élabora des projets visant à tenter de régler le sort de

Sakhaline, particulièrement de sa partie méridionale que les Japonais revendiquaient et où s'affrontaient des troupes, cependant qu'à Saint-Pétersbourg se succédaient d'interminables pourparlers entre les deux parties. Russes et Japonais rivalisent de vitesse dans l'installation de colons dans le sud de l'île et dans l'implantation d'installations militaires, ce qui, en 1866, entraîne des confrontations armées entre ressortissants des deux pays.

L'opinion publique russe condamne les atermoiements du gouvernement, incapable d'obtenir que son autorité sur le sud de Sakhaline soit officiellement reconnue, tout autant que les abandons des îles Kouriles. Ces sacrifices territoriaux doivent-ils être imputés à une certaine difficulté russe à assumer en même temps l'expansion en Asie centrale et la préservation de territoires très éloignés, et surtout, dans l'un et l'autre cas – Alaska et Kouriles –, extérieurs à la doctrine implicite de la continuité territoriale ? Ou bien faut-il penser qu'Alexandre II, concentré sur ses réformes, n'a pas mesuré pleinement les conséquences de cessions territoriales très exceptionnelles dans l'histoire russe, d'autant plus que négociées en temps de paix, en l'absence de toute pression extérieure ? L'hypothèse la plus probable est qu'elles ont été le fruit de divergence au sein des administrations et de l'opposition entre la prudence, voire les calculs compliqués d'Alexandre II et de Gortchakov, et l'esprit expansionniste de certains de leurs collaborateurs.

Fruit de l'esprit expansionniste des militaires russes, les relations avec la Chine ont été fort différentes. Assez puissante au XVIIᵉ siècle pour imposer ses vues, celle-ci devra en 1860 s'incliner devant les ambitions russes. Elle était alors la proie des convoitises anglaises et françaises. Le commerce de l'opium auquel se livraient surtout les Anglais avait provoqué une vive réaction chinoise et entraîné les deux « guerres de l'Opium » de 1841-1842 et 1856-1860. Le gouvernement russe s'inquiétait à chacun de ces conflits auxquels Anglais ou Français étaient mêlés, et des menaces qu'ils faisaient peser sur la sécurité de ses frontières. Sitôt installé sur le trône, Alexandre II confia à Mouraviev le soin de négocier, ce qu'il fit tout en déployant ses troupes sur la rive gauche de l'Amour, au grand dam des autorités chinoises. Profitant des difficultés de la Chine, confrontée à la guerre avec l'Angleterre et la France, la Russie put se présenter en puissance d'un type particulier : puissance régionale et non étrangère à la région, comme les deux autres, non belligérante, capable par là même de jouer les médiatrices entre toutes les parties en cause et de servir les intérêts chinois. Cela explique que les négociateurs russes – Mouraviev, Ignatiev et Poutiatine – aient pu arracher à la Chine, récalcitrante mais en situation difficile, des avantages territoriaux considérables.

Mouraviev signa le 16 mai 1858 le traité d'Aigun, qui attribuait à la Russie la rive gauche de l'Amour – occupée d'ailleurs par ses troupes –, tandis que la Chine conservait les terres situées sur la rive droite. Le traité stipulait – clause d'une importance énorme pour les intérêts russes – que seuls les bâtiments chinois et russes pouvaient naviguer sur l'Amour, l'Oussouri et le Sungari. Enfin les terres situées à l'est de l'Oussouri restaient communes aux deux pays jusqu'à ce que des frontières soient établies.

Le 4 octobre 1860, ce fut au tour du tout jeune général-major Ignatiev [1] de signer à Pékin un traité qui

---

1. Celui-là même qui, alors seulement colonel, venait de négocier en Asie centrale un accord avec l'émir de Boukhara.

complétait celui d'Aïgun. Celui-ci portait d'abord sur les territoires demeurés communs en 1858 : il attribuait les terres de la rive droite de l'Oussouri à la Russie, ceux de la rive gauche à la Chine. Un « territoire de l'Oussouri » fut créé, jouxtant partiellement la Corée, direction future des ambitions russes. Mais, déjà en 1860, en annexant les provinces de l'Amour et de l'Oussouri, la Russie a renforcé ses positions du côté du littoral pacifique et peut commencer à les coloniser. Ce sera largement l'œuvre des Cosaques. Près de 100 *stanitsa* (villages cosaques) surgirent le long de l'Amour, regroupant près de 10 000 personnes, et la ville de Blagovéchentsk, construite alors, devint le centre de cette colonisation.

*

Comment comprendre certaines contradictions dans les choix internationaux d'Alexandre II ? En ses premières années de règne, tout lui est bon pour restaurer la puissance perdue en 1856 par la Russie. Il adhère aux propositions de Gortchakov et joue la carte française pour reprendre pied sur la scène européenne en tournant le dos aux alliances traditionnelles. Les victoires de Napoléon III en Crimée, son soudain statut de chef du chœur des grandes puissances, et l'attitude relativement conciliante de Walewski au congrès de Paris ont encouragé ce revirement momentané. Ce n'est pas par inconséquence que le rapprochement avec Paris sera ensuite abandonné, mais bien parce que, du côté français, deux obstacles surgirent : les atermoiements de Napoléon III, pour qui ce rapprochement n'était qu'un moyen de neutraliser la Russie au profit de ses propres projets d'expansion, et nullement une finalité ; les sentiments traditionnellement chaleureux de la France à l'égard de la Pologne, réveillés par le soulèvement de 1863. Ces deux facteurs expliquent qu'après le « moment français » de la politique étrangère d'Alexandre II, le souverain russe se tourne vers ses amis de longue date, ceux que la politique prônée par Panine, puis Nesselrode avait toujours privilégiés.

Dans ses choix européens, loin d'opter pour des politiques contradictoires, Alexandre II fit donc preuve de constance, cherchant toujours à créer le meilleur environnement international pour mener à bien ses réformes. Les années de révision de la politique européenne ont été, pour la Russie, particulièrement difficiles dans la mesure où la paix conclue à l'issue de la guerre de Crimée n'avait pas vu disparaître tous les conflits dans lesquels la Russie était partie prenante. La guerre du Caucase se prolongera ainsi presque jusqu'à la fin des années 1850, et la reddition de Chamil, pour importante qu'elle aura été, ne suffira pas à pacifier une région toujours troublée.

La partie la plus réussie de l'action internationale du nouveau souverain aura été la conquête de l'Asie centrale. Au début de la marche en avant dans cette région, Alexandre II aura dû effectuer un choix difficile. Il était engagé en Europe dans la recherche prudente de nouvelles alliances nécessaires au redressement du pays. La prudence, la volonté de donner de la Russie l'image d'un pays pacifique et stable, d'effacer le souvenir fâcheux du « gendarme de l'Europe » et de rassurer partout, ces éléments qui sont au cœur de la réflexion de Gortchakov, du fameux « recueillement », n'étaient en rien propices à une politique d'expansion, fût-ce dans des régions fort éloignées de l'Europe. Conscient de cette contradiction, Alexandre II temporisa, laissa faire l'armée, qui, aux confins de la steppe, invoquait des obligations de sécurité, et il ne donna son aval à la conquête qu'après s'être convaincu de la vanité de ses efforts de séduction en Europe.

Le soutien apporté aux Polonais par la France et l'Angleterre ne justifiait-il pas ce retournement ? À partir du début des années 1860, l'expansion en Asie centrale est une revanche russe sur l'humiliation subie en Crimée, sur l'interminable guerre du Caucase, sur l'éternelle collusion franco-polonaise. De surcroît, Alexandre II lui trouva alors une justification dans ses grandes réformes : l'Asie centrale offrait aux paysans émancipés, mais incapables de racheter leurs terres, de vastes possibilités de jouir pleinement de la liberté qui leur était concédée. La colonisation ouvre à la réforme du servage des perspectives inattendues, mais qui la complètent heureusement.

Comment situer enfin, dans cette politique de redressement si cohérente et bien menée, au bout du compte, dont l'intérêt national de la Russie a été en permanence le fil conducteur, l'abandon de la « Russie d'Amérique » et des Kouriles ? Abandons d'autant plus sensibles pour l'opinion que le thème des « terres retrouvées, rassemblées » après les temps troublés de la domination mongole, a toujours été central dans la définition de la politique étrangère russe depuis le XVIe siècle. La Russie renaissante avait incorporé l'Ukraine, les provinces baltes, une partie de la Pologne ; elle s'était étendue vers le Pacifique ; ses conquérants avaient franchi le détroit de Behring. Jamais un abandon, toujours la marche en avant !

Là encore, le choix d'Alexandre II s'inscrit dans une vision générale des intérêts russes. Après un temps d'hésitation, les États-Unis avaient exprimé le souhait – leur guerre d'Indépendance achevée – d'acquérir les territoires russes. L'insurrection polonaise avait montré à la Russie que les États-Unis pouvaient être favorables à ses intérêts, à la différence de la France et de l'Angleterre. Nulle part Russie et États-Unis n'étaient en rivalité, exception faite de la présence de la première sur le sol américain. Dès 1863, Gortchakov affirmait que cette présence était plus coûteuse qu'intéressante pour son pays. La rivalité américano-anglaise constituait aussi un puissant argument en faveur du développement de l'amitié américano-russe. On en eut une démonstration en juillet 1866 lorsqu'un groupe de touristes américains, parmi lesquels se trouvait Mark Twain, pas encore célèbre, visitant la Crimée, fut, à sa surprise, reçu chaleureusement par l'empereur en personne dans sa résidence de Livadia. L'amitié avec l'Amérique, la certitude que, dans une vision globale des équilibres dans la zone du Pacifique, l'expansion russe dans la région de l'Amour et les Provinces maritimes comptait bien plus que des possessions en territoire américain, tout contribua à leur cession.

S'agissant des Kouriles et de Sakhaline, il est une autre raison au dessaisissement russe qui s'inscrit lui aussi dans une vision générale et de longue portée : c'est la situation intérieure troublée du Japon, la crainte de voir les grandes puissances s'en mêler[1] et prendre pied en Extrême-Orient qui ont conduit

---

1. La France soutenait alors le *Shogun* en lutte contre les grands aristocrates *Daimo* qui avaient pour eux l'Angleterre. Les États-Unis avaient négocié l'utilisation des ports de Shimoda et Hokodate.

Alexandre II à satisfaire les requêtes japonaises et à adopter entre les deux camps une attitude de neutralité, évitant même de nommer un ambassadeur à Edo de crainte d'être, par son intermédiaire, l'objet de pressions. Les positions acquises au détriment de la Chine et la sécurité de la flotte russe dans l'océan Pacifique ont également pesé dans la balance pour justifier la cession des îles. Là encore, c'est la volonté de protéger les positions acquises, tenues pour des tremplins en vue d'actions futures, qui a conduit Alexandre II à des abandons territoriaux inattendus.

En définitive, nulle incohérence, donc, mais, de tous côtés, la recherche des meilleures conditions pour rendre à la Russie un statut de puissance, après son effondrement de 1856, et pour préparer de nouvelles avancées.

CHAPITRE VIII

La fêlure

En 1865, Alexandre II règne depuis dix ans. Le bilan de ces années peut à bon droit l'emplir de fierté. Le pays qu'il a pris en main à l'heure de son couronnement était blessé par la défaite, par la perte des illusions nourries depuis 1815. C'était aussi un pays malade de son retard sur l'Europe. Là où nul, avant lui, n'avait osé bouleverser l'ordre social tout en le sachant condamné, ce souverain combien moins volontaire et hardi que ses grands prédécesseurs a décidé, contre la noblesse qui avait toujours été l'appui du trône, d'accomplir la grande réforme attendue par la paysannerie depuis un siècle – depuis que Pierre III avait accordé la liberté aux nobles. D'autres réformes ont été engagées en même temps et la Russie de 1865 ne ressemble plus en rien à celle que le monde a connue dix ans plus tôt. Comblant un retard humiliant, elle a aussi repris sa place sur la scène européenne, même si le fantôme d'une Pologne écrasée témoigne que la liberté n'est pas accessible à tous au sein de l'empire de Russie. Néanmoins, comment ne pas voir qu'aucun aspect de la vie russe n'a échappé à la fièvre réformatrice d'Alexandre ?

Réformes considérables, mais qui recèlent une évidente faiblesse : le système politique, l'autocratie, reste intact, et les changements apportés dans l'ordre social, dans l'organisation de la vie intellectuelle et administrative, ne rendent que plus visible la distance qui sépare la nature inentamée du pouvoir et une société en transformation rapide. Observateur attentif de l'évolution russe, Leroy-Beaulieu constate en 1881 qu'Alexandre II a, par ses immenses efforts, réussi à faire de la nouvelle Russie – car elle est incontestablement nouvelle – un édifice inconfortable où « amis et ennemis de l'innovation se sentent également mal à l'aise ».

Tous les réformateurs se sont heurtés à ce même problème : poursuivre les réformes en dépit des difficultés et des oppositions grandissantes, ou bien les freiner, voire revenir en arrière. En 1990, dans une URSS tout aussi bouleversée que la Russie de 1865, Mikhaïl Gorbatchev sera confronté de la même manière à ce dilemme. Mais des circonstances imprévues, plus encore peut-être que les termes traditionnels de ce débat, vont contribuer à orienter Alexandre II vers davantage de prudence, si ce n'est vers un arrêt momentané des réformes.

Une tragédie familiale

Le 12 avril 1865, l'héritier du trône, le grand-duc Nicolas, que toute sa famille nommait affectueusement Niks, mourait à Nice dans les bras de ses parents, appelés en hâte à son chevet, et en présence de sa fiancée, la princesse Dagmar du Danemark. L'héritier était un beau et brillant jeune homme tout juste âgé de vingt-deux ans que le souverain avait préparé à lui succéder avec autant de soins qu'en avait mis pour lui son père dans le passé. Son éducation avait été confiée à un historien, professeur à l'université de Saint-Pétersbourg, une des plus remarquables personnalités libérales à avoir participé à l'élaboration des grandes réformes, Konstantin Dimitrievitch Kaveline. Très populaire, l'héritier était appelé par le peuple « l'espoir de la Russie ». Sa fin porta un coup d'autant plus terrible à ses parents qu'elle était la conséquence d'une certaine légèreté à traiter un accident survenu deux ans plus tôt.

Probablement mal soignée, une chute de cheval avait alors enlevé à l'héritier, magnifique danseur et cavalier émérite, sa liberté de mouvement. Il avait voulu ignorer ces difficultés et son état n'avait cessé de se dégrader. On l'envoya à Nice dans l'espoir que le climat de la Côte d'Azur lui rendrait la santé. On y diagnostiqua une tuberculose des os – conséquence de la chute ou maladie congénitale ? nul ne le sut –, aggravée dans les dernières semaines d'une infection cérébrale. Le journal du grand-duc Constantin permet de suivre l'évolution du mal et le désespoir grandissant d'Alexandre II. Le corps de l'héritier fut ramené à Saint-Pétersbourg et, après l'enterrement, Alexandre, frère cadet de Nicolas, fut proclamé héritier à son tour.

Au chagrin de la perte du fils bien-aimé – il était le préféré de l'empereur et de l'impératrice – s'ajoutait une question dynastique. Le cadet, Alexandre, était un géant pataud, totalement dénué du charme qui caractérisait son aîné, d'intelligence médiocre et dont l'éducation avait été jusqu'alors quelque peu négligée. Tous les efforts en ce domaine avaient été consacrés à l'héritier et Alexandre II n'avait jamais imaginé qu'il pût être remplacé par son cadet. Devant ce changement, il hésita d'ailleurs un instant à céder aux instances pressantes de sa tante, la grande-duchesse Hélène Pavlovna, qui voulait qu'au lieu de cet Alexandre si peu fait pour le trône ce fût le troisième fils, Vladimir, qui fût proclamé héritier. Mais il y renonça pour plusieurs raisons. Même s'il semblait plus intelligent que son aîné, Vladimir ne l'était pas tant, ni ne brillait de si grandes qualités humaines que s'en trouvât justifiée une telle décision. Au surplus, Alexandre II avait été formé par un père que hantaient encore les désordres du passé – souverains éliminés ou s'éliminant d'eux-mêmes, comme son frère aîné Constantin – et, par là, il était convaincu que l'avenir de la dynastie dépendait avant tout du respect des successions légitimes. Enfin, Alexandre II était trop accablé par la mort de son fils aîné pour s'appesantir sur ce problème. Il se contenta d'entourer Alexandre de conseillers compétents afin de tenter de remédier à ses faiblesses et à une éducation qui ne l'avait guère préparé à son nouveau statut. Le futur Alexandre III était de surcroît peu ouvert aux idées libérales, enclin à considérer que l'autocratie était la forme de pouvoir naturelle à la Russie, et son manque de curiosité pour les idées, les institutions, l'histoire, ne permit pas à ses maîtres de combler les lacunes de son éducation, ni surtout d'ouvrir son esprit aux transformations de la Russie.

Le nouvel héritier posa de surcroît très tôt un problème inattendu à ses parents. Aussi longtemps que Nicolas avait vécu, Alexandre, fasciné par ce frère si doué, le suivait partout et calquait ses goûts et ses comportements sur les siens. Peut-être cette quasi-adoration explique-t-elle qu'il ait conçu un amour immédiat pour la fiancée de son frère à l'heure où celui-ci disparaissait et où les perspectives de mariage s'effaçaient. Il se substitua en quelque sorte au jeune mort et décida que la princesse Dagmar régnerait à ses côtés comme elle aurait dû régner à ceux de Nicolas. Pour sa part, Dagmar accepta cette substitution de fiancé sans hésiter ; peut-être y fut-elle aussi encouragée par son père, le roi Christian IX, attentif à s'allier par le mariage de ses enfants à toutes les familles régnantes d'Europe. Ce n'est d'ailleurs pas un hasard s'il était surnommé le « beau-père de l'Europe ». La mort de Nicolas allait-elle lui coûter l'alliance avec la prestigieuse famille Romanov ? De son côté, Alexandre s'était ouvert de ses intentions à son père, le suppliant de hâter le mariage. Chagriné par ce qui consacrait un ultime effacement de la mémoire du jeune mort, Alexandre II imposa à tout le moins un délai de décence. L'union fut reportée à l'automne suivant. La princesse danoise fut convertie à l'orthodoxie et, sous son nouveau nom de Maria Fiodorovna, devint la femme du nouvel héritier.

Cette toute petite femme ravissante, vive, enjouée, ouverte à tous, sut gagner les cœurs à la Cour. Son caractère sociable, sa gaieté compensaient la lourdeur et un certain manque de sociabilité d'Alexandre. Mais leur bonheur rayonnait et durera jusqu'à la mort de celui qui, après 1881, deviendra l'empereur Alexandre III. Pour justifier ces épousailles qui n'en restaient pas moins surprenantes, la famille impériale encouragea une rumeur : c'est Nicolas, le malheureux héritier, qui, sur son lit de mort, aurait joint les mains de son frère cadet et de la fiancée qu'il laissait sur terre, et aurait par là souhaité leur union. Vraie ou fausse, la légende s'installa. Seule l'impératrice inconsolable battit toujours froid à cette belle-fille qui sut rapidement rassembler la Cour autour d'elle.

Ainsi, à la substitution des héritiers s'ajouta peu à peu une substitution de souveraines alors même que l'impératrice Marie était encore en vie. Mais elle ne pouvait surmonter le désespoir causé par la mort de son enfant préféré. Sa santé aussi s'altérait rapidement. La succession des naissances l'avait épuisée. Et la tuberculose, maladie du siècle, s'installa. Cette maladie coïncidait avec la fin d'une vie privée heureuse. Certes, le souverain avait depuis des années montré quelques signes de son tempérament volage, mais, jusqu'au début des années 1860, il s'agissait d'épisodes brefs, de penchants manifestés pour quelque demoiselle d'honneur sans que cela tirât à conséquence, du moins le croyait-on.

En 1861, le frère de l'empereur, le grand-duc Constantin, relève dans son journal que l'on peut apercevoir dans le parc de la résidence impériale Alexandre II, suivi de la princesse Alexandra Dolgorouki. L'empereur aurait pu hasarder pour excuse l'intérêt porté par la jeune demoiselle d'honneur à la réforme agraire, et le soutien moral qu'elle lui apportait en ce domaine alors que la Cour y était plutôt réticente. Pour autant qu'elle ait existé, l'idylle dura jusqu'en 1865. Les rumeurs à son sujet allaient bon train dans l'entourage de l'impératrice, qui en était visiblement affectée et qui, sa mauvaise santé aidant, tantôt s'éloignait du souverain pour chercher remède sur la Côte d'Azur ou dans les villes d'eaux allemandes, tantôt, rentrée dans cette Russie dont le dur climat la minait, se réfugiait sans cesse davantage dans la religion et les œuvres auxquelles elle était très attachée.

Dès avant la disparition de l'héritier, le ménage impérial battait de l'aile ; mais cet événement tragique, puis l'arrivée de la princesse Dagmar à la Cour achevèrent d'écarter l'impératrice de son époux et de toute vie mondaine. Le salon de Maria Alexandrovna, où, peu d'années auparavant, se pressait une foule de courtisans, où les jeux de cartes, les conversations animées, les concerts duraient jusque tard dans la nuit, se vida progressivement. Sans doute l'impératrice, qui était femme de goût, continua-t-elle de réunir autour d'elle des intimes, tel le poète Wiazemski, mais la conversation y était sérieuse. Avide d'amusement, la jeunesse se déplaça vers la « petite cour » de la grande-duchesse Maria Fiodorovna et la gaieté finit de déserter le cœur de l'impératrice.

Homme mûr de quarante-sept ans, le souverain conserve toutes les apparences d'un mari attentif. Mais, derrière la façade, un ébranlement profond s'est produit en lui, auquel la mort de son fils a peut-être contribué. Au couvent de Smolny où étaient élevées des jeunes filles de la noblesse, le hasard l'a mis en présence d'une toute jeune fille, presque une adolescente, Catherine Dolgorouki. Étrange hasard, puisque celle-ci porte le même patronyme que celle qui avait paru un moment la favorite. Elle appartient d'ailleurs à la même famille, celle, fort ancienne, des princes Dolgorouki, mais à une autre branche. Elle porte aussi le nom d'une autre Catherine Dolgorouki qui fut au XVIIIe siècle la fiancée du jeune tsar Pierre II, mort à seize ans à la veille de ses noces. Est-ce là un signe prémonitoire ? Cette fois, l'inquiétude de l'impératrice n'est pas vaine. Depuis le mariage manqué du XVIIIe siècle, les Dolgorouki ont la réputation d'être ambitieux et de rêver encore à cette occasion perdue. La branche de la famille à laquelle appartient la jeune Catherine n'est guère fortunée : une raison supplémentaire, pour l'impératrice, de craindre une intrigue. Les courtisans ont à cœur de l'informer des rencontres entre un souverain vieillissant, replié sur lui-même, visiblement malheureux, et la toute jeune fille. Leurs promenades dans les parcs de la capitale ou de Tsarskoïe Selo se multiplient, et, avec elles, l'attention dont ils sont entourés, et les ragots. L'empereur change à vue d'œil. L'homme accablé d'avril 1865, susceptible, souvent apathique, manifestant peu d'intérêt pour les affaires publiques et tenant des propos amers sur l'ingratitude humaine et la lourdeur de sa tâche, redevient en quelques mois sinon un jeune homme fringant, du moins un interlocuteur rajeuni, souriant, à nouveau actif, toujours prêt à quitter la Cour pour de mystérieuses équipées.

Nul ne sait quel tour aurait pris cette idylle, qui resta pendant plusieurs mois assez innocente – du moins les familiers le pensaient-ils –, si le destin n'avait pris alors un autre visage, celui d'un assassin.

Karakozov : l'assassin maladroit

Le 4 avril 1866, Alexandre II se promenait paisiblement avec ses neveux dans le jardin d'été que Pierre le Grand avait conçu et où il fit ensuite construire un palais qui fut sa dernière demeure. Ce jardin était fort fréquenté puisqu'un contemporain de Pierre le Grand, Andrei Matveiev, dont il avait fait son représentant à Paris, le décrit ainsi :

« Tous les jours, même par temps froid et pluvieux, particulièrement en été de sept heures après le dîner et jusqu'à dix heures ou minuit, tous les princes, princesses, ducs, duchesses, ambassadeurs et autres

La princesse Iourievski,
épouse morganatique d'Alexandre II.

L'empereur Alexandre II, l'impératrice Maria Alexandrovna
et leur fils aîné, futur Alexandre III.

Congrès de Paris, qui mit fin à la guerre de Crimée, en février-mars 1856. De gauche à
droite : comte Cavour (Italie), Lord Cowley (Angleterre), comte Buol (Autriche), comte Orlo
(Russie), baron de Bourquenay (France), baron de Hübner (Autriche), baron de Manteuff
(Prusse) Alexandre Walewski (France), Djemil Bey (Turquie), baron de Benedelli (France
Lord Clarendon (Angleterre), baron de Brünnow (Russie), Ali-Pacha (Turquie), com
Hatzfeld (Russie) et Villamarina (Italie).
Édouard-Louis Dubufe, musée du château de Versailles.

Le grand-duc Constantin Nikolaïevitcl
frère d'Alexandre II.

Piotr Valouev.

Alexandre Gortchakov.

Le comte Victor Panine.

Alexandre II, vers 1879.

ministres, nobles de tous rangs et marchands se promènent et s'assemblent pour déambuler en grande compagnie. »

La promenade était, on le voit, des plus traditionnelles, et, semblait-il, peu risquée. Alexandre II était un habitué des lieux ; c'est là aussi qu'il rencontrait la jeune Catherine. Mais ce 4 avril ne fut semblable à aucun autre jour. La promenade achevée, il était près de quatre heures de l'après-midi, le souverain se dirigeait vers le quai de la Neva où, comme à l'habitude, de nombreux badauds guettaient son passage, cependant que quelques gendarmes veillaient à distance. À l'instant où Alexandre s'apprêtait à monter dans la calèche qui l'attendait, un jeune homme bondit hors de la foule, un coup de feu éclata et le tireur se sauva à toutes jambes, tentant de se dissimuler parmi les passants. Mais les gendarmes qui n'avaient rien vu venir se réveillèrent, coururent derrière lui et réussirent à le plaquer au sol. L'arme du crime, un pistolet, était encore dans ses mains.

Le tireur avait été maladroit, l'empereur était indemne. Son salut était dû à un miracle qui portait un nom : Komissarov, un homme du commun qui, se trouvant aux côtés du tireur, avait réussi à détourner le coup.

Deux figures dominent alors le paysage politique russe : l'assassin manqué, Dimitri Karakozov, et le sauveur, Komissarov. Karakozov était un jeune étudiant issu d'une famille de petite noblesse de Saratov, pauvre. Très tôt il fut attiré par des cercles contestataires où progressait l'idée d'apporter des solutions violentes aux problèmes politiques. Étudiant plutôt irrégulier de l'université de Moscou, il s'y était lié avec un groupe révolutionnaire à la tête duquel se trouvait

Nikolaï Ichutine, un garçon de son âge, devenu tôt orphelin et que ses propres parents avaient recueilli. Lorsque Karakozov fut arrêté, le souverain, à qui on le présenta, lui demanda s'il était polonais : sans doute avait-il quelque mal à concevoir qu'un Russe eût pu tirer sur lui. Karakozov répondit qu'il était russe et ajouta en guise d'explication de son geste : « Quelle sorte de liberté as-tu donné aux paysans ? » Tout fut tenté : interrogatoires interminables, épreuve de la soif et de la faim, pour faire reconnaître à Karakozov qu'il était polonais, car il disait s'appeler Alexis Petrov et être simple paysan. Ce que ne voulait à aucun prix entendre l'empereur : n'avait-il pas libéré les paysans ? Comment un paysan pouvait-il vouloir sa mort ?

La surprise d'Alexandre II était compréhensible. Bien des souverains russes avaient péri de mort violente dans le passé, mais ils avaient été victimes de complots. Jamais, jusqu'en 1866, un simple sujet n'avait osé attenter à leur vie. Émanant d'un Polonais, la tentative d'assassinat eût été acceptable dans la mesure où les Polonais étaient toujours soupçonnés d'être romantiques, inconséquents, violents, étrangers à tout sentiment de loyauté envers le souverain russe. Ils n'étaient pas des sujets de plein droit et un tel acte venant d'un Polonais n'eût donc pas étonné, il eût au contraire confirmé le souverain dans la certitude confortable que les Polonais méritaient le sort qui était le leur. Mais, venant d'un Russe, le geste était inimaginable, à moins qu'il fût celui d'un fou, et la tentation fut grande de déclarer Karakozov déséquilibré, voire dément. Ce fut l'empereur qui s'opposa à cette interprétation des faits, estimant que justice devait être rendue. Karakozov et les membres du groupe auquel il appartenait et que l'on avait fini par identifier furent enfermés à la forteresse Pierre-et-Paul, geôle habituelle des criminels d'État jugés et condamnés. Puis, le 1er octobre, Karakozov fut condamné à la pendaison. Son ami Ichutine partagea la même sentence, mais leur sort fut différent : Karakozov ayant demandé sa grâce, l'empereur répondit qu'en chrétien il la lui accorderait naturellement, mais qu'étant aussi le souverain, il ne pouvait lui épargner le châtiment : il fut pendu le 3 octobre devant une foule de spectateurs ; Ichutine, lui, jugé comme complice, mais qui n'avait pas tiré, apprit que sa peine était commuée en travaux forcés à perpétuité alors qu'il était déjà sur le lieu du supplice.

Au criminel, à l'intellectuel dévoyé Karakozov, on opposa la figure emblématique de l'homme du peuple naturellement loyal au trône. Celui qui a détourné le coup de pistolet de Karakozov se nomme Ossip Komissarov, c'est officiellement un paysan originaire de Kostroma. En réalité, il s'agit d'un pauvre artisan, mais à lui donner des origines paysannes, la légende qu'on forge autour du sauveur occasionnel renforce la portée politique du geste criminel qui a failli coûter la vie à l'empereur. C'est un membre de l'intelligentsia qui a tiré, c'est un paysan qui a sauvé Alexandre II, libérateur des paysans. De surcroît, qu'il fût originaire de Kostroma permit d'étoffer le mythe. Le sauveur venait de Kostroma et son geste en rappelle un autre semblable – on le répétera à satiété –, celui qu'accomplit en 1613 un autre paysan de Kostroma, Ivan Soussanine, qui sauva le premier Romanov, Michel, des troupes polono-lituaniennes qui le recherchaient, et qui paya cet exploit de sa vie. Le nouveau Soussanine fut anobli, nommé Komissarov-Kostromski, partout fêté comme le sauveur de la dynastie. En réalité, le mythe effaçait les paroles implacables de Karakozov accusant Alexandre II d'avoir trahi les paysans en ne leur accordant qu'une liberté de façade.

L'Église fut appelée à la rescousse : partout et d'abord au palais d'Hiver, des services de grâce furent célébrés. À Moscou, des foules se rendirent en procession à l'oratoire de l'icône miraculeuse de la Vierge d'Iverie en chantant *Dieu sauve le tsar*. Dix jours après l'attentat, le Saint-Synode décida avec l'accord de l'empereur que tous les ans, le 4 avril serait marqué par des processions dans toutes les villes de Russie, et que les cloches des églises y sonneraient tout le jour. Seul le métropolite Philarète fit part de sa surprise au procureur du Saint-Synode : « Est-il raisonnable de rappeler chaque année si solennellement au peuple l'attentat contre le tsar qu'on avait toujours cru impossible ? »

Peut-être Alexandre II se souvenait-il à ce moment que son père Nicolas Ier commémorait chaque année l'écrasement des décembristes en conviant autour de lui tous les hauts dignitaires de l'armée qui avaient réprimé le soulèvement. Seule différence : plus démocrate que son père, Alexandre II voulut associer tout son pays à la commémoration au lieu d'en faire un événement privé, réservé à un petit cercle de fidèles.

Karakozov pendu, vint le temps de la réflexion et de la réaction. La première étape fut consacrée à la recherche des origines de l'attentat, car la thèse de la folie d'un individu ayant été écartée, c'est l'idée du complot, donc des complicités, qui s'imposa. Tout remontait, les enquêtes le montrèrent rapidement, aux lendemains de la réforme agraire et aux illusions qu'elle avait engendrées, les paysans attendant qu'on leur distribue la terre alors qu'ils devaient encore assumer les corvées.

Ogarëv, l'ami de Herzen, avait rédigé dès 1861 un programme répondant à la question « Que faut-il donner au peuple ? » : « La Terre et la Liberté » (*Zemlia i Volia*). La réponse claire, précise, va devenir le nom de la société secrète qui naît au début de la décennie sous l'impulsion d'Ogarëv. Avec Herzen, Bakounine et quelques membres fondateurs rêvaient de révolution en Russie, soutenaient le nationalisme polonais et s'inquiétaient de voir leurs espoirs ruinés par les réformes. C'est parmi les sympathisants de *Zemlia i Volia* que se rencontrèrent des jeunes gens impatients d'accélérer le cours du changement en Russie. Ils fondèrent à Moscou un groupe clandestin dont le but était le terrorisme dirigé contre les propriétaires, mais surtout contre l'empereur. Karakozov avait fait partie de ce groupe baptisé l'*Enfer*, *Ad* en russe. L'attentat du 4 avril allait convaincre Alexandre que les rumeurs auxquelles il n'avait jusqu'alors prêté que peu d'attention, sur le pullulement des sociétés secrètes et la montée d'une humeur révolutionnaire, devaient être prises au sérieux. La première manifestation de cette inquiétude fut la décision de lancer une enquête pour démêler les fils de ce que l'on appela dès lors le « complot Karakozov » ; elle conduisit à l'arrestation des membres de l'*Enfer* et au démantèlement de l'organisation. La suite fut une remise en cause de la politique libérale menée dans la première moitié des années 1860.

Un page politique se tournait. En effet, Alexandre II se mettait soudain à l'écoute de ceux qui avaient prédit que les réformes mineraient l'autorité de l'État, celle de l'autocrate, et libèreraient les démons traditionnels de la Russie, l'esprit de révolte que Bakounine tenait pour la grande vertu du peuple russe et qui avait toujours terrifié les dirigeants. Mais l'attentat eut aussi pour effet de le libérer de ses dernières hésitations en matière de vie privée. Peut-être cet attentat manqué l'incita-t-il à accorder un prix nouveau à sa propre vie, et lui fit-il accepter l'idée de saisir la chance de bonheur qui s'offrait à lui sous les traits charmants de Catherine Dolgorouki, dont il fit alors sa maîtresse. Bientôt, craignant de la voir souffrir d'une situation de clandestinité, il l'éloigna. Elle voyagea en compagnie d'une belle-sœur italienne de l'empereur, avant de le rejoindre finalement à Paris en juin 1867. Mais, avant d'en venir à ce roman qui allait se confondre avec le reste de la vie du souverain, il convient d'examiner les suites plus proprement politiques de l'attentat, c'est-à-dire le tournant de la répression.

Le règne du « tsar Chouvalov »

Bouleversé par l'attentat, Alexandre II oscillait entre deux réactions possibles : il n'acceptait pas que ce peuple dont il avait été le « libérateur » ne l'eût ni compris ni protégé, d'où une fureur, une volonté de châtier, d'opter pour la répression ; mais sa bonté naturelle ne l'éloignait pas des libéraux, qui faisaient pression sur lui pour qu'il ne cédât pas à l'esprit de vengeance.

Sitôt l'émotion passée, Dimitri Milioutine lui remit une note intitulée « Du nihilisme et des mesures indispensables pour le combattre ». Cette note avait été rédigée par Kaveline et concluait à la nécessité de poursuivre les réformes, car seule leur poursuite permettrait, disait-il, d'affaiblir l'humeur révolutionnaire qui montait dans la société. Alexandre II lut rapidement cette note, mais il la laissa de côté, hésitant alors à associer les libéraux à son interprétation personnelle de l'événement qui avait failli lui coûter la vie. Tout en restant fidèle à un conseil que lui avait dispensé l'un de ses maîtres, Speranski – ne jamais faire un choix de gouvernement unilatéral, maintenir une coalition –, il pencha vers une solution autoritaire.

Le 13 mai 1866, il publia un rescrit adressé au président du Comité des ministres, P. Gagarine, lui enjoignant de protéger le peuple russe contre les idées fallacieuses qui, à terme, pouvaient miner son unité. L'orientation était donnée, la vigilance à l'ordre du jour, et le mot réforme n'était plus prononcé. Les décisions autoritaires se multiplièrent alors. L'une d'entre elles fut de rendre son autorité quelque peu érodée à la IIIe section – celle de la police secrète – et de placer à sa tête le comte Pierre Chouvalov, nommé aussi chef des gendarmes. Le nouveau titulaire du poste – l'un des plus importants du gouvernement, spécialement au moment où l'accent est mis sur la répression – était une personnalité séduisante, peu conforme à l'image traditionnelle du policier. L'homme était brillant, mondain, issu d'une des plus grandes familles de Russie ; il avait été parfaitement éduqué et parlait un français irréprochable. Son élégance, ses origines, mais aussi son caractère en avaient fait un habitué de la Cour où il avait noué des relations assez étroites avec un souverain de dix ans plus âgé que lui et que son impétuosité divertissait. Militaire, il avait été gouverneur de Courlande et de Livonie entre 1864 et 1866, et y avait déployé des talents d'administrateur et de diplomate qui avaient attiré sur lui l'attention d'Alexandre II. De ce temps il avait acquis la réputation d'un homme habile, capable de maintenir l'ordre sans provoquer de réactions chez ses administrés, ce qui le désignait aux yeux de l'empereur pour le poste si difficile de chef de la police secrète. À l'occasion, Chouvalov savait aussi faire montre de sympathies pour les idées avancées. En somme, au départ, il plaisait à tout le monde. Et sa capacité à conserver sa fonction huit années durant – des années si difficiles pour l'Empire – témoigne que le choix d'un tel homme était sage.

Deux faiblesses pourtant le caractérisaient. Il connaissait mal la Russie et ses problèmes. C'est l'adroit courtisan qui avait su séduire l'empereur et qui entretenait avec lui des relations complexes. Cultivant ses sentiment angoissés et ses penchants sécuritaires, il accablait Alexandre II de notes et d'informations plus ou moins biaisées sur le péril révolutionnaire. Dans le même temps, il l'assurait sans cesse que les pouvoirs grandissants qu'il détenait étaient nécessaires pour garantir la sécurité du souverain et l'ordre public. Resté en fonctions malgré ce virage conservateur, Milioutine note avec inquiétude dans son journal ces traits si particuliers du souverain et de son ministre de la Police, mettant par ailleurs en doute la véracité des propos alarmistes. Mais la conséquence de cette « propagande » constante fut que les pouvoirs de Chouvalov étaient si considérables qu'on le nommera bientôt – moitié par dérision, moitié par crainte – « Pierre IV, roi de la Police ». Et son influence sur l'ensemble des décisions politiques dépassera largement son domaine de compétence.

Le rôle joué par Chouvalov durant huit ans, le tournant conservateur qu'il incarna, méritent cependant un examen plus attentif que les données qui viennent d'en être exposées. Pour la société russe, sa nomination découlait de l'attentat. Mais, à regarder de près ce qui se passait au sein de l'aristocratie conservatrice à la veille de cet attentat, on constate que tout était déjà en place pour un recul de la politique libérale. Dès 1865, un petit groupe d'aristocrates s'était réuni à Saint-Pétersbourg avec pour objectif général de s'opposer aux « tendances démagogiques prévalant dans la sphère gouvernementale », et pour but immédiat de fonder un établissement de *Crédit mutuel foncier*, projet que l'un de ses initiateurs, le même Chouvalov, alors gouverneur général des provinces baltes, de passage dans la capitale, exposa à Alexandre II, lequel ne trouva rien à y redire. Le groupe que ce projet rassemblait, et où figuraient entre autres le comte V. P. Orlov-Davydov, le prince F. I. Paskiévitch, le prince Lobanov-Rostovski, le prince Bariatinski, adversaire véhément des réformes militaires de Milioutine, le sénateur Karamzine, fils de l'historien, était hostile aux réformes réalisées. En mars 1866, à la veille de l'attentat, le même groupe étudia la possibilité de s'organiser en parti politique conservateur. Le slogan est alors que l'ordre de la noblesse doit, dans toutes les instances où il est représenté, réclamer des *droits* au lieu de camper sur des *privilèges*.

Au lendemain de sa nomination, Chouvalov se considérait donc clairement comme le porte-parole des positions de l'aristocratie conservatrice. Le Comité gouvernemental secret, constitué juste après l'attentat, rassemble le ministre de l'Intérieur Valouev, le président du Comité des ministres, Gagarine, le prince Dolgoroukov, chef des gendarmes, avant que Chouvalov l'y remplace, le ministre de la Guerre Milioutine, Tolstoï, qui devient alors ministre de l'Éducation, le ministre des Domaines d'État, A. A. Zelenyi, et

Chouvalov. Ce dernier lit au Comité une note qu'il a préparée à l'avance, où il dit : « La société est fatiguée des transformations constantes, et demande au gouvernement qu'il décide d'une ère conservatrice. »

Pour Chouvalov, l'inquiétude de l'aristocratie se nourrit des conséquences des réformes agraires et administratives qui, l'ayant dépossédée et désorientée, la poussent à s'élever contre le pouvoir. Tous les efforts doivent tendre à la réconcilier avec le pouvoir et, pour cela, une des premières décisions nécessaires est d'encadrer les zemstvos. L'idée d'une telle « réforme de la réforme » de 1864 fut soumise à Alexandre II, lequel ne l'encouragea pas, et elle fut oubliée par Chouvalov qui soutint cependant à tous les postes gouvernementaux la candidature de partisans du conservatisme pour renforcer sa propre position et ce qu'il nommait l'« unité gouvernementale ».

La commission d'enquête qui avait été nommée dans le même temps pour faire la lumière sur l'attentat et ses ramifications avait été placée sous la présidence du général Mouraviev, le bourreau de Varsovie ; celui-ci ne se contenta pas de multiplier les arrestations, mais, en accord avec le nouveau chef de la IIIe section, il pressa l'empereur de se débarrasser de tous les « libéraux » qui l'entouraient.

Alexandre II opéra d'autres changements significatifs parmi ses proches collaborateurs. L'éducation était un domaine sensible. Les enquêtes faites après l'attentat de Karakozov par une commission spéciale avaient conduit à conclure que toute l'université était un lieu d'expansion des idées révolutionnaires, et que les étudiants professaient des idées dangereuses, athées, matérialistes ; revendicatifs aussi, ils ne respectaient plus aucune autorité et rêvaient de la destruction de la monarchie. La responsabilité des maîtres et du système éducatif dans cette dangereuse évolution de la jeunesse était dénoncée, et, partant, la politique de réforme de l'éducation menée durant les années précédentes par le ministre Golovnine. Les libertés, l'autonomie accordée aux universités les avaient, répétaient sans fin les conservateurs, transformées en pépinières de révolutionnaires. Ce constat de la commission d'enquête débouchait sur une seule conclusion : il fallait reprendre le contrôle des universités, repenser toute la politique de l'éducation, et à cette tâche immense il fallait un nouveau maître d'œuvre. Golovnine fut démis et, à sa place, Alexandre II nomma le procureur du Saint-Synode, le comte Dimitri Tolstoï. Le choix était significatif du virage pris, car ce Tolstoï était réputé pour ses idées conservatrices et son opposition déclarée à toute la politique de réforme des années précédentes. Il conservera son poste jusqu'en 1880 et sa politique de refus absolu de toute liberté dans le monde universitaire aura pour conséquence de radicaliser davantage encore les étudiants et souvent aussi leurs professeurs.

L'« ère Tolstoï » fut, pour l'université et pour l'éducation en général, l'une des plus néfastes de l'histoire russe. Les plus redoutables décisions de Tolstoï pour l'avenir intellectuel de toute une génération touchaient à sa conception du contenu souhaitable des études. Il imputait au progrès des connaissances scientifiques, que les réformes de son prédécesseur avaient assuré, le développement de l'esprit « matérialiste et superficiel » de la jeunesse. Pour y remédier, il épura littéralement les programmes des lycées des matières scientifiques, mais plaça aussi sous stricte surveillance l'enseignement de l'histoire et de la littérature. En revanche, l'accent fut mis sur les langues mortes, la grammaire et les mathématiques, jugées peu dangereuses. Les maîtres étaient invités à exercer une surveillance constante sur leurs élèves, et les uns sur les autres, jusqu'à « signaler » au ministère les « mauvais esprits » qui risquaient de pervertir la communauté. Dans les universités, on imposa les mêmes restrictions intellectuelles et le même appel à la vigilance morale et politique tournant à la délation. Les étudiants suspects d'idées avancées étaient éliminés au moment des examens. La rupture entre le pouvoir et la jeunesse fut, grâce à l'action du ministre Tolstoï, consommée pour des décennies. Après les efforts accomplis aux premiers temps du règne pour renouer avec le système éducatif et le monde intellectuel, cette politique rétrograde entraîna l'un des échecs les plus patents et définitifs du règne d'Alexandre II.

Autres nominations « conservatrices » : le comte Constantin Pahlen, gouverneur de Pskov, qui était alors le véritable centre de l'aristocratie conservatrice, remplace le ministre de la Justice libéral Zamiatine, après avoir été durant un an (1867-1868) son adjoint, et à l'Intérieur, un ancien chef des gendarmes, protégé de Chouvalov, remplace Valouev, placé alors à la tête du ministère des Domaines de l'État.

Mais Alexandre II refusait d'être prisonnier d'un groupe politique. Le poète Tioutchev disait à son sujet : « Le souverain n'acceptera jamais de se livrer pieds et poings liés à une seule tendance politique, et plus il a l'impression qu'un homme essaie de l'influencer, plus il en cherchera un autre, d'opinion diamétralement opposée, pour trouver une position centrale qui assurera son autorité. » Ce qui est en effet caractéristique de l'attitude d'Alexandre II en ces années critiques, c'est que, soumis à de multiples pressions, aussi désemparé que l'ait laissé l'attentat dirigé contre lui, il cherche avant tout à protéger son pouvoir personnel. Aucun plaidoyer pour la sécurité, tel que les lui prodiguait son chef de la police, n'ébranla cette volonté de sauvegarder son autorité et une ligne indépendante. Cela explique qu'en cette période, tout en nommant aux postes les plus sensibles ceux qui marquent le tournant vers une politique répressive – Justice, Intérieur, Police, Éducation –, il se soit attaché à conserver auprès de lui les ministres qui incarnaient une vision réformiste. C'est le cas de Reutern, ministre des Finances, qui reste en fonctions jusqu'en 1878 ; de Dimitri Milioutine, qui va pouvoir continuer à moderniser la vie militaire, malgré les critiques dont le camp conservateur l'accable et les tentatives répétées de Chouvalov de lui substituer son protégé, le général adjudant Pierre Albedinski, qu'il nommera en définitive gouverneur des provinces baltes. Soumis à un harcèlement constant, Milioutine sera souvent tenté de démissionner. Mais, alors que le règne de Chouvalov ne durera que huit ans, Milioutine restera à son poste jusqu'à la fin du règne d'Alexandre II. N'est-ce pas là un signe que l'instinct politique du souverain l'orientait plutôt vers le camp réformateur, même après 1866 ? Un troisième rescapé de ce camp fut le ministre des Affaires étrangères, Gortchakov, qui conserva lui aussi son poste jusqu'à la fin et même aux premiers temps du règne d'Alexandre III, quoiqu'après le congrès de Berlin il eût perdu toute influence.

Attentat manqué à Paris

En juin 1867, Alexandre II fut convié par Napoléon III à venir visiter l'Exposition universelle qui se tenait à Paris. Il se rendit à cette invitation en compagnie de Gortchakov, dans le sempiternel espoir d'obtenir le soutien de l'empereur français à une révision du traité de Paris. Le voyage reposait en fait sur un malentendu entre les deux souverains. Napoléon III voyait poindre les ambitions unitaires de Bismarck sur les terres allemandes et le rapprochement russo-prussien. La France était aussi confrontée à une situation catastrophique au Mexique où l'empereur Maximilien vivait ses derniers jours. L'inquiétude était donc grande à Paris, mais, pour autant, on continuait à y refuser tout soutien à la Russie dans ses revendications, et on considérait que l'invitation suffirait à satisfaire ses interlocuteurs.

La visite avait été minutieusement préparée, et Alexandre II, accompagné de l'héritier et du grand-duc Vladimir, fut chaleureusement accueilli. Les festivités furent nombreuses, mais la police se montra incapable de protéger le souverain russe des sympathisants de la Pologne qui criaient sur son passage « Vive la Pologne, Monsieur ! ». Et c'est de Pologne qu'allait venir la nouvelle tentative d'attentat menaçant la vie d'Alexandre II. Le 6 juin, Alexandre II et Napoléon III revenaient ensemble d'une revue militaire à laquelle ils avaient assisté avec le roi de Prusse lorsqu'un coup de feu, répétition de celui de l'année précédente, éclata au passage de la voiture, suivi d'un second. Ces coups visaient Alexandre II, nul n'en douta sur l'instant, même s'ils le manquèrent. Les deux souverains restèrent impassibles. L'auteur de l'attentat était cette fois un exilé polonais de vingt-cinq ans, ce qui fut pour Alexandre II plus réconfortant que le coup de feu du Russe Karakozov. Mais l'événement n'allait pas servir le développement des relations franco-russes. Il témoignait d'un certain manque de vigilance de la police française, censée assurer la protection d'un invité illustre, d'autant plus que – c'était là un des griefs russes contre Napoléon III – les réfugiés polonais menaient ouvertement campagne contre la Russie à Paris. Que l'on n'eût pas éloigné de la capitale les plus actifs d'entre eux, en ce mois de juin 1867, suggérait à Alexandre II que l'Empire français n'était décidément pas bien dirigé.

Le tsar fut supplié de rester à Paris par Napoléon III et l'impératrice Eugénie, qui, au lendemain de l'attentat, lui rendirent tous deux visite pour lui expliquer combien les humiliait le fait d'avoir été des hôtes si peu prévenants. Ils lui déclarèrent que le tireur avait agi seul, de sa propre initiative, ce qui dénotait avant tout de sa part un certain déséquilibre. Alexandre II imaginait que le crime serait puni aussi sévèrement qu'il l'eût été en Russie, c'est-à-dire par la peine de mort, et, en grand seigneur qu'il était, il pensait pouvoir demander ensuite la grâce du condamné. Mais ses illusions furent déçues : l'avocat du tireur plaida avec éloquence que le martyre de la Pologne justifiait qu'un Polonais sacrifiât sa vie en tentant de tuer celui qui avait écrasé sa patrie ; l'accusé fut condamné à la prison. La presse française applaudit la plaidoirie et prédit qu'il serait bientôt remis en liberté. Alexandre II n'eut plus guère envie d'intervenir en sa faveur. Pourtant, il prit part à d'autres festivités sans manifester de crainte, et, au bout de quelques jours, au lieu de rentrer en Russie, comme le souhaitait pour finir son hôte, inquiet depuis l'atteinte à sa sécurité, il s'attarda à Paris. Il avait, pour ce faire, une excellente raison que la police française découvrit rapidement et qui allait lui poser de difficiles problèmes de protection : Catherine Dolgorouki était venue secrètement le rejoindre après l'exil italien auquel elle s'était condamnée durant quelques mois.

Ce discret séjour parisien, véritable lune de miel, allait avoir une grande influence sur l'évolution des rapports d'Alexandre II et de Catherine. L'attentat manqué, pour peu effrayant qu'il eût été – beaucoup moins que celui de Karakozov, car le Polonais de Paris était bien piètre tireur, et l'affaire avait presque relevé de la mascarade –, rappelait aux amants les menaces qui pesaient sur l'empereur, même hors des frontières de son pays. Rapprochés par l'événement autant que par leur séparation, plus libres de se rencontrer que dans la capitale russe, la Cour et ses ragots étant loin, c'est là qu'ils prirent la décision de vivre leur amour presque au grand jour. Rentré à Saint-Pétersbourg, l'empereur installa la jeune femme à proximité du palais et la fit nommer demoiselle d'honneur de l'impératrice afin qu'elle pût participer aux réceptions, aller et venir partout. La liaison n'était plus dissimulée. Si le tsar se rendait à Tsarskoïe Selo ou à Livadia, elle l'y suivait, et elle l'accompagna trois ans plus tard aux eaux d'Ems. Il s'abandonna alors à sa passion avec d'autant plus de force que, pour cet homme vieillissant, l'amour semblait devoir appartenir au passé. D'abord installée près du palais, Catherine y pénétra peu à peu. La liaison devint quasi officielle et l'impératrice y assistait avec une grande dignité, mais en s'enfermant dans la tristesse et la maladie, ce qui ne contribua pas peu à attacher Alexandre II à Catherine, incarnation de la jeunesse, de la santé, de la joie de vivre.

Il prit l'habitude, qu'il garda jusqu'à son dernier jour, alors que Catherine vivait avec lui, de lui écrire deux fois par jour, le matin pour lui dire son amour, le soir pour faire le résumé de sa journée – de *leur* journée, de leurs joies et de leurs peines. De 1866 à 1881, il écrivit ainsi près de 4 000 lettres dont la lecture est tout à la fois émouvante et très intéressante pour mieux comprendre le caractère d'Alexandre II. Ces lettres, qui ont toutes été lues pour la rédaction de cet ouvrage, ne sont certes pas des chefs-d'œuvre de style ni de réflexion profonde. Mais elles sont le reflet d'un immense amour que rien n'a altéré au fil des quinze années de vie partagée d'Alexandre II et de Catherine, dite Katia, et surtout de l'attention de chaque instant qu'a prêtée ce souverain pourtant chargé du lourd fardeau de l'État à celle qui était entrée alors dans sa vie.

Peu de politique dans ces lettres, même si elles éclairent le rôle que Catherine cherche à jouer, les positions qu'elle prend, les suggestions qu'elle fait. Mais Alexandre II est avant tout attentif aux détails de la vie quotidienne, à l'humeur de la bien-aimée – elle n'était pas toujours facile, la condition de maîtresse l'impatientait, et elle ne se cachait pas d'attendre que la mort de l'impératrice lui permît d'apparaître au grand jour ; la santé de Katia lui fut aussi une constante préoccupation, et elle tient dans cette correspondance la place que tenait sa propre santé dans les échanges avec son père, au temps des voyages. On parle en effet beaucoup santé dans cette correspondance. Puis viendra le temps, à partir de 1872, où les enfants de ce couple illégitime étant nés, Alexandre II s'inquiétera deux fois par jour de chaque rhume, de chaque accès de fièvre. Si l'on tente de résumer le contenu de ces milliers de lettres, il faut mettre au premier plan le souci de cette seconde famille, de son bien-être, de son bonheur. Combien de pages écrites au retour d'une promenade avec Katia et les enfants, où l'empereur éprouve le besoin de lui dire comme il en a été heureux, de rappeler chaque détail des moments passés ensemble ! Lorsqu'il sera éloigné d'elle par la guerre russo-turque, il lui fera part de ses préoccupations militaires et diplomatiques. La distance explique alors cette conversation plus politique. Le souverain, dont les portraits à cette époque montrent le visage austère, quelque peu chagrin, était, dans ses lettres, un interlocuteur enjoué, attendrissant de gentillesse. Qu'il ait nourri jusqu'à sa mort une si grande passion pour une femme qui lui rendit toujours son amour, mais qui n'était pas toujours aimable, capable de bouder, de se plaindre, d'exiger, ses lettres en témoignent, suggère qu'Alexandre II était bien plus complexe qu'on ne le juge généralement.

Par ailleurs, il était par nature porté à la rigueur, même si, par moments, avant 1866, il a pu se montrer volage. Il ne plaisantait pas avec la morale familiale. Son attitude à l'égard de sa sœur préférée, Marie de Leuchtenberg, le prouve. Veuve très jeune, celle-ci avait épousé secrètement le comte Grégoire Stroganov, elle eut avec lui des enfants, elle suppliait son frère d'accepter ce mariage morganatique et de l'autoriser à vivre en Russie. Digne successeur de son père, chef de la maison impériale, il demeura inflexible, tout comme il condamna toujours les écarts conjugaux des autres membres de sa famille. Si sa « seconde vie » le mettait en contradiction avec lui-même, ce lui fut une souffrance.

Les contradictions du retour en arrière

Les historiens ont en général porté une condamnation sur le tournant de 1866, estimant que le temps des réformes avait pris fin, que l'inquiétude l'avait emporté chez le souverain sur la lucidité politique. Le bilan de la fin de la décennie est certes consternant. Mais, en même temps, comment oublier qu'en dépit de la répression, des contrôles exercés par la IIIe section, la vie culturelle russe reste alors intense, que la réflexion de l'opposition – on y reviendra – n'est arrêtée ni par les menaces ni par les mesures punitives, et que dans la noblesse aussi un effort s'accomplit pour chercher des moyens de peser sur la politique.

Celle-ci, dans sa grande majorité, est conservatrice. En ces années où elle tente de s'organiser et de jouer un rôle comme force politique autonome, elle met en cause l'autocratie, qui réserve tout le pouvoir au souverain. Elle entend affirmer son existence et ses droits. La réforme agraire est certes un fait acquis sur lequel nul ne saurait revenir ; en revanche, la réorganisation administrative qui l'a accompagnée, celle des zemstvos, mérite à ses yeux d'être revue et limitée. Sans doute la noblesse ne constitue-t-elle pas une force unie parlant d'une seule voix, défendant des aspirations cohérentes. Lorsque les zemstvos avaient été créés, sa fraction libérale avait vu en eux des instances propres à lui permettre de réaliser ses ambitions politiques, alors que, pour sa majorité conservatrice, ils étaient perçus comme une invention « démocratique » du pouvoir destinée à l'abaisser. Orlov-Davydov déclarait à ce propos que « le souverain est le pire ennemi de la noblesse ; mais elle en compte un autre : ce sont ses divisions qui l'empêchent de s'opposer efficacement à de tels projets ».

Les multiples tentatives faites autour de Valouev et de Chouvalov pour fonder un parti de défense de la noblesse n'aboutirent qu'à des querelles et à des propositions contradictoires. Mais, sur un point, l'accord se faisait peu à peu : il fallait réformer le statut des zemstvos de 1864 en substituant au contrôle administratif celui des propriétaires dans les diverses instances. Ce vœu était contrarié par le texte du 13 juin 1867 qui renforçait les responsabilités des présidents des assemblées, interdisait la réunion commune des assemblées de gouvernements différents, et donnait autorité aux gouverneurs sur la publication de tous documents touchant aux sessions des zemstvos. Valouev tenta un moment d'intéresser à ces projets le grand-duc Constantin qui était conscient de la nécessité d'apaiser la noblesse, d'éviter qu'elle devînt une force d'opposition à l'empereur, mais qui, trouvant ses vœux bien peu cohérents, s'en détourna. L'empereur fut lui aussi informé de ces discussions, mais ses interlocuteurs étaient mal accueillis lorsqu'ils tentaient de le gagner à leurs vues, car il ne voulait pas entendre parler de quelconques changements apportés au statut. Même si, à la fin des années 1860, Alexandre II était quelque peu absorbé par sa vie privée, il manifestait une méfiance constante envers les projets aristocratiques dans lesquels il voyait une volonté dissimulée d'établir un contre-pouvoir, celui d'un *ordre* décidé à limiter le sien. Et il est vrai que cette noblesse, dont Milioutine écrit dans son journal qu'elle en était encore « au stade des élucubrations », rêve alors de suivre des modèles mythiques empruntés au passé russe – les « assemblées de la terre » *(zemskii sobor')* ou la Douma des Boïars –, voire empruntés à l'Angleterre dont on oublie que jamais l'empereur n'acceptera d'imiter la monarchie aux pouvoirs restreints. Une note remise à Alexandre II en 1867 lui exposait candidement que les Boïars russes étaient semblables aux pairs anglais et qu'ils pouvaient donc inspirer les projets de la noblesse : le souverain écarta définitivement ce qu'il traita de balivernes.

Au demeurant, son attention était attirée par des problèmes précis, censés se poser à la fin de la décennie et liés aux réformes, qui ne laissaient pas de l'inquiéter. En 1870, le délai de neuf années prévu dans la réforme de 1861 durant lequel les paysans ne pouvaient aliéner leur lot communautaire ou l'hypothéquer prenait fin. De même que c'est au terme de cette période que disparaissaient les entraves à la sortie des paysans de la communauté rurale. Dès la fin des années 1860, le gouvernement redoute que les contraintes inscrites dans le statut pendant neuf ans ayant disparu, cela entraîne des déplacements de population paysanne, et peut-être des désordres. Nul ne connaît l'état d'esprit des paysans, ni leurs intentions à ce sujet, et Chouvalov interroge sans cesse tous ses interlocuteurs sur leurs prévisions, mais aussi sur la possibilité d'apporter des amendements temporaires à ces dispositions. Dans le même temps, le nouveau ministre de l'Intérieur, Timachev, dont la réputation d'incompétence mêlée au manque d'audace inquiète aussi le souverain – mais c'est une créature de Chouvalov, qui le défend –, est chargé de proposer une réforme qui substituerait aux « arbitres de paix » de

nouvelles instances. Enfin, Reutern réfléchit au problème fiscal et à une imposition semblable frappant
tous les ordres.

Neuf ans après l'abolition du servage, au moment
où la liberté paysanne devient totale, nombreux sont
ceux qui, au gouvernement ou parmi les élites, constatent les conséquences négatives du processus engagé
en 1861 : l'appauvrissement d'une partie de la paysannerie, l'insuffisance des terres mises à la disposition
des paysans et les frustrations qui en découlent, enfin
le poids excessif des indemnités et des impôts. La préservation de la commune, si étrangère aux grands
modèles de la vie rurale en Europe, est elle aussi le
sujet de débats animés en cette fin de décennie.

Ces problèmes vont nourrir un ouvrage publié en
1868 et qui fera grand bruit. Intitulé *Terre et Liberté*,
il est signé des seules initiales « P. L. ». Mais sitôt ce
livre paru, on apprit que l'auteur en était un noble
balte, Pavel Fiodorovitch Lilienfeld, collaborateur de
Milioutine au département de l'Agriculture du ministère de l'Intérieur. Il avait une grande expérience
pratique de la réforme, acquise dans ses fonctions successives d'arbitre de paix, de juge de paix et de vice-
gouverneur de la capitale au moment où il rédigeait
cet ouvrage ; il était aussi l'auteur de nombreux articles
consacrés à la question paysanne et aux problèmes de
société. Le sort des paysans l'inquiétait d'autant plus
qu'il entrevoyait les conséquences politiques de leur
prolétarisation rapide. Et il en concluait que la responsabilité du gouvernement et de la société était de protéger le paysan, mais aussi sa petite propriété.
Quelques décennies plus tard, Stolypine défendra avec
la même ardeur la propriété paysanne et la fin de
l'organisation communautaire. Lilienfeld plaidait de

même qu'il fallait aider à ce qu'apparussent dans la paysannerie des propriétaires moyens qui pourraient contribuer à apaiser les tensions sociales en servant de lien entre la grande propriété et le paysan pauvrement doté.

Le succès du livre, les discussions qu'il provoqua, attestent que des années après la réforme, la question paysanne et celle de la propriété de la terre étaient plus que jamais à l'ordre du jour. Les propositions de Lilienfeld visaient à aménager le statut de 1861 pour aboutir, sans heurts ni volontarisme, à une décomposition progressive de la commune rurale, qui avait durablement freiné la création d'une véritable propriété paysanne. Mais seul le gouvernement, et en dernier ressort le tsar, pouvaient décider d'une telle orientation qui passait par une révision – à tout le moins des retouches – du statut de 1861 et un réaménagement du système fiscal et administratif.

Si le souverain, conscient des problèmes qui allaient se poser, se montra longtemps réticent à tout changement dans les réformes et leurs équilibres, il évoluera progressivement. Mais, en 1867-1868, lorsqu'il est sollicité de le faire, il attend des solutions de l'expansion russe en Asie centrale. Des terres de colonisation s'y ouvrent aux paysans insatisfaits de leur condition, et l'exode rural que craignent certains de ses ministres, Chouvalov en tête, lui paraît être un des moyens sérieux de régler la question de la « faim de terre » éprouvée par les paysans. Il a vu juste, car les paysans sont nombreux à suivre les armées russes et à s'installer sur des terres fertiles que les peuples conquis doivent leur abandonner. L'élargissement de l'Empire dans les années où la volonté de réformer cède le pas à une certaine stagnation est l'autre versant de la politique impériale.

Le regard du souverain se porte en outre vers l'extérieur, vers les conquêtes à poursuivre et les revanches à prendre. En cela, il connaît le succès : la puissance russe est incontestée. Mais cette puissance recouvrée, qui le rassure, l'empêche de s'attarder sur un autre aspect des problèmes intérieurs : la montée des idées révolutionnaires. Longtemps le pouvoir a craint les révoltes paysannes. L'empereur craint aussi l'opposition de la noblesse. En 1866, il a découvert que la terreur pouvait s'en prendre à sa personne. Mais, avec le temps, derrière la paysannerie avec laquelle il avait voulu préserver un lien direct, il découvrira aussi des mouvements et une violence qu'il n'avait jamais soupçonnés.

En 1870, l'Europe va être profondément bouleversée. Alexandre II constate que son pays est paisible, et il en est renforcé dans la certitude que le système politique russe doit rester inchangé au sommet. Or les idées révolutionnaires qui montent dans son pays au même moment sont un défi à ce système, le plus considérable qu'il ait jamais connu.

C'est alors que prend vraiment fin la première partie de son règne. Pour Alexandre II, les conquêtes marquent un couronnement et constituent une issue aux problèmes à venir. Parce que son pays est puissant, il est alors prêt à ouvrir une nouvelle période de réformes, moins libérales peut-être que les précédentes, mais qui toutes tendront à les approfondir et à en corriger les effets néfastes. Après le temps du recul, le Libérateur réapparaît.

CHAPITRE IX

La question balkanique

Depuis la guerre de Crimée, l'opinion publique russe s'intéresse à la politique étrangère. Grâce à la liberté relative acquise par la presse dans les années du dégel, les journalistes qui commentent la vie internationale ont acquis une grande influence. Le public a suivi les analyses véhémentes de Herzen dans *Kolokol* à l'époque du soulèvement polonais, mais aussi celles de Mikhaïl Katkov qui acquit très tôt une autorité considérable : il a dirigé d'abord *Le Messager russe*, puis, après 1863, les *Nouvelles de Moscou* ; proche dans sa jeunesse de Bakounine et de Herzen, il évolue ensuite et se déclare partisan de l'autocratie, soutient les choix rétrogrades de Tolstoï en matière d'éducation, rejetant comme lui l'enseignement scientifique qu'il accuse d'être pernicieux et porteur d'idées révolutionnaires ; mais c'est la politique étrangère qui assure vraiment sa gloire. Katkov a pris parti en 1863 contre les Polonais – et contre Herzen – au nom de la solidarité des Slaves ; mais il critique la politique propprussienne de Gortchakov, la jugeant dangereuse pour les intérêts de l'Empire et du slavisme. Et l'opinion publique partage ses vues, elle est comme lui séduite par l'idée d'un rapprochement avec la France, même s'il apparaît difficile. Le renforcement de la Prusse, les ambitions impériales de Bismarck réunissent dans une même hostilité Bakounine, Katkov et l'un des conquérants de l'Asie centrale, le général Skobelev. Tous s'inquiètent des penchants germanophiles d'Alexandre II, souverain issu – Bakounine n'hésite pas à le souligner – d'une dynastie allemande et qu'il nomme « le tsar allemand ». Tous sont soutenus par une opinion qui a toujours déploré le trop grand poids des Allemands dans la politique russe, même si Alexandre II a réduit leur place.

Mais l'empereur et son ministre ont assisté, impavides, à l'affaiblissement du Danemark, à l'unification progressive des principautés allemandes sous la houlette prussienne. Il a toujours eu un faible pour le roi de Prusse, son oncle, et ce sentiment, mêlant respect et affection, n'est pas étranger à l'orientation de la politique étrangère russe à la fin des années 1860. Ce faisant, il ne prête guère attention au divorce qui s'opère alors avec l'opinion publique. Il est vrai que le souverain est encore absorbé par une vie privée bouleversée et par les incertitudes de la politique intérieure. Mais, à la fin de la décennie, ce temps s'achève, car la situation en Europe lui impose de choisir nettement son camp.

Une neutralité partiale

Gortchakov, on l'a vu, avait tenté des années durant de tenir la balance égale entre la Prusse et la France, l'objectif étant de pouvoir obtenir la révision des clauses du traité de Paris. Mais les réticences de Napoléon III l'avaient conduit à un rapprochement avec la

Prusse, fondé sur l'engagement russe de garder une position neutre en cas de conflit franco-prussien, engagement qui était en réalité un soutien apporté à la Prusse, puisqu'il lui assurait la tranquillité sur ses arrières. Et il faisait la sourde oreille aux appels lancés au début de l'année 1870 par Napoléon III, inquiet des progrès de l'unité allemande. En juillet, lorsque la France déclare la guerre à la Prusse, la Russie proclame donc sa neutralité et met en garde Vienne contre tout mouvement favorable à la France.

Durant la guerre, l'empereur ne dissimula pas que ses sympathies personnelles allaient à la Prusse. À chaque succès prussien, il envoyait des télégrammes enthousiastes à son oncle, et après les combats de Sedan où l'armée prussienne subit de lourdes pertes, il écrivit à la grande-duchesse Hélène : « Comme vous, je pleure les morts de la Garde prussienne. » Quoique officiellement neutre, la Russie a alors dépêché, avec l'accord d'Alexandre II, des médecins, des infirmières et même un certain nombre d'officiers en Prusse.

Thiers tenta en vain, lors d'un voyage dans la capitale russe, d'obtenir un changement de cap. Il repartit les mains vides. Et, après la défaite, quand la France demanda une fois encore l'aide de la Russie pour contrer les exigences allemandes, ce fut sans davantage de succès. Son ambassadeur à Saint-Pétersbourg, le marquis de Gabriac, écrivit à son ministre Jules Favre, le 19 février 1871 : « Vous aurez pu vous convaincre, au vu de l'échange de télégrammes entre le roi de Prusse et l'empereur Alexandre II, télégrammes qui même ici ont fait une piètre impression, que nous ne devons rien attendre de la Russie... Certes, ce pays est neutre, mais si la neutralité du pays est favorable à la France, celle de l'empereur est favorable à la Prusse.

Et c'est l'empereur Alexandre qui gouverne le pays...
un pays qui n'a aucune influence sur le pouvoir. »

L'attitude proprussienne du souverain était nourrie
d'une rancune tenace contre la France, faite de griefs
dont certains remontaient même aux guerres napoléoniennes qu'il n'avait pas connues ! On le constate à la
lecture d'une note qu'il a portée sur une dépêche relatant l'indignation du gouvernement français réfugié à
Bordeaux devant le bombardement de Paris : « Et eux,
est-ce qu'ils n'ont pas détruit le Kremlin ? » écrit-il,
rageur, indifférent du coup aux malheurs de la population de la capitale française. Et il ne prête pas davantage l'oreille aux demandes de Paris d'exhorter la
Prusse à plus de modération dans ses revendications
territoriales. La rapidité de la défaite française a surpris
la Russie, mais son souverain n'envisage pas un seul
instant de modérer « son cher oncle ». Il est au
contraire enchanté du projet de Gortchakov de mettre
à profit l'humiliation de la France et son incapacité à
réagir pour liquider enfin l'humiliant traité de Paris.

Pendant quinze ans, la Russie avait traîné ce boulet,
rêvé d'effacer de son histoire cet épisode haï, et la
guerre de 1870 parut en être l'occasion rêvée. La
France n'était-elle pas la puissance qui, en 1856, avait
le plus contribué à la mettre à genoux ? celle qui refusait constamment d'ouvrir une négociation pour réviser le traité ? Alexandre II et son ministre étaient bien
décidés, après la défaite de Sedan, à le lui faire payer.
Pourtant, leur entourage était loin d'être unanime à
ce sujet. Lorsque l'empereur proposa au Conseil des
ministres que la Russie déclare unilatéralement
caduques les clauses du traité de Paris défavorables à
la Russie, presque tous les ministres lui opposèrent un
silence éloquent. Milioutine suggéra que la déclaration

fût limitée à la neutralisation de la mer Noire et laissât de côté toutes les autres questions, notamment celle de la Bessarabie. Le 31 octobre, Gortchakov chargea les ambassadeurs russes auprès des puissances signataires du traité de leur remettre une note soulignant le respect permanent par son pays de toutes ses clauses, et les libertés prises en revanche par les cosignataires sur bien des points du même traité. La conséquence en était claire : aux termes de cette note, la Russie ne pouvait plus accepter d'être liée par un texte contraire à ses intérêts et qui avait été piétiné par d'autres. Dès lors, la Russie se déclarait déliée de toute obligation. La Sublime Porte fut de même informée de l'abrogation de l'interdiction humiliante imposée à la Russie d'entretenir une flotte de guerre en mer Noire et d'y construire des établissements militaires.

Si, jusqu'alors, l'opinion publique avait été sceptique devant la politique étrangère russe, son revirement fut spectaculaire. Elle applaudit à la décision impériale, réclama que l'on reconstituât rapidement une flotte en mer Noire, car manquaient les bâtiments qui auraient donné un contenu concret à cette décision spectaculaire. Toute la presse salua la sagesse de Gortchakov qui avait réussi, sans tirer un seul coup de feu, à annuler le traité et à rendre à la Russie le prestige qu'elle avait perdu en 1856.

Mais l'Angleterre protesta, et Bismarck était pour sa part moyennement satisfait de l'initiative russe qui bousculait en Orient un ordre établi qui lui convenait. Néanmoins, soucieux de ne pas désobliger Alexandre II, et surtout de ne pas l'inquiéter, ce fut lui qui proposa la tenue à Londres d'une conférence réunissant tous les États intéressés au problème. Cette conférence, eut lieu en mars 1871, elle ne remit pas en cause la décision russe, mais affirma que les initiatives unilatérales étaient condamnables et qu'il y eût fallu l'accord préalable de tous les cosignataires du traité. La convention du 13 mars 1871 sera le fruit de cette décision.

Mais déjà Alexandre II, malgré son affection pour son oncle et une évidente « prussophilie » que relevait l'ambassadeur français, prend conscience, comme le fait Gortchakov, des inconvénients à venir du développement de la puissance allemande. L'empire fondé par Bismarck modifie l'équilibre politique du continent et constitue un problème pour la sécurité de la Russie autant que pour celle des autres États européens. Ce puissant empire qui la flanque ne peut-il un jour devenir une menace pour elle ? Certes, en 1871, Alexandre II se repose encore sur les liens personnels et familiaux qui l'unissent à la Prusse pour espérer que jamais cette puissance ne se tournera contre la Russie. Mais Gortchakov et l'opinion commencent à regarder avec inquiétude ce voisin quelque peu encombrant, dont l'ambition paraît sans limites.

En 1870-1871, cependant, l'attention d'Alexandre est d'abord attirée sur l'évolution politique de la France et le danger qu'elle pourrait représenter pour le reste du continent. La situation révolutionnaire à Paris, la chute de l'empire et la proclamation de la république affolent et Bismarck et Alexandre II. Le chancelier propose alors à l'empereur une rencontre afin de réfléchir à la montée du socialisme, et Alexandre y répond en retrouvant l'ambition de la Sainte-Alliance : « Les monarchies doivent s'unir contre la menace révolutionnaire. » C'est cette menace qu'il ressent profondément, dont il craint l'extension à son pays, qui le conduit, après la chute de la Commune, à se rapprocher à nouveau de Paris. Le gouvernement français ayant demandé que lui soient livrés les communards qui avaient fui en divers pays européens, il soutient cette demande et suggère à l'empereur d'Allemagne de prendre l'initiative d'une action commune de tous les chefs d'État européens pour organiser un front contre-révolutionnaire.

Au-delà de cette crainte réelle de la révolution, c'est moins vers la France que vers l'Autriche que se portent les espoirs de l'empereur russe, alors que son opinion publique et Gortchakov tiennent que c'est la France qui doit être plus volontiers prise en compte dans les calculs russes d'une nouvelle politique étrangère. La France républicaine n'est plus celle qui triomphait en 1856, mais elle peut représenter un utile contrepoids à la puissance allemande croissante, pense Gortchakov qui déclare même un jour : « Nous avons besoin d'une France forte. » Pour sa part, le souverain reste orienté vers le monde germanique et la république réinstaurée en France n'est pas pour le séduire. C'est vers l'Empire austro-hongrois que se tourne son attention, d'autant plus que les liens entre Berlin et Vienne se resserrent alors. Malgré le désaccord qui le sépare de son souverain sur la question française, Gortchakov est convaincu, lui, du péril qu'implique une trop grande solidarité austro-prussienne, laquelle pourrait conduire Bismarck à soutenir les visées de Vienne sur les Balkans. En peu de temps, le paysage politique européen se trouve ainsi compliqué et la Prusse, alliée utile quand la Russie n'était préoccupée que du traité de Paris, devient inquiétante dès lors qu'elle pourrait indirectement peser sur la situation balkanique. Cette situation nouvelle, qui conforte certes Gortchakov dans son désir de rapprochement avec la France, le contraint néanmoins à adhérer aux vues divergentes d'Alexandre II et à accepter que passe au premier plan le rapprochement avec le duo Berlin-Vienne.

En 1872, la visite à Berlin de l'empereur François-Joseph précipite les événements. Alexandre II s'y rend au même moment, ayant fait savoir à Guillaume Ier son souhait de prendre part aux conversations entre les deux empereurs. Bismarck soutient cette initiative imprévue, et Alexandre II est accueilli chaleureusement par ses interlocuteurs. Si ce voyage revêt surtout un caractère d'amitié démonstrative entre les souverains, leurs ministres des Affaires étrangères débattent de l'avenir de l'Europe et surtout de la question balkanique, sujet numéro un des conversations entre Gortchakov et Andrassy, ministre des Affaires étrangères de François-Joseph, et entre Gortchakov et Bismarck.

Ces conversations ne furent pas exemptes d'ambiguïtés, notamment pour ce qui est de la position allemande à l'égard de la Russie. Gortchakov s'était mis d'accord avec Andrassy – mais sur un mode purement verbal – sur le maintien du statu quo dans les Balkans, et sur un engagement de ne pas intervenir dans les affaires de l'Empire ottoman. Mais, par ailleurs, Bismarck avait promis à Gortchakov de respecter dans les Balkans toutes les décisions prises en commun par l'Autriche et la Russie. Et dans le même temps, il assurait Andrassy de son soutien à toutes les actions entreprises par Vienne dans la région... Plus ou moins conscient de ce double langage, Alexandre II décida d'orienter sa politique étrangère dans le sens qu'il avait toujours repoussé depuis son accession au trône : le rapprochement avec Vienne, afin de contrôler dans une certaine mesure les rapports entre Vienne et Berlin. En juin 1873, pour la première fois depuis la guerre de Crimée, il se rendit dans la capitale de l'Empire austro-hongrois. Quelques mois plus tôt, Guillaume Ier était venu à Pétersbourg, accompagné de Bismarck, et les entretiens s'étaient conclus par la signature d'une convention militaire stipulant que si l'une des deux parties était agressée par un pays européen, l'autre devrait lui prêter assistance. Mais le texte de la convention n'était pas très contraignant et stipulait qu'aucun État n'était visé par ces prudentes dispositions. En fait, pour la Russie, la menace se trouvait à Vienne, ce qui explique le rapprochement voulu par Alexandre II. À Vienne, il s'efforça de convaincre l'empereur de se joindre à la convention signée avec l'Empire allemand, mais il se heurta à de fortes réticences. Tout ce qu'il put obtenir de son homologue fut qu'en cas de péril, des consultations mutuelles auraient lieu pour débattre des mesures de défense à adopter.

En octobre, Guillaume Ier s'associa à ce texte peu précis, donnant naissance à ce qui fut appelé l'entente des trois empereurs, autour de laquelle les signataires et leurs ministres firent grand bruit. Cette entente dissimulait en fait des intérêts distincts et souvent opposés. Pétersbourg et Vienne s'intéressaient avant tout aux Balkans et chacun comptait sur l'entente des empereurs pour empêcher l'autre de s'imposer dans la région, tout en recherchant par ailleurs l'un et l'autre l'appui allemand. L'Allemagne trouvait avantage à la sourde rivalité de ses deux partenaires pour pousser ses pions en Europe, en échange de quoi Alexandre II, convaincu d'avoir assuré la sécurité de ses frontières européennes, progressait en Asie.

Mais l'Allemagne avait trop confiance dans l'adhésion russe à ses projets. Même si Alexandre II était encore attaché à la patrie de son oncle et à sa propre inclination proallemande, les ambitions excessives de Bismarck en Europe commençaient à l'insupporter, et Gortchakov, soutenu par l'opinion publique, ne se privait pas de manifester son exaspération à ce sujet. Dès 1874, l'Empire allemand, inquiet de voir la France reprendre des forces, décida par ailleurs de l'arrêter dans son élan. On est déjà au bord de la guerre et les avertissements russes, loin d'apporter une détente, contribuent peut-être à encourager le chancelier allemand. La crise, un moment apaisée, rebondit dans les premières semaines de 1875. Bismarck est alors convaincu que la Russie est trop engagée en Asie pour porter attention à la menace qui pèse sur la France. Mais Mac-Mahon appelle la Russie au secours de son pays et, cette fois, ce n'est pas en vain. Gortchakov avertit Bismarck que la Russie n'accepte pas son comportement contraire à l'ordre européen, sur lequel ils se sont mis d'accord peu auparavant. Et Alexandre II, alors qu'il se rend à Ems, s'arrête à Berlin pour mettre en garde Guillaume Ier contre toute agression visant la France. L'avertissement porte : l'empereur d'Allemagne se fait conciliant et jure qu'il n'a nulle intention d'attaquer la France ; et il demande à son neveu de ne pas prêter une attention exagérée à l'agitation de quelques généraux.

L'affaire s'arrêta là, mais les relations germano-russes en furent dégradées, même si l'entente des empereurs survécut. L'alerte avait été chaude. L'empereur d'Allemagne ne comprit pas pourquoi son neveu, si inquiet de toute menace contre l'autocratie, s'était porté au secours d'une république où, de surcroît, les sentiments propolonais avaient toujours pris le pas sur la sympathie envers la Russie. On n'était plus au temps de la Sainte-Alliance, mais l'union des trois empereurs reposait tout de même sur une commune hostilité à tout progrès de l'esprit révolutionnaire dont la France avait une nouvelle fois, avec la Commune, donné l'exemple.

En 1875, l'équilibre européen était fort transformé. Si Alexandre II voulait rester dans une certaine mesure fidèle à son orientation germanique, il était en train de reconnaître que la paix sur le continent exigeait qu'il nouât des relations plus amicales avec la France et qu'il modérât son soutien à Berlin. Au demeurant, la crise franco-allemande à peine terminée, un autre terrain d'action requérait toute son attention : les Balkans. Et un problème urgent se posait à lui : celui des ressources indispensables à une politique étrangère active et diversifiée.

Au début des années 1870, l'armée pesait d'un poids considérable sur les finances russes ; les dépenses militaires absorbaient en effet le tiers du budget. Reutern avait tenté de freiner ces dépenses. Lorsque s'annonça la guerre russo-turque, il plaida désespérément auprès de l'empereur qu'il était impossible d'engager la Russie dans un tel effort alors que les réformes en cours étaient coûteuses et constituaient une priorité pour le redressement russe. Reutern s'opposait avec constance aux projets des militaires qui entouraient l'empereur et étaient tous partisans d'expéditions extérieures qu'ils jugeaient préférables aux transformations intérieures de la Russie. Durant quelques années, Alexandre II avait prêté une oreille attentive aux arguments de son ministre des Finances. Mais, en 1876, il le fit venir à Livadia, où il séjournait, et ce fut l'occasion d'un véritable affrontement entre les deux hommes. Reutern répétait avec obstination que la guerre ruinerait financièrement la Russie en même temps qu'elle entraînerait l'abandon des réformes, ce qui signifierait la fin de tout projet de modernisation politique. Le résultat serait que la propagande révolutionnaire y trouverait de nouveaux arguments dont elle n'avait guère besoin. Reutern ajoutait que la réforme financière qu'il préparait n'y survivrait pas, mais que, sans cette réforme, le budget russe ne pourrait répondre aux besoins d'une guerre.

Les arguments de Reutern étaient inattaquables, mais ils ne réussirent qu'à irriter l'empereur, bien décidé à se lancer dans la guerre et qui y voyait d'ailleurs un moyen efficace de juguler les difficultés intérieures de la Russie – des réformes jamais terminées et un mécontentement social grandissant. Après tout, pensait-il, le coup d'éclat de 1870, l'annulation des clauses iniques du traité de Paris, lui avait valu une popularité immense. Il comptait bien trouver le même soutien populaire en se lançant dans une guerre contre l'Empire ottoman. Écartant toutes les objections de Reutern, l'empereur lui reprocha d'avoir peu confiance dans les capacités de son pays. Et la guerre n'allait pas tarder à commencer, car Alexandre II y était encouragé par Bismarck pour qui ce conflit avait le grand mérite de détourner le tsar de l'Europe, donc d'y laisser toute liberté aux entreprises allemandes.

Pour autant, cet encouragement ne valait pas soutien. Bismarck avait constaté en 1875 que la Russie n'était pas un allié inconditionnel, et il ne le lui pardonnait pas. Mais la France n'était pas assez forte pour appuyer efficacement la Russie. Pour avoir constamment balancé entre diverses alliances, la Russie se trouvait seule alors qu'elle s'engageait dans un conflit de grande ampleur dont les Balkans étaient le centre, mais où l'adversaire était l'Empire ottoman.

L'éternelle « question d'Orient »

L'entente des trois empereurs conclue en 1873 n'allait pas résister à la question des Balkans.

Le sort des peuples slaves dominés par l'Empire ottoman était un sujet de préoccupation constante en Russie, et les slavophiles avaient fortement contribué à convaincre la société que le pays avait à cet égard une mission historique. Dans son ouvrage *La Russie et l'Europe*, publié en 1860, Danilevski écrit : « La liberté et l'indépendance constituent pour chaque Russe une exigence absolue de la mission historique de sa patrie. » Dans les Balkans, c'est la fracture entre l'Europe et l'Asie que retiennent certains slavophiles ; pour d'autres, c'est le lieu de confrontation entre le monde gréco-slave et le monde romano-germanique qui est déjà en train de mourir. Danilevski pense que l'Empire ottoman, en plaçant sous sa coupe les peuples des Balkans, a joué à un moment donné un rôle historique décisif, puisqu'il a contribué par là à l'affaiblissement du monde romano-germanique. Mais, dit Danilevski, la tâche des Ottomans est achevée et il revient à la Russie de réaliser l'émancipation des Slaves. Une Union fédérative panslave ayant la Russie pour centre devra mener ce combat. Cette union se combine avec le rêve panslave de Bakounine, qui, lui, regarde vers la Pologne, la Lituanie et l'Ukraine, et veut les rassembler autour de la Russie au nom d'une même foi dans sa mission historique. Le rêve panslave séduit l'opinion russe, particulièrement dans la période qui suit la guerre de Crimée, car, tout Russe en est convaincu, c'est dans ce cadre que la Russie retrouvera un libre accès aux Détroits, la possibilité de commercer en mer Noire, et peut-être même de réaliser le rêve caressé par Catherine II de libérer Constantinople.

Journalistes, écrivains, tous prêtent leur plume à la cause slave, et Dostoïevski en sera un avocat particulièrement actif : « C'est notre Russie, notre grande Russie, écrit-il, qui, à la tête des Slaves, annoncera à l'Europe une parole nouvelle : un appel à l'union de toute l'humanité. » Et, à ce propos qui figure dans son *Journal d'un écrivain*, il ajoute qu'il apporte son soutien au Comité slave qui vient de se créer dans la capitale.

La cause slave dispose aussi d'un avocat remarquable dans le personnel diplomatique : c'est l'ambassadeur russe à Constantinople, Nikolaï Ignatiev. On a déjà rencontré ce diplomate russe de grand talent qui avait fait ses débuts dans la carrière au congrès de Paris, négocié en Asie centrale avec les émirs de Boukhara et Khiva, et conclu le traité de Pékin. Son parcours l'avait désigné pour diriger le département d'Asie au ministère des Affaires étrangères, avant d'être à trente-deux ans nommé ambassadeur dans l'Empire ottoman où il resta dix ans. Nul plus que lui n'était convaincu de l'importance pour la Russie d'une grande politique en Orient. Nul n'avait plus d'autorité pour en élaborer les grandes lignes. L'homme était au demeurant contradictoire : il avait reçu l'éducation raffinée du prestigieux corps des pages, mais il était resté abrupt. Son physique ne lui attirait pas non plus toujours la sympathie – « il est vulgaire et manque de maintien », dira de lui la reine Victoria. Mais, à Constantinople, il s'imposa par son intelligence et sa parfaite connaissance du pays avec lequel il traitait. Il considérait qu'une guerre avec l'Empire ottoman était inévitable et souhaitable pour l'intérêt national russe, mais il préconisait – il le répéta maintes fois à son ministre – d'attendre le moment où le développement ferroviaire de la Russie en direction des Balkans permettrait d'y soutenir un conflit en y acheminant sans difficultés hommes et armements. Il ne pouvait oublier la défaite de Crimée ni les insuffisances russes en matière de transport.

Cette guerre à venir dans les Balkans était le sujet favori d'Ignatiev, il en entretenait tous ses interlocuteurs, revenant toujours sur les conditions matérielles qui la rendraient possible et sur les conditions politiques qui devaient être remplies. Avant tout, la Russie, si elle s'engageait dans ce conflit, devait éviter d'avoir en face d'elle une coalition de pays européens, comme cela avait été le cas en 1854. Il lui fallait soit les neutraliser, soit avoir des alliés, mais qui ne devaient en aucun cas participer à la guerre. La question d'Orient était pour lui l'affaire de la seule Russie. Il lui fallait aussi s'appuyer sur les peuples chrétiens des Balkans, les convaincre que leur indépendance dépendait de la Russie. Ce programme était contraire aux conceptions de Gortchakov qui mettait toute son énergie à préserver l'entente des trois empereurs. Mais Ignatiev attendait son heure, convaincu que les circonstances démontreraient le bien-fondé de ses propositions.

En 1875, son attente est comblée, la poudrière des Balkans prend feu à partir d'une révolte populaire en Bosnie et en Herzégovine, suivie quelques mois plus tard par le soulèvement de la Bulgarie. L'Empire ottoman peine à calmer la Bosnie et l'Herzégovine. Mais il écrase la Bulgarie avec une violence qui stupéfie l'Europe. Plus tard, en 1876, la Serbie et le Monténégro déclareront la guerre à la Turquie. Alexandre II ne peut rester inerte et, pour la première fois depuis son accession au trône, il va être seul à décider de la voie à suivre dans des conditions internationales et intérieures particulièrement difficiles.

Les années de réforme avaient certes déjà été marquées du sceau de sa volonté. Il avait décidé de s'y engager car l'état de la Russie l'imposait, et il était resté insensible à toutes les pressions. Mais il pouvait aussi se reposer sur le soutien de ministres remarquables, du grand-duc Constantin, en qui il avait une immense confiance, et sur la partie la plus avancée de l'opinion. L'opinion internationale lui était également favorable. En 1875, la situation est toute différente. Il y va d'abord de l'avenir de l'Empire ottoman qui n'est plus la grande puissance que les rois de France utilisaient pour tenter d'affaiblir la Russie, ni l'empire victorieux qui contraignit Pierre le Grand à lui restituer ses conquêtes et que Catherine II eut grand mal à vaincre. Il est à présent affaibli, rongé par des conflits intérieurs. Les peuples chrétiens qui se soulèvent contre lui sont certes forts de leurs mécontentements momentanés – refus des redevances exigées par les propriétaires terriens en Bosnie ou en Bulgarie –, mais surtout portés par un courant national nourri des idées romantiques et révolutionnaires qui ont inspiré ailleurs des mouvements semblables : en Pologne, mais aussi en Grèce. En 1875, l'Empire ottoman constate qu'écraser les mouvements nationaux ne suffit pas, que leurs exigences sont précises : autonomie, voire indépendance.

La question majeure à laquelle sont confrontés les États européens est celle de l'attitude à adopter face à la menace de décomposition de l'Empire ottoman. Tous sont en principe d'accord sur la nécessité de le sauver sous peine de voir se poser la délicate question du partage des dépouilles. Chaque pays craint que son

voisin ne soit le grand bénéficiaire d'un démembre-
ment. Le trio des empereurs est en principe unanime
à vouloir l'apaisement et le maintien de l'Empire
ottoman. Les autres États européens disent la même
chose. Mais ce n'est là qu'une unanimité de façade,
qui dissimule des ambitions opposées.

L'Empire austro-hongrois s'inquiète de voir la Bosnie et l'Herzégovine se réunir à la Serbie et au Monténégro pour former un grand État slave dont la
présence à ses frontières serait d'autant plus inquiétante qu'il bénéficierait assurément de l'appui russe et
représenterait une avancée russe dans la région.
Vienne voudrait tout au contraire profiter de la crise
pour assurer définitivement son autorité sur la Bosnie
et l'Herzégovine, et affaiblir par là les positions russes.

En dépit de ses assurances répétées de fidélité à l'entente des empereurs chargée de guider la politique de
ses membres dans les Balkans, Bismarck fait alors
preuve d'une grande duplicité. D'un côté, il encourage
la Russie à se poser en principal acteur de cette crise,
il la pousse à intervenir le plus possible, jusqu'à y faire
la guerre. De l'autre, il soutient discrètement les ambitions autrichiennes. Et, de manière systématique, le
chancelier allemand s'emploie à faire échouer toutes
les négociations.

Il faut aussi compter avec l'Angleterre qui craint par-
dessus tout que la Russie ne profite de l'influence qu'elle
pourrait acquérir dans les Balkans pour s'emparer de
Constantinople et progresser par mer vers le golfe
Persique et le canal de Suez.

La France est plutôt spectatrice, en raison de ses
difficultés intérieures, mais la Russie, qui vient de lui
apporter son soutien dans la grave crise avec l'Allemagne, croit vraiment pouvoir compter en retour sur
son appui.

Dans cette situation compliquée dont il comprend toutes les données, Alexandre II doit décider quelle posture internationale adopter. Faut-il poursuivre dans la voie de la coalition avec l'Autriche et l'Allemagne ? Chercher d'autres alliés ? Agir seul ? À ces questions si difficiles s'ajoute celle du choix concernant l'avenir de l'Empire ottoman : faut-il le sauver, et à quel prix ? Faut-il jouer la carte de son effondrement en soutenant totalement les chrétiens des Balkans que la Porte semble en 1875 avoir le plus grand mal à mater ? Faut-il imposer à l'Empire ottoman des concessions qui placeraient les Balkans sous protection russe, en échange de son maintien ?

Sur le terrain intérieur, la situation que doit affronter Alexandre II n'est pas plus simple. Jusqu'alors, Gortchakov lui avait été un ministre précieux dont il avait suivi les propositions dans l'élaboration de sa politique européenne, tout comme il avait suivi celles des militaires et des spécialistes de l'Asie au ministère des Affaires étrangères qui le poussaient aux conquêtes en Orient. En 1875, tout est changé. Gortchakov continue certes à défendre la même politique, celle de l'entente des trois empereurs ; il veut avant tout maintenir la Russie dans une attitude prudente afin qu'elle ne soit pas accusée d'ingérence dans la question balkanique, et il veut dans le même temps éviter d'affaiblir la cohésion des empereurs. Mais il n'a plus l'autorité dont il jouissait deux décennies plus tôt. Auprès de lui, deux hommes s'affrontent, étoiles montantes de la politique étrangère russe, qui proposent au souverain des idées et une ligne politique diamétralement opposées.

Ignatiev, inspiré sans doute par le programme slavophile auquel il donne un contenu réaliste, considère que les peuples chrétiens des Balkans sont, pour la Russie, les vrais alliés avec lesquels elle pourra affaiblir l'Empire ottoman. Et il refuse à l'Angleterre, à l'Empire austo-hongrois, mais aussi à la France le droit d'intervenir dans la région. L'alliance avec la Prusse et l'Autriche lui paraît tout autant dépourvue d'avenir. Il défend avec acharnement l'idée du rôle solitaire de la Russie dans la région. Et en attendant de pouvoir passer à l'attaque, il multiplie les pressions sur le sultan pour en obtenir des concessions favorables aux chrétiens. Il propose – le sultan semble un moment accepter ce projet – une large autonomie des provinces chrétiennes reposant sur l'autogestion à l'intérieur, une police chrétienne et une réduction des impôts. Abdülaziz n'est d'ailleurs pas hostile à traiter directement avec la Russie, comme le souhaite Ignatiev. Ce qu'il veut avant tout, c'est éviter d'être tiraillé entre les ambitions des diverses puissances européennes.

Milioutine soutient Ignatiev et répète que la Russie est capable d'éteindre seule l'incendie balkanique. Mais en face d'Ignatiev, l'ambassadeur russe à Vienne, Novikov, joue une partie contraire. Comme Ignatiev, Novikov appartient à la génération des brillants diplomates promus par Gortchakov. Il est l'arrière-petit-fils du publiciste franc-maçon Nicolas Novikov, véritable père de l'imprimerie russe, que Catherine II persécuta. Son descendant est étranger et même hostile aux idées du panslavisme, il est très proche d'Andrassy, défend ses thèses dans les Balkans et veut, comme lui, que, par une action commune, les trois monarques de l'entente obtiennent du sultan des concessions. Les demandes d'Andrassy, soutenues par Novikov, sont plus modestes que celles du plan Ignatiev – liberté religieuse, amélioration des relations dans le monde rural, instauration d'une commission mixte islamo-chrétienne pour veiller au respect des aménagements proposés –, elles excluent la revendication d'autonomie et ne prévoient pas de garanties réelles pour la mise en pratique des réformes proposées. L'idée d'Andrassy était simple : il espérait qu'à ménager le sultan, à lui demander de moindres sacrifices, il l'inciterait à préférer l'influence autrichienne à l'influence russe. La différence réelle entre les deux projets tenait à ce que celui d'Ignatiev prenait le parti des peuples chrétiens pour les soustraire au maximum à l'autorité du sultan, tandis que le plan Andrassy, soutenu par Novikov, s'appuyait plutôt sur le sultan et comptait sur sa bonne volonté pour assurer dans les Balkans la prééminence de l'influence autrichienne.

Prudent, Gortchakov penchait plutôt, au départ, pour la position Novikov, et Alexandre II hésitait entre ces conceptions opposées. Mais Novikov alla plus loin dans son soutien au plan Andrassy : il se fit le porte-parole du ministre autrichien pour convaincre l'empereur que la situation dans les Balkans n'était pas seulement le fruit de revendications nationales et sociales des chrétiens, mais qu'elle dissimulait en réalité un péril plus grand, celui des révolutions. Rapportant des informations fournies par Andrassy, Novikov en donnait pour preuve que des garibaldistes truffaient les rangs des chrétiens, propageant ainsi leurs idées extrêmes. Et il en concluait que la crise pouvait à tout moment prendre un tour révolutionnaire qui, à terme, menacerait aussi les États européens limitrophes. Ayant tenu ces propos propres à inquiéter Alexandre II, toujours prêt à voir partout le spectre des révolutions – et la situation en Russie justifiait ses alarmes –, Novikov concluait que le seul moyen de parer au péril était de se reposer sur l'entente des trois empereurs. Légitimement affolé et soutenu par Gortchakov, Alexandre II entendit ce message et se tourna alors vers Guillaume I[er.]

Solidarités slaves

Cette décision était difficile à prendre non seulement parce qu'elle ignorait la thèse contraire, mais aussi parce que le souverain était confronté à une vive opposition au sein de sa propre famille, ainsi qu'à l'opinion publique. Parmi la famille impériale, face à l'empereur hésitant et à Gortchakov, un véritable clan des partisans d'Ignatiev s'était formé : l'impératrice, le grand-duc héritier, le grand-duc Constantin, tous partageaient ses vues, désapprouvaient la fidélité à l'alliance des trois empereurs et participaient à l'élan slave qui soulevait le pays. En effet, à peine les troubles balkaniques furent-ils connus en Russie qu'un mouvement de solidarité slave souleva l'opinion et la conduisit à s'organiser pour voler au secours des « frères chrétiens ». En 1860 déjà, un Comité slave avait été créé à Moscou à l'occasion d'une exposition ethnographique. Il était la manifestation de l'influence du panslavisme dans l'opinion et d'une certaine quête, par les Russes, de leur passé et de leur identité. Le Comité slave fut, en ces années où toute la Russie était engagée dans la modernisation sociale, culturelle et économique, un *lieu de mémoire* rassurant les Russes effrayés par la rapide transformation à laquelle ils étaient conviés, même s'ils en savaient la nécessité. Dès qu'éclatèrent les troubles dans les Balkans, le Comité slave s'organisa et poussa ses antennes provinciales à

rassembler dans les profondeurs du pays l'opinion
russe.

Le 12 octobre 1875, le Comité slave de la capitale
vota une motion par laquelle il demandait à tous les
zemstvos de Russie d'aider les insurgés. Informé de cet
appel, Alexandre II en fut extrêmement irrité et
ordonna aussitôt au ministère de l'Intérieur d'interdire
aux zemstvos de puiser dans leurs fonds ou d'en col-
lecter pour soutenir les chrétiens des Balkans. Les
zemstvos durent se soumettre, mais nombre de fonctionnaires prélevaient sur leur propre traitement l'argent qu'ils envoyaient au Comité slave. Partout des
collectes sont organisées : dans les églises, les gares, sur
les marchés. Le Comité slave aura alors ramassé à lui
seul plus d'un million et demi de roubles. Mais aussi
des cercles, des organisations charitables, des groupes
dans les universités reçoivent de l'argent, et tous
l'acheminent, souvent sous forme d'armes et de four-
nitures militaires diverses, vers les Balkans. Des volontaires s'offrent à se battre aux côtés des chrétiens et
contribuent à leur porter les dons rassemblés en Russie. Sur place, les consuls aident aussi à diriger les
fonds vers les populations frappées par la répression
ottomane, et les armes vers les insurgés. Nul, dans
cette atmosphère enfiévrée, ne tient compte des avertissements du souverain. Pourtant, Alexandre II, de
son côté, envoie des secours destinés non pas aux
combattants, mais aux civils, aux familles victimes du
conflit. Mais son aide fait moins de bruit que celle
rassemblée par la société.

Lorsque, en 1876, la Bulgarie se soulève, que les
troupes de la Porte écrasent l'insurrection et organisent une répression effroyable dans le pays, brûlant les
habitations, tuant les civils, violant, la passion pro-

slave de l'opinion russe ne connaît plus de limites. Et l'attitude attentiste d'Alexandre II suscite des critiques de plus en plus véhémentes.

Dans un premier temps, en effet, Alexandre II se tourna vers son oncle et vers l'alliance des trois empereurs pour agir de concert avec eux. En août 1875, le trio impérial crée à Vienne un « centre de conciliation » auquel se joignent aussitôt l'Angleterre, la France et l'Italie, ces deux derniers pays étant inquiets de rester en dehors des tentatives d'apaisement, et l'Angleterre étant décidée à ne pas abandonner à la Russie la direction d'une telle entreprise. Une commission internationale formée des consuls des six pays est envoyée sur place pour tenter de dénouer la crise. Le représentant russe a reçu pour instruction de coopérer très étroitement avec celui de la France, qui, de son côté, est tout disposé à travailler avec lui. Cette entente nouvelle entre les diplomates russe et français dans la question balkanique est remarquable. La Russie souhaite pouvoir compter sur un contrepoids à l'Angleterre, si décidée à l'écarter de la mer Noire. En se rapprochant de la France, Alexandre II espère l'avoir trouvé. La position française découle plus simplement du désir de participer au règlement d'un conflit dans une région dont elle est encore presque absente.

La Commission internationale se révélant parfaitement inutile, son échec contribua à démontrer à Alexandre II et à Gortchakov que la ligne d'apaisement suivie ne servait de rien. Et Gortchakov, ayant constaté que le plan Andrassy ne s'appliquait pas en Bosnie et en Herzégovine, fut dès lors tenté par le projet d'Ignatiev et le soutien à l'autonomie. L'horreur de la répression en Bulgarie radicalisa aussi les positions. Le sort des Bulgares avait provoqué une profonde émotion en Europe, même si les gouvernements, en principe coalisés pour apaiser les tensions, se tenaient cois. Mais les opinions publiques écoutaient les condamnations indignées de Garibaldi, Victor Hugo, Tourgueniev et Gladstone. De leur côté, les Bulgares en appelaient désespérément à Alexandre II, invoquant la proximité entre les peuples russe et bulgare, tandis qu'Ignatiev, sûr de son influence à Constantinople, faisait le siège du grand vizir, le suppliant, au nom de l'empereur de Russie, d'arrêter ce bain de sang.

Mais l'influence dont il se flattait jusque-là n'a plus cours en mai 1876 : une révolution de palais conduite par Midhat Pacha a en effet tout changé à Constantinople. Abdülaziz est déposé et assassiné. Le nouveau sultan, Murat V, connaîtra presque le même sort quelques mois plus tard : il est alors chassé du trône. Le retour à l'ordre s'effectue à la fin de l'année 1876, quand Abdülhamid II monte sur le trône et prend pour grand vizir Midhat Pacha, auteur du coup de force de mai 1876. Le nouveau sultan n'est pas partisan des réformes, il va même en proclamer l'inutilité par un remarquable tour de passe-passe institutionnel : une nouvelle constitution transforme l'Empire ottoman en monarchie parlementaire, tous les peuples de l'Empire y sont déclarés égaux, point n'est donc besoin de leur accorder de droits particuliers !

Pour la Russie, c'est doublement une mauvaise nouvelle. Le nouveau sultan lui est très hostile et il a trouvé un moyen habile de continuer à opprimer les peuples qui sont dans son orbite en s'abritant derrière la fiction de leurs droits constitutionnels. Ignatiev n'a plus d'interlocuteur à Constantinople, et le souverain russe croit de moins en moins en la possibilité de sortir par la conciliation et la coopération des empereurs d'une situation qui a tourné à la tragédie. Surtout, Alexandre II a tôt fait de deviner que derrière l'invention constitutionnelle ottomane se dissimule l'Angleterre ! En cet hiver 1876, en effet, les signataires des accords de Paris sont une fois encore réunis à Constantinople pour chercher une issue à la crise des Balkans. Disraeli, toujours obsédé par la crainte de voir la Russie se saisir de Constantinople, se livre, par ambassadeur interposé, à une intense propagande, promettant au nouveau sultan le soutien anglais en cas de conflit déclaré avec la Russie.

Alexandre II est aussi impressionné par le tour que prennent les événements dans les Balkans où la Serbie et le Monténégro se préparent à la guerre. Ces deux pays sont envahis de réfugiés venus de Bosnie et d'Herzégovine, ce qui contribue à y développer une fièvre antiturque dont Alexandre II est parfaitement conscient.

La situation en Russie va aussi peser sur ses décisions. L'opinion russe est favorable à l'idée d'aider la Serbie et, avant même que celle-ci n'ait déclaré la guerre à la Turquie, les volontaires y affluent, conduits par le général Tcherniaev qui s'y est rendu de son propre gré pour prendre la tête de l'armée serbe. Le grand-duc héritier s'agite, parle lui aussi de s'engager. Inquiet, Alexandre II veut rappeler Tcherniaev, qui reste sourd à ses ordres. Le 15 juin 1876, le Monténégro déclare la guerre à l'Empire ottoman, suivi de la Serbie trois jours plus tard. Du coup, les volontaires russes affluent et l'opinion voit en Tcherniaev un héros.

La fin de la neutralité

Alexandre II ne peut plus s'obstiner dans son attitude de prudence, sous peine d'être désavoué par tous les siens et par ses propres sujets. Un mois après l'entrée en guerre des « frères slaves », il tourne le dos à la politique qu'il avait suivie jusqu'alors et prend résolument parti pour eux.

Les combattants chrétiens sont certes soutenus par des volontaires venus de toutes les régions de Russie et de tous les milieux, mais ils manquent cruellement de cadres capables de les conduire au combat de manière compétente. Le 27 juillet 1876, Alexandre II, qui peu de semaines auparavant ordonnait à Tcherniaev de regagner la Russie, donne l'autorisation aux officiers qui le souhaitent de quitter l'armée russe et de s'engager auprès de ceux qui combattent dans les Balkans.

Cette décision, Alexandre II ne l'a pas prise à la légère, ni sans tenter encore une fois de sauver une politique européenne commune. Alors que la guerre vient d'être déclarée par les Monténégrins et les Serbes, il se rend en Autriche avec Gortchakov et Novikov pour y rencontrer l'empereur François-Joseph, qui est assisté d'Andrassy. Le but de la rencontre est de trouver à n'importe quel prix une entente avec Vienne pour éviter que le conflit balkanique dégénère en guerre européenne. À l'été 1876, Alexandre est conscient qu'une guerre avec l'Empire ottoman est inéluctable. Mais il ne peut l'affronter sans s'être assuré que l'Autriche ne se dressera pas contre la Russie, et qu'il n'y aura pas de coalition antirusse rassemblant l'Autriche et l'Angleterre. La Russie peut en effet affronter seule une guerre, mais il lui faut des arrières sûrs. Dans l'impossibilité d'obtenir des garanties de Londres, « qui veut se jeter sur la Russie », selon le mot d'un observateur, c'est à Vienne qu'Alexandre II va les chercher pour prévenir une alliance antirusse.

Ces ultimes pourparlers vont consacrer l'incapacité des souverains à s'entendre. Sans doute se sont-ils quittés sur un accord, mais il est purement verbal et chacun l'interprète et le rapporte à sa manière. Il porte en premier lieu sur leur hostilité commune à voir émerger à la fin de la guerre « un grand État slave ». Ce « grand État slave » était au cœur d'un premier et important malentendu. Gortchakov avait décidé en son for intérieur que l'État slave dont ses interlocuteurs ne voulaient pas entendre parler était simplement le produit de l'union de la Serbie et du Monténégro, et cela lui semblait acceptable. Mais Andrassy donnait un tout autre sens à ce grand État slave qu'on repoussait : il s'agissait pour lui de la création de la Bulgarie, dont l'Autriche ne voulait à aucun prix. De même, l'avenir des diverses principautés des Balkans, dans l'hypothèse de l'effondrement ottoman, était-il perçu différemment par les deux interlocuteurs. Andrassy avait aussi entretenu un malentendu sur les exigences de l'Autriche en Bosnie. Gortchakov croyait qu'il s'agissait seulement des parties du territoire de Bosnie qui étaient contiguës à l'Autriche, alors qu'Andrassy entendait annexer toute la Bosnie et l'Herzégovine, à quelques exceptions près. Enfin, la Russie imaginait que des États indépendants comme la Bulgarie pourraient voir le jour. Pour l'Autriche, il ne pouvait être question que d'autonomie. Profitant de ces malentendus, laissant croire à la Russie que ses thèses étaient conformes aux exigences de l'Autriche,

celle-ci réussit à lui arracher des concessions importantes qu'un accord ultérieur, conclu en janvier 1877,
confirmera. Les échecs successifs des discussions de
Reichstadt, des conférences réunies à Berlin en
mai 1876, à Constantinople en décembre 1876, à
Londres en mars 1877, résultent tous du dialogue de
dupes entre Pétersbourg et Vienne, et du refus anglais
de soutenir l'effort pacificateur de la Russie.

Malgré ces échecs, les diplomates, qui, dans les
diverses capitales européennes, observent le cours des
événements, relèvent que la seule chance de paix et
de survie de l'Empire ottoman réside dans les efforts
conjugués des trois empereurs. C'est ainsi que
d'Oubril, ambassadeur russe à Berlin, rassure
Gortchakov : « L'entente des trois cours est sérieuse.
Elle offre des avantages à la Turquie qui doit en
profiter. C'est son ancre de salut par les garanties
qu'elle recèle. En effet, sans l'action modératrice des
trois puissances, et dont le plus grand mérite revient
à la Russie, la presqu'île des Balkans serait en feu. »
Ce propos, daté du 29 mars 1876, se retrouve dans
une série de dépêches de l'ambassadeur de Russie dans
les semaines qui suivent, et témoigne bien que les
espoirs des États modérés reposaient avant tout sur
l'attitude prudente d'Alexandre II.

Pendant que le tsar s'efforçait de retarder la guerre
et de conforter sa position, les armées serbes couraient
au désastre. Mal équipées, sous-commandées, ayant
sous-estimé la qualité des armées turques et surestimé
les appuis sur lesquels elles pouvaient compter, elles
étaient près de s'effondrer alors que les Ottomans
avançaient sur Belgrade. Pour sauver les Serbes d'un
anéantissement total, Alexandre II lança un ultimatum
à la Porte et en obtint un armistice de deux mois

pendant lesquels il tenta une dernière fois d'éviter la guerre. Mais, poussé par une opinion publique russe de plus en plus ferme dans ses manifestations de solidarité – même les étudiants se mobilisent pour appeler au combat, et la presse rend compte de l'exaspération générale devant ce que l'on tient pour une trahison de la mission slave de la Russie –, constatant que tous ses efforts auprès des souverains européens demeurent sans résultat, qu'ils sont sapés par la duplicité de Bismarck, qui, d'un côté, l'encourage de plus en plus à faire la guerre à la Porte, voire à l'Autriche, et, de l'autre, promet son soutien à cette dernière, miné aussi par les manœuvres de Disraeli, Alexandre II se prépare finalement à la guerre. Certes, il envoie une dernière fois Ignatiev faire le tour des capitales pour explorer les possibilités d'imposer à l'Empire ottoman des réformes du statut des chrétiens et « acheter » la neutralité autrichienne en cas de conflit, mais, en dépit de cet ultime effort pour sauver la paix, tout se met en place pour qu'éclate la guerre contre la Porte dont Alexandre II n'attend plus rien.

Les dispositions qui en témoignent se multiplient. Dès septembre 1876, il décrète des mesures de mobilisation. En janvier 1877, à Budapest, Gortchakov arrache à l'Autriche la promesse de rester neutre en cas de conflit armé russo-ottoman, mais il la paie d'un prix élevé : il assure Vienne qu'il ne s'opposera pas à l'occupation de la Bosnie et de l'Herzégovine, et que la Russie renonce à l'idée de créer un grand État slave, comme elle l'avait toujours voulu. Alexandre II, de son côté, s'emploie à s'assurer des alliés, faisant une place importante à la Roumanie dans cette période de préparatifs militaires accélérés. Aussi longtemps que la Russie refusait d'envisager l'hypothèse du conflit, c'est la neutralité de la Roumanie qui lui avait importé. Mais dès lors que la perspective de guerre se rapproche, on devine sans peine qu'une Roumanie neutre deviendrait gênante pour la Russie dont les troupes devraient pouvoir transiter par le territoire roumain. Les négociations à ce sujet n'étaient pas faciles, car les Roumains tenaient à leur neutralité, d'autant plus que l'Angleterre et l'Autriche faisaient pression sur eux pour les convaincre que leur intérêt était de rester hors du conflit. Ce n'est que le 4 avril 1877, après plusieurs mois d'efforts, que la convention russo-roumaine est signée. Elle ouvre le territoire roumain aux troupes russes qui pourront y avoir la pleine disposition des réseaux ferroviaires et télégraphiques et seront approvisionnées en vivres et en équipements. En échange, la Russie s'engage à faire respecter après la guerre l'indépendance de la principauté.

La diplomatie russe s'emploie aussi à favoriser les pourparlers de paix de la Serbie et du Monténégro avec la Turquie. La Serbie y réussira le 16 février 1877, tandis que le Monténégro échouera à traiter avec la Porte. Du coup, la Russie va s'employer à réarmer la Serbie en prévision de la guerre dont elle sera l'acteur principal.

L'évolution de la position russe entre 1875 et la déclaration de guerre de 1877 est significative de l'attitude personnelle d'Alexandre II. En dépit de toutes les pressions subies de la part de son entourage, de son opinion, de nombre de ses meilleurs collaborateurs, tel Ignatiev, l'empereur a longtemps défendu l'idée qu'une solution pacifique pouvait être trouvée dans les Balkans. Et il comptait sur un accord avec les puissances européennes pour y améliorer le statut des peuples chrétiens. Cette position pacifique, fondée sur la négociation, que Gortchakov prônait aussi, s'explique sans doute par plusieurs facteurs. D'abord une fidélité réelle à l'alliance avec l'Allemagne et, à un moindre degré, avec l'Autriche. Alexandre II était conscient de l'hostilité anglaise à la Russie, hostilité que les progrès russes en Asie centrale et en Extrême-Orient renforçaient. Dans son esprit – c'était aussi la thèse de Gortchakov –, la véritable rivalité de puissance en Europe était celle qui opposait de manière constante Londres à Pétersbourg. Dans une lettre écrite au soir du 11 mars 1877, il confie à Catherine : « Il faut avouer que la mauvaise foi et la malveillance de l'Angleterre n'ont pas de nom, et nous font perdre patience. » La personnalité puissante de Disraeli, sa conviction que la mer Noire et Constantinople étaient « la clé de l'Inde », et que de tous les États européens, seule la Russie nourrissait de grandes ambitions dans cette direction, contribuaient à encourager la perception qu'avait le souverain russe de rapports presque naturellement antagoniques avec l'Angleterre, et l'encourageait à y rechercher toujours le contrepoids de l'alliance avec la Prusse et l'Autriche dont il devait cependant constater les inconvénients.

Mais l'équilibre européen, en ces années 1870 où la France était sortie affaiblie de la guerre et de ses troubles intérieurs, limitait le jeu à quatre puissances : Angleterre, Russie, Prusse et Autriche. Et la Russie ne voulait en aucun cas se retrouver dans la situation d'isolement de 1854 qui lui avait coûté le prestige et l'autorité qu'elle s'était acquis depuis le début du siècle sur la scène internationale.

Un autre facteur expliquant la prudence longtemps manifestée par Alexandre II était l'état intérieur de la Russie, en pleine reconstruction et qui imposait des délais pour disposer d'un budget et de moyens militaires suffisants. Contrairement à son entourage immédiat, prêt à partir en guerre, Alexandre II était très conscient de la nécessité d'atteindre un certain équilibre intérieur avant de s'engager dans quelque aventure extérieure. D'autant plus que les progrès extérieurs n'avaient pas été sacrifiés aux réformes : l'agrandissement de l'Empire, poursuivi au début des années 1870, en témoigne.

Mais cette attitude prudente, la volonté de privilégier la négociation, ne doivent pas dissimuler des inflexions constantes dans la politique suivie par Alexandre II. Et la perte d'influence de Gortchakov, l'étoile montante d'Ignatiev – même si, en 1876, elle s'obscurcit un moment – attestent que le souverain n'est pas si éloigné qu'il y paraît de la volonté de son entourage d'en découdre avec la Porte. Tout en proclamant dans les diverses conférences son accord avec les autres États européens sur la nécessité de préserver l'Empire ottoman, la position russe sur le sort futur des principautés s'infléchit. Alors que l'idée de proposer de simples aménagements à leur statut – thèse constamment défendue par la diplomatie autrichienne – prévalait, la Russie en vient rapidement à évoquer l'autonomie des provinces chrétiennes et, dans certains cas, à envisager leur indépendance. Ainsi la position russe, qui de prime abord semble dominée par la volonté de ne pas rompre avec l'alliance des trois empereurs, s'écarte rapidement des thèses communes. Cela sera particulièrement visible lors de la conférence de Constantinople de décembre 1876 où la Russie défend l'autonomie de la Bulgarie, alors que l'Angleterre prône pour toutes les provinces des réformes minimalistes qui allègeraient leur situation, mais ne

mettraient pas en cause l'autorité que l'Empire ottoman exerce sur elles.

Alexandre II constata peu à peu qu'il ne servait à
rien de combattre perpétuellement les propositions
anglaises, contraires à tout ce qu'il proposait. Il
comprit aussi qu'il était vain de se reposer, dans ce
combat, sur une alliance supposée avec l'Allemagne
et l'Autriche, visiblement décidées à saper toutes les
propositions russes, en dépit d'un accord apparent
avec Pétersbourg, ces deux pays étant en réalité
acharnés à empêcher la Russie de jouer le moindre
rôle dans les Balkans, ou souhaitant encore la précipiter seule dans une guerre mal préparée.

Aussi longtemps que possible, Alexandre II tenta de
jouer la carte de la paix et de la solidarité avec les
autres États européens, mais, dans le même temps, il
ne cessa de prendre en compte, comme l'y appelait le
peuple russe, « la solidarité des Slaves ». Et, pour finir,
il entra en guerre au nom de cette solidarité qu'il
ressentait profondément.

CHAPITRE X

La guerre russo-turque [1]

Prendre Constantinople ?

Le 7 avril 1877, Gortchakov avait exposé aux responsables des puissances européennes que l'échec de toutes les tentatives visant à obtenir de la Porte des concessions dans les Balkans imposait que la force se substitue à de vaines négociations. Et le 12 avril, un manifeste de l'empereur Alexandre II, qui se trouve alors à Kichinev, au quartier général de ses troupes, annonce au pays que, « convaincu de la justesse de notre cause et appelant la bénédiction divine sur nos armées, nous leur donnons l'ordre de franchir la frontière de la Turquie ».

Certes, Alexandre II n'accomplit pas ce geste d'un cœur léger. Il a écrit le 28 mars à Catherine : « Je sais que tu comprends mieux que quiconque ce qui se passe en moi dans l'attente du commencement de la guerre que j'avais tant désiré pouvoir éviter. » La Russie s'engage dans ce conflit dans des conditions assez favorables. La Porte a été effrayée par les déclarations de Gortchakov et a tenté d'obtenir de la France qu'elle s'interpose, ce à quoi le chef de sa diplomatie, le duc

---

1. Dans ce chapitre comme dans tout le livre, les dates sont celles du calendrier julien, à l'exception des traités de San Stefano et Berlin dont les dates sont internationales.

Decazes, a opposé un refus sans nuances. D'une certaine manière, la communauté européenne est pour une fois favorable à la décision russe. Les États européens ont dû constater la mauvaise volonté continue de la Porte et savent qu'il faut sortir une bonne fois de l'imbroglio balkanique. La Russie reçoit ainsi, de pays peu désireux de s'engager dans une guerre, un mandat implicite de régler le problème. Mais cet accord est fragile, fondé sur des considérations propres à chaque puissance. L'Angleterre, qu'inquiète la progression russe en Asie centrale – le pays turkmène est la clé de l'Afghanistan –, est avant tout satisfaite de voir les troupes russes occupées dans les Balkans, et pense qu'elles ne pourront pas se consacrer simultanément à progresser en Asie. L'Autriche-Hongrie est neutre : la Russie y a mis le prix lors des négociations de Budapest. Bismarck espère qu'Alexandre II, lorsque ses armées seront en difficulté dans les Balkans, aura besoin de son aide, et qu'en échange la Russie acceptera d'être garante de l'annexion de l'Alsace et de la Lorraine.

Ces intérêts particuliers ont pour avantage d'écarter la perspective toujours inquiétante d'une coalition européenne contre la Russie, d'autant plus que les pays qui restent en dehors du conflit sont loin d'être d'accord entre eux. En particulier, la personnalité de Bismarck, l'unité de l'Allemagne, l'agressivité que manifeste ce pays contre la France en 1875 ont inquiété l'Angleterre. Disraeli déplore discrètement la destruction de l'équilibre européen qu'occasionne à présent l'existence de la toute-puissante Allemagne.

À cette relative division du camp européen qui rassure la Russie s'ajoute un autre élément heureux : elle trouve des alliés dans les Balkans – la Roumanie par la vertu de la convention tout juste signée, et le Monténégro avec qui la Turquie a refusé de faire la paix.

Enfin, en Bosnie et en Herzégovine, où le calme n'est pas revenu, se lève un mouvement de résistance anti-turque, encouragé par l'entrée en guerre de la Russie, qui menace les arrières des troupes ottomanes. Ainsi la position de la Russie a rarement été aussi favorable sur le plan international.

En revanche, les conditions intérieures l'étaient moins. Grâce aux efforts de Milioutine, la réforme de l'armée avait été conduite à son terme, et l'armement était modernisé. Mais les finances publiques n'ont pas suivi, et si le réseau ferroviaire s'est étendu en Russie d'Europe, l'industrialisation tarde à fournir les équipements nécessaires, et la flotte russe n'est pas prête à affronter des combats sévères. La guerre est néanmoins soutenue par une opinion publique surchauffée qui attend avec impatience qu'aux négociations stériles succède l'action. En déclenchant la guerre, Alexandre II a déclaré, pour rassurer l'opinion européenne, que son pays n'avait aucune visée territoriale, qu'il n'agissait que dans l'intention de libérer les peuples balkaniques. En réalité, il existait bel et bien un programme destiné, à terme, à émanciper la Bulgarie et à créer des États indépendants en Serbie, au Monténégro et en Roumanie. Dans l'esprit d'Alexandre II, le temps de l'autonomie comme perspective d'organisation des Balkans était bel et bien révolu.

Toute la famille impériale joue un rôle dans la guerre. Alexandre II se rend sur le front pour partager la vie des armées. Il avait pensé un moment prendre le commandement des troupes russes, mais ses proches l'ont convaincu de laisser la place à des chefs plus jeunes que lui : il a soixante ans. Il doit se contenter de visiter ses troupes, escorté de Milioutine et de plusieurs généraux. Mais ses frères sont tous aux commandes : le grand-duc Constantin veille dans la capitale à l'état de la flotte ; le grand-duc Nicolas commande l'armée du Danube, qui est dès le début engagée dans les combats, et le grand-duc Michel se trouve sur le front du Caucase. L'héritier et son frère Vladimir sont chargés de corps d'armée.

L'armée est pareillement préparée à cette guerre, mais elle souffre aussi du poids de son passé. Les réformes de Milioutine lui ont permis de disposer d'un jeune corps d'officiers parfaitement formé, instruit des méthodes modernes, qui se battra remarquablement, soutenu par une troupe courageuse, convaincue de défendre la justice, et qui ne recule jamais. Mais le point faible est son haut commandement qui n'a rien appris du monde moderne et reste plus adapté à la vie mondaine qu'aux combats. Les jeunes grands-ducs sont l'illustration de cette faiblesse : courageux, pétris de bonne volonté, ils ne sont guère rompus à l'art de la guerre, alors même que les exercices militaires en temps de paix n'avaient aucun secret pour eux.

Néanmoins, malgré des revers momentanés, le succès sera au rendez-vous. Il le sera d'abord sur le front des Balkans où l'entrée des troupes russes en Roumanie conduit ce pays à proclamer son indépendance le 9 mai 1877 et la rupture de ses liens avec l'Empire ottoman. Le royaume indépendant décide alors d'entrer en guerre, malgré les craintes exprimées par Gortchakov que cette jonction n'entraîne des complications internationales. L'effort commun des Russes et des Roumains leur permet d'avancer sur Plevna. L'armée russe du grand-duc Nicolas franchit le Danube le 15 juillet et pénètre en Bulgarie où elle livre aux Turcs des combats difficiles. Mais là, surprise : dans la Bulgarie martyre où la Russie pensait ne trouver que désolation, mais aussi des volontaires pour se joindre à ses troupes, elle constate qu'en dépit des massacres perpétrés par les Turcs, la vie a continué et que les Bulgares ne se montrent pas toujours empressés à se mêler aux combats. Après une progression rapide, la montagne hérissée de forteresses turques va exiger bien plus d'efforts.

Durant plusieurs mois, l'armée s'acharne ; un hiver particulièrement rigoureux ajoute à la difficulté des combats, et le découragement gagne par moments l'empereur, qui observe, depuis Ploesti où il s'installe d'abord, puis depuis le quartier général du grand-duc Nicolas à Gorny-Studen, les assauts désespérés des troupes russes pour s'emparer de Plevna. Convaincu soudain que l'espoir d'atteindre rapidement Constantinople doit être abandonné, Alexandre II fait appel à l'Angleterre, lui demandant si elle pourrait servir d'intermédiaire pour rechercher les moyens de mettre fin au conflit. Enchanté des difficultés où la Russie se trouve plongée, Lord Derby répond brutalement que son pays entend conserver une stricte neutralité, donc n'interviendra pas et qu'à sa connaissance, la Porte, alors en position favorable, ne bougera pas davantage.

Le découragement du souverain est un temps partagé par l'héritier qui invite alors son père à prendre la tête des troupes démoralisées pour leur rendre espoir. Il lui dit qu'il sera secondé par son ministre de la Défense. Mais cet appel ne deviendra jamais réalité. Les frères de l'empereur lui en démontrent l'inanité et, de surcroît, en plein cœur de l'hiver, le sort se montre soudain favorable à la Russie. Au troisième assaut, les troupes russes que sont enfin venus rejoindre des volontaires bulgares finissent par l'emporter sur l'armée d'Osman Pacha qui semblait jusqu'alors invincible, et elles emportent

Plevna le 28 novembre. Osman Pacha capitule, l'armée russe reprend sa marche en avant, franchit les Balkans, s'empare d'Andrinople où elle défait dans les premiers jours de janvier l'armée de Suleiman Pacha. Elle est sur la route de Constantinople. Dès lors, le problème n'est plus d'ordre militaire, mais politique.

La guerre se poursuit aussi au Caucase. C'est là un second front particulièrement important aux yeux des stratèges russes qui comptent y attirer une partie de l'armée ottomane, afin de soulager l'action de leurs forces dans les Balkans. La bataille sur ce front touche aussi à la question de la sécurité des frontières méridionales de la Russie ; pour l'assurer, l'un des buts des opérations militaires est ici la conquête de Batoum et de Kars. La situation reste longtemps difficile pour la Russie. Les troupes conduites par le grand-duc Michel ont d'abord remporté des succès, puis est venu le temps des revers, les troupes turques s'étant montrées beaucoup plus offensives qu'on ne s'y était attendu. Le général Loris-Melikov, qui, dans un premier temps, avait avancé à marches forcées en Arménie turque sur Erzerum et mis le siège devant la forteresse de Kars, fut contraint, en juillet 1877, de reculer et d'abandonner la place, ce qui redonna au front du Danube une importance accrue.

La question de Constantinople était posée, et toutes les données initiales changeaient. L'Angleterre avait, dès le début de la guerre, prévu cette éventualité. Disraeli avait annoncé qu'il donnerait l'ordre à la flotte anglaise d'occuper les Détroits au cas où l'on constaterait la moindre menace russe sur la capitale de l'Empire ottoman. Et Lord Derby avait alors exigé de la Russie, par une note comminatoire, qu'elle s'engage à ne pas faire mouvement en direction des Détroits, de

Suez et du golfe Persique. Poussé par le duc Decazes, Gortchakov avait alors solennellement déclaré que la Russie n'avait nulle intention d'accomplir de tels mouvements. Mais, après les victoires décisives remportées sur la Turquie par les troupes du grand-duc Nicolas, la question de Constantinople est à nouveau ouverte. Les troupes russes sont arrêtées devant Constantinople et le quartier général de l'armée a été transféré à San Stefano. La Turquie sollicite alors un armistice qui sera signé à Andrinople. Disraeli a songé un instant à déclarer la guerre à la Russie pour empêcher l'entrée de ses troupes dans Constantinople. Mais la Turquie, accablée par les défaites, inquiète pour sa survie même, s'est alors tournée vers les puissances européennes restées en dehors du conflit pour les prier d'aider à définir les conditions de la paix. Dans cette conjoncture, la Russie n'entend pas se voir imposer un programme de paix élaboré par les puissances européennes à Constantinople.

Vers la paix

C'est alors que Gortchakov perdit tout à fait l'initiative. Sa vision modérée de ce qui pouvait être obtenu dans les futurs pourparlers de paix ne correspondait plus à la situation sur le terrain, et pas davantage aux ambitions des principautés chrétiennes. Milioutine et Ignatiev, dont les prédictions optimistes sur l'avenir de l'influence russe dans les Balkans se réalisaient, furent chargés de définir la position de Saint-Pétersbourg dans les nombreuses et souvent épineuses questions que les négociateurs auraient à examiner. Par souci d'efficacité, les deux maîtres d'œuvre du processus de paix souhaitaient élaborer un projet dans la plus grande discrétion, mais furent contrariés par l'impatience et les scrupules du souverain. Tout en écartant Gortchakov des travaux, le tsar ne pouvait s'empêcher d'en débattre avec lui. Et Gortchakov – peut-être dans le malin dessein de retrouver quelque place dans cette intense activité diplomatique – le convainquit d'en informer Guillaume Ier et François-Joseph, ce que l'empereur fit sans hésiter.

Le projet qu'il leur soumit, largement inspiré par Ignatiev, comportait les dispositions suivantes :

• L'autonomie politique de la Bulgarie, qui serait garantie pendant deux ans par la présence des troupes russes dans le pays. Mais la Bulgarie devrait continuer à payer un tribut à la Turquie.

• L'autonomie administrative de la Bosnie et de l'Herzégovine, où l'Autriche-Hongrie participerait néanmoins à l'administration et contrôlerait l'application des dispositions de paix.

• L'indépendance garantie de la Serbie, du Monténégro et de la Roumanie.

• Enfin, la Russie conservait les territoires conquis au Caucase et récupérait la Bessarabie.

Ce dernier point provoqua l'indignation des Roumains lorsque Ignatiev leur communiqua le projet. Sur la question des Détroits, la proposition russe, très prudente, prévoyait qu'en cas de conflit, le sultan devait y garder le contrôle de la circulation. C'est sur ce point que l'influence déclinante de Gortchakov se manifestait encore.

Des infléchissements furent ensuite apportés à ce programme par trop propre à heurter les alliés. Mais dans toutes les variantes du projet qui serait proposé lors des pourparlers de paix, la Russie mettait en avant le principe d'indépendance ou d'une très large autonomie des États balkaniques, principe dont elle affirmait qu'il n'était pas négociable. La guerre, les succès russes avaient développé les sentiments nationaux des peuples des Balkans, soutenus par la société russe, et ceux-ci devaient donc s'inscrire dans le nouvel ordre international ; pour les négociateurs russes, l'argument était irréfutable.

Telle était la vision russe de la paix, mais elle ne coïncidait naturellement pas avec celle des autres puissances européennes, et Guillaume Ier, réagissant à l'information que lui avait fournie son neveu, ne se priva pas de le lui faire savoir. François-Joseph fut moins violent que son homologue allemand, mais plus précis dans ses critiques. Il accusa la Russie de violer les accords conclus à Reichstadt et Budapest, et exigea, soutenu en cela par l'Angleterre, que les termes de la négociation russo-turque soient soumis aux signataires du traité de Paris. Cette exigence rencontrait les souhaits de la Turquie pour qui toute la négociation à laquelle elle savait ne pouvoir se dérober devait être le fruit d'une conférence internationale à laquelle participeraient les grands États européens. Les armées ottomanes étaient détruites, les Russes piétinaient devant Constantinople, mais le sultan espérait encore éviter le face-à-face avec eux et profiter des dissensions entre puissances européennes pour sauver ce qui pouvait l'être.

Fort des victoires remportées, Alexandre II n'écoutait plus qu'Ignatiev qui avait, depuis le début de la crise balkanique, répété que la solution à cette crise et l'élaboration d'un nouvel ordre dans la région relevaient de la seule Russie. Après des combats difficiles, des moments de doute, le souverain avait adhéré à cette position, et était résolu à s'y tenir. Ses consignes étaient précises : pas de prise de Constantinople, sauf en cas d'échec de toutes les tentatives de paix. Pas d'amendement aux propositions de paix russes. Et siège des troupes russes devant la capitale ottomane jusqu'à ce que le sultan se résolve à accepter les conditions de paix qu'il avait posées. Alexandre II montrait ainsi sa détermination à récolter les fruits de ses victoires, mais cherchait en même temps à éviter la rupture avec l'Angleterre, dont les préparatifs de guerre étaient démonstratifs, en retardant l'entrée de ses troupes dans Constantinople.

La paix de San Stefano

Le 19 janvier, le sultan dut s'incliner. L'armistice avait été conclu et il accepta cette fois les conditions préalables fixées par Pétersbourg : indépendance de la Serbie, du Monténégro et de la Roumanie, accompagnée d'agrandissements territoriaux destinés à assurer les possibilités de vie future de ces royaumes. La Bulgarie devenait principauté autonome, agrandie de la Macédoine.

L'Empire ottoman était certes à genoux. Mais l'Autriche et l'Angleterre ne tardèrent pas à réagir. Ces deux pays exigeaient que l'ensemble du dossier fût soumis à une conférence internationale. Alexandre II n'en voulait pas et Gortchakov tenta de gagner Bismarck à la cause russe, divisant ainsi le front européen. Il lui demanda d'acquiescer aux propositions russes, étant entendu qu'Alexandre II s'engageait, de son côté, à respecter les droits concédés à l'Autriche sur la Bosnie et l'Herzégovine, et surtout à laisser Constantinople, dont on avait envisagé de faire une ville franche, dans la dépendance des Ottomans chargés de « garder les Détroits ».

L'appel à Bismarck ne servit de rien. Le « chancelier de fer » renvoya Gortchakov au projet de conférence internationale qui avait, dit-il, son soutien. Une fois encore, Bismarck jouait à l'égard de l'allié russe le double jeu qu'Alexandre II cherchait vainement à neutraliser.

L'Angleterre intervint alors en envoyant ses vaisseaux dans la mer de Marmara pour prévenir l'entrée des troupes russes dans Constantinople. En guise de riposte, l'armée russe s'empara de la petite ville de San Stefano, située à proximité de la capitale, et c'est là que furent conduites les ultimes séances du traité de paix.

Le 3 mars 1878, le traité de paix de San Stefano consacrait la victoire russe et toutes les ambitions nourries à Pétersbourg depuis près de deux siècles. Le grand-duc Nicolas avait insisté auprès des plénipotentiaires russes pour que le traité soit signé au plus vite. Son souhait était que le traité portât la date du 19 février, anniversaire du Manifeste libérant les paysans. L'obstruction turque ne le permit pas [1], mais l'ampleur du succès russe justifiait quelques délais. Le traité de San Stefano abolissait un équilibre européen dont la Russie avait toujours souffert. L'Empire ottoman était brisé, ses frontières arrêtées aux abords de Constantinople, sa domination séculaire en Europe, disparue.

Partout l'influence de la Russie victorieuse était incontestée. La Russie y gagnait aussi, conquête capitale, le

---

1. Pour les Russes, le traité fut bien signé le 19 février, mais la date officiellement retenue est celle du calendrier grégorien, le 3 mars.

droit de passer librement par les Détroits en temps de paix comme en temps de guerre. Elle acquérait la Bessarabie, des forteresses sur sa frontière asiatique, et une indemnité de guerre : elle exigeait des Turcs 1 400 millions de roubles, alors que ceux-ci ne voulaient en verser que 300 millions, et prétendaient que les villes de Kars, Ardahan, Bayazid et Batoum, que la Russie revendiquait, feraient la différence. Ce sur quoi Pétersbourg n'était évidemment pas d'accord, les acquisitions territoriales faisant l'objet d'un autre chapitre sur lequel les Russes n'entendaient pas laisser discuter les Turcs.

Le traité fut accueilli avec enthousiasme par le peuple russe et par ceux des Balkans dont il consacrait la liberté. Mais, sitôt connu, il fut contesté avec une rare violence en Europe. L'Angleterre et l'Empire austro-hongrois, mais aussi la France – qui pourtant n'y avait guère d'intérêt – protestèrent contre les « conditions exorbitantes du traité ». La création de la Grande Bulgarie était inacceptable pour les Anglais, qui voyaient dans cette création un État dominé par la Russie et une menace pour leurs communications avec l'Orient. Aux yeux des Habsbourg, c'était un défi à leurs positions stratégiques et commerciales dans les Balkans. Les uns et les autres ne se contentèrent pas de protester, mais assortirent leur désaccord de préparatifs militaires. À Londres, le Parlement augmenta les crédits de l'armée et rappela des réservistes. Et Milioutine nota : « L'Angleterre s'engage dans une vraie guerre, et notre volonté d'apaisement ne suffira pas à la calmer, elle va chercher n'importe quel prétexte pour rompre. »

À l'heure même où son peuple saluait ses victoires, Alexandre II était confronté à un dilemme terrible :

fallait-il réviser le traité si glorieux de San Stefano et donc s'incliner devant les pressions anglo-autrichiennes ? ou affronter les risques d'une nouvelle guerre, la précédente à peine achevée ?

Sans doute l'armée russe était-elle probablement en mesure de faire face à un nouveau conflit. Un million et demi d'hommes étaient toujours sous les drapeaux, les troupes étaient disposées sur toutes les frontières. L'armée était de plus portée par ses triomphes récents et par le soutien très vif de la société. Et le redressement du prestige russe par le traité de San Stefano et les acquisitions territoriales étaient aussi un stimulant pour le moral des troupes. Mais la situation économique du pays était plus désastreuse que jamais. La guerre avait épuisé les finances publiques, les difficultés se multipliaient dans les campagnes, et la montée de l'opposition radicale faisait craindre des désordres révolutionnaires.

Pour Alexandre II, ce défi était terrible. Il fut tenté de s'accrocher au traité, d'aller au conflit, mais, en définitive, sa nature prudente et responsable prit le dessus. Cette difficile décision couronna un cruel débat intérieur dont atteste sa correspondance avec Catherine. Mais, autour de lui, ses hommes de confiance plaidaient aussi pour la paix. Reutern invoquait le désastre financier et la chute du rouble, et offrait sa démission. Le grand-duc Nicolas abandonna son poste, qui fut confié au général Totleben. Et le fidèle Milioutine le suppliait lui aussi de céder.

Alexandre II se résigna donc à accepter quelques limitations aux clauses du traité de San Stefano. Mais il souhaitait que ce fût fait par la voie d'un accord avec l'un de ses adversaires, suggérant qu'on essayât tour à tour l'Autriche, la Prusse, puis l'Angleterre.

Ignatiev – mais il n'était pas le bon interlocuteur, car il penchait plutôt pour la résistance aux demandes de révision – puis Gortchakov, que les difficultés du moment ramenaient sur le devant de la scène, furent dépêchés à Vienne, puis chez Bismarck. En Autriche, les envoyés russes se heurtèrent à l'intransigeance d'Andrassy, convaincu qu'une véritable coalition anti-russe était en train de naître. Quant à Bismarck, il remontra à Gortchakov qu'une négociation acceptée d'emblée serait infiniment moins coûteuse pour la Russie qu'une guerre – ou qu'une négociation concluant une guerre – où la Russie aurait à faire face à l'Autriche et à l'Angleterre coalisées. Bismarck soulignait aussi que le mouvement révolutionnaire grandissait en Russie – les attentats en témoignaient – et que les sympathies occidentales allaient vers lui.

Milioutine le répétait à l'empereur : « Inutile de compter sur nos amis allemands », et suggérait de se tourner vers l'Angleterre pour la dissocier de l'Autriche. Pour gagner le soutien anglais, le négociateur envoyé à Londres, Chouvalov [1], fut chargé d'insister sur les concessions que ferait la Russie et qui étaient les plus souhaitées par Londres. La mission se conclut sur un sacrifice russe : Pétersbourg acceptait de partager la Bulgarie en deux parties, rectifiait aussi les frontières du jeune État, et renonçait surtout à certains avantages territoriaux : Bayazid, la vallée d'Alakert, ainsi que le contrôle sur l'Arménie turque. Ces concessions faites par la partie russe en échange d'un accord anglais sur le reste des dispositions de San Stefano devaient être inscrites dans une convention tenue

---

1. En 1874, après la perte de ses fonctions auprès de l'empereur, il avait été nommé ambassadeur à Londres.

secrète. Mais le jeu anglais était en définitive moins conciliant que ne l'avait cru Chouvalov en débattant de ces sacrifices, car, dans le même temps, l'Angleterre poursuivait une négociation avec l'Autriche pour élaborer une position commune lors du futur congrès. Pour que Londres entérine ses concessions, la Russie avait dû accepter en effet que les clauses du traité de San Stefano fussent soumises à un grand congrès européen qui devait se tenir à Berlin en juin 1878. Cette perspective fut mal accueillie par Alexandre II, qui écrivit, le 24 mai 1878, à Catherine : « Les dernières nouvelles politiques me font craindre que le prochain congrès n'amène rien de bon. Il aura pour résultat la guerre, car on voudra exiger de nous des concessions que notre dignité ne me permettra pas d'accepter. » Et le 9 juin, dans une nouvelle lettre à la même destinataire, il répète : « Je crois que le congrès n'aboutira qu'à une nouvelle guerre... Je la préférerais à une paix honteuse comme l'Angleterre et l'Autriche semblent vouloir nous l'imposer. »

Le congrès de Berlin : recul russe ?

Malgré les très fortes réserves d'Alexandre II, le congrès de Berlin se réunit à partir du 13 juin [1]. Les six puissances européennes et la Turquie y siègent, ainsi que des observateurs venus de Grèce, de Roumanie, de Serbie et du Monténégro. L'Église d'Arménie est elle aussi représentée. La Russie y a délégué Gortchakov, Chouvalov et le baron d'Oubril, un fin diplomate, bon connaisseur du style de Bismarck qu'il a eu tout loisir d'observer en sa qualité d'ambassadeur

---

1. Le 1ᵉʳ juin pour le calendrier julien.

à Berlin. En face d'eux siègent des adversaires coriaces : Disraeli, qui conduit la délégation anglaise, Andrassy, bien décidé à défendre tout ce que la Russie a concédé dans les accords passés, et Bismarck qui préside.

La Russie est d'autant plus faible face à ces délégations que le choix de Gortchakov était déplorable. Il était malade, presque impotent, plus attaché au décorum qu'au fond des choses. De toute manière, il était dépassé par l'âpreté des discussions, par l'obstination et l'adresse de ses adversaires, et nul ne prenait vraiment ses interventions en considération. Mais, par malheur, il n'acceptait pas ce déclin et prétendait jouer le rôle de chef de la délégation qu'eût infiniment mieux assumé Chouvalov, lequel sut s'imposer à chaque étape de la discussion, en commission ou en séance plénière, déployant partout une remarquable connaissance des dossiers, une grande habileté, et un charme que lui reconnaissaient tous ses interlocuteurs. Mais il ne pouvait suffire à tout, et surtout la position russe était difficile. Les succès militaires russes, puis le traité de San Stefano avaient été perçus par toutes les puissances comme la revanche de la Russie sur les revers de la guerre de Crimée et le traité de Paris. San Stefano témoignait que la Russie avait repris sa place au tout premier plan des nations européennes. Et l'effondrement de l'Empire ottoman lui laissait en mer Noire – mais aussi au-delà, craignait Disraeli – une liberté d'action vers l'Orient que tous les souverains russes successifs depuis le début du XVIIIe siècle s'étaient acharnés à conquérir. La renaissance internationale de la Russie inquiétait d'autant plus l'Angleterre et l'Empire austro-hongrois qu'elle menaçait directement, estimaient-ils, leurs intérêts orientaux ou leurs positions dans les Balkans. Enfin, la Russie se retrouvait seule, même s'il ne s'agissait plus du champ de bataille, contre une coalition d'États, divisés certes hors du congrès, mais qui, à Berlin, s'étaient mis d'accord pour lui arracher le maximum de ce qu'elle avait acquis à San Stefano.

Disraeli et Andrassy exigèrent d'emblée un réexamen complet des clauses du traité, oubliant froidement qu'ils avaient au préalable passé des accords, généralement secrets, avec le gouvernement russe.

Comme on pouvait le prévoir, la question bulgare fut une fois encore au centre des discussions. La duplicité de la délégation anglaise sur ce sujet était manifeste. Passant sous silence l'accord passé avec Chouvalov, Disraeli remit tout en cause, exigeant que des troupes turques restent en Bulgarie, y réduisant la durée prévue du stationnement des troupes russes de deux ans à neuf mois, réclamant enfin que Varna et le sandjak de Sofia soient enlevés à la nouvelle Bulgarie. Gêné par le caractère secret de l'accord passé à Londres, Chouvalov ne put repousser toutes ses exigences, mais il sauva les territoires contestés à la Bulgarie qui étaient censés revenir à la Bulgarie du Nord, puisqu'il avait déjà accepté à Londres la division du pays en deux. La Bulgarie du Nord devenait principauté autonome, l'élection du prince par la population devant être approuvée par le sultan ; le Sud, appelé Roumélie, jouissait de l'autonomie administrative et était dirigé par un gouverneur chrétien nommé par le sultan pour une durée de cinq ans. L'administration de la province était placée sous le contrôle d'une commission internationale composée de représentants des six puissances signataires du traité.

Si la délégation russe n'avait pas été confrontée à un bloc cohérent, elle aurait pu jouer des accords passés

antérieurement avec Londres, mais Chouvalov craignait, en les évoquant, d'irriter davantage encore l'Autriche, et même d'encourager les exigences de pays qui
ne participaient pas officiellement au congrès. C'était
notamment le cas de la Roumanie, dont les doléances
à propos du transfert de la Bessarabie à la Russie
étaient reprises par toutes les délégations, décidées à
faire feu de tout bois pour arracher à la Russie les
conquêtes qu'elle devait à la guerre.

L'indépendance de la Serbie, du Monténégro et de
la Roumanie, malgré certaines modifications territoriales apportées au traité de San Stefano, était un
succès russe. Mais l'Autriche y avait gagné la Bosnie
et l'Herzégovine, et les représentants russes les lui lais-
sèrent, en échange de l'accord de Vienne à l'annexion
de la Bessarabie méridionale. Kars, Ardahan et
Batoum étaient définitivement acquis à la Russie.
Mais le congrès confirma les clauses du traité de Paris
portant sur le régime des Détroits, dont la Russie
cherchait depuis 1856 à se débarrasser.

Compte tenu d'un certain nombre de concessions
majeures, le traité de Berlin pouvait être interprété
comme une défaite de la Russie. Telle fut la réaction
des slavophiles. Aksakov, l'un des chefs de file du
mouvement, devait déclarer devant le Comité slave de
Moscou : « Le traité de Berlin est honteux ! » Et
Katkov, dans Les *Nouvelles de Moscou*, cria à la trahison et au succès total des Anglais qui, selon lui, avaient
acquis par là une influence décisive au Moyen-Orient.
Pour tenter de préserver son prestige et ses positions
aux abords de la mer Noire, la Russie devait,
concluait-il, s'installer toujours plus loin en Asie centrale. Cette thèse était largement partagée par tous les
milieux conservateurs et on y débattit furieusement de

la revanche à prendre, c'est-à-dire de la guerre qu'il convenait de déclarer au plus tôt à l'ennemi anglais.

Les Allemands n'étaient pas moins vilipendés par la presse russe comme traîtres à l'amitié si longtemps préservée par Alexandre II. Le général Skobelev, l'un des héros de la conquête de l'Asie centrale, répétait à tout-va : « Notre ennemi, c'est l'Allemand. La guerre avec lui est inéluctable. »

Seuls les libéraux soumettaient le bilan de la guerre et des traités à un examen sérieux et constataient que les concessions imposées à la Russie par les puissances européennes étaient faibles au regard de ce qu'elle avait obtenu.

Mais Alexandre II, qui avait soutenu ses représentants au congrès, était infiniment plus réaliste. Il estimait que la Russie avait retiré de sa victoire tout ce qu'il était possible d'en espérer. Et un diplomate russe constata : « N'aurions-nous pas traité de fou celui qui nous aurait annoncé il y a deux ans un résultat aussi brillant ? »

Milioutine partageait ces vues et nota dans son journal que la question d'Orient était, après la guerre et les traités de paix, caractérisée par un progrès historique considérable. Et il ne doutait pas que le statut de la Bulgarie, même divisée et dotée de droits politiques secondaires, la conduirait dans un avenir prévisible à l'unité. Bismarck confirmait ce jugement en s'indignant de voir la Russie sortir de la guerre avec autant d'avantages. La Russie, le chancelier avait raison de le dire, sortait victorieuse d'un congrès où les États européens avaient tout mis en œuvre pour effacer ses victoires. Le traité de Paris ne mérite alors plus que l'oubli, l'armée russe a recouvré son prestige, et l'Empire s'est étendu au sud comme il l'a fait au cours des mêmes années à l'est.

La diplomatie russe, qui, somme toute, s'est montrée fort avisée dans son combat solitaire contre une puissante coalition, va cependant être renouvelée. Gortchakov n'est plus l'homme de la situation. L'âge, la maladie, la volonté de changement du souverain vont conduire à son départ. Mais le souverain va l'éliminer en douceur, avec élégance. Il s'éloigna de la capitale, prit un congé dont nul ne connaissait la durée, voyagea à l'étranger et, dès 1879, l'intérim fut assuré par son adjoint, Nicolas de Giers [1], qui dirigeait depuis 1875 le département d'Asie au ministère. Alexandre III le nommera ministre des Affaires étrangères en 1882.

Ignatiev, qui avait joué un rôle considérable dans toute la crise balkanique et dont les jugements sur les alliances et la stratégie à adopter s'étaient en définitive révélés justes, avait longtemps été considéré comme un bon candidat à la succession de Gortchakov. Mais les difficiles tractations qui avaient précédé les traités de paix, où le double statut de la Bulgarie semblait consacrer un échec personnel de sa stratégie, le firent exclure de la délégation russe à Berlin. Et au lieu de succéder à Gortchakov, il devint en 1881 ministre de l'Intérieur.

Chouvalov, le troisième homme du difficile combat destiné à assurer à la Russie une paix honorable, et dont les efforts avaient été si remarqués à Berlin, paya certainement le prix de l'apparente défaite diplomatique et fut, pour apaiser les slavophiles, écarté d'abord

---

1. Giers fut nommé ministre adjoint des Affaires étrangères en 1875. Dès lors, il assistait à tous les entretiens du souverain avec Gortchakov et il accompagna Alexandre II en Crimée en 1878-1879, avec Milioutine.

de son ambassade de Londres, puis de la carrière. Au lendemain du congrès de Berlin, Alexandre II voulut solder les comptes et, pour cela, il lui fallait des boucs émissaires. Mais il lui fallait aussi renouveler le haut personnel diplomatique afin d'élaborer une politique adaptée à des temps nouveaux. Il n'imaginait pas, en cherchant aussi à renouveler sa politique étrangère, que le temps dont il disposerait pour le faire allait lui être rigoureusement compté.

« Ne plus se fier à nos amis de Berlin »

Lors des négociations russo-allemandes précédant la conférence de Berlin, Milioutine avait noté : « Nous ne devons plus compter sur nos amis. » Et, avant de s'effacer, Gortchakov, qui avait toujours défendu l'alliance des trois empereurs, avait écrit à Alexandre II : « Compter sur cette alliance est pure illusion. »

Ces sentiments désabusés furent renforcés par l'attitude ouvertement hostile à la Russie des représentants des puissances européennes chargés de la délimitation des frontières fixées par le traité de Berlin. Les délégués russes se plaignirent à leur gouvernement des comportements vexatoires à leur égard, particulièrement de la part des Allemands. À cela s'ajoute le vif mécontentement que provoque à Pétersbourg la politique protectionniste – tarifs douaniers et interdictions d'importer – adoptée par Bismarck en 1879, qui heurte de plein fouet les intérêts russes. L'économie russe souffre et la société s'indigne d'une véritable « guerre douanière » dans laquelle elle voit une volonté de faire payer à son pays les succès remportés à Berlin. L'impopularité de Bismarck est alors à son comble, et la presse slavophile critique l'alliance allemande ou ce qu'il en reste, suggérant que la Russie doit se tourner vers des *amis* plus sûrs. Dans son ultime message déjà cité, Gortchakov laissait entendre que l'heure d'un changement d'alliance était venue, mais vers quels alliés s'orienter ?

Ici la Russie se trouvait dans une impasse. La France républicaine, à laquelle on pensait chaque fois qu'il fallait un contrepoids à l'Allemagne, se méfiait de la Russie autocratique, et, de surcroît, ses responsables craignaient, par un rapprochement avec Saint-Pétersbourg, d'irriter l'Allemagne. Pour la Russie, la France, en dépit des deux brèves rencontres de 1756 et 1801[1], restait un adversaire qui avait longtemps cherché à lui refuser une place dans le concert européen. L'heure n'était donc pas encore au rapprochement.

L'Angleterre, pour sa part, était, après la guerre avec la Turquie, plus hostile que jamais à la Russie. Pour le cabinet de Saint James, toute esquisse d'action russe en direction de l'Afghanistan ou vers le Pacifique était inacceptable. Or la Russie progressait dans les oasis turkmènes et le Pamir, et Londres voyait d'un mauvais œil un diplomate russe arriver à Kaboul. Gortchakov, puis Giers, lors de son intérim, eurent beau répéter à Disraeli que la Russie n'avait aucune ambition en Inde, l'Angleterre était prête à réagir au moindre mouvement de troupes dans les zones proches de ce qui était sa sphère d'influence, et c'est plus une perspective

---

1. Il s'agit ici des accords conclus entre Élisabeth Ire et Louis XV préparant la participation russe à la guerre de Sept Ans, et du projet de Paul Ier d'établir un nouveau système européen comportant une alliance avec la France de Bonaparte. L'assassinat de Paul Ier y mit fin.

de guerre que celle d'une alliance qui marque les relations russo-anglaises à la fin des années 1870.

Ainsi la Russie se retrouvait-elle isolée. Elle n'avait rien à attendre de l'Autriche, qui, forte de sa présence en Bosnie et en Herzégovine, s'efforçait dans les Balkans de pousser ses pions en Serbie, en Bulgarie et en Roumanie où elle encourageait les sentiments anti-russes des Roumains, furieux d'avoir perdu la Bessarabie.

Dans toutes les commissions chargées d'exécuter sur le terrain les clauses du traité de Berlin, Allemands, Autrichiens et Anglais se liguaient contre les Russes, recréant l'alliance du temps de guerre, comme si le traité n'avait pas été élaboré en commun. Alexandre II n'hésitait pas à évoquer à ce propos la « coalition anti-russe ourdie par Bismarck », mais cette formule amère, de même que la campagne de presse qui se développait en Russie contre Bismarck et contre les États euro-péens, ne répondaient pas à la question cruciale : comment sortir de l'isolement ?

La réponse fut celle que la tradition et la facilité suggéraient. Certes, l'Allemagne avait toujours été une alliée infidèle, hostile même. Mais elle représentait un débouché très important pour l'agriculture russe, et elle fournissait l'industrie russe en machines. Les inté-rêts économiques, les liens familiaux et la conviction des proches collaborateurs de l'empereur, Milioutine, Giers et Chouvalov, que l'alliance allemande, en dépit de toutes les déceptions, reste la seule voie propre à sauver la Russie de l'isolement, vont inciter Alexandre II à opter une fois encore pour ce partenaire. Le 3/15 août 1879, après des mois de protestations et de gel des relations russo-allemandes, Alexandre II écrit à son oncle et lui propose de revenir sur le chemin de l'amitié. Les deux empereurs se rencontrent alors à la frontière des deux pays, à Alexandrovo, et des négociations s'engagent entre eux ; elles vont durer si longtemps qu'Alexandre II n'en verra pas la conclusion. C'est Giers, le ministre intérimaire, qui conduira cette interminable discussion avec une patience et un art consommé de déjouer les pièges.

Alexandre II voulait conclure un accord avec l'Allemagne. Bismarck imposa que l'Autriche y fût associée. Cette exigence ne correspondait nullement aux vœux russes. Elle présentait certes un avantage : le retour de Vienne dans une telle alliance freinait les chances qu'un pacte austro-anglais se noue contre la Russie, mais les intérêts russes et autrichiens étaient par trop opposés dans les Balkans pour qu'Alexandre II soit tenté de mettre une fois encore à l'épreuve la loyauté d'un tel allié. Mais il lui fallut en passer par la volonté du « chancelier de fer » qui refusait d'examiner toute solution excluant Vienne. Et traiter avec Bismarck était d'autant plus nécessaire qu'il avait, comme toujours, deux fers au feu. Dans le même temps où il prodiguait des amabilités à son interlocuteur russe, Bismarck négociait en secret avec Andrassy un accord dirigé contre la Russie et qui prévoyait que si elle se trouvait en conflit avec l'un des deux signataires, l'autre viendrait à son secours. L'accord fut conclu le 7 octobre 1879. Sitôt ce texte acquis, Bismarck en informa le négociateur russe, P. Sabourov, tout juste nommé ambassadeur à Berlin. C'est à un véritable chantage que la Russie se trouva ainsi soumise.

Les réserves d'Alexandre II reçurent un encouragement inattendu en 1880 avec l'arrivée au pouvoir en Angleterre de Gladstone, réputé moins hostile à la Russie que Disraeli. Mais les pressions de Bismarck interdisaient à Giers de tergiverser trop longtemps. Et il ne lui resta plus qu'à accepter de ressusciter le trio qui avait si piètrement fonctionné quelques années auparavant. Au demeurant, les Habsbourg n'étaient pas davantage partisans d'un tel rapprochement, car ils craignaient de se lier les mains dans les Balkans. Mais Bismarck, acharné à imposer son système, persévéra et sut allécher ses interlocuteurs en leur proposant de définir des sphères d'influence dans cette péninsule.

Sabourov fit un rapport fort subtil à son ministre des arrière-pensées du chancelier : « L'Allemagne poursuit aujourd'hui la même politique que celle de la Prusse lorsqu'elle nous proposait le partage de la Pologne. Aujourd'hui, il s'agit de la Turquie, mais elle est plus difficile à partager. »

Alexandre II aura disparu depuis peu lorsque l'accord scellant la nouvelle entente des trois empereurs fut signé, le 6/18 juin 1881. C'est son fils et successeur qui approuva le renouveau d'une alliance qu'Alexandre II avait longtemps préférée à toute autre, et à laquelle, dans les derniers mois de sa vie, il s'était résigné pour que son pays ne perdît pas les avantages acquis grâce à ses victoires en Turquie. Alexandre III héritera ainsi d'une situation bien différente de celle qu'avait connue son père lorsqu'il monta sur le trône : un pays triomphant, le prestige retrouvé sur la scène internationale, un territoire agrandi, des zones d'influence qui s'étendaient, et aussi des alliés. Le bilan international du règne d'Alexandre II, commencé dans le désastre, était, avec celui de son arrière-grand-mère Catherine II, le plus remarquable que la Russie eût connu.

CHAPITRE XI

Les Pougatchev de l'université

La Russie des années 1860 connaît des changements remarquables à l'intérieur et à l'extérieur, qui la transforment profondément. Mais ceux qui veulent faire l'opinion n'y applaudissent pas sans réserve, loin de là. La contestation est plus forte que jamais et se présente sous des aspects nouveaux, plus inquiétants pour le pouvoir que les débats d'idées du début du règne d'Alexandre II. D'ailleurs, Joseph de Maistre l'avait annoncé : ce qui menacera la Russie, écrivait-il, c'est moins la fureur paysanne que les « Pougatchev » formés dans les universités. L'attentat perpétré par Karakozov en 1866 lui donna raison. Le temps des brillants intellectuels, d'une élite encore dominée par la noblesse, s'acheva alors ; commençait celui de l'intelligentsia.

Celle-ci n'était pas obligatoirement très instruite, certains de ses membres ne l'étaient même pas du tout, mais elle venait en grande partie de l'université. Pour la première fois dans l'histoire de la vie universitaire, les étudiants avaient fait grève à Saint-Pétersbourg en 1861 pour défendre un professeur dont les censeurs avaient exigé le renvoi. Et tous les grands esprits avaient salué en eux les « hommes nouveaux ». Herzen, qui suivait leurs exploits depuis Londres, les appelait des martyrs – au vrai, nul étudiant n'avait été tué ou blessé – et leur assignait une place inédite en Russie : « Vos plaies sont sacrées. Vous ouvrez une nouvelle ère de notre histoire. » S'il exagérait le rôle de cette première grève et des troubles universitaires qui s'ensuivirent, Herzen avait vu juste sur le fond : une nouvelle génération se levait, de nouveaux objectifs et de nouvelles méthodes d'action allaient inspirer ces « hommes nouveaux ».

Il s'agit là de l'intelligentsia parvenue à maturité, d'une catégorie politique qui se réclame d'un projet politique. C'est dire que tous n'en font pas partie. Ni Dostoïevski ni Tolstoï ne se définiront jamais comme membres de cette intelligentsia : ce sont des écrivains. Et certains membres de cette intelligentsia manqueront cruellement de formation intellectuelle. Néanmoins, au milieu des années 1860, trois courants d'idées vont fasciner une jeunesse avide de s'engager : le nihilisme, le populisme, l'anarchisme.

L'apologie de l'utile

Du premier de ces courants, le nihilisme, Berdaiev écrit : « C'est une manifestation purement russe, sans équivalent en Occident », et il ajoute : « Il est sorti du terrain spirituel de l'orthodoxie, il s'est emparé des âmes formées par l'orthodoxie, et il est lui-même ascèse orthodoxe, ascèse déviée et, si l'on peut dire, sans grâce. » Le mot avait été lancé par Tourgueniev dans son roman *Pères et Fils* qui consacrait de manière éclatante la rupture entre l'élite intellectuelle des années 1840 et les hommes nouveaux. Tourgueniev avait repris à son compte le vocable « nihilisme » que l'on trouve déjà, au début du XIXᵉ siècle, chez Louis Sébastien Mercier. Le héros de Tourgueniev, Bazarov, se qualifie ainsi et en est le prototype. Il rejette tout et considère que toute création passe par la destruction de tout ce qui existe. Bazarov est médecin, c'est-à-dire qu'il exerce une activité scientifique, activité *utile* par opposition aux sujets de discussion et d'intérêt de la génération des pères, à tout ce qui était poésie, arts, considéré par là même inutile. Tout ce qu'ont fait les pères est réduit à *rien (nihil)* : c'est de là que vient le mot, et il va connaître, dès la publication du roman, une immense fortune.

De la même manière, Bazarov devient un modèle pour la jeunesse. L'homme nouveau, celui qu'il incarne, est libéré, prêt à regarder l'avenir, mais à condition de rejeter totalement le passé, l'histoire, les traditions, toute la culture littéraire et artistique, et de n'accepter que les sciences naturelles. Curieusement, ces mêmes nihilistes qui érigeaient en article de foi le statut qu'ils accordaient aux sciences n'étaient généralement pas des scientifiques, mais des critiques littéraires, des hommes de lettres, et c'est d'abord dans la revue *Sovremennik* (« le Contemporain ») qu'ils s'acharnèrent à définir cette conception de la culture accordant une primauté absolue aux sciences.

Trois hommes ont alors illustré le nihilisme : Tchernychevski, Dobrolioubov, Pissarev.

Ce dernier était né dans une famille de nobles ruinés. Son destin fut très particulier : considéré comme un enfant prodige, sachant manier très tôt plusieurs langues, capable de lire et écrire à quatre ans et se passionnant pour tout, questionnant sans cesse son entourage, souvent incapable d'apporter des réponses précises à ses curiosités, mais chez lui ces dons extrêmes se mêlaient, semble-t-il, à un certain degré d'étrangeté, voire d'anormalité. On en fit le diagnostic chez le jeune Dimitri que l'on enferma, selon une bonne tradition russe, avec les fous. Fou, il ne l'était pas le moins du monde, mais désespéré par un tel traitement, il fit deux tentatives de suicide, une tentative d'évasion, puis se décida à donner au monde les apparences de la santé, et, libéré, se voua à la critique littéraire. Ses écrits lui valurent d'être arrêté en 1864, condamné et incarcéré dans la forteresse Pierre-et-Paul, enfermement qui s'acheva en 1866. L'attentat de Karakozov entraîna l'interdiction de sa revue, *Russkoe Slovo* (« la Parole russe »), qui avait déjà souvent fait l'objet de mesures de suspension pour propagande révolutionnaire.

Pissarev [1] s'enthousiasma pour l'œuvre de Tourgueniev et reprit à son compte, en le théorisant, le thème du roman : il faut choisir entre ce qui est utile, « nourrir les affamés » – et il y en a beaucoup de par le monde – ou « s'enchanter des merveilles de l'art ». Mais l'homme ne peut, écrit-il, faire les deux à la fois. Et, au nom de cette impossibilité, Pissarev, l'immense critique littéraire, rejeta aux oubliettes de l'histoire les gloires des lettres russes, Pouchkine et Lermontov, coupables à ses yeux de s'être livrés à des activités inutiles. S'il avait connu Montherlant, il l'eût certainement parodié en concluant, à propos de ces poètes, « fusillés pour cause d'inutilité » ! C'est aussi au nom de l'utilité et de la destruction de tout ce qui est jugé inutile que l'intellectuel raffiné qu'était Pissarev avait

---

1. Pissarev Dimitri Ivanovitch (1840-1868). Parmi ses écrits : *Bazarov* et la *Destruction de l'esthétique*.

proposé à ses adeptes un programme radical : « Briser tout ce qui peut l'être. Tout ce qui supportera le choc peut rester, tout ce qui volera en éclats ne sera que vieilleries bonnes à jeter. Il faut frapper sans pitié à droite, à gauche, sans distinction, cela est indispensable. »

Les deux autres chefs de file du nihilisme, Tchernychevski comme Dobrolioubov, étaient fils de prêtre. Ils venaient aussi de provinces où l'esprit de liberté, et de contestation du pouvoir tsariste, avait toujours soufflé, et ce n'est pas un aspect indifférent. Tchernychevski était né à Saratov, en terre cosaque, là où des paysans épris de liberté avaient fui le seigneur, les impôts, les corvées et toute forme de service pour former des communautés d'hommes libres décidant quelle cause ils entendaient servir : celle des Tatars, du roi de Suède ou encore du souverain russe, au gré de leurs passions soudaines ou de leurs intérêts propres. Saratov était aussi une terre des vieux-croyants, ces schismatiques du XVIIᵉ siècle qui refusaient de prier pour le tsar, s'opposaient à l'État et affrontaient sans hésiter le martyre pour défendre la « vraie foi ». Les grandes révoltes paysannes, celles de Stenka Razine et de Pougatchev, avaient trouvé en terres cosaques, chez les Raskolniki [1], d'innombrables partisans qui se joignaient en foule aux cohortes s'en allant porter la plainte des miséreux jusqu'au tsar et tenter de se débarrasser de lui.

Né à Nijni Novgorod, Dobrolioubov avait lui aussi été nourri de religion dans son enfance, puis il fut envoyé au séminaire, et partout se trouvait confronté aux souvenirs du *Raskol*, si vivants autour de sa ville

---

1. De *raskol*, la rupture, le schisme.

natale. Son destin s'était confondu avec celui de Tchernychevski, mais il fut très bref, puisqu'en 1861, à l'âge de vingt-cinq ans, il mourut dans les bras de cet ami, miné par la tuberculose. Cependant, durant sa courte existence, il aura fortement contribué à donner essor aux idées nihilistes, notamment dans le supplément du *Sovremennik* qu'il avait créé. Son journal est surtout précieux pour comprendre la genèse du nihilisme. Berdaiev écrit de lui que cet enfant perdu qui ne croyait plus qu'au bonheur terrestre incarne le matin, la prime jeunesse du nihilisme, alors que celui de la maturité prendra le visage de Nicolas Tchernychevski.

Ce dernier vécut assez longtemps, même si le temps de liberté dont il disposa pour répandre ses idées fut trop bref pour qu'il devienne un acteur majeur du débat politique russe. Mais la répression qui s'abattit tôt sur lui et en fit pendant un quart de siècle un réprouvé lui conféra le statut du martyr, ce qui en fit un héros auquel se référait la jeunesse russe. Brillant, formé aux disciplines classiques et à celles qu'il tient pour utiles – l'histoire, les sciences naturelles, l'économie –, il s'est exprimé sur d'innombrables sujets, notamment ceux touchant à l'organisation de la société ou traçant les voies du progrès. Marx a été particulièrement attentif à ses travaux et a étudié le russe en partie pour pouvoir les lire. C'est dans le *Sovremennik* de Belinski, où il s'impose à partir de 1862, qu'il trouve une tribune où exposer ses vues et peut l'infléchir dans le sens de ses thèses.

Jusqu'en 1861, Tchernychevski avait partagé les idées de l'ensemble de l'intelligentsia sur la nécessité de la réforme paysanne, mais, sitôt qu'elle fut réalisée, il déclara qu'elle ne changeait pas réellement le sort des paysans ni le système politique russe, et il fit dès lors du *Sovremennik* sa revue, l'instrument d'une propagande radicale. Il lui donne le tour de pensée intolérant qui est le sien et celui de tous les nihilistes qui tiennent tout débat pour inutile et récusent toute idée différente des leurs. Cette intolérance le conduit à rompre progressivement avec les écrivains qui l'entourent, en premier lieu avec Tourgueniev et Tolstoï qui n'acceptent pas qu'au nom d'un projet politique, on rejette les lettres, les arts et tout ce qui constitue l'univers de la culture.

Tourgueniev a écrit à propos de Tchernychevski et de Dobrolioubov : « Ces messieurs sont les Robespierre des lettres. Ils n'hésiteraient pas une seconde à couper la tête du poète André Chénier. » Parlant des grands écrivains russes, si subtils, Tchernychevski disait qu'ils lui donnaient seulement « l'envie de dormir » par leurs « discours creux et inutiles ». Mais il critique avec autant de violence Herzen qu'il accuse de nourrir de vaines illusions sur les réformes, sur une prétendue mission salvatrice de la Russie, et il conclut ce réquisitoire par ces mots : « Seule la hache des paysans peut nous sauver. » Les articles de Tchernychevski, qui se feront toujours plus virulents, plus intolérants à propos de la Russie, mais qui traitent aussi beaucoup d'exemples étrangers (le Risorgimento en Italie l'inspire beaucoup) étaient suivis avec une grande attention, voire avec passion par l'opinion russe éclairée. Le tirage très important du *Sovremennik*, qui ne cesse de progresser dans les années 1860, témoigne de l'influence des idées qu'il porte. On le lit même à la Cour. Faut-il s'étonner si, en dépit des précautions que prenait l'auteur pour éviter les ciseaux du censeur, ses articles aient vite été jugés intolérables ? En 1862, il y a publié un véritable manifeste intitulé « Aux paysans des seigneurs, par ceux qui leur veulent du bien », expliquant que l'émancipation a été un leurre, et appelant les paysans bernés à s'unir en secret, à se joindre aux paysans de la Couronne et aux soldats pour préparer avec lui, Tchernychevski, qui leur servirait de guide, une révolte générale. C'en était trop : on l'arrêta, il fut d'abord enfermé à la forteresse Pierre-et-Paul, comme il se devait, et c'est de là que sortit en 1864 le livre qui va servir de bible à toute une génération, et inspirera plus tard Lénine : *Que faire ?*

Dans sa forme, c'était un roman qui, du point de vue littéraire, était assez médiocre. Mais, pour le fond, c'était une sorte de guide destiné à l'intelligentsia des années 1860, celle qui s'élevait contre les rêveries d'Oblomov et de ses semblables, et se croyait investie d'un rôle historique pour faire naître un monde nouveau. Le héros de *Que faire ?*, Rahmetov, ressemble au Bazarov de Tourgueniev, mais le dépasse, car il ne se contente pas de critiquer, il appelle la jeunesse à manier la hache et lui indique ce qu'elle doit être : inspirée de l'homme modèle qu'est Rahmetov.

La première question que pose l'auteur et à laquelle il répond est : comment doit vivre un nihiliste ? C'est un ascète ! Il ne possède rien, il n'a besoin de rien ni de personne. Il ne connaît pas de sentiments personnels. Il doit vivre de très peu, dans la rigueur, et doit préparer son corps à supporter toutes les épreuves possibles, les privations, l'enfermement, la torture. Car Rahmetov, présenté en modèle, se prépare par cette vie ascétique à la seule tâche digne d'un homme, le service du peuple – en clair, la révolution. L'auteur écrit sans détour que Rahmetov est cet « homme dont la Russie a besoin. Suivez son exemple, et si vous en avez la force, engagez-vous dans son chemin, car c'est le seul qui peut nous conduire au but que nous devons atteindre ».

Tchernychevski ne s'était pas contenté de poser la question décisive : *Que faire ?*, et d'y répondre ; il avait choisi de faire de sa propre vie un exemple pour ceux qu'il appelait à s'engager dans la voie qu'il traçait. À peine avait-il dans sa prison écrit *Que faire ?*, caté-chisme pour toute une génération, que le pouvoir le condamna à être exécuté « civilement ». Sinistre céré-monie, en plein cœur de la capitale, où, par un jour gris et sous une pluie battante, il se tint debout, tête nue, enchaîné sur l'échafaud, portant sur la poitrine l'écriteau où il était inscrit qu'il était un « criminel d'État » ; et il écouta ainsi la lecture de la sentence qui l'envoyait aux travaux forcés (la Katorga), en Sibérie. Mais il souriait tranquillement à la foule parmi laquelle se pressaient des jeunes gens qui vont porter à jamais dans leur cœur le souvenir horrifié de cette cérémonie barbare, et qu'émerveille le paisible courage du condamné. Jusqu'en 1870, Tchernychevski accom-plira sa peine en Sibérie, rencontrant d'autres condamnés, notamment ceux qui y furent envoyés après l'attentat de 1866 contre le tsar, discutant à l'in-fini avec eux de la révolution. Sa peine purgée, comme il était jugé particulièrement dangereux, il lui sera interdit de revenir dans la Russie d'Europe, et il en sera encore ainsi quand se sera achevé dans le sang le règne d'Alexandre II. Ce n'est qu'en 1883 qu'il put quitter le petit village yakoute où s'était prolongé par force son exil, pour s'installer à Astrahan, puis, en 1889, l'année même de sa mort, il put enfin regagner la ville de son enfance, Saratov. Ainsi s'achevait un exil d'un quart de siècle qui avait mis fin à ses activités révolutionnaires, mais pas à celles de l'écrivain, ni surtout à une influence qui pèsera lourd au XXᵉ siècle.

Mais les nihilistes n'étaient pas les seuls à occuper le paysage politique russe en ces années-là.

« *Pour le service du peuple* »

La jeunesse, elle, veut être utile, elle veut servir le peuple, elle exige qu'on parle du peuple et va suivre pour cela de nouveaux guides. Herzen l'a invitée en 1861 à « aller dans le peuple ». Piotr Lavrov va lui montrer comment réaliser ce programme.

Lavrov est la figure de proue du populisme qui – citons encore Berdaiev – est « une manifestation aussi spécifiquement russe que le nihilisme et l'anarchisme ». Fort justement, Berdaiev rattache à ce mouvement, à des titres et à des moments divers, les slavophiles, Herzen, Dostoïevski, Tolstoï et Bakounine. Parce que tous avaient en commun la foi dans le peuple russe, c'est-à-dire avant tout dans les paysans. Que tous se sont inquiétés de la distance existant entre ce peuple, ferment de la Russie, et l'intelligentsia dont la tâche historique était de conduire le peuple. Et qu'ils étaient en même temps conscients de n'être pas le peuple, de ne pas appartenir au peuple. Lavrov aura su théoriser ces contradictions et les conséquences que l'intelligentsia devait en tirer.

Piotr Lavrovitch Lavrov arrive relativement tard dans le combat idéologique en Russie. Mathématicien de formation, il enseigna sa discipline dans une école d'artillerie, puis se tourna vers la philosophie pour donner une base à sa réflexion politique, et participa dès le milieu des années 1850 aux débats sur les réformes au sein de divers cercles. Surveillé par la police, il fut arrêté après l'attentat de Karakozov, et, après neuf mois d'internement, on l'exila dans une province éloignée. C'est dans cet exil qui dure quatre ans, d'où il va s'évader pour se rendre à Paris, qu'il écrit ses *Lettres historiques*, lesquelles vont devenir la bible de l'intelligentsia populiste, ou encore, comme on l'a écrit, « l'évangile de la révolution ». Il s'y employait avant tout à combattre la pensée radicale et utilitariste de Pissarev et de ses amis nihilistes pour rendre une place aux valeurs de la culture, aux valeurs morales et à celles de la personne.

Sans doute le discours de Lavrov – comme celui de Mikhailovski, autre grande figure du populisme russe – distingua-t-il toujours entre les intérêts du peuple et sa capacité à les exprimer. L'aptitude à parler du peuple et de ses besoins, c'est l'intelligentsia seule qui la détient. Lavrov développe l'idée de la responsabilité des élites, de la dette contractée par elles à l'égard du peuple et de leur obligation de la payer, d'expier en se mettant au service du peuple. Le thème du repentir des élites est lui aussi un thème spécifiquement russe. Les élites, dit Lavrov, ne sont pas responsables individuellement, mais elles portent le poids d'une faute collective, sociale, celle des privilèges dont elles ont bénéficié – y compris le privilège de l'éducation acquis au détriment d'un peuple toujours humilié. Si l'intelligentsia ne prend pas conscience de cette dette, si elle ne l'expie pas, la Russie ne sera plus que la juxtaposition d'Oblomov et des révoltés de Bezdna[1].

---

1. Au lendemain de la réforme de 1861, l'une des plus dramatiques révoltes paysannes éclata dans le gouvernement de Kazan, à Bezdna, faisant de nombreux morts.

Cette opposition entre peuple et élite est d'autant plus forte dans l'esprit d'un Lavrov qu'elle repose sur une vision idéalisée du peuple. Les populistes s'inscrivent là dans la longue tradition de la pensée russe qui rejette le capitalisme et la bourgeoisie, et rêve d'une voie propre à la Russie qui lui éviterait ces deux particularités du développement social occidental qu'elle abhorre. Elle entend à l'opposé se reposer sur l'organisation spécifique de la vie paysanne, la communauté. Lavrov et Mikhailovski traduisent ces aspirations dans un mot d'ordre : « Aller au peuple. »

Réfugié à Paris, puis à Zurich où il s'entoure d'étudiants russes nombreux dans cette ville qui leur sera très hospitalière, Lavrov poursuit sa réflexion sur les devoirs de l'intelligentsia, la nature de son action, et essaie de la préparer à ce qui sera sa tâche. Au fil de ses écrits publiés dans la revue *V perëd* (« En avant ») et rassemblés en quatre volumes publiés à Zurich et à Londres, il apporte sa réponse à la question *Que faire ?* posée par Tchernychevski ; c'est « aller au peuple », se mêler à lui. Mais comment ?

Ici, la réponse de Lavrov et celle de l'intelligentsia qu'il appelle à l'action vont différer. La raison de cette contradiction est aisée à comprendre. Lavrov était en exil, il avait suivi avec passion, à Paris, la chute de l'Empire, la naissance de la Commune, réfléchi à partir de ces événements au processus révolutionnaire et à la place du peuple dans tous les types de révolution. Installé ensuite à Zurich, il y élaborait une conception plus générale, tout en s'efforçant de guider ses compatriotes restés en Russie. Mais, sur le terrain, le mouvement trouvait de nouveaux chefs de file qui entendaient l'organiser. Le plus remarquable fut peut-être Nikolaï Vassiliévitch Tchaïkovski, un tout jeune homme de vingt ans qui, à la tête du groupe que l'on appellera les *Tchaïkovtsy*, va, de 1871 à 1874, essayer de définir ce que signifie concrètement « aller vers le peuple ». Dans son entourage, on trouve Pierre Kropotkine, enfant de la noblesse, élevé au corps des pages par décision personnelle de Nicolas Ier, et qui, après avoir séjourné à Genève, fréquenté Bakounine et la section russe de l'Internationale, rentre en Russie où il est si séduit par Tchaïkovski qu'il se joint à son groupe. Mais, deux ans plus tard, il est arrêté et enfermé à la forteresse Pierre-et-Paul.

Le projet des Tchaïkovtsy était précis : ils voulaient « aller vers le peuple » par la propagande, en important des livres à la campagne afin de former intellectuellement et politiquement les paysans. Au départ, ces disciples de Lavrov pensent que la mission de l'intelligentsia n'est pas de se substituer à la paysannerie, mais de guider son évolution pour qu'elle puisse devenir responsable d'elle-même. Les Tchaïkovtsy apportent à la campagne le *Capital* de Marx, les *Lettres historiques* de Lavrov, les œuvres de Tchernychevski, ainsi que des romans de George Sand, « auteur-culte » de l'intelligentsia russe. C'est ce qu'ils appellent *Knijnoe delo* (« l'action par les livres »). Ils tentent d'en faire autant auprès des ouvriers des usines qui, bien souvent, au début des années 1870, sont des paysans qui n'ont pas pu ou su profiter de la réforme de 1861 et que la pauvreté a poussés vers la ville.

À côté des Tchaïkovtsy surgit un autre groupe venu de Sibérie, dirigé par Alexandre Vassiliévitch Dolgouchine, qui, dans son discours, mêle un fort patriotisme sibérien à la mission d'émancipation du peuple. Plus révolutionnaires que les Tchaïkovtsy dont ils ridiculisent volontiers l'attachement à une

tâche éducative, les partisans de Dolgouchine prétendent appeler d'emblée les paysans à la révolte. Leur
discours est en réalité inspiré du communisme et ne
fait aucune place aux réformes ou à une évolution gra-
duelle du statut économique de la paysannerie. L'influence de ces extrémistes fut faible, car leurs
publications de propagande étaient, pour les paysans,
difficiles à lire et plus encore à comprendre. Au reste,
la police mit fin à leurs activités dès 1873. Déférés
devant la justice, ils furent tous condamnés à de
lourdes peines.

Si l'on évoque ici ces groupes, c'est parce que le
mot d'ordre de Lavrov fut entendu de diverses
manières. Pour lui, il impliquait que ceux qui iraient
dans les campagnes devraient s'y être préparés et être
aptes à exercer auprès des paysans un métier utile pour
eux, tel qu'instituteurs, infirmières, etc., afin d'être
acceptés et entendus d'eux. Il ne fallait en aucun cas,
disait-il, perpétuer l'éternelle coupure entre paysans et
intelligents venus du dehors apporter la vérité mais qui
resteraient « à côté » des paysans au lieu d'être intégrés
parmi eux.

Certains membres de l'intelligentsia que l'on
retrouvera plus loin dans d'autres rôles, telle Sophie
Perovskaïa, voulaient, en mettant l'accent sur les
études universitaires, se préparer à l'action future, ainsi
que le préconisait Lavrov. Mais il s'en trouvait d'autres
pour se précipiter chez les paysans afin de s'y livrer à
de la propagande révolutionnaire.

Cependant, les paroles de Lavrov et les groupes parfois agités de ses disciples servirent d'exemples et incitèrent des jeunes gens, par milliers, à « aller au
peuple ». Ce fut un mouvement spontané, remarquable de générosité, qui, à l'été 1874, précipita dans

les campagnes des étudiants qui n'avaient d'autre programme que celui de dire au peuple leur sentiment de
culpabilité et leur fraternité. S'ils se « mettaient au service des paysans », tout se faisait dans un joyeux
désordre, sans qu'on sache quelles tâches ils devraient
assumer. Ils se contentaient de dire aux paysans qu'ils
renonçaient à tous leurs privilèges, qu'ils venaient
payer leur dette. La « nuit russe du 4 Août » dont
avaient tant rêvé de nombreux libéraux au début des
années 1860 eut lieu en réalité en cet été 1874 qui fut
l'été de la jeunesse étudiante.

Mais ce fut aussi l'été du sacrifice tel que ces jeunes
idéalistes ne l'avaient nullement imaginé. Les paysans
russes ne comprirent rien à cette démarche rous-
seauiste. Ils y virent un caprice de jeunes nobles. Ils
comprirent d'autant moins l'élan magnifique qui
poussait vers eux une jeunesse favorisée que cet exode
vers le peuple revêtit le plus souvent un caractère fan-
tasque. Sans doute les groupes populistes tentaient-ils
de diriger le mouvement, de suggérer des directions
– par exemple, aller sur les pas de Stenka Razine et de
Pougatchev sur les terres du *Raskol* – et de rassembler
autour de quelques villages ou bourgs la cohorte étudiante. Mais, dans leur grande majorité, les jeunes
populistes n'écoutèrent aucune directive. Ils se rendaient à leur guise, seuls ou avec quelques amis, dans
des villages, vêtus comme des moujiks, se proposant
aux paysans rencontrés pour travailler à leurs côtés.
Mais ils suivaient aussi l'enseignement reçu, qui leur
commandait de parler « vrai » aux paysans sur leurs
conditions d'existence et sur l'avenir. Ils leur disaient
que « la terre devait devenir bien commun »,
marquant par là leur peu d'expérience des aspirations
paysannes à la possession privée de la terre et à la propriété en général.

Une fois encore, et malgré cet élan fou, l'intelligentsia fut *à côté*, et non *avec* les paysans. Averti de cet exode d'étudiants et des propos révolutionnaires que tenaient ces étranges prédicateurs, le gouvernement n'eut aucun mal à y mettre fin. Les paysans stupéfaits les laissaient arrêter, ou encore, pensant qu'il s'agissait de provocateurs, alertaient parfois d'eux-mêmes les gendarmes. Ceux-ci se répandirent dans les villages, opérèrent des arrestations par centaines, par milliers, et déférèrent les étudiants à la justice. L'ampleur du mouvement explique la rapidité de la répression. Il était revenu aux autorités que c'était à un soulèvement paysan qu'en appelaient les adeptes du populisme. Même si nulle part ces appels à la révolte ne furent suivis, le gouvernement ne pouvait laisser faire.

Le rapport Pahlen[1] fournit un bilan de la répression : 770 arrestations, dont 612 jeunes gens et 158 jeunes filles. Sur la masse de ceux qui ont été appréhendés, 265 jeunes étudiants seront gardés en prison, les autres étant libérés sous caution. Cinquante-trois jeunes gens échappèrent à toutes les recherches. Ces arrestations, et plus encore l'indifférence des paysans au mouvement, signèrent l'échec de ce type d'activité. Mais son abandon pour d'autres modes d'action va au-delà de l'insuccès de l'été 1874. Il s'agit là d'un choix stratégique où Lavrov avait toujours été débordé par Bakounine et Tkatchev, qui appelaient, le premier, à l'action immédiate plutôt qu'à une éducation des paysans, le second, à la prise de pouvoir.

---

1. Le comte Constantin Pahlen fut ministre de la Justice de 1868 à 1878. Il élabora un rapport complet sur l'état de l'Empire.

L'été 1874 marqua la fin de l'influence des idées de Lavrov. Certes, il avait aussi imaginé que l'action pût conduire à s'emparer du pouvoir, mais il considérait qu'une simple révolution politique ne suffirait pas à changer la société ; or, pour lui, c'était là l'essentiel. Mais on ne l'écoutait plus.

Les chevaliers du « Drapeau noir »

Déjà, bien avant que ne commence cet été fantastique, d'autres voix faisaient entendre des discours bien différents, plus radicaux : c'étaient les voix des anarchistes, autre courant fort des années 1860 qui, contrairement au populisme et au nihilisme, n'était pas spécifiquement russe, mais déjà largement répandu en Europe, même si sa manifestation en Russie y revêtit des traits spécifiques.

On a déjà évoqué ici Bakounine, mais c'était le Bakounine de la première période, quand il s'intéressait encore au *zemskii sobor* et aux réformes libérales. Dans la seconde période du mouvement, alors qu'il est en conflit avec l'Internationale et avec Marx, il imagine de créer une Internationale anarchiste et considère le problème russe à l'intérieur d'un ensemble de pays européens du même type, où, pense-t-il, pourrait s'instaurer un socialisme paysan. À Lavrov qui veut éduquer le peuple, Bakounine oppose que la seule voie à suivre est celle par laquelle les révolutionnaires poussent le peuple à s'insurger.

Il veut faire partager ces idées aux jeunes étudiants qu'il rassemble autour de lui à Zurich dans les années 1872-1874. Il dispose alors d'une imprimerie, d'une association, la Fraternité russe, et publie *Étatisme et*

Anarchie. Il répète sans fin à ses jeunes auditeurs, rescapés de diverses répressions ou bien simples étudiants désireux de se tenir à distance d'un pouvoir autoritaire, qu'il faut une révolution sociale, ainsi qu'une organisation capable de la susciter et de la guider. Il critique Lavrov et son projet éducatif, et convainc de ses idées bien des jeunes gens qui, à l'été 1874, tenteront de les mettre en pratique dans les campagnes où ils iront aussi se « joindre au peuple », l'effrayant souvent par leur conception radicale de l'avenir, mais aussi par l'athéisme dont Bakounine s'est fait le propagateur. Pour le paysan russe, profondément religieux, un monde sans Dieu est impensable, inacceptable.

Si l'influence intellectuelle de Bakounine se révélera profonde, son influence sur l'action en Russie le sera infiniment moins. La raison première en est – cela vaut aussi pour Lavrov – que la parole venue des lieux d'exil est bien peu propre à diriger les actes.

Le Démon

Sur le terrain, c'est le terrible personnage de Netchaev qui, en ces années troublées, sera le messager de Bakounine, mais il ira bien au-delà du propos de son maître par la manière dont il définit les règles de vie et d'action du révolutionnaire.

Sergueï Guenadevitch Netchaev est très différent de la plupart des membres de l'intelligentsia parmi lesquels il aura joué un rôle décisif à la fin des années 1860. C'est un enfant du peuple, né d'une mère serve, qui ne reçut qu'une éducation chaotique, même s'il manifesta très tôt un goût immodéré pour la lecture et lut tout ce qui touchait aux idées et à l'histoire révolutionnaires. Il tenta de se présenter à des examens pour devenir instituteur, échoua, fréquenta en auditeur libre l'université de Moscou où il participait à des cercles d'étudiants très agités au moment de l'attentat de Karakozov. Après l'attentat, la répression et la surveillance policière permanente poussèrent ces cercles dans la clandestinité. Netchaev se lie alors avec Tkatchev au sein d'un comité clandestin dont le but est de rassembler des étudiants et de les préparer à l'action révolutionnaire.

À la fin des années 1860, comme tous les populistes, Netchaev a les yeux fixés sur la date fatidique du 19 février 1870 marquant le moment où, neuf ans tout juste après la réforme, les paysans ont une seconde possibilité de choix. Pour lui, c'est l'heure où la conscience paysanne devrait se réveiller. Mais, contrairement aux populistes, il est déjà convaincu que la paysannerie laissée à elle-même ne peut rien, que seule l'organisation du mouvement révolutionnaire – une organisation rigoureuse et professionnelle – pourra transformer la révolte des paysans en une action décisive, propre à changer définitivement l'ordre politique et social.

Fort de ses convictions, des liens qu'il a tissés à Moscou, Netchaev se rendit en Suisse, où se trouvait Bakounine, pour rattacher son mouvement à l'organisation anarchiste. Bakounine et Ogarëv avaient eux aussi appelé depuis des années les étudiants à l'action. Netchaev se présenta à eux comme celui qui avait réussi à donner vie sur le terrain à leurs idées, à les inscrire dans la réalité. Dès le début de leur rencontre, on peut entrevoir, malgré l'enthousiasme que manifestent d'abord les deux amis, toute la tragédie qui suivra et dont Bakounine eut d'emblée l'intuition. En avril 1865, il écrivit à propos de Netchaev dont il venait de faire la connaissance : « J'ai ici, près de moi, un de ces jeunes fanatiques qui ne connaît pas le doute, qui n'a peur de rien, qui sait que beaucoup d'entre eux périront des mains du pouvoir, mais qui, néanmoins, est décidé à lutter sans relâche jusqu'à ce que le peuple se lève. Ils sont magnifiques, ces jeunes fanatiques : des croyants sans Dieu et des héros sans phrases. »

La collaboration qui se noue entre Bakounine et Netchaev dans cette première phase de leur relation aboutit à l'ouvrage célèbre qui stupéfia les contemporains et reste encore ahurissant par ses thèses : le *Catéchisme révolutionnaire*, attribué tantôt aux deux, tantôt à l'un des deux. Ce n'est pas le lieu ici de débattre de la paternité réelle de ce *Catéchisme*, qui reste encore incertaine. On peut retenir en tout cas l'hypothèse de Michel Confino pour qui ce texte avait été discuté à Moscou par Netchaev et ses amis avant son premier voyage en Suisse en 1869, et fut ensuite retravaillé avec Bakounine. L'essentiel en est le contenu.

Ce texte est à la fois un manuel de pratique révolutionnaire prônant une organisation conspiratoriale très compartimentée et hiérarchisée, formée de petites cellules de cinq ou six personnes soumises à des sections réunies en réseau (articles 1 à 3 des principes généraux) ; mais il est aussi un guide de la morale et du comportement du révolutionnaire, ce qui est, pour la suite du phénomène Netchaev, l'essentiel. Le révolutionnaire est défini comme « un homme dédié [à la cause], qui n'a ni intérêts propres, ni affaires personnelles, ni sentiments, ni attachements, ni biens et pas même un nom. Tout en lui est absorbé par un seul

intérêt, une seule pensée, une seule passion : la révolution », et, « dur envers lui-même, il doit l'être envers
les autres... Nuit et jour il ne doit poursuivre qu'une
seule pensée, qu'un seul but : la destruction sans
merci. En poursuivant ce but de sang-froid et inlassa-
blement, il doit être prêt à mourir et à détruire de ses
propres mains tous ceux qui se dressent sur le chemin
de ses projets ».

Le *Catéchisme* définit aussi les rapports avec les
révolutionnaires et avec la société. Plus important que
tout est le portrait du révolutionnaire qu'il dresse.
Cette ascèse de la révolution, cette attitude implacable
qui prépare le révolutionnaire à se sacrifier pour sa
cause, mais aussi à y sacrifier autrui, l'ennemi, le
peuple, voire le compagnon défaillant, épouvantera
d'autant plus ses contemporains que Netchaev l'appli-
quera dès son retour en Russie à l'un des siens, l'étudiant Ivanov, qu'il assassinera le 21 novembre 1869
avec trois camarades sous le fallacieux prétexte d'une
possible trahison.

Ce meurtre sera conduit dans le cadre de l'organisation secrète fondée en 1869 par Netchaev, la *Narodnaia rasprava* (« Justice populaire »), ou encore la
Hache, du nom de son sinistre symbole. La société
secrète disposait d'une publication et était organisée
selon les principes du *Catéchisme révolutionnaire* :
cellules de cinq membres, sections et comité central.
Une discipline de fer, le secret, les ordres diffusés du
haut vers le bas : c'est ainsi que Netchaev entendait
conduire le peuple à la révolution. Lénine aura beaucoup appris de ce fanatique pour qui « est moral tout
ce qui sert la révolution, immoral et criminel tout ce
qui se dresse sur son chemin ». « Le révolutionnaire ne
peut vivre dans le monde de l'État, de la classe et de la

soi-disant culture que parce qu'il croit à sa destruction rapide et totale. »

Le *Catéchisme révolutionnaire* est riche d'indications sur les moyens de pervertir les organes du pouvoir, d'instrumentaliser les souffrances de la société, d'utiliser les individus, et sur les moyens les plus abominables destinés à servir la cause.

Malgré ce commun effort, Netchaev ne fut pas longtemps le « magnifique fanatique » qu'avait découvert Bakounine en 1869. Après le meurtre d'Ivanov, il avait fui à l'étranger tandis que nombre de ses disciples étaient arrêtés. Mais la nouvelle de ce meurtre, de même que sa mégalomanie – nul ne savait jamais ce qui était vrai de ses exploits, tant il multipliait les histoires fantastiques d'arrestations et d'évasions –, sa volonté d'imposer sa vision extrémiste de la révolution et sa conception du révolutionnaire exaspérèrent Bakounine. Dans une très longue lettre qu'il lui adresse le 2 juin 1870, celui-ci lui dit les espoirs qu'il avait mis en lui – « de tous les Russes que je connais, je considère que vous êtes le plus capable de mener à bien cette entreprise » –, mais, ajoute-t-il, « vous ne connaissez rien aux conditions sociales, aux coutumes, à la morale, aux idées et aux sentiments ordinaires de ce que l'on appelle le monde éduqué ». Et déjà Bakounine conclut que son ignorance, combinée à un fanatisme qui confine au mysticisme, « le voue à l'échec ».

Plus tard, Bakounine condamnera aussi son caractère et tout son comportement : « La haine ne crée rien, pas même le pouvoir nécessaire à la destruction. Elle ne détruit rien. » Et, quelques jours plus tard, le 10 juin, il écrit encore à ses amis : « Netchaev doit cesser de se voir en Louis XIV disant l'État [la révolution] c'est moi... Sa dictature aura des conséquences désastreuses en Russie et à l'étranger. »

Rejeté par Bakounine et les siens qui dénoncent son jésuitisme, son machiavélisme, son recours à des moyens d'action tels que le chantage, l'extorsion de fonds, l'espionnage, la délation, la malhonnêteté, le mensonge permanent, et qui lui reprochent aussi d'avoir voulu s'approprier le *Kolokol* de Herzen pour diffuser ses propres idées, Netchaev passera un an et demi à Londres, fuira ensuite à Paris, puis en Suisse où la police le livrera à la police du tsar en août 1872. Ainsi s'acheva cette vie si effrayante. Enfermé à la forteresse Pierre-et-Paul dont, malgré de nombreuses tentatives d'évasion, il ne réussit jamais à s'échapper, il y mourra dix ans plus tard sous le règne d'un autre tsar que celui qu'il recommandait d'assassiner.

Si l'on s'est attardé ici sur ce sombre personnage, c'est que, dans les profondeurs de la Russie troublée du règne d'Alexandre II que les réformes transformaient si rapidement, subsiste une autre Russie faite de violences, d'excès, de fanatisme, où l'esprit extrémiste qui animait les vieux-croyants (mais, dans leur cas, le fanatisme leur fit accepter leur propre mort, et non pas organiser celle du prochain), la mémoire des impitoyables chefs de jacqueries qu'avaient été Stenka Razine, Pougatchev et quelques émules, c'est cette Russie-là qui trouve une forme intellectuelle et politique dans la pensée de Netchaev.

Il n'est pas indifférent de constater qu'il aura inspiré Dostoïevski, son contraire, qui brossa son portrait dans *Les Démons*[1] sous les traits de Verkhovenski, un

---

1. *Bessy*, au singulier *Bes* (diable, démon) se traduit plutôt par *Démons*. Mais les *Possédés*, traduction plus usuelle, est aussi acceptable.

organisateur du meurtre de Chatov, copie conforme de celui de l'étudiant Ivanov. Ce que décrit Dostoïevski avec épouvante, ce n'est pas l'idéal révolutionnaire, c'est une révolution qui se ferait sans Dieu. C'est le socialisme athée qui le révulse, non l'idée du socialisme. Et son ouvrage est celui d'un visionnaire, car ce qu'il voit, ce qu'il dénonce, ce sont les traits futurs de la révolution en Russie. Chigaliov, l'un des démons, ne promet-il pas « le paradis sur terre, car aucun autre ne peut exister en ce monde » ? Mais, pour l'atteindre, il faut d'abord éliminer les neuf dixièmes de l'humanité.

L'intérêt porté par Dostoïevski à Netchaev et à sa personnalité criminelle renvoie au demeurant à un autre de ses livres, *Crime et châtiment*, qui contribue aussi au débat qui agite la Russie dans les années 1860 et traite de l'homme face à l'histoire, de la morale, du destin humain. Revenu de la « Maison des morts », Dostoïevski écrit, et l'un des livres de cette période si créative est précisément celui-là. Son héros, l'étudiant Raskolnikov, s'interroge, comme toute la jeunesse estudiantine, sur les moyens de faire le bonheur de ses semblables : peut-on tuer au nom de ses convictions, de son idéal ? Où se situe la frontière morale ?

Le père spirituel de Lénine

À ces questions, le plus proche théoricien et inspirateur de Lénine, Tkatchev, a apporté au début des années 1870 des réponses qui témoignent de la radicalisation continue de la pensée russe.

Comme un grand nombre de penseurs révolutionnaires, Piotr Tkatchev est né dans une famille de la

petite noblesse de province, mais a fait ses études
secondaires dans la capitale, ce qui le met très tôt au
contact de la vie politique. En 1861, il est admis à
l'université de Saint-Pétersbourg, et comme c'est l'année des troubles, il prend naturellement part à toutes
les manifestations et grèves d'étudiants, et se retrouve
dès l'automne incarcéré pour deux mois. À peine
libéré, il rejoint les cercles clandestins qui se sont
formés alors, et, durant plusieurs années, sa vie sera
un perpétuel aller et retour : prison, puis liberté, puis
nouveau séjour dans une forteresse. Ces années qui
vont de la grande grève étudiante de 1861 à l'attentat
de Karakozov et à la répression lui sont un temps d'apprentissage révolutionnaire. Il acquiert alors une triple
expérience : agitation, répression et clandestinité.

Radical par tempérament, il n'est pas étonnant qu'il
se soit rapproché, en 1869, du plus extrémiste des agitateurs, Netchaev, dont le prestige n'est pas encore
altéré par le meurtre de son camarade. Si Netchaev
l'attire, c'est qu'il trouve chez lui cette obsession de la
conspiration qui nourrit déjà sa propre réflexion sur
les moyens d'accomplir une révolution. Mais, la même
année, il est une fois encore arrêté, jugé comme
membre de l'organisation de Netchaev, condamné à
l'emprisonnement d'abord, puis à l'exil en Sibérie. En
1873, comme tant d'autres – alors que la surveillance
policière est en principe rigoureuse –, il réussit à fuir
à l'étranger.

Mais, durant la période assez longue – presque cinq
années – où il est emprisonné puis exilé, il a peu de
contacts avec le mouvement qui se développe en
Russie. Tandis que la jeunesse étudiante se prépare à
« aller au peuple », sa réflexion solitaire se développe
dans une tout autre direction : celle de l'organisation

qu'il convient de mettre sur pied pour réussir une révolution, autrement dit celle de la conspiration. Il se trouve donc très éloigné des idées alors en vogue dans les universités, et de l'esprit qui pousse les jeunes enthousiastes dans les campagnes. Cela explique que son influence sur le cours des événements russes à cette époque soit faible : il n'est pas un guide pour la jeunesse. En revanche, son influence à venir sur le mouvement révolutionnaire du XXe siècle est inscrite dans la pensée qu'il élabore.

En Suisse, il est accueilli par Lavrov, il écrit dans sa revue, *Vperëd*, mais, rapidement, leurs relations se dégradent. Ils sont le contraire l'un de l'autre. Lavrov croit au peuple, à la nécessité de l'éduquer. Par opposition à lui, Tkatchev publie *Les Tâches de la propagande révolutionnaire en Russie*, et s'efforce de gagner Bakounine à ses vues. Mais il lui rappelle trop Netchaev, même si, par sa personnalité, il n'a rien en commun avec ce dernier : ni la malhonnêteté, ni la mégalomanie, ni la volonté démesurée de puissance. Mais il comprend vite que ses idées ne sont pas acceptables pour *Vperëd*. En 1875, il s'allie à quelques émigrés russes et polonais pour fonder son propre journal, *Nabat* (« le Tocsin »), ouvert à toutes les idées extrêmes.

Au fil d'innombrables articles écrits en Russie et en Suisse, Tkatchev a passé au crible d'une pensée critique les thèses et les expériences des populistes, des anarchistes, constaté leurs échecs et réfléchi à ce qui pouvait en être retenu. Il est d'accord avec les populistes lorsqu'ils disent que la chance de la Russie est de ne pas avoir de bourgeoisie. Dans une lettre adressée à Engels, il souligne que la Russie ne peut faire la révolution en suivant les principes développés par

Marx. Elle ne peut et ne doit pas attendre un développement capitaliste, elle n'a nul besoin de bourgeoisie ni d'institutions politiques plus modernes. C'est la spécificité du développement russe, son retard social qui constituent ses chances révolutionnaires.

Mais, à la différence des populistes, il ne croit pas aux vertus révolutionnaires du peuple ni à son esprit inné de révolte. Sans doute, écrit-il, la révolution ne peut se faire sans le peuple, et, en Russie, dans les conditions particulières de ce pays, le peuple est socialiste d'instinct. Mais il doit être encadré, guidé, dirigé pour acquérir la maturité et la conscience historique qui lui font défaut. S'il donne ainsi tort aux populistes qui parient sur la paysannerie, il n'en donne pas moins tort à Bakounine pour son refus de l'État. Contre ce dernier, Tkatchev prône le remplacement des structures de l'État existant par des institutions révolutionnaires organisées. Il craint par-dessus tout qu'à détruire le cadre de vie de la société, en détruisant l'État, on ne donne libre cours à l'initiative des masses qui, n'ayant pas la conscience innée du moment historique qu'elles vivent, vont noyer l'élan révolutionnaire dans un désordre spontané. Tkatchev introduit déjà dans la pensée socialiste une idée que Lénine reprendra à son compte : l'idée, si importante, de la domination de la minorité sur la majorité. Il rompt ainsi avec toute la pensée russe des années 1850-1870 et lui oppose ce que l'on peut qualifier de jacobinisme.

Bien qu'il soit un lecteur attentif de Marx, qu'il s'emploie à faire connaître à ses compatriotes, il s'écarte ainsi en partie de lui. Il reconnaît, comme l'a fait Marx, que la Russie a des potentialités révolutionnaires, mais il considère qu'elles dépendent de conditions spécifiques. Et il s'éloigne de Marx en disant que la révolution est avant tout une prise de pouvoir, et repose sur l'aptitude d'une minorité à le conserver, ce dont les masses, elles, sont incapables. Il est le premier des penseurs révolutionnaires à mettre la conquête du pouvoir au cœur du processus de transformation sociale, au lieu de l'accepter comme produit de cette transformation.

Il est aussi le premier à proposer une méthode et des techniques pour conquérir le pouvoir, l'organiser et le garder. Pour prendre le pouvoir, dit-il, il faut le désorganiser, et la terreur en est le moyen. Il faut aussi préparer le peuple à servir la minorité agissante, et, pour cela, il faut éduquer les masses en usant de tous les outils imaginables de propagation des idées révolutionnaires. Peu de révolutionnaires avant lui se sont occupés de la question du pouvoir : Tkatchev est à cet égard un précurseur et un théoricien remarquables. Il a critiqué avec violence les mouvements populistes *Zemlia i Volia* (Terre et Liberté) et *Tchernyi peredel* (Partage noir), parce qu'ils se désintéressaient de la lutte politique. Il a aussi critiqué fortement l'anarchisme de Bakounine, car, pour lui, la révolution et l'après-révolution doivent être pensées en termes d'organisation et même de gouvernement. Après la révolution, la minorité doit, pour Tkatchev, se transformer en gouvernement. La dictature de Robespierre était déjà, selon lui, un modèle de transition pour la période précédant l'organisation de la société postrévolutionnaire. Et il défendait l'« Incorruptible » avec vivacité : « Qu'est-ce qui vous donne le droit de penser que la minorité – totalement dévouée aux intérêts du peuple – va se transformer brusquement en tyran lorsqu'elle prendra le pouvoir dans ses mains... ? Lisez les biographies, et vous vous convaincrez du contraire.

Robespierre, membre de la Convention, maître tout-puissant des destinées de la France, et Robespierre, avocat inconnu de province, ne sont qu'une seule et même personne. Le pouvoir n'a pas changé son caractère moral ni ses idéaux et ses tendances... »

Malgré ce plaidoyer, Tkatchev effrayait les siens tout comme Netchaev les avait effrayés. Parce qu'il était émigré, il pesait peu en Russie où le jacobinisme n'avait guère d'écho ; et, en Europe, bien que l'Internationale eût pu lui offrir une audience, il ne trouve sa place dans aucun des deux courants qui la dominent, le marxisme et l'anarchisme. Il échouera enfin à créer sa propre organisation politique. *La Société pour la libération du peuple*, qu'il fonde à la fin des années 1870, n'arrive pas à s'enraciner en Russie ; son journal, le *Nabat*, qu'il a voulu transférer dans son pays, disparaît, et ces deux échecs annoncent à la fois la fin de son existence et de ses entreprises. Il meurt âgé de quarante et un ans dans un asile d'aliénés. Cette fin sinistre – mais l'asile d'aliénés tient une grande place dans l'histoire de l'intelligentsia russe, et y finir ses jours n'a rien d'infamant – ne pouvait laisser augurer de la fortune future de ses idées : n'avait-il pas écrit à Engels que le « peuple russe était communiste par instinct et par tradition » ? Mais il disait aussi que, pour que la révolution triomphât, « il fallait couper la tête à tout sujet de l'Empire russe de plus de vingt-cinq ans ». Ces judicieux conseils ne furent pas perdus pour tout le monde...

Avec Tkatchev, premier théoricien russe de la révolution, un cycle s'achève, celui où domine une pensée révolutionnaire pour l'essentiel encore spéculative. Dans les années qui suivent, le marxisme va insérer la réflexion russe dans le grand courant occidental auquel l'Internationale sert de cadre. Pour ceux qui, en Russie, rêvent de changer la société et l'ordre politique, les années 1880 vont être marquées par le rejet de la spécificité russe, donc par une rupture avec tout ce qui, au cours des deux décennies précédentes, fut pensé et tenté pour réconcilier l'avenir et la tradition russes.

Mais, avant que ne s'accomplisse cette rupture, l'intelligentsia russe va encore faire une ultime tentative pour atteindre son but par l'ébranlement organisé du système politique. Les « Pougatchev des universités » vont alors se muer en terroristes au sein de deux organisations terroristes révolutionnaires successives, Terre et Liberté *(Zemlia i Volia)* et Liberté du peuple *(Narodnaia Volia).*

CHAPITRE XII

La mort aux trousses

Sur la voie du terrorisme

En 1875, la Russie semble à bien des égards proche d'une révolution. Sans doute la marche vers le peuple des populistes *(narodniki)* a-t-elle été décevante, mais cette déception les incite à réfléchir à d'autres moyens d'action. Par ailleurs, la société russe n'est plus semblable à ce qu'elle était dans les années 1860 : à la paysannerie, jusqu'alors principale force sociale, s'ajoute une masse ouvrière qui croît rapidement. Le développement du réseau ferroviaire engagé dès 1855 a encouragé le développement industriel. Si la métallurgie tarde à grandir, le textile, diverses industries légères témoignent que l'esprit d'entreprise existe bel et bien en Russie. En 1861, nombre d'ouvriers issus de la campagne avaient été tentés d'y retourner : qui sait si l'on n'allait pas « partager la terre » selon le vieux rêve russe ? Mais, cette illusion vite envolée, ils reviennent à la ville, suivis d'autres paysans déçus des conditions d'allocation des terres prévues par la réforme. Cette masse ouvrière, concentrée dans quelques villes, n'est pas encore une classe consciente d'elle-même, mais elle forme un ensemble de mécontents prêts à répondre à tout appel qui prendrait en compte leurs frustrations.

Au milieu des années 1870, on compte déjà près d'un million d'ouvriers dans le pays. Et ils ont appris à manifester. Les grèves se déclenchent – la première du genre dans une usine textile de la capitale a lieu en 1870 – surtout pour des raisons salariales. Elles restent certes limitées par leur nombre et par une faible participation. Mais le pouvoir commence à s'en inquiéter, d'autant plus qu'il entrevoit une continuité entre la mentalité villageoise, celle du *mir*, et celle des ouvriers issus du village, qui rêvent d'égalité et réagissent au mot de socialisme.

Les populistes ont tôt fait de comprendre qu'en ville aussi, un champ d'action s'offre à eux. Et ils s'y livrent à la propagande dans l'intention d'éduquer les ouvriers et de les ouvrir à l'idée de participer un jour à un grand mouvement. Petits cercles de discussion, cours à l'intention des travailleurs, bibliothèques ambulantes : tout l'arsenal de l'éducation populaire est alors mis en branle. La faiblesse des populistes dans ce travail éducatif en milieu ouvrier tient à ce que leurs effectifs ne suffisent pas à répondre à la fois aux besoins de la campagne et à ceux de la ville. Ils sont de surcroît toujours convaincus que le paysan est spontanément insurgé et qu'il est la principale chance des révolutions, et, du coup, ceux qui font de la propagande sont avant tout tentés de la faire auprès d'eux. Malgré tout, leur activité auprès des ouvriers ne cessera pas, mais s'étendra au personnel des chemins de fer. Des étudiants viennent s'associer à ce mouvement qui, parti de Saint-Pétersbourg, gagne les fabriques de Moscou et des petites villes industrielles environnantes, mais a aussi pour centre Odessa où s'est formée une éphémère *Union ouvrière de la Russie méridionale*.

Cette éducation de la classe ouvrière va produire des effets spectaculaires. En 1876, un étudiant étant mort durant son incarcération à la forteresse Pierre-et-Paul, l'idée d'utiliser son nom et son souvenir comme drapeau surgit vite. Elle donne lieu, le 3 mars, à une manifestation rassemblant des étudiants décidés à saluer la mémoire d'un des leurs. Mais les ouvriers, dûment chapitrés par ceux qui leur insufflaient les idées socialistes, décidèrent plus tard qu'ils devaient eux aussi rendre hommage à ce jeune martyr de la cause commune. Et le 6 décembre, une foule hétéroclite formée d'ouvriers, mais pas en nombre considérable, d'étudiants, d'intellectuels de toutes origines, envahit la place située devant Notre-Dame de Kazan. Ce n'était certes pas la grande manifestation ouvrière projetée, mais, telle qu'elle était, elle suffit à mettre en rage les autorités. Le déploiement du drapeau rouge sur lequel étaient inscrits les mots *Terre et Liberté*, l'appel de Plekhanov à la révolution sociale provoquèrent une répression violente. Tous ceux qui furent pris – mais nombre de manifestants avaient réussi à fuir – furent condamnés à de lourdes peines. Pour le pouvoir, cette manifestation, pour modeste qu'elle eût été, signalait qu'un accord commençait à se faire jour entre intelligentsia et ouvriers, et que la propagande populiste mobilisait le peuple de la ville comme celui de la campagne. Pour les populistes, déçus par la « grande descente » vers les campagnes, le signal n'était pas moins clair : il ne fallait pas désespérer du peuple, mais changer de méthodes et peut-être aussi d'objectifs.

Au nombre des changements qui s'imposent alors à l'attention, celui de l'opinion produit par la crise balkanique compte aussi. Une sorte d'union sacrée soude les Russes autour de la volonté d'aller « secourir les frères slaves ». Mais cette crise, qui rapproche un moment la société du gouvernement, a pour ce dernier un revers. Les libéraux, slavophiles, qui participent donc à l'élan de solidarité avec les frères slaves, en tirent parti pour inviter le gouvernement à doter immédiatement la Russie des réformes politiques qu'il exige du pouvoir ottoman en faveur des chrétiens. Et comme Alexandre II, l'esprit tout aux Balkans, n'entend rien de cet appel, l'intelligentsia saisit la balle au bond et déploie un gros effort de propagande sur ce thème. Elle est d'autant plus à l'aise qu'en 1875, avant qu'aient surgi de nouvelles manifestations comme celle de la place Notre-Dame de Kazan, le gouvernement russe, fort des arrestations si nombreuses qui ont frappé les « pèlerins » de l'été 1874, pense avoir jugulé les oppositions en s'étant débarrassé des agitateurs.

Les événements lui donneront rapidement tort. Et ce, d'autant plus que, passé le temps de l'enthousiasme pour les frères slaves, le peuple russe constate les difficultés où s'enlisent les troupes, une certaine impréparation qui rappelle fâcheusement la guerre de Crimée, et la paix manquée à Berlin. Une fois encore, même si la politique étrangère d'Alexandre II renforce en définitive la Russie, les apparences suggèrent le contraire, ce qui donne à l'intelligentsia du courage et de nouveaux arguments. Reprendre la lutte, telle est la conclusion qui s'impose à elle ; mais comment ?

Une organisation : Terre et Liberté

En 1875, les populistes sont conscients de la sagesse du propos d'un Tkatchev : sans organisation, toute lutte s'enlise. Au début des années 1860, une première ébauche de Terre et Liberté *(Zemlia i Volia)* avait vu le jour, mais ce n'était encore qu'un cercle d'intellectuels plus préparés à débattre qu'à agir, et à qui manquait l'esprit d'organisation. En 1875, Terre et Liberté apparaît dans une forme organisée et essaime aussitôt dans le pays. Dans la capitale d'abord, naturellement, où deux hommes la portent. L'un est Mark Nantanson, disciple de Tchernychevski, vétéran de la lutte populiste, qui a été l'un des principaux responsables du mouvement des Tchaïkovtsy à la fin des années 1860. À peine revenu de l'exil où le gouvernement l'a envoyé, vivant en clandestin dans la capitale, il s'engage à nouveau dans l'action. L'autre est Alexandre Mikhailov, un tout jeune homme, nouveau venu dans le combat révolutionnaire.

Cette organisation naissante réussit d'emblée quelques coups spectaculaires qui montrent combien ses fondateurs, plus que leurs aînés, sont occupés d'agir, de démontrer leur existence pour attirer des disciples, porter des coups au pouvoir en vue de l'ébranler. La doctrine n'est pas encore définie, mais les grands traits de l'action sont déjà là. En mars 1876, on l'a vu, ces valeureux jeunes gens ont réussi à organiser une gigantesque manifestation pour enterrer l'étudiant que les ouvriers salueront quelques mois plus tard. Encore faut-il souligner combien cette manifestation de mars fut remarquable : elle réussit à traverser la capitale, rassemblant en une foule immense des étudiants et des membres de l'élite sous les yeux d'une police si stupéfaite qu'elle ne réagit pas. Deuxième preuve non moins éclatante des capacités de cette organisation : l'évasion de Kropotkine, le grand aristocrate anarchiste, qui a consigné l'épisode dans ses

Mémoires d'un révolutionnaire. Cette évasion, fomen-
tée à la barbe des gendarmes pourtant attentifs au sort
d'un détenu si prestigieux, fit beaucoup pour assurer
la popularité de *Zemlia i Volia.*

Mais ce qui est alors plus remarquable, c'est l'expansion géographique de l'organisation, qui s'installe
solidement, au sud, autour de deux centres : Odessa
et Kiev, et crée dans le même temps de véritables
communes en milieu paysan à Saratov ainsi qu'en
diverses petites villes échelonnées le long de la Volga.
À y regarder de près, on constate que cette implantation, comme la plupart des mouvements révolutionnaires, recouvre les « terres » de l'épopée de Stenka
Razine et de Pougatchev, qu'elle s'inscrit dans leurs
pas, qu'elle rejoint aussi les hauts lieux du *Raskol,*
qu'elle est présente partout où l'esprit de liberté a
soufflé au fil des temps.

Mais, cette fois, il ne s'agit pas d'une « descente »
dans les campagnes, plutôt d'un ancrage d'hommes et
de femmes qui vont exercer auprès des paysans des
activités dont ceux-ci ont davantage besoin que de
propagande : médecins ou parfois simples assistants
de santé (les *feldcher*), instituteurs, infirmières, sages-
femmes. Tous se mettent au service des paysans, et
ceux-ci les écoutent et les protègent, car la plupart
d'entre eux vivent dans l'illégalité. Cette pénétration
de *Zemlia i Volia* dans les campagnes préfigure avec
presque quatre décennies d'avance le mouvement de
modernisation rurale accompli par le même type
d'élites que Lénine découvrira avec anxiété et décrira
en 1913 sous le nom de *nouvelle démocratie.* Et il en
conclura avec pessimisme que si ce progrès se poursuit,
la révolution aura épuisé ses chances. Mais, à la fin
des années 1870, dans un contexte plus attardé, cette

nouvelle démocratie qui se dessine est destinée à préparer les voies de la révolution, elle est l'œuvre de révolutionnaires et non, comme cela sera le cas au début du siècle suivant, d'un pouvoir effrayé par la révolution survenue en 1905 et qui tente d'y répondre.

L'activité de ces agitateurs d'un type nouveau n'était pas vaine. Outre que les paysans les accueillaient bien, parce qu'ils comprenaient leur utilité immédiate, leur discours changeait progressivement les mentalités, et, grâce à cela, les paysans reliaient les difficultés de leur existence quotidienne à un problème plus vaste, celui de la justice. Ils voulaient disposer de la terre au nom de la justice, ils opposaient la revendication de justice aux conditions d'acquisition de la terre posées par la réforme de 1861, et adhéraient ainsi peu à peu aux idées de révolte semées parmi eux par les membres de *Zemlia i Volia*. Un esprit d'émeute se développa ainsi dans le Sud de la Russie, où circulaient de surcroît diverses légendes propres à impressionner les paysans. Un groupe populiste propagea en 1876 dans les campagnes la rumeur que le souverain était du côté de son peuple et que les dispositions réelles du Manifeste avaient été dissimulées ; cette légende avait d'ailleurs déjà circulé parmi les paysans au lendemain de la réforme.

À Genève, Anna Makarévitch, qui avait appartenu au groupe des Tchaïkovtsy, proposa de diffuser parmi la paysannerie une petite brochure reprenant le mythe du « faux tsar [1] ». Cette proposition ne fut pas entendue,

---

1. Le « bon tsar », le vrai, aurait été supprimé et, avec lui, le « vrai Manifeste » qui donnait la terre aux paysans alors que, sur le trône, avait été placé un « faux tsar », représentant des possédants.

notamment de Bakounine et de ses partisans qui refusaient qu'on encourageât la crédulité des paysans. Mais le débat qu'elle fit naître montre bien les difficultés rencontrées par ceux qui travaillaient en milieu paysan. Ils voulaient se faire entendre des moujiks, parvenir à les soulever, mais ils se heurtaient malgré tout au sentiment confus de loyauté liant le paysan à la personne du souverain. Pour le paysan, celui-ci restait le Père, et tout le mal venait des possédants, de la noblesse, alors que les membres de *Zemlia i Volia* étaient convaincus qu'il faudrait bien en venir à poser le problème de fond, celui du système politique. Et, tout en s'efforçant de pénétrer le milieu paysan, ils comprenaient que leurs efforts n'y connaîtraient que des succès limités. C'est pourquoi, en 1876, c'est vers le milieu urbain et vers la capitale que *Zemla i Volia* va de nouveau se tourner, et l'attitude du pouvoir ne fait que l'y encourager. Le gouvernement était loin d'ignorer l'activité déployée dans le pays par des révolutionnaires issus de l'intelligentsia et que celle-ci soutenait.

La nervosité des campagnes, les nouvelles concernant les « étranges colonies » qui se développaient dans le Sud, des grèves qui éclataient çà et là, les manifestations ouvertes comme la capitale allait en connaître en 1876, tout cela avait provoqué au sommet de l'État une réflexion dont le Conseil des ministres eut à débattre au moment même où commençait la guerre contre la Turquie. Comment répondre à la propagande que la société écoutait avec tant de complaisance ? Certains membres de l'entourage du souverain, et en premier lieu Valouev, avançaient avec beaucoup de précaution l'idée d'une réforme politique. Mais la thèse qui l'emporta, notamment sous l'influence de Pahlen, fut que la fermeté pourrait avoir raison de ces tendances révolutionnaires. Et la fermeté passait par l'information et l'exemple. Pour que la société prenne conscience du danger que présentaient ceux que Pahlen qualifiait d'« exaltés », il fallait exposer au grand jour leurs idées, dénoncer leur fanatisme, mais aussi montrer leur incapacité à s'opposer en dernier ressort à l'État. De là l'idée d'organiser de grands procès où les révolutionnaires, défendant des idées extrémistes, finiraient par effrayer l'élite russe et se retrouver seuls face à une société qui les condamnerait.

Mais on ne manipule pas aisément les procès politiques, le pouvoir l'apprendra à ses dépens. La jeunesse, le courage des accusés, leurs propos, qui trouvaient un écho dans la société russe, tout desservit finalement le pouvoir.

En janvier 1877, on jugea en grande pompe à Pétersbourg les manifestants de la place Notre-Dame de Kazan, tandis qu'à Moscou, deux mois plus tard, un autre procès réunit 50 accusés, dont un nombre conséquent de jeunes filles, tous accusés d'avoir fait de la propagande dans les usines. Point d'orgue de ces procès supposés « éducatifs », celui qui, à l'automne de la même année, conduisit devant le tribunal – c'est-à-dire une chambre du Sénat – 193 accusés qui, depuis un certain temps, moisissaient en prison.

Ces procès furent très éducatifs, en effet, mais pas comme l'avaient escompté les hommes du pouvoir. Les accusés impressionnaient par leur détermination qui augmentait d'ailleurs au fil des audiences. Ceux du procès des 193 faisaient carrément de l'obstruction, refusant de reconnaître la légitimité de leurs juges et de se comporter en accusés dociles, se battant même à l'occasion avec les gendarmes qui tentaient de leur imposer une certaine discipline. Dans les procès précédents, les accusés s'étaient montrés moins vindicatifs, mais tout aussi habiles à gagner l'attention, voire la sympathie de la société. Dans le procès des « cinquante » qui eut lieu à Moscou, Sonia Bardina [1] avait exposé de manière paisible et lumineuse l'idéal de justice qu'elle défendait avec ses compagnons, assurant qu'ils n'avaient nullement pour finalité le moindre coup d'État, non plus que des changements politiques radicaux, qu'ils ne visaient pas à détruire les fondements de la société, mais simplement à la rendre équitable pour tous. Ce propos modéré, tenu par une jeune fille, rassura alors que le gouvernement voulait effrayer.

De la même manière, il avait omis de prendre en compte un grand changement intellectuel dû aux réformes des années 1860. La justice réformée avait requis que l'on formât de véritables avocats. En 1877, le pouvoir pouvait constater que cet objectif n'était que trop bien réalisé, que des avocats bien préparés, fiers de leur profession, donc indépendants d'esprit, se dressaient contre lui aux côtés des accusés, donnant à leurs propos et à leurs idées un écho et même une légitimité remarquables. La réforme libérale de la justice se retournait contre le pouvoir, mais ce retournement témoignait aussi d'un progrès des mentalités dû précisément à la volonté réformatrice d'Alexandre II. C'était à la fois sa grande réussite et un échec.

---

1. Fille d'un propriétaire de Tambov, elle avait fait des études à Zurich et rejoint alors un groupe d'étudiants révolutionnaires. Puis elle s'était livrée à la propagande dans les usines de Moscou.

Le procès des 193 dura des mois, alors qu'il avait été conçu pour mettre un point final à tout le discours révolutionnaire, et durant ces mois c'est précisément ce discours que l'on entendit : la société découvrit ces fameux révolutionnaires dont elle n'avait qu'une idée confuse et avec lesquels on voulait l'effrayer. Pouvait-elle assimiler à un quelconque péril rouge une toute jeune fille, charmante de surcroît, qui évoquait avec douceur l'amour du prochain qui inspirait tous ses actes ? La société pouvait-elle croire à une menace réelle alors qu'à l'issue du procès, la plus grande partie des 193 accusés fut remise en liberté, que les peines les plus lourdes ne dépassaient pas dix ans de travaux forcés, n'étaient infligées qu'à cinq personnes seulement, et que le Sénat, après avoir prononcé ces peines, s'empressa de demander à l'empereur de se montrer indulgent et de transformer en exil toutes les condamnations à la prison ? La magnanimité de ceux-là mêmes qui venaient de prononcer la condamnation donna l'impression que les juges doutaient des dangers qu'ils venaient d'exposer avec un luxe de détails et qui leur avaient inspiré les sanctions. Loin d'être une leçon pour la société, ces procès avaient en définitive éveillé la curiosité du public pour le mouvement révolutionnaire qui, justement, au terme de cette phase judiciaire manquée, va passer à une autre étape : celle de la terreur.

Le coup de pistolet de Véra Zassoulitch

Le lendemain du jour où s'acheva le procès des 193, on put mesurer l'échec de ce qui avait été une tentative d'intimidation du mouvement révolutionnaire. Ce jour-là, 24 janvier 1878, une jeune fille âgée de vingt-sept ans, mêlée à la foule qui se massait devant le bureau du gouverneur militaire de Saint-Pétersbourg, le général Trépov, tira sur lui un coup de feu et le blessa. Arrêtée sans avoir le moins du monde tenté de fuir, elle dit s'appeler Véra Zassoulitch. Comme un très grand nombre de révolutionnaires, elle était issue d'une famille noble et avait reçu une éducation soignée dans un collège de Moscou. Puis elle était venue dans la capitale pour se dévouer à la cause révolutionnaire qu'elle avait découverte à l'âge de dix-sept ans. Elle s'activa dès lors à propager ses idées dans les usines ou encore, comme les populistes, à la campagne. Mais elle préférait travailler aux côtés des ouvriers, enseigner dans les écoles clandestines qui leur étaient destinées. C'est alors que dans une manifestation d'étudiants elle rencontra Netchaev qui la fascina et l'inquiéta tout à la fois et dont elle dira : « Il m'était très étranger. » Elle fut arrêtée en 1869 au moment de l'assassinat d'Ivanov qui avait entraîné l'effondrement de tout le groupe. Après deux années d'emprisonnement et une peine d'exil, elle s'était retrouvée à Kiev parmi ceux qui voulaient soulever la paysannerie.

Après son coup de feu tiré contre Trépov, elle exposa paisiblement les raisons de cet attentat. Elle le fit devant les gendarmes, mais surtout devant le tribunal appelé à la juger en avril 1878. Trépov était, disait-elle, coupable de brutalités à l'égard des révolutionnaires en général, mais il avait aussi commis un « crime » particulier qu'elle avait décidé de venger. Sa victime était un étudiant de vingt-quatre ans, Bogolioubov [1], arrêté le 6 décembre 1876

---

1. Il s'appelait en réalité Alexei Stépanovitch Emelianov et était « allé au peuple » sous le nom de Bogolioubov.

lors de la manifestation de la place Notre-Dame de Kazan et condamné à quinze ans de travaux forcés. En attendant son transfert, il avait été effroyablement brutalisé, et surtout avait été fouetté sur ordre du général Trépov parce qu'il n'avait pas enlevé assez vite son couvre-chef, alors que la loi interdisait l'usage des verges. Véra Zassoulitch avait lu dans les journaux le récit de cet épisode alors qu'elle était à Kiev, et elle s'était jurée de venger le martyre de Bogolioubov, que, de toute évidence, elle ne connaissait pas, pas plus qu'elle ne connaissait le général Trépov. Son geste était d'autant plus remarquable qu'elle avait appris qu'un petit groupe de révolutionnaires avait conçu le même projet et attendait la fin du procès des 193 pour le mettre à exécution. Le général Trépov était donc une cible que suivaient avec détermination plusieurs terroristes potentiels. Mais Véra Zassoulitch, à qui son compagnonnage avec Netchaev avait appris que l'amateurisme n'était pas de mise et que rien, dans un attentat, ne devait être laissé au hasard, avait décidé de son côté d'exécuter le général au cas où l'autre attentat en préparation serait manqué. Elle avait été la première à aller à l'action. Trépov survécut à son coup de feu, tandis que l'autre terroriste le manquait tout à fait, ce qui conforta Véra Zassoulitch dans la certitude qu'elle avait eu raison d'agir, puisqu'elle au moins avait partiellement réussi. Et, de fait, elle était bel et bien parvenue à impressionner l'opinion.

Un autre attentat visant le procureur qui avait requis contre les 193, Jeliakovski, avait été confié à une autre jeune fille, elle aussi armée d'un pistolet comme Véra Zassoulitch. Elle ne réussit pas à atteindre sa cible et renonça à tirer à nouveau, craignant de blesser des innocents. On n'est encore qu'au tout début de la ter-reur, et les jeunes gens, dont beaucoup de jeunes filles, hésitent à faire usage de leur arme dès lors qu'ils pour-raient faire d'autres victimes. Mais, en peu de temps, ceux qui n'en sont qu'au stade de l'apprentissage de la terreur apprendront que l'essentiel, dans son exercice, est de frapper l'imagination de la société et de montrer qu'ils sont capables de passer aux actes.

Le succès du coup de feu de Véra Zassoulitch dépassera largement ses espérances. C'est le procès, c'est-à-dire la justice russe, qui vint compléter son geste et lui conférer un éclat imprévu. Alexandre II voulait un procès exemplaire et, pour cela, il récusa le Sénat et imposa un procès public avec la participation de jurés. Pahlen instruisit le président du tribunal, Anatole Koni, de la nécessité de faire la démonstration de la rigueur du pouvoir. Ce fut peine perdue, car il s'adressait à l'un des plus brillants juristes libéraux russes, professeur de droit de surcroît, qui rappellera l'épisode dans ses *Mémoires*. Aux instructions de sévé-rité du ministre il répondit en citant le chancelier d'Aguesseau : « La cour rend des arrêts et non des services. »

Tout commença mal dans ce procès. Les procureurs appelés à requérir, sensibles à l'émotion qu'ils perce-vaient dans la société, se refusèrent à « jouer le jeu » sous les prétextes les plus divers. On eut le plus grand mal à trouver un juriste compétent pour représenter le ministère public. En revanche, les plus célèbres avo-cats se disputèrent l'honneur de défendre Véra Zassoulitch. Ce jeu de cache-cache entre accusateurs et défenseurs témoignait que la cause de l'ordre public avait mauvaise presse en Russie. D'autant que l'atmo-sphère générale dans le pays s'était alourdie.

À Odessa, un *Comité exécutif socialiste révolutionnaire* se constituait au même moment dans le but encore imprécis d'organiser le combat terroriste. Certes, ce comité restait limité à quelques individualités, mais son activité fut immédiate. Ses membres tentèrent d'abord, mais en vain, de lancer un mouvement insurrectionnel. Puis, d'Odessa, ils se transportèrent à Kiev où, le 23 février 1878, plusieurs d'entre eux tirèrent sur le procureur général de la ville qui instruisait les dossiers de révolutionnaires. Il ne fut que blessé, comme l'avait été Trépov, mais ce fut le prélude à toute une série d'attentats dans le Sud de la Russie.

C'est dans ce climat agité qu'eut lieu le procès de Véra Zassoulitch. Le tribunal, ouvert au public, mais trop petit pour contenir une foule avide d'assister aux audiences, fut presque pris d'assaut par des masses d'étudiants et par quelques ouvriers qu'un nombre considérable de gendarmes avait le plus grand mal à contenir. La culpabilité de l'accusée ne faisait aucun doute : elle avait reconnu les faits. Certes, sa victime n'était pas morte, mais Véra Zassoulitch le déplorait sans le moindre souci de dissimuler ses sentiments. Les plus hauts personnages de l'État, Gortchakov, Milioutine, des membres du Conseil d'État, assistaient au procès ; au banc de la presse, on trouvait le grand écrivain qui avait connu dans le passé les rigueurs de la justice : Dostoïevski. Compte tenu qu'il n'y avait pas eu mort d'homme, cela aurait pu passer pour un grand moment de mondanité. Ce fut un procès politique dévastateur pour le pouvoir.

L'avocat de l'accusé eut grand mal à poursuivre sa plaidoirie tant son propos suscitait d'applaudissements. Il remontra que l'attentat était une réponse au martyre de Bogolioubov, c'est-à-dire à l'abaissement et à l'écrasement de l'individu, et que cette réponse venait d'une « femme, ici présente, dont l'acte ne tient à aucun intérêt personnel, à aucun esprit de vengeance..., mais découle d'un mouvement d'honnêteté et de bonté ». Et il déclara en conclusion que, quelle que fût la sentence du tribunal, l'accusée l'accepterait, car « elle en sortirait la tête haute ».

L'effet de la plaidoirie fut considérable et la salle, le pays entier vit en Véra Zassoulitch une émule de Charlotte Corday, image même de l'innocence vengeant le crime et l'injustice. N'y résistant pas, le jury la déclara non coupable et l'acquitta dans un immense brouhaha où aux applaudissements se mêlaient des clameurs venues de l'extérieur, cris de joie de ceux qui n'avaient, faute de place, pu entrer dans la salle du tribunal. Dostoïevski observa mélancoliquement que l'accusée devenait l'héroïne de toute la société. Il était conscient du glissement qui venait de se produire en Russie. La loi interdisait de tirer sur son prochain, mais le coup de feu de Véra Zassoulitch obéissait à l'impératif moral qu'elle s'était fixé. Le tribunal venait de consacrer le droit moral de disposer de la vie d'autrui contre le droit tout court, qui l'interdisait. La terreur trouvait là une légitimité dont attestèrent aussitôt une série d'attentats commis en Russie et au dehors sous l'influence de la gloire de Véra Zassoulitch.

Pourtant, le gouvernement eut tôt fait de réagir. Alexandre II, furieux, exigea que l'on plaçât l'acquittée sous surveillance. Trop tard : elle resta introuvable. Surtout, Pahlen tira les leçons du procès ; il suggéra – et il fut suivi par le Conseil des ministres – de ne plus soumettre d'affaires politiques à des jurys, et de placer le pays, ou du moins les grandes villes, en état de siège. La répression s'abattit sur ceux qui avaient été libérés ou condamnés à des peines légères dans les jours précédents. En matière de sanctions, tout fut revu à la hausse. Et la législation fut soumise à révision en août 1878 : on décida de déférer les auteurs d'actes terroristes devant des instances militaires chargées de distribuer des peines plus lourdes. Le retour à la peine de mort était prévisible.

Rien n'y fit : la Russie était prise dans un tourbillon de violences. C'est à ce moment même que paraît une revue socialiste qui se proclame l'organe « des révolutionnaires russes » et s'intitule *Natchalo*. Ce titre, qui signifie « le Commencement », est à lui seul un programme. Les auteurs qui y collaborent s'interrogent sur les leçons que le pouvoir va tirer du cours des événements ; ils imaginent qu'il peut vouloir apaiser la société par des réformes politiques et par un semblant de constitution, et conclut qu'il faudrait en profiter pour préparer l'étape révolutionnaire ultérieure. Cette réflexion sur une hypothétique réforme constitutionnelle et sur ses conséquences, qu'esquissèrent un bref moment les révolutionnaires, traduit un certain trouble dans leur esprit. Conscients du coup qui vient d'être porté à l'ordre impérial par le procès de Véra Zassoulitch, ils s'inquiètent de l'éventualité que le pouvoir sache séduire par des concessions une opinion publique déconcertée, attentive à toute possibilité de changement et probablement prête à accueillir avec faveur des aménagements politiques. Au lieu de la révolution socialiste espérée, ce serait la marche vers un développement de la bourgeoisie en Russie, cas de figure que fort peu de Russes socialistes regardent avec complaisance.

Cela explique qu'en ce moment d'hésitation, voire de doute, les éléments les plus actifs de *Zemlia i Volia* aient vite décidé de couper la voie d'une telle évolution (d'autant plus que les articles de *Natchalo* montraient qu'elle trouvait des partisans au sein même du mouvement) en créant l'irréparable par une recrudescence de l'action terroriste. Mais, cette fois, ils avaient compris la nécessité d'une action soigneusement planifiée.

Le principal auteur de ce « redressement » fut Serge Kravtchinski[1], noble lui aussi, officier de carrière, qui avait quitté l'armée pour « aller au peuple ». Puis il avait rejoint les Slaves des Balkans pour les soutenir dans leur lutte contre les Ottomans. Rentré en Russie après un détour auprès de révolutionnaires italiens, il prépara un attentat qui fit du bruit.

Les attentats sont alors à la mode. Deux mois à peine après celui de Véra Zassoulitch, un capitaine de gendarmerie est poignardé en pleine ville de Kiev et le procureur, on l'a vu, échappe de justesse aux coups de feu tirés sur lui. Kravtchinski juge alors que le moment est venu d'agir dans la capitale. La victime désignée est tout un symbole : c'est le chef de la sinistre IIIe section, le général Mezentsev, qu'il va tuer le 4 août 1878 à coups de poignard.

Ce meurtre fut d'une étonnante facilité. Kravtchinski et son complice Barannikov avaient attendu devant son domicile le chef des gendarmes qui rentrait de la messe entendue en l'église voisine. C'est donc en pleine lumière, au cœur de Saint-Pétersbourg, dans un quartier fréquenté, que deux hommes jeunes et de belle allure attendaient leur victime ; et, l'ayant

---

1. Par la suite, il connaîtra la gloire littéraire, d'abord par ses articles, puis par un ouvrage, *La Russie clandestine,* qu'il signera du nom de Stepniak-Kravtchinski.

poignardée sans que quiconque ait eu le temps de réagir, ils sautèrent dans la voiture (*drojki*) qui, depuis trois jours, les avait conduits à cet endroit pour préparer l'attentat et qui les y attendait, ce qui leur permit de s'évanouir dans la nature.

L'attentat fit d'autant plus de bruit qu'il était parfaitement réussi – la victime était bien morte, et les tueurs envolés – et que nul plus que le chef de la police n'aurait dû se méfier de l'action ourdie contre lui. Il est vrai que, dans sa volonté de renforcer l'ordre et d'abattre le terrorisme, le gouvernement avait souvent changé les hommes à la tête de la IIIe Section. Chouvalov, qui y avait été nommé après l'attentat de Karakozov, avait sans doute réussi à rétablir le calme pendant quelques années. Mais, en 1874, le souverain, le trouvant trop imbu de sa puissance, l'avait démis pour le remplacer par un homme faible et peu compétent, le général Potapov, auquel succéda ensuite Mezentsev. Cette instabilité ne facilitait pas le travail au sein de cette administration hiérarchisée.

Le succès de l'entreprise terroriste en encouragea naturellement d'autres, presque aussi spectaculaires. Le 9 février 1879, c'est au tour du gouverneur de Kharkov, le prince Kropotkine, cousin de l'anarchiste, d'être abattu par le coup de feu que tire sur lui Grigori Goldenberg. Kropotkine n'était pas un adepte de la répression systématique, au contraire, il tentait d'éviter les excès policiers. Mais on le présenta comme le responsable de la répression à Kiev où l'agitation battait alors son plein.

Dans la capitale, les choses n'allaient pas mieux. L'université était le lieu de manifestations constantes et les grèves ouvrières ne cessaient pas au tournant de 1878-1879. Un nouveau responsable avait succédé à

Mezentsev à la tête de la IIIe section : Alexandre von Drenteln. C'est sous son mandat que les terroristes réussirent à faire entrer un de leurs agents, Nicolas Kletotchnikov [1], au sein de la citadelle policière. Les renseignements qu'il fournit sur les opérations prévues contre les organisations de *Zemlia i Volia* et sur les informateurs que la police avait infiltrés dans le mouvement terroriste protégèrent ce dernier et lui permirent de se développer dans une relative sécurité.

Le général von Drenteln se trouvait dans sa calèche, en plein jour, le 13 mars 1879, sur le chemin du palais d'Hiver, lorsqu'un cavalier jeune et élégant la dépassa et tira un coup de feu dans sa direction. Le tireur allait trop vite ou bien visait mal, il ne réussit qu'à briser la vitre de la calèche, tandis que le chef de la police, indemne, poursuivait sa route. Le cavalier le rattrapa, fit une seconde tentative – tout aussi vaine – et disparut. L'auteur de l'attentat se nommait Mirski, il était d'origine polonaise et noble, naturellement. Condamné, il ne supporta pas son sort et finit comme indicateur de la police, soucieuse de récupérer un homme plus apte à la guider dans les méandres du mouvement révolutionnaire qu'à viser juste.

Mais le mouvement terroriste allait alors franchir encore un nouveau pas. Des grands serviteurs de la monarchie, c'est vers le souverain lui-même que leur volonté de tuer va se déplacer. En avril 1879, un provincial de trente-trois ans, Alexandre Soloviev, fils d'un infirmier, qui avait abandonné ses études universitaires pour « aller au peuple », comme tant d'autres

---

1. Il sera arrêté en 1881, accusé d'avoir agi pour le compte de *Zemlia i Volia,* condamné à mort. Sa peine fut commuée en travaux forcés à perpétuité, mais il mourut en 1883.

jeunes gens de sa génération, arriva dans la capitale et s'en vint trouver Mihailov, l'un des grands responsables du mouvement, pour l'informer tout tranquillement de son intention de tuer Alexandre II. Il voulait agir seul, refusait tout concours, comme l'avait fait, rappelait-il, Karakozov treize ans plus tôt. Une discussion éclata dans les rangs de *Zemlia i Volia* sur l'opportunité d'une telle opération. Goldenberg, qui nourrissait le même projet, prétendit se joindre à lui, mais, soutenu par Mihailov, Soloviev eut gain de cause. Il agirait seul et, s'il réussissait, tous en auraient le bénéfice ; si l'opération était manquée, le mouvement ne pourrait en être accusé.

Le 2 avril 1879, tandis que le souverain se promenait à son habitude autour de son palais, un jeune homme surgit, tira sur lui, dut s'y reprendre à plusieurs reprises, car Alexandre II s'écartait, et le manqua. Maîtrisé par la police, il tenta de s'empoisonner, comme il avait été convenu avec Mikhailov, mais il manqua sa mort comme il avait manqué celle d'Alexandre II. Jugé par une instance spéciale du Sénat, il fut condamné à mort et pendu en public le 28 mai.

Cet attentat raté, dont la seule victime apparente était son auteur, changea profondément la vie du souverain, celle du pays, ainsi que le mouvement révolutionnaire. Comme le coup de feu de Véra Zassoulitch, celui de Soloviev marque une des dates décisives dans l'histoire du règne d'Alexandre II.

Pour ce qui est du souverain, il eut certes le sentiment – il le confia alors aux siens – que Dieu le protégeait. Mais, au-delà de cette remarque optimiste et du service d'action de grâce qu'il ordonna, Alexandre II était très anxieux de comprendre l'évolution du mouvement révolutionnaire. On trouve, dans les archives de la IIIe section, deux notes qui relatent d'abord la reconnaissance témoignée par Alexandre II au gendarme qui lui avait sauvé la vie, mais surtout ses interrogations. Le rapport qui lui est fait de l'événement est un récit détaillé, accompagné d'un plan retraçant le parcours de Soloviev, le sien, le tout témoignant de la volonté du tsar de tout savoir des interrogatoires et des enquêtes conduites dans le milieu terroriste. En définitive, on constate chez lui une profonde inquiétude dont on ne trouvait pas l'équivalent en 1866. Le souverain comprend – les documents de la police en témoignent – qu'un très profond changement est intervenu en Russie.

Il apparut alors clairement que le mode de vie d'Alexandre II ne pouvait plus, après l'attentat, rester celui qu'il avait toujours observé. Le changement devait d'abord porter sur ses mouvements. Il aimait se promener autour du palais ou dans les jardins du palais d'Été. Mais il fallut renoncer à ces habitudes de liberté qui lui étaient si chères. Plus de promenades à pied, mais seulement en voiture et sous bonne escorte. Ces précautions s'étendaient aux siens. Une autre conséquence de l'attentat, très lourde pour toute la famille impériale, fut la décision du souverain d'installer sa deuxième famille dans le palais d'Hiver. Il avait l'habitude de rendre quotidiennement visite à Katia et à ses enfants qui vivaient à proximité du Palais, de se promener avec eux : cela devenait impossible. Il fit alors aménager un appartement à un étage différent de celui de l'impératrice pour ne plus s'exposer à chaque instant. Mais la situation ainsi créée était scandaleuse, on y reviendra.

Pour l'État, les mesures de sécurité furent renforcées de manière impressionnante. L'état de siège fut proclamé dans les villes agitées. Trois gouverneurs généraux furent nommés : à Odessa, Totleben ; à Kharkov, Loris-Melikov ; dans la capitale, Gourko. Tous avaient combattu dans la guerre contre l'Empire ottoman. Leur réputation de courage et de fidélité à l'empereur était bien établie, et ils disposèrent de pouvoirs accrus. Ainsi le régime d'exception déjà instauré à Moscou, Varsovie et Kiev s'étendit-il à une grande partie du pays.

Pour le présent, Alexandre II s'en alla séjourner momentanément à Livadia. Ce séjour était exemplaire de sa double vie presque affichée. La famille impériale l'accompagna, mais aussi Catherine Dolgorouki et ses enfants, qui voyagèrent dans un wagon différent. Son temps se trouva partagé entre les deux ménages. Dans la capitale qu'il abandonnait, il confia à une Commission extraordinaire présidée par le fidèle Valouev le soin de lui préparer un rapport complet sur le développement du mouvement révolutionnaire, sur l'état de l'opinion, et de lui proposer des mesures propres à redresser une situation ô combien périlleuse, l'attentat de Soloviev en témoignait.

Le triomphe du terrorisme

Mais c'est au sein du mouvement révolutionnaire que les conséquences de l'attentat furent les plus lourdes. Le mouvement *Zemlia i Volia* éclate alors. Tous ses membres ne sont pas d'accord sur la voie à suivre. Pour un certain nombre d'entre eux, les mesures répressives qui se multiplient modifient les perspectives révolutionnaires. Avant d'y penser, il est urgent de privilégier le travail de propagande, d'éduquer la société, de la préparer aux luttes futures. De l'autre côté, les « activistes » ne l'entendent pas ainsi et tirent de la politique de rigueur voulue par Alexandre II des conclusions inverses. Il n'est plus d'autre issue, considèrent-ils, que d'abattre le système et, pour cela, il faut frapper à la tête, tuer le souverain.

Tandis que les nouveaux gouverneurs généraux s'emploient à traquer les émeutiers, multiplient arrestations et exécutions, surtout dans le Sud où le mouvement nihiliste s'est si bien implanté, ses membres continuent à débattre du choix stratégique à opérer. À la mi-juin 1879, ils tiennent un conclave secret dans une petite ville de la région de Tambov, Lipetsk, où Alexandre Mikhailov, qui, peu auparavant, avait soutenu le projet solitaire de Soloviev, plaide avec passion pour que le mouvement reconnaisse qu'il n'est plus d'autre voie possible pour lui que la lutte armée contre le pouvoir, et la mort de celui qui l'incarne. Les participants à cette réunion étaient presque tous des hommes du combat clandestin, des professionnels de la révolution. Ils imposèrent que le débat fût poursuivi à Voroneje, puis à Saint-Pétersbourg, non pour parvenir à des positions communes, mais pour élaborer d'emblée les règles de la lutte armée.

Contre ce qui était en fait une apologie de la terreur, quelques voix s'élevèrent, avant tout celle de Plekhanov, futur père de la social-démocratie russe. Il dit son indignation à l'idée d'un choix terroriste sans alternative, mais, dans le silence glacé qui accueillit ce propos « politique » très éloigné de l'excitation générale, il comprit qu'il ne lui restait plus qu'à s'écarter du groupe. Nul ne chercha à le retenir.

Dès lors, ceux qui participaient à ces rencontres n'eurent plus qu'un sujet de réflexion : contre qui diriger en priorité l'action terroriste ? Quelle fin lui donner ? Désorganiser l'ensemble du système en traquant des responsables du pouvoir au plus haut niveau, abattre tous ceux qui conduisaient la répression, mais aussi se livrer à un terrorisme économique dans les campagnes, ce qui présenterait l'avantage d'y associer la paysannerie ? Ou bien concentrer tout l'effort sur Alexandre II ?

Durant deux mois, les conjurés se disputent passionnément sur ce thème, mais déjà un choix d'organisation s'esquisse en réponse à la question posée dès la rencontre de Lipetsk : quelle organisation pour une terreur systématique ? *Zemlia i Volia* se scinde lors des discussions de Voroneje, laissant place à une organisation purement terroriste, *Narodnaia Volia* (« la Volonté du peuple [1] »), et à une instance minoritaire que Plekhanov soutient, *Tchernyi Peredel* (« le Partage noir »), qui entend rester au plus près des revendications paysannes. Mais le Partage noir est à l'avance condamné : l'action en milieu paysan a été trop souvent décevante pour mobiliser une fois encore les énergies. Quant à tous ceux qui sont favorables à une activité de révolutionnaires professionnels, ils se sentent prêts à s'engager dans les rangs de *Narodnaia Volia*, l'organisation qui se met en place à l'été 1879 répondant à ce vœu. Plekhanov, pour sa part, évolue vers un marxisme orthodoxe privilégiant l'idée que l'économie doit éclairer l'ensemble du processus et définir son rythme ; l'idéal des populistes, que le Partage noir avait voulu préserver, était en train de dépérir ; il sera au nombre des victimes du terrorisme triomphant.

---

1. Ou encore la « liberté du peuple », puisque *Volia* a les deux sens.

Narodnaia Volia se dote alors d'un Comité exécutif et devient une organisation révolutionnaire telle que l'avaient rêvée Netchaev et Tkatchev, et telle que la mettra en pratique Lénine trois décennies plus tard.

L'organisation clandestine hiérarchisée, dominée par un tout petit groupe disposant d'une autorité dictatoriale, et la discipline de fer : tout cela correspondait aux vues de Netchaev. Mais à quoi allait servir cette magnifique machine terroriste ? Le 26 août 1879, l'accord est acquis sur ce point, le Comité exécutif avait adhéré au propos de Mihailov : « Dans la seconde moitié de son règne, l'empereur a annulé tout ce qu'il avait fait de bon dans la première. » Ce Comité exécutif rassemblait un tout petit groupe de conjurés, onze au départ, vingt-cinq ensuite, lorsque le vote eut lieu, que des révolutionnaires expérimentés le rejoignirent et qu'y entrèrent notamment deux femmes bien connues du mouvement révolutionnaire, appelées à y jouer un plus grand rôle encore : Sophie Perovskaïa et Véra Figner. C'est ce groupe restreint qui vota, le 26 août, la condamnation à mort d'Alexandre II, acceptée comme objectif immédiat du combat.

Aussitôt, des discussions s'engagèrent sur la méthode à suivre et sur l'organisation concrète du complot. Le Comité exécutif n'entendait pas prolonger la série d'essais plus ou moins fructueux de conspirateurs romantiques comme Véra Zassoulitch ou Soloviev. L'attentat contre le tsar devait être une entreprise sérieuse, professionnelle, parfaitement organisée par tout le groupe. Le refus de l'amateurisme était aussi inscrit dans le choix des nouveaux moyens à utiliser. Le coup de feu pouvait aisément manquer sa cible, les expériences passées en témoignaient. Tandis que l'explosion à la dynamite était, pensaient les conjurés, infiniment plus sûre. La découverte de la nitroglycérine par Alfred Nobel, en 1864, et l'élaboration de moyens propres à l'utiliser comme explosif avaient conféré à la dynamite un prestige considérable. Rien d'étonnant à ce que les conjurés aient imaginé d'y recourir au lieu de se contenter de l'aléatoire pistolet.

Le plan de campagne fut aussitôt élaboré. Le souverain se trouvait à Livadia, c'est sur son voyage de retour dans la capitale que se concentrèrent les efforts des conjurés. Pour l'essentiel, ce retour devait se faire par voie ferrée et c'est sur ce trajet que fut préparé l'attentat. Faire sauter la voie au passage du train était un projet raisonnable à condition de bien connaître la date et l'itinéraire du souverain, et de disposer de quantités suffisantes d'explosif pour ne pas rater l'opération. Sur le premier point, les conjurés réussirent à obtenir assez d'informations pour envisager de faire sauter la voie à quelque distance d'Odessa. C'était le plan n° 1, qui prenait en compte le trajet ferroviaire Odessa-Saint-Pétersbourg, via Moscou. Un autre itinéraire était possible : Livadia-Simferopol-Moscou-Saint-Pétersbourg, avec transport ferroviaire depuis Simferopol. Dans le premier cas, Odessa avait été choisie pour centre stratégique ; dans le second, c'était la ville d'Alexandrovsk. Tout était prévu pour que, sur les deux trajets, le souverain trouve la mort.

Le premier attentat fut organisé par Véra Figner et Nikolai Kibaltchitch, figures bien connues du mouvement révolutionnaire. Celui-ci avait été l'un des accusés du procès des 193. À l'origine, il avait participé aux activités de propagande des populistes, puis s'était passionné pour les problèmes techniques des attentats, étudiant la chimie et préparant des explosifs.

C'est sous son influence que le Comité exécutif décida que l'arme des attentats à venir devait être la dynamite. Quant à Véra Figner, elle avait adhéré à *Zemlia i Volia* à l'âge de vingt ans et sera jusqu'au bout un pilier du Comité exécutif, même lorsque tous ses membres auront été dispersés. C'est elle qui vint à Odessa préparer les opérations exigées par le plan n° 1. Kibaltchitch et elle – Figner était une très jolie jeune femme, ce qui rendait plausibles les rôles qu'ils jouèrent – prétendaient être des jeunes mariés, et, à ce titre, ils louèrent un appartement où l'on confectionnait les explosifs. Grâce à la recommandation du gendre du gouverneur Totleben, la charmante terroriste réussit à obtenir un emploi de garde-barrière destiné à un soi-disant domestique, en réalité Mikhail Frolenko, l'un des membres du Comité exécutif. Il devait y prendre position et installer la dynamite au point choisi sur la voie Odessa-Moscou. L'affaire semblait bien montée, même si un comparse chargé d'apporter un supplément de dynamite tomba aux mains de la police, mais ne lui livra aucune information. Trois mois d'intenses préparatifs n'aboutirent à rien : à la dernière minute, en effet, le couple Figner-Kibaltchitch fut informé que l'itinéraire avait été modifié. Le plan n° 2 était donc à l'ordre du jour, et le complot se déplaçait à Alexandrovsk.

Là, c'est Jeliabov qui entre en scène. Remarquable figure du mouvement terroriste, il était fils de paysan serf et devait sa liberté à Alexandre II. La liberté lui avait permis d'entrer à l'université d'Odessa, mais ses études furent abrégées par sa participation à tous les mouvements étudiants. Chassé de l'université, acquis d'emblée au mouvement révolutionnaire, il considérait que seule la terreur pure pourrait conduire au succès. Dès lors qu'il faut préparer l'attentat, à l'instar de Kibaltchitch et Figner, il joue sa partie : déguisé en marchand, il prétend construire à Alexandrovsk une usine de traitement de peaux, et, pour ce faire, acquiert un terrain situé en bordure de la voie ferrée. Les mines devaient être posées à un endroit où la voie côtoyait un profond ravin ; le train devait y tomber après l'explosion : aucune chance n'était ainsi laissée aux voyageurs impériaux. Mais, pour bien conçue qu'elle fût, l'entreprise échoua cette fois pour des raisons techniques. La voie était parfaitement minée, mais les charges n'explosèrent pas. L'enquête menée par la suite par le mouvement révéla que Jeliabov, probablement meilleur comédien qu'artificier, n'avait pas su enclencher l'ensemble du dispositif. La mise à feu restait pour lui un mystère.

Pour autant, les terroristes n'étaient pas découragés ; il leur restait un ultime recours : un attentat était prévu à Moscou par où le train impérial devait obligatoirement passer, quel que fût l'itinéraire choisi. Là, un autre couple de conspirateurs avait préparé l'opération de la dernière chance : Sophie Perovskaïa et Lev Hartman. La date du passage du train était le 19 novembre et il n'était plus question d'échouer. Encore un rejeton de la société aristocratique que cette Sophie Perovskaïa que l'on retrouve, comme Véra Figner, à l'avant de toutes les équipées du populisme, puis de la *Narodnaia Volia*. Fille du gouverneur de Saint-Pétersbourg, elle avait tôt quitté la maison paternelle pour « aller au peuple », avant d'échouer avec 192 autres accusés sur les bancs du tribunal, en janvier 1878. Elle s'installa avec Hartman sous une fausse identité – encore un jeune couple aussi charmant que paisible – dans une maison contiguë à la voie ferrée, à proximité de Moscou, sur la ligne que le souverain allait emprunter. Ici aussi, des semaines d'efforts – le prétexte en était que le jeune couple refaisait sa maison de fond en comble – pour creuser un tunnel allant de cette maison jusqu'aux rails. Toute une équipe conduite par Mihailov accomplit ce travail de taupes, Sophie Perovskaïa étant chargée de toutes les tâches d'organisation et de surveillance. Il lui fallait déloger les curieux, endormir les méfiances. Ne restait plus qu'à attendre le train pour lequel un formidable dispositif avait été mis en place.

Mais, une fois encore, le sort fut du côté d'Alexandre II. Pour des raisons purement techniques, Milioutine en témoignera, l'ordre de passage des trains avait été inversé. Le protocole des voyages impériaux faisait circuler en premier un train transportant la suite de l'empereur, et en second lieu le sien. En ce jour de novembre, un incident empêcha le train de la suite de partir à temps, et celui de l'empereur, qui s'impatientait, le précéda. Parfaitement informée de l'ordre normal du passage des trains, Sophie Perovskaïa, qui était chargée de donner le signal de la mise à feu, regarda paisiblement passer un premier convoi, et ce n'est qu'à la vue du second, une demi-heure plus tard, qu'elle leva le bras, assista au déraillement spectaculaire provoqué par l'explosion de deux wagons, et se réjouit intérieurement : le tyran n'était plus !

Il fallut vite déchanter. L'explosion n'avait pas même fait de victime : seuls des bagages étaient détruits. L'empereur avait été sauvé par son impatience. En effet, apprenant qu'il fallait attendre que fût réglé l'incident paralysant l'autre train, irrité par cette attente imprévue, il avait ordonné le départ.

Une fois encore, Alexandre II remercia Dieu. Mais il pouvait à bon droit s'interroger sur l'efficacité des mesures de sécurité qui étaient prises. En effet, le wagon visé, celui qui avait sauté, était le quatrième, celui où devait voyager ce jour-là l'empereur, alors que par précaution on évitait toujours d'annoncer dans lequel il se trouvait, cette information relevant du secret. L'attentat prouvait que les dispositions secrètes prises pour la sécurité de l'empereur ne l'étaient nullement et que les conjurés connaissaient les plans des voyages impériaux dans les moindres détails. Les terroristes disposaient donc d'agents au cœur du système policier.

La qualité des renseignements dont disposaient les terroristes faisait cruellement ressortir, par contraste, la faiblesse de l'information des services policiers ; les trois attentats ferroviaires successifs en avaient apporté la preuve éclatante. L'homme arrêté avec de la dynamite à Odessa était Goldenberg, celui-là même qui avait prétendu participer peu de temps auparavant à l'attentat de Soloviev. Il était chargé de récupérer la dynamite restante après l'attentat manqué d'Odessa, quand il tomba aux mains des policiers. Il eût pu leur fournir des informations précieuses sur les projets des terroristes. Il le fit, certes, au moment de son arrestation, voire plus tard, mais rien de ce qu'il dit ne fut vraiment utilisé pour démanteler l'organisation à laquelle il appartenait.

Alexandre II avait aussi appris que les nihilistes trouvaient des appuis en France. Hartman, qui avait fait équipe avec Sophie Perovskaïa dans l'attentat d'Alexandrovsk, se rendit tout droit dans la capitale française après l'échec du complot, et le chancelier Gortchakov, informé de cette fuite, demanda au gouvernement français que l'homme fût extradé et livré à la Russie. La réponse fut une campagne de presse dans

laquelle s'engagèrent les grandes figures de l'émigration – Plekhanov, Lavrov – qui se retrouvèrent aux
côtés de Victor Hugo pour dénoncer la « terreur impériale ». La police française était de surcroît informée
d'agissements d'émigrés proches de Lavrov qui, dans
une maison de Chatou, préparaient des explosifs. Mais
le ministre russe des Affaires étrangères dut constater
que la France refusait de répondre à sa demande. Les
sympathies françaises allaient aux nihilistes. Les
archives de la police russe – IIIᵉ section – contiennent
un fort édifiant document, signé d'un diplomate russe
en poste à Paris, M. de Tatarinov, qui analyse avec
force détails les concours dont les nihilistes bénéficient
en France. L'auteur de la note écrit [1] :

« Les avertissements nous ont été donnés contre la
désastreuse influence qu'exerce sur toute l'Europe et
sur nous en particulier ce foyer permanent de radica-
lisme qui s'est constitué en France.

« Ces avertissements nous ont été donnés par le
nihilisme qui a redoublé d'audace et d'activité en raison exacte de l'affermissement du régime républicain
en France [...].

« La lecture attentive des journaux français les plus
autorisés suffirait à elle seule, au besoin, pour ne pas
laisser de doutes sur la connivence des inspirateurs de
ces feuilles avec les agissements des nihilistes en
Russie, des socialistes en Allemagne et des anarchistes
de toutes les dénomination en Italie, en Espagne et
ailleurs. »

Et le diplomate de conclure que la Russie doit faire
bloc avec l'Allemagne de Bismarck : « Irriter et provo-

---

1. La note étant rédigée en français, nous n'avons pas voulu
en modifier le style.

quer l'Allemagne par de stériles marivaudages avec la France des Gambetta et Floquet, ce serait à la fois un crime de lèse-Russie, de lèse-dynastie et de lèse-bon sens. »

Tout, en cet automne 1879, les attentats qui se multiplient comme les observateurs qui les analysent, incite Alexandre II à un réexamen complet de sa politique. Il y va – M. de Tatarinov comme Gortchakov et beaucoup d'autres le répètent – du salut personnel de l'empereur, mais aussi de celui de la monarchie.

CHAPITRE XIII

La fin de l'espérance

Le 24 juillet 1860, Alexandre Golovnine, proche du grand-duc Constantin Nicolaievitch, ayant effectué une grande tournée dans les provinces russes, écrivit au prince Bariatinski :

« Je dois avouer que l'avenir me semble inquiétant. Regardant l'état du pays et de ses finances, je constate qu'au cours des quarante dernières années, l'État a beaucoup demandé au peuple et lui a très peu donné... C'est une injustice qui, comme toute injustice, sera un jour payée. La punition ne se fera pas attendre... Elle arrivera lorsque les enfants des paysans qui ne sont encore que des nourrissons comprendront cela. Cela peut arriver sous le règne du petit-fils du présent souverain. »

Faut-il rappeler que ce petit-fils sera Nicolas II qui paiera en effet le prix de toutes les amertumes accumulées ? Sans doute l'auteur de la lettre ajoutait-il que, s'apprêtant à émanciper les paysans et ayant mis fin au carnage au Caucase, Alexandre II avait déjà acquis une gloire immense. Mais, observait-il, restait à supprimer l'injustice.

En cette fin d'année 1879 où il a échappé par miracle à trois attentats, Alexandre II s'interroge : dans quelle direction aller pour sauver la monarchie ? Son journal atteste qu'il ne s'interroge guère sur sa propre sécurité. En ces moments tragiques, c'est à l'avenir de la dynastie et du système monarchique qu'il pense. Or les conseils qui pleuvent sur lui sont contradictoires. Réprimer, briser toutes les oppositions, dont la plus redoutable de toutes, celle des nihilistes qui ont voté sa mort, ou bien tenter de gagner la bataille par la générosité ? 1860-1880 : la question posée par Golovnine est toujours d'actualité.

Attentat au palais d'Hiver

Mais le nihilisme, loin de s'essouffler, ajoute un nouvel épisode à son programme meurtrier. Le mouvement n'entendait pas rester sur les échecs subis à la fin de l'année précédente, et il reprit un projet qui avait été esquissé dès septembre 1879. On vérifie ainsi que les plans d'assassinat du souverain étaient multiples. Deux nouveautés : l'idée d'attaquer le souverain non plus au dehors, mais à l'intérieur même du palais, pour bien montrer qu'en aucun lieu il n'était protégé, était l'une des caractéristiques de cette tentative. L'autre était l'intervention dans le processus meurtrier d'un représentant du monde ouvrier.

Car l'auteur principal du plan « palais d'Hiver » mis en œuvre le 5 février 1880 était un jeune ouvrier, Stepan Khalturine, excellent menuisier, très avenant, qui avait participé, au milieu des années 1870, à la création de l'*Union septentrionale des ouvriers russes* [1].

---

1. Sa création officielle date de 1878. Pour Plekhanov, ce mouvement était déjà social-démocrate, et « occidental » d'orientation.

Il venait d'une famille de paysans d'État de la région de Viatka, et après des études incomplètes il avait pensé, comme d'autres jeunes gens du même milieu, partir pour l'Amérique. Mais il manqua le rendez-vous qui, à Saint-Pétersbourg, devait lui permettre de s'expatrier. Dès lors, il s'engagea aux côtés des ouvriers pour travailler parmi eux et surtout se livrer à la propagande. Malgré son éducation inachevée, il lisait énormément, voyait dans la capitale beaucoup d'étudiants désireux de se rapprocher de la classe ouvrière, et il représentait les ouvriers proches de l'intelligentsia, déjà éduqués, une élite, ce qui lui conférait une grande autorité.

Au début de l'année 1880, après trois attentats manqués et d'incessantes poursuites qui avaient abouti au démantèlement par la police de l'imprimerie de *Narodnaia Volia*, le jeune ouvrier brûlait d'agir. Il en avait les moyens, car, dès l'automne, il avait réussi à se faire engager au palais d'Hiver sous une fausse identité, et avait dit s'appeler Batychkov. De fait, il avait soigneusement préparé son entrée dans le palais impérial. Il avait d'abord obtenu de travailler à la réfection du yacht du souverain, et son habileté professionnelle ayant été remarquée, on l'avait embauché pour l'entretien du palais, où il vivait dans les communs. Il put ainsi aller et venir, avoir une idée précise des lieux – le plan précis qu'il en a dressé figure dans les archives de la IIIe section – et observer attentivement les habitudes, les horaires, l'organisation de la sécurité. Cette enquête – car il s'agit d'une véritable enquête – sur la vie quotidienne du souverain en son palais, propre à servir ensuite l'organisation d'un attentat dans les meilleures conditions, fut d'autant plus facile à mener qu'à l'automne 1879, le souverain était avec les siens à Livadia et qu'il était possible de circuler dans sa résidence sans que nul ne s'en inquiétât. Khalturine avait le prétexte de veiller au bon état des lieux. Il profita aussi de ces semaines de libre accès au palais pour y introduire les explosifs que lui fournit celui qui était son relais au sein de la *Narodnaia Volia*, Alexandre Kviatkovski, membre du Comité exécutif, qui décidait de tout.

Lorsqu'il avait décidé d'être le meurtrier du souverain, Khalturine n'avait pas imaginé le scénario qui se mettrait en place à la fin de l'année 1879. Il pensait le tuer dans un face-à-face, comme l'avaient tenté ses glorieux précurseurs Karakozov ou Véra Zassoulitch, et plutôt à coups de hache. Une rencontre imprévue avec le souverain lors de ses pérégrinations dans le palais l'avait fortifié dans ce projet, mais le Comité exécutif, échaudé par les échecs répétés, refusa cette version héroïque du meurtre, préférant la sécurité des explosifs. Tout fut donc programmé pour le retour du souverain de Livadia, dans l'hypothèse où il n'aurait pas trouvé la mort en train.

À peu près au moment où les attentats ferroviaires échouent, survient dans la capitale un incident qui aurait dû condamner le projet de Khalturine. Son correspondant et fournisseur de dynamite, Kviatkovski, est arrêté et la police, perquisitionnant chez lui, trouve le plan intérieur du palais dressé par Khalturine, ce qui l'intrigue mais ne l'incite apparemment pas à surveiller davantage le palais et ceux qui y travaillent. Seul changement à intervenir : le Comité exécutif désigne Jeliabov pour assister Khalturine, lui livrer les explosifs et établir avec lui un calendrier de l'attentat.

Après une longue attente et quelques reports, celui-ci eut enfin lieu le 5 février 1880. L'occasion était toute trouvée : le souverain, en compagnie du grand-duc héritier et de son frère Vladimir, recevait, au cours d'un dîner familial, son beau-frère le prince Alexandre de Hesse avec ses fils. Rentrée dans la capitale à bout de forces, l'impératrice ne quittait plus sa chambre et ne devait pas participer au repas. La salle à manger « jaune » – c'est ainsi qu'on la désignait en raison de la couleur de ses murs – était située au-dessus d'une salle voûtée sous laquelle se trouvaient les explosifs. L'explosion se produisit au moment où le souverain allait pénétrer dans la salle à manger, elle y souffla tout, mais, surtout, elle fit sauter la salle voûtée où se trouvaient une cinquantaine de soldats, et toutes les pièces adjacentes. La charge ne suffit pas à détruire l'étage où se trouvait la famille impériale, mais elle fit un nombre considérable de victimes, morts et blessés, au rez-de-chaussée, parmi les soldats et les membres du personnel. En dépit des recherches effectuées dans la poussière, les gravats et une atmosphère de panique générale, on ne trouva nulle trace des auteurs de l'attentat. L'héritier nota dans son journal : « Ce spectacle effroyable [les soldats gisant à terre, couverts de sang], de ma vie je ne l'oublierai. »

L'empereur, qui, pour la cinquième fois, venait d'échapper à ceux qui le traquaient, fit comme à son habitude preuve d'un calme remarquable dont Milioutine dit : « Il garda toute sa présence d'esprit, voyant dans cet événement le doigt de Dieu. »

Pourtant, même si les cloches des églises sonnant à toute volée remerciaient Dieu de ce qui était présenté comme un nouveau miracle, cet attentat-là changeait radicalement la situation. Il témoignait qu'il n'était plus un seul lieu où Alexandre II fût en sûreté. On avait supprimé ses promenades, on l'avait entouré de gardes, mais les assassins circulaient jusque dans son propre palais, pourtant théoriquement très surveillé. Cela signifiait que les assassins étaient partout, capables de surgir à tout instant, sous n'importe quelle défroque, semant la mort sous n'importe quelle forme. Après le pistolet, les explosifs, tout était ouvert : le poison, l'étranglement... La panique s'installa dans la capitale où les rumeurs allaient bon train, notamment celles visant l'entourage du souverain et les services chargés d'assurer l'ordre public. N'était-ce pas là qu'il fallait chercher des complices ?

En tout cas, Alexandre II sut dès le surlendemain de l'attentat que la chasse restait ouverte. Le Comité exécutif de la *Narodnaia Volia* publia en effet un communiqué disant son regret d'avoir vu mourir au passage des soldats innocents, mais qui avaient tout de même eu le grand tort d'être au service du tyran, et concluait : « Nous avertissons encore une fois l'empereur que nous poursuivrons le combat jusqu'à ce qu'il se démette de son pouvoir au bénéfice du peuple. Jusqu'à ce qu'il confie le soin de réorganiser les institutions à une Assemblée populaire constituante. »

Cet événement ouvrit une crise politique sans précédent. Alexandre II devait réagir, car ni les prières dans les églises, ni son sang-froid, que l'on pouvait aussi appeler résignation, ne suffisaient. Le communiqué du Comité exécutif posait un problème en termes radicaux : ou le souverain devait périr, ou il lui fallait remettre le pouvoir au peuple. Sans aller jusqu'à de telles extrémités, la question des conséquences politiques à en tirer était posée. Et c'était l'éternel débat : réprimer, toujours réprimer, ou tenter d'apporter une réponse politique ? Alexandre II était soumis à une très forte pression en faveur de la première solution, notamment celle de la femme aimée, Katia. Il a noté dans son journal, à la date du 15 mars : « Katia me pousse aux mesures extrêmes contre les nihilistes, et dit qu'il faut pendre, pendre sans cesse pour étouffer cette infâme révolte. » Et d'ajouter : « Je déteste qu'elle se mêle de politique. » Et encore, le 18 mars : « Katia ne peut comprendre que je ne puisse agir contre la justice et exécuter sans jugement. »

Dès ce moment – on y reviendra –, la favorite prétend imposer ses vues. Mais Alexandre II n'est pas disposé à se contenter de solutions répressives, il veut agir en politique, et il a besoin d'hommes pour l'aider à préciser ses vues. Autour de lui s'agitent tous ceux qui lui prodiguent des conseils opposés : son oncle, le grand-duc Constantin, que l'opinion conservatrice est bien près d'accuser de soutenir les nihilistes ; Pobedonostsev, qui se réclame de l'héritier, à qui il prodigue des avis de rigueur, d'opposition à toute concession politique propre, l'assure-t-il, à être interprétée comme signe de faiblesse par les nihilistes ; et le souverain doit malgré tout prêter une oreille attentive aux propos de l'héritier, d'autant plus que sa vie privée divise alors tragiquement la Cour et éloigne de lui le tsarévitch. L'histoire russe n'est pas peu fertile en tragédies nées de l'opposition entre le tsar en place et son successeur désigné, Alexandre II ne peut l'ignorer.

Il convoque ses ministres, ses conseillers les plus proches, les grands gouverneurs de province. Le journal de Valouev retrace ces discussions interminables autour de l'éternelle alternative réprimer/réformer. Mais Alexandre II prend tout ce beau monde de court, et, quelques jours à peine après l'attentat, le 9 février, il annonce la formation d'une Commission exécutive suprême chargée de restaurer l'ordre public. À sa tête

– Valouev note dans son journal que « l'étonnement se peignit sur tous les visages » –, le souverain place le comte Loris-Melikov, nommé peu auparavant gouverneur de Kharkov.

Le « *dictateur de velours* »

On comprend l'étonnement éprouvé à cette nouvelle par les assistants, car la personnalité de Loris-Melikov n'est pas ordinaire. Le comte Mikhaïl Tariélovitch Loris-Melikov appartient à une famille de la noblesse arménienne. Sa carrière militaire s'est surtout déroulée au Caucase, et il est l'un des héros de la récente guerre russo-turque, le vainqueur de Kars. À cinquante-six ans, il n'est pas encore très connu dans la haute société de la capitale ; depuis la guerre, c'est dans son gouvernement de province qu'il a pu faire preuve d'une fermeté mêlée de souplesse, ainsi que des qualités d'administrateur qui ont attiré sur lui l'attention de l'empereur. Les terroristes ne s'y sont d'ailleurs plus manifestés depuis qu'il est entré en fonctions. Il s'était aussi illustré à Astrakhan où le gouvernement l'avait chargé de prendre les mesures nécessaires pour combattre une épidémie de peste et calmer une population que la peur pouvait conduire à tous les excès. En six semaines, il y avait montré son savoir-faire. Alexandre II ne l'a pas oublié.

Pour mener à bien sa tâche, il reçoit les pleins pouvoirs, l'autorité sur la IIIe section : il est en quelque sorte un dictateur potentiel. Mais on décrit ainsi le politique : « Gueule de loup, queue de renard. » D'emblée, le souverain lui fait entière confiance et il note dans son journal, le 22 mars, un entretien avec Loris-

Melikov qui dit « qu'en écrasant les factieux *(kramola)*, nous imposerons notre force et arrêterons l'élan de ceux qui sont près d'agir... Loris-Melikov veut prendre tous les pouvoirs en main pour combattre la révolution qui est près d'éclater en Russie ». Puis, le 3 avril : « Il y a six mille sept cent quatre-vingt-dix détenus entre les mains de la police. Loris-Melikov va étudier le cas de chacun. »

Ces propos témoignent de ce qui, en Loris-Melikov, rassure le souverain : la fermeté, mais aussi l'esprit d'équité, la volonté de tout examiner par lui-même, cas par cas. Mais Loris-Melikov ne dissimulait pas qu'il estimait la répression insuffisante à apaiser la Russie, et qu'il entendait user des pouvoirs qui lui étaient confiés pour reprendre la voie des réformes suivie par le passé par Alexandre II. À peine nommé, il s'adressa aux habitants de la capitale pour leur exposer sa vision d'une mission à deux volets, et, dès ses premières mesures, on comprit qu'il était un homme à poigne, mais aussi un libéral. Des prisonniers furent relaxés, la censure s'allégea, les zemstvos purent agir plus librement.

La société l'observait avec attention, mais les nihilistes jugèrent bon d'intervenir sans tarder. Le 20 février, à peine était-il entré en fonctions, qu'il essuya un coup de feu tandis qu'il rentrait à son domicile. La balle s'égara dans ses vêtements, et Loris-Melikov, impavide, constata qu'il était protégé par le destin. Cet attentat manqué fit beaucoup pour sa popularité. Le tireur maladroit fut aussitôt arrêté. C'était un jeune Juif venu de la région de Minsk, nommé Hippolyte Mladetski, qui avait agi sur une impulsion personnelle. Loris-Melikov se chargea de l'interroger et décida qu'il méritait le gibet. L'empereur intervint pour exiger qu'il fût jugé dans les formes, et non exécuté sans jugement, et le procès eut lieu après une rapide instruction ; il fut pendu quarante-huit heures après l'attentat.

La politique de Loris-Melikov sembla très tôt porter ses fruits : les nihilistes ne se manifestaient pas, l'opinion rassurée était favorable à l'idée de changements, et les libéraux voyaient en Loris-Melikov l'homme qui pourrait réaliser leurs vœux de réformes politiques.

Le 11 avril 1880, Loris-Melikov remit à Alexandre II un long document qui faisait le point de la situation qu'il avait trouvée deux mois plus tôt, et rappelait qu'il avait aussitôt fait appel aux Pétersbourgeois pour leur demander de l'aider : « La réalité a montré que je ne m'étais pas trompé dans mon espoir : des centaines de personnes de toutes les professions, de tous les milieux et situations, ont répondu à mon appel. Une masse de lettres, de projets, de mémoires que j'ai reçus de toute la Russie suggèrent des mesures pour corriger les défauts de notre système, et témoignent qu'une grande part de la société russe est consciente des conditions anormales de la situation actuelle ; elle demande avec anxiété que nous nous engagions sur la voie d'un développement pacifique et légal. »

Ces phrases figurent à la troisième page du mémoire présenté par Loris-Melikov à Alexandre II. Fort de ce soutien populaire, il suggérait à l'empereur une série de dispositions accordant davantage de droits aux zemstvos, simplifiant le système fiscal, réformant le système scolaire. Sur ce point, il prit une décision qui eut un grand retentissement : le renvoi de l'impopulaire ministre de l'Instruction publique, Dimitri Tolstoï, symbole de la confiscation de toute liberté dans l'enseignement et la vie universitaire. Tolstoï était haï par la jeunesse, par les libéraux, par une large partie de la société. Sa chute fut un moment de gloire pour Loris-Melikov. Tolstoï fut remplacé par un libéral, Sabourov.

Autre nomination saluée par l'opinion : celle d'Alexandre Abaza qui remplace aux Finances l'amiral Gregh[1] que, malgré l'importance de son poste, la société ignorait. Abaza était connu pour ses idées réformatrices, il entendait accélérer par des dispositions financières le développement du réseau ferroviaire et proposait de supprimer l'impôt sur le sel, très impopulaire.

Enfin, Loris-Melikov voulait la suppression de la IIIe section, incarnation du contrôle policier et de la répression exercés sur la société. Le mémoire du 11 avril suggérait aussi à Alexandre II « une amélioration du niveau moral du clergé, une réforme fiscale, la liberté pour les vieux-croyants, une réorganisation du système des passeports, l'achèvement de la réforme paysanne ».

Ce document remarquable, bien accueilli par le souverain, se situait nettement dans une perspective politique, celle du sujet que l'on n'osait pas nommer : la réforme constitutionnelle. Grâce à ce que Loris-Melikov définissait comme la « dictature du cœur, de la raison et de la loi[2] », Alexandre II retrouvait son visage de réformateur que la société avait peu à peu oublié. C'est d'ailleurs ici que les choix politiques et la vie privée du souverain vont se mêler de manière

---

1. Il a remplacé aux finances Reutern, démissionnaire à la fin de la guerre russo-turque.

2. Ses adversaires utilisaient l'expression « dictature du cœur » de manière ironique.

parfois dangereuse, conférant toujours plus d'autorité au « dictateur de velours ».

Le triomphe de l'amour

La situation personnelle d'Alexandre II a considérablement changé après les attentats. Le palais d'Hiver abrite au début de l'an 1880 la famille légitime du souverain et, à un autre étage, Catherine Dolgorouki et leurs trois enfants, Olga, Catherine et Georges que son père appelle Gogo. Un autre petit garçon, Boris, est mort. L'impératrice se meurt dans un silence digne. Mais cette cohabitation qui fait scandale divise la famille et la Cour en deux clans.

D'un côté, il y a le palais d'Hiver où l'impératrice silencieuse cède la place à la seconde famille du souverain. Pour justifier ses allées et venues dans le palais, Katia a été nommée demoiselle d'honneur de l'impératrice, mais n'apparaît pas dans ses appartements. Elle ne compte pas beaucoup d'amis : la liaison est longtemps demeurée sinon secrète, puisque tout le monde en parle, du moins en marge de la société. Mais, en ce printemps 1880, la perspective de la mort prochaine de l'impératrice incite les familiers de la Cour à opérer des choix. Prévoyant, Loris-Melikov commence à visiter la princesse Dolgorouki, à prendre ses avis sur la politique à suivre.

En face, il y a ce que l'on nomme le clan du palais Anitchkov, qui se regroupe autour de l'héritier. Comme fils, il est attaché à sa mère, et, par ailleurs, fort imbu de grands principes, scandalisé par la double vie de son père. Son maître à penser, Pobedonostsev, encourage son attachement à la morale, le met en garde contre l'esprit frondeur de Katia et une possible alliance entre elle et Loris-Melikov, même si ce dernier joue aussi très habilement de ses sentiments de fidélité à l'égard de l'héritier. Par-dessus tout, le grand-duc Alexandre peut à bon droit s'inquiéter pour son père qu'il tient pour assujetti aux volontés de sa maîtresse. N'envisagerait-il pas, poussé par elle, de l'épouser sitôt qu'il sera veuf, de reconnaître leur fils Georges, et, qui sait, de désigner ce dernier comme héritier ? Selon Pierre le Grand, le souverain dispose du droit de choisir parmi ses descendants qui lui succédera. Catherine II avait voulu user de ce droit, et seule la mort l'en empêcha[1]. Le fils d'Alexandre II connaît trop bien l'histoire des Romanov pour ne pas craindre une telle issue.

C'est ce conflit latent qui, à l'heure où il confie les pleins pouvoirs à Loris-Melikov, a conduit Alexandre II à prêter autant d'attention aux remontrances et mémoires du grand-duc héritier. Il a constamment cherché à apaiser ses craintes et à vaincre l'hostilité des siens à sa seconde vie, ce qui explique les contraintes imposées à Katia.

Mais tout va changer avec la disparition de l'impératrice, qui s'éteint le 22 mai 1880. Elle meurt seule : l'empereur se trouve alors à Tsarskoïe Selo en compagnie de sa seconde famille. Lire la correspondance d'Alexandre II et de Katia, ainsi que le journal d'Alexandre II dans les jours qui suivent cette mort, est d'un très grand intérêt, car ces textes éclairent deux personnalités. Pour le souverain, la disparition d'une épouse respectée, dont la vue nourrissait ses remords,

---

1. Paul Ier, qui faillit être, en vertu des dispositions de Pierre le Grand, écarté du trône, les a annulées en 1797.

est sans doute un soulagement : sa vie pourra enfin trouver son unité ; mais il vit aussi ces moments avec la force de son éducation chrétienne et impériale. Il sait ce qu'il doit au temps du deuil. Catherine, en revanche, ne connaît que le bonheur.

À lire les lettres d'Alexandre II datées de ces jour-là, toutes bordées de noir, on comprend qu'elles répondent à des pressions verbales de Catherine qui a eu d'emblée l'exigence du mariage à la bouche. Le 22 mai à minuit, il écrit : « Tu sais, cher ange de mon âme, que je ferai mon devoir dès que les circonstances le permettront. » Et le 27 mai, cette missive déchirante : « Je ne t'en veux certes pas de m'avoir écrit tout ce que tu avais sur le cœur, mais tu dois comprendre, chère Doussia, qu'il me répugne de toucher à un sujet pareil avant même que le corps de la défunte soit enterré. Ainsi, n'en parlons plus, car tu me connais assez pour ne pas douter de moi. »

Le journal intime confirme combien ces jours furent difficiles pour Alexandre II. Le 22 mai, il note : « Ma double vie prend fin ce jour, je suis très chagriné. Mais elle ne cache pas sa joie. Elle parle déjà de la légalisation de sa situation. Je ferai pour elle ce qui sera en mon pouvoir, mais je ne pourrai aller à l'encontre des intérêts de la patrie. » Et le jour suivant : « Après un long entretien avec elle, j'ai décidé d'accéder à son désir, de nous marier au bout de quarante jours (révolus). » Et le 27 mai, le journal confirme combien Katia a harcelé le souverain pour lui imposer la reconnaissance totale de son statut : « Jamais Katia ne m'a tant tourmenté que ces jours-ci. En définitive, je lui ai promis de la couronner. »

Cinq jours seulement se sont écoulés depuis la mort de l'impératrice, et Katia a tout obtenu : le mariage dans un délai qui heurte les convenances, car le délai de quarante jours est celui que l'Église impose entre la disparition du défunt et le service funèbre marquant la fin du deuil immédiat, mais ce n'est qu'un an plus tard qu'un service funèbre coïncide avec la fin du deuil social. Comment annoncer à l'héritier, à sa famille, à la Russie même un remariage aussi précipité ?

C'est à son ministre de la Cour, le comte Adlerberg, que l'empereur confie en premier l'engagement qu'il a pris envers Katia. Le ministre, effaré, le conjure de respecter le temps officiel du deuil, objecte que la décision impériale est contraire à tous les usages, ceux de l'Église comme ceux de la société. Il lui représente combien l'officialisation précipitée de sa liaison est contraire à l'image de la monarchie qui se doit d'être exemplaire, combien cela va créer de conflits au sein de la famille impériale et avec l'héritier, si blessé déjà par une cohabitation qui fait scandale. Mais le souverain est intraitable : il invoque, comme il le fait dans sa correspondance avec Katia, le devoir que l'honneur lui dicte.

En réalité, ses écrits le montrent, il est déchiré, mais la pression à laquelle le soumet Katia est difficilement supportable. Sa décision est claire : il s'est engagé à épouser Katia au bout de quarante jours.

Milioutine, à qui Adlerberg se confia, rapporte qu'excédé, le souverain le mit en présence de Katia et s'éclipsa. Celle-ci se montra arrogante et odieuse, si l'on en croit le propos de Milioutine. Et les notes du souverain, ainsi que la lettre du 27 mai, suggèrent que la douce maîtresse idéalisée par le cinéma et les romanciers pouvait être, à ses heures, une mégère. La lecture attentive de sa correspondance montre, à côté d'un amour réel, une propension constante à se présenter en victime de maux physiques plus ou moins imaginaires, voire de l'isolement ou d'une situation fausse. L'attention permanente d'Alexandre II, s'enquérant à tout instant des états d'âme et du confort de sa bien-aimée, témoignent tout à la fois de l'immense amour que porte cet homme vieillissant à une très jeune femme, mais probablement aussi d'un certain sentiment de culpabilité à son égard qui explique la brutalité de sa décision de mai 1880.

Le mariage a lieu le 6 juillet 1880 à Tsarskoïe Selo dans le plus grand secret. Les témoins et garçons d'honneur *(chafer)* qui tiennent les couronnes sur la tête des mariés, comme le veut le rite orthodoxe, sont le comte Adlerberg, qui ravale sa fureur, et les deux généraux Baranov et Ryleev. Ces trois témoins signent l'acte de mariage, probablement bien décidés à garder le secret. Mais la nouvelle se répand comme une traînée de poudre. Le même jour, le souverain adresse au Sénat le décret attribuant à la princesse Dolgorouki « le nom de princesse Iourievski, avec le titre de sérénissime. Nous ordonnons que ce nom soit donné aussi avec le même titre à nos enfants, notre fils Georges, nos filles Olga et Catherine, et à ceux qui pourraient naître ultérieurement ; nous leur attribuons tous les droits dont jouissent les enfants légitimes, conformément aux articles 14 des lois fondamentales de l'Empire et 147 de l'établissement de la famille impériale ».

Ce décret, qui n'était pas destiné à être rendu public avant un an, était accompagné d'une précision : les enfants issus du couple impérial qui n'étaient pas, par leur mère, de famille royale régnante ou ayant régné, ne pouvaient prétendre au trône. Cette précision était en conformité avec les lois fondamentales de l'Empire. C'était la seule concession faite par le souverain à son héritier, le grand-duc Alexandre, pour lui signifier que sa position n'était en rien menacée par la légitimation des enfants de Katia ; mais elle ne pouvait suffire à apaiser ses inquiétudes. Déjà, le nom attribué à la nouvelle épouse était lourd de sens : Iourievski renvoyait à Iouri Dolgorouki, le prince qui fonda Moscou et commença l'œuvre de rassemblement des terres qui donneraient naissance à la Russie. Catherine était une Dolgorouki, parenté fort lointaine, certes, mais suffisante pour nourrir l'ambition d'une femme qui venait de montrer de quelle autorité elle jouissait. Dans les journées de discussions si rudes qui l'avaient opposé à Katia, le souverain avait promis qu'elle ceindrait la couronne. Mais s'arrêterait-elle là ? Après tout, si elle n'était pas de sang royal, elle savait que, jusqu'au règne de Pierre le Grand, les épouses des souverains avaient été choisies dans des familles russes, donc non royales, et Catherine Dolgorouki appartenait à une vieille famille russe.

Loris-Melikov – le renard, en l'occurrence –, qui avait deviné, avant même le mariage, l'avenir réservé à Katia, et qui commençait alors à soutenir ses prétentions pour obtenir, en échange, un soutien à ses propres projets, suggérait volontiers à Alexandre II qu'une « impératrice russe » pourrait avoir la faveur populaire. Rien n'indique cependant, dans le comportement du souverain, qu'il ait jamais envisagé de changer l'ordre dynastique. Son héritier, en revanche, s'en inquiétait. Il fut informé du mariage et des dispositions qui l'accompagnaient trois jours après sa célébration, et il fut convenu que le secret serait gardé sur le tout jusqu'au 22 mai 1881. L'héritier s'inclina, mais restait attentif aux projets politiques qu'il soupçonnait Loris-Melikov de préparer en accord avec la princesse

Iourievski, car, il le savait, ils avaient besoin l'un de
l'autre, elle pour ceindre la couronne, lui pour mener
à bien la réforme politique devant laquelle
Alexandre II hésitait.

Mais, dès ce moment, apaisé sur l'avenir des siens
– il a justifié son mariage précipité auprès de l'héritier
en invoquant les menaces constantes qui pèsent sur
lui et sa volonté d'assurer une protection définitive
à cette famille –, l'empereur écoute Loris-Melikov et
s'ouvre à l'idée, jusque-là sans cesse repoussée, qu'il
doit parachever son œuvre de libérateur en lui
donnant un « toit » politique (pour rappeler le propos
de Leroy-Beaulieu).

Une constitution ou un pas vers la constitution ?

Épuisé, le souverain décide, en août 1880, de quitter la capitale et de suivre depuis Livadia ce qui
devient la grande affaire du moment : le projet de
réforme politique. À Livadia, c'est la nouvelle famille
impériale qui s'installe officiellement au vu et au su
de tous. Le deuil n'est pas achevé, mais Catherine y
règne et le souverain, travaillant depuis cette résidence
d'été, y reçoit tous ceux qui participent à l'élaboration
du projet de réforme politique.

Depuis le début de son règne, Alexandre II est
confronté à cette question lancinante : peut-on réformer la Russie sans toucher au système politique et à
son sommet ? Il a toujours repoussé l'idée de doter
son pays d'une constitution, d'associer la société au
pouvoir par « la voie d'organes représentatifs ». Mais,
à la base, les zemstvos sont bel et bien l'amorce d'une
telle réforme. Et l'absence d'institutions représenta-
tives au sommet freine leur développement.

À l'été 1880, la situation est favorable à la mise en route d'un tel changement. Loris-Melikov a maîtrisé – du moins l'espère-t-il – le mouvement révolutionnaire. C'est lui qui demande à l'empereur de supprimer la Commission suprême et de mettre fin à ses pouvoirs dictatoriaux. Il devient ministre de l'Intérieur et chef des gendarmes ; en fait, il est Premier ministre.

Il présente alors à l'empereur son projet sous une forme qui peut lui être acceptable, puisque Valouev lui en avait déjà proposé par le passé un semblable. Deux commissions sont constituées, l'une chargée des problèmes économiques et administratifs, l'autre des finances ; elles devraient ensuite soumettre le fruit de leurs travaux à une commission générale. En dernier ressort, le Conseil d'État examina le tout, assisté du ministre concerné par chaque partie du projet. Les deux commissions étaient censées être composées de fonctionnaires, de représentants élus des zemstvos de province et de ville. Loris-Melikov suggéra que le souverain associe au travail du Conseil d'État quelques personnalités – dix à quinze, sans droit de vote – représentant divers secteurs sociaux et connues pour leur expertise ou leur influence.

Ces propositions, qui rappelaient la procédure suivie lors de l'élaboration de la réforme du servage, étaient modestes. À l'évidence, ce n'était pas une constitution qui risquait d'en sortir, mais pouvait en surgir un certain degré de représentativité au sein du système politique. Loris-Melikov avait bien précisé que les projets préparés devraient se situer « dans les limites fixées par la volonté du souverain », et que le pouvoir autocratique de celui-ci ne serait nullement altéré.

Plusieurs dispositions étaient d'ailleurs destinées à apaiser les craintes d'Alexandre II de se trouver

soudain confronté à un projet débouchant sur une
véritable constitution. Le calendrier, d'abord, puisque
le ministre avait prévu que les deux commissions,
après avoir pris connaissance des travaux préparatoires
de divers groupes ou sous-sections, se réuniraient à
partir de l'automne de manière à remettre leurs propositions à la Commission générale au début de l'année
1881. En dernier ressort, les textes législatifs seraient
confiés aux instances spécialisées qu'assisteraient
quelques personnalités choisies avec prudence. Et les
représentants élus des institutions publiques intervien-
draient aux dernières étapes de ce parcours, ce qui
devrait permettre de limiter le poids de leur intervention.

Le 4 janvier 1881, le souverain note dans son journal : « Loris-Melikov conseille de constituer des
commissions préparatoires semblables à celles qui, en
1858, ont travaillé à la question paysanne... en en éloi-
gnant autant que possible la noblesse. » Le ton est
apaisé, car la référence aux travaux qui ont conduit
à l'émancipation des serfs ne pouvait que rassurer le
souverain. Celui-ci était conscient d'avoir mené à bien
une réforme crainte par tous ses prédécesseurs et qui,
depuis 1861, lui assurait une gloire incontestée. Loris-
Melikov l'avait par ailleurs mis en garde contre un
optimisme excessif devant le calme apparent régnant
dans la société. Ce calme était une attente, soulignait-
il, qui, si elle était déçue, nourrirait à nouveau l'activité des révolutionnaires.

Loris-Melikov devait dans le même temps vaincre
l'hostilité de l'héritier, soutenu par Pobedonostsev, à
l'idée même d'une réforme pouvant aller dans le sens
d'une constitution. Derrière l'héritier, tout le clan du
palais Anitchkov, sa résidence, qui rassemblait une

part importante de la famille impériale, était soudé à la fois par le malaise que suscitait le mariage du souverain, souvent par une franche antipathie envers son épouse, et par l'inquiétude à l'idée de voir évoluer le système politique. Malgré les apaisements que leur prodiguait Loris-Melikov, tous comprenaient – et Pobedonostsev s'employait à le leur expliquer – qu'ouvrir la voie à des pratiques constitutionnelles, même limitées, signifiait en réalité faire un pas décisif et irréversible vers l'adoption, à terme, d'une constitution. Et tous savaient que ces dispositions, pour limitées qu'elles soient, encourageraient une véritable vie politique et, à terme, par conséquent, l'apparition de partis.

Dans la note remise au souverain en 1879, le diplomate déjà cité, M. de Tatarinov, suggérait une évolution prudente mais qui, sans dire son nom, tirait les conséquences des réformes antérieures : « En créant des institutions territoriales – zemstvos –, l'empereur a daigné associer ses sujets au maniement de leurs intérêts locaux ; leur association, dans une certaine mesure, au maniement des intérêts généraux de l'Empire est la conséquence logique des institutions provinciales. Pour y aboutir, il n'est pas nécessaire, heureusement, d'importer en Russie un de ces pactes fragiles et mensongers de défiance réciproque entre peuple et souverain, généralement connu sous le nom de constitution. Il suffirait de faire envoyer par chacune de nos assemblées provinciales un délégué qui siégerait au Conseil de l'Empire[1]. Il faudrait en outre définir et élargir les fonctions législatives de ce Conseil. »

---

1. Conseil d'État mais qu'en langue française on désignait souvent comme Conseil d'Empire.

Ce mémoire, qui précède le projet Loris-Melikov, en rejoint parfaitement les intentions. Ne pas parler de constitution, mais modifier le Conseil d'État par sa représentativité et ses fonctions. C'est ce que Loris-Melikov s'acharnait à faire et ce que le souverain comprenait parfaitement. Cependant, non seulement il s'efforçait de convaincre Alexandre du caractère *non constitutionnel* de son projet, le présentant plutôt comme une légère adaptation de la pratique existante, mais il lui fallait aussi gagner des soutiens au sein de la famille impériale, le plus important étant l'héritier dont il lui fallait sinon désarmer, du moins neutraliser l'opposition.

Il est peu douteux qu'un marché plus ou moins explicite fut conclu entre Loris-Melikov et le futur Alexandre III, le premier requérant l'aide du second tout en se présentant comme le garant de ses droits à la succession, car l'idée du changement de lignée flottait dans l'air et nul n'ignorait que Loris-Melikov lui-même l'avait agitée. Son prestige auprès du souverain lui permettait ce marchandage qui ne fut probablement jamais clairement exposé, mais dont la rumeur se répandit. Il conduisit le grand-duc Alexandre à accepter les éléments de représentativité populaire inclus dans le projet. Son oncle, le grand-duc Constantin, y était très bruyamment favorable, mais, dans le même temps, se posait en défenseur d'une succession légitime et incitait son neveu à le suivre.

Loris-Melikov s'était, de l'autre côté de la famille, assuré le soutien ouvert de la nouvelle princesse Iourievski, qui n'hésitait pas à assister aux entretiens politiques de l'empereur et à exprimer son accord sur l'idée d'une constitution. Son intrusion dans le débat politique et ses immixtions dans les décisions impériales ne contribuaient pas peu à assombrir le climat d'hostilité régnant chez les Romanov. Il était patent que la réforme et le couronnement de la princesse Iourievski qu'appréhendait la famille impériale étaient liés jusqu'à un certain point.

Comme les travaux des commissions avançaient, l'empereur Guillaume Ier écrivit à son neveu pour le mettre en garde contre toute réforme constitutionnelle, lui suggérant de simples ajustements au système existant. Alexandre II le rassura : lui vivant, il n'y aurait pas de constitution en Russie. Mais l'empereur avait en réalité renoué avec le sentiment qui l'habitait au début de son règne : il pensait qu'il lui appartenait d'arracher la Russie à son retard, à ce que l'on appelait sa tradition « de barbarie » (ou encore « asiatique ») où elle était restée trop longtemps confinée. En 1855, il s'était émancipé de l'autorité de son père pour agir comme le lui commandait son instinct : en réformateur. Vingt-cinq ans plus tard, alors même qu'il va fêter ce quart de siècle de règne, la même volonté de s'émanciper des pressions exercées sur lui par Guillaume Ier, par Pobedonostsev, par une fraction conservatrice de la noblesse, l'anime. Et, tout en répétant à ses interlocuteurs qu'il n'acceptera jamais une constitution, il donne son accord à un projet modeste, certes, mais qui, il le sait, ouvre la porte à la constitutionnalisation rapide du système politique russe.

Le 28 janvier 1881, alors qu'Alexandre II est depuis deux mois revenu dans la capitale pour suivre de près les travaux des commissions, son ministre lui remet un mémoire qui, dit-il, propose « des mesures destinées moins à réprimer sévèrement des actions néfastes et à renforcer le pouvoir momentanément ébranlé par les événements des années récentes, qu'à satisfaire pour l'essentiel les demandes et les besoins légitimes de la population ». Tout le mémoire résume l'organisation des travaux entrepris par les commissions, leurs préoccupations, et témoigne des précautions prises pour que la volonté impériale ne soit pas dépassée. Cela a certainement suffi à inciter l'empereur à accepter qu'un texte définitif lui soit rapidement présenté.

Ce revirement est remarquable. Durant des années, il avait refusé d'entendre les propositions de Valouev et de son oncle, ligués pour suggérer plus ou moins les mêmes dispositions. Peut-être l'argument de Loris-Melikov selon qui, sans réforme portant sur le système lui-même, il ne pourrait empêcher le mouvement révolutionnaire de se manifester à nouveau et de bénéficier cette fois de l'indulgence de la société, y a-t-il contribué tout autant que le discours « libéral » du grand-duc Constantin ou de son épouse. Il a sans aucun doute compris que l'opinion libérale, celle d'une grande partie de l'intelligentsia, pouvait alors à tout moment basculer du côté des révolutionnaires ; mais aussi qu'elle pouvait, comme ce fut le cas en 1861 – il se souvient des applaudissements de Herzen – prendre résolument parti pour une monarchie en mouvement. C'est pourquoi, contrairement à son habitude de temporiser, il enjoint à Loris-Melikov de lui présenter au plus tôt le texte final.

Il le reçoit le 17 février et y donne son accord. Sans doute n'a-t-il pu s'empêcher d'évoquer Louis XVI qui, en convoquant les États généraux, a signé, dit-il, son acte de mort. Mais, le 1er mars au matin, ayant apposé sa signature au bas du texte, et décidé qu'il serait examiné le 4 mars en Conseil des ministres, censé y donner son visa avant qu'il ne soit transmis au Sénat, le souverain se tourna vers ses fils, qui l'entouraient, et leur dit, sitôt Loris-Melikov sorti : « Je viens de donner mon accord, mais je ne me dissimule pas que nous sommes sur la voie d'une constitution. »

En accomplissant ce choix qu'il avait repoussé durant un quart de siècle, l'empereur agissait en prenant en considération son avenir et celui du pays. Ce n'était pas lui, il l'avait déjà décidé, qui serait un jour confronté à une constitution, mais bien son successeur. De cette intention, des confidences existent, et lui-même l'a livrée à la postérité. Le prince Bariatinski rapporte que Loris-Melikov lui avait confié qu'au cours de ses entretiens à Livadia avec le souverain – et la princesse Iourievski qui y prenait une part active –, Alexandre II disait qu'il devait encore remplir deux devoirs : parachever les réformes par l'adoption d'un projet modifiant le fonctionnement de l'État – il n'employait naturellement pas le mot constitution – et couronner son épouse. Après quoi, ajoutait-il, il allait se retirer. Ce dessein, dont les trois éléments étaient indissociables dans les entretiens, comportait un double volet que l'on pourrait nommer celui des obligations auxquelles le souverain se sentait contraint envers son pays et son épouse, et un autre qui le concernait directement : le désir d'en finir avec toutes les pressions, et de vivre en paix. Son journal en porte témoignage : « Pour assurer notre avenir, Loris-Melikov conseille de transférer à l'étranger une partie des valeurs. Il y a longtemps déjà que je pense acquérir à l'étranger, quelque part dans le Midi, une grande propriété et m'y retirer. » Et le 27 mai, après avoir noté, on l'a vu, que Katia « le tourmente », il ajoute : « En définitive, je lui ai promis de la couronner pour nous permettre de nous retirer. »

De même que Loris-Melikov a joué dans la question constitutionnelle un jeu subtil, incitant l'épouse à faire pression sur le souverain avec la perspective de son couronnement, le souverain, en guise de récompense, a accédé à la volonté de Katia de se faire couronner au prix de son accord à une abdication ultérieure. Ce jeu compliqué, qui s'est développé à Livadia, témoigne de la difficulté pour le souverain d'accepter de conduire l'évolution du système politique à son terme. Lucide, il est convaincu que ce dernier pas s'impose, mais si, de toute évidence, il accepte de le faire, il ne veut pas être le souverain d'une Russie en voie de constitutionnalisation.

On peut s'interroger sur les raisons de ce refus que ni ses lettres ni son journal n'expliquent. Il en est deux possibles. Ou bien Alexandre II aura été viscéralement attaché à la conception de l'autocratie, celle que défend auprès de lui la plus grande partie de sa famille, et il ne se serait engagé dans la réforme que par un sens aigu des réalités et des nécessités russes, par sens du devoir. Ou bien sa volonté de se retirer traduirait tout simplement l'épuisement d'un homme traqué, soumis à toutes les pressions, et que le poids d'un règne exceptionnellement difficile accable. L'homme aurait finalement demandé grâce au souverain.

Mais il faut aussi faire la part de l'inquiétude chez un homme qui se savait poursuivi par des meurtriers obsédés par la volonté de ne lui laisser aucune chance. Et sa grande préoccupation a été de préserver la famille qu'il avait longtemps condamnée à la clandestinité d'être victime de ce sort. Le mariage précipité était une concession à la volonté de reconnaissance de la maîtresse cachée, mais c'était aussi un moyen – il l'espérait et l'a dit – de placer cette famille sous la protection de l'héritier. Alors qu'il était à Livadia, et les notes du journal en attestent, il prend des dispositions pratiques pour assurer leur commun avenir après l'abdication, mais il en prend aussi pour assurer l'avenir de sa famille au cas où il lui arriverait malheur. Le 11 septembre, il fait transférer une somme considérable dans une banque, au nom de Catherine, avec instruction de n'en autoriser la disposition qu'à elle seule, « moi vivant et après ma mort ».

Puis, à la veille de son retour dans la capitale, il adresse cet appel pathétique à son fils aîné, celui qui n'admet pas le mariage et craint un glissement dans l'ordre de succession : « Si je venais à disparaître, je te confie ma femme et mes enfants. Ton attitude amicale à leur égard, que nous avons constatée avec joie, me permet de croire que tu les protégeras. Ma femme n'a hérité d'aucune fortune de sa famille. Tout ce qu'elle possède maintenant lui appartient, et sa famille n'y a aucun droit. Tant que notre mariage n'est pas rendu public, tout le capital que j'ai déposé à la banque d'État lui appartient, comme le confirme le document que je lui ai remis. Ce sont mes dernières volontés, et je suis convaincu que tu les respecteras. »

Le souverain avait aussi décidé que, lui disparu, les enfants seraient sous la pleine responsabilité de leur mère, et qu'au cas où elle-même ne serait plus, la tutelle en serait confiée au général Ryleev.

Ces diverses dispositions témoignent de son inquiétude permanente pour les siens, et peut-être d'un pressentiment du sort qui l'attendait.

Néanmoins, ce 1er mars 1881, ayant décidé du cours à donner à l'affaire constitutionnelle, il semblait apaisé, convaincu d'avoir fait entrer la Russie dans une ère nouvelle. Du moins l'y aurait-il fait entrer si, le même jour, quelques heures plus tard, son meurtre n'avait fait basculer le pays en arrière...

La promenade fatale

Le 1er mars était un dimanche, jour où l'empereur se rendait traditionnellement au manège pour y assister à une parade militaire.

Malgré les progrès du débat constitutionnel, le climat politique de la capitale était très dégradé. L'année 1880 s'était achevée sur la montée de l'agitation universitaire qui va tourner aux désordres en février 1881. Le renvoi de l'impopulaire ministre Tolstoï, son remplacement par un homme assez libéral ont inquiété les milieux révolutionnaires. Le nouveau ministre, Sabourov, était pour eux le symbole d'une politique de duplicité tendant à endormir le mouvement en mettant en place des personnalités à l'esprit plus ouvert, sans changer pour autant de politique. L'idée fut d'abord avancée de frapper un grand coup en tuant le nouveau ministre, mais elle parut peu pratique et propre à dresser les libéraux contre les révolutionnaires. Elle fut donc remplacée par le projet de provoquer un incident qui mettrait le feu aux poudres.

Le 8 février 1881, lors d'une cérémonie solennelle tenue à l'université, où se pressait une foule considérable d'étudiants et d'invités et que le ministre avait honorée de sa présence, un étudiant le gifla tandis que, dans le tumulte commençant, deux comparses de haut niveau, Véra Figner et Jeliabov, criant à la provocation de la part du ministre, s'efforçaient de transformer l'incident en manifestation générale. Ils y échouèrent, mais l'intervention de la force armée pour rétablir l'ordre montrait que le feu couvait sous la cendre. Au même moment, la police fut informée qu'un attentat était en préparation, mais elle ne put s'assurer de sa réalité. Il fallut faire face à la menace inconnue, multiplier les précautions autour des résidences de la famille impériale, et surtout augmenter le nombre des policiers : autant de signes manifestes d'un malaise grandissant.

Le tsar ne voulut pas prêter attention aux avertissements qu'on lui prodiguait. Surtout pas en ce dimanche 1er mars où il entendait se rendre comme à son habitude au manège. Mue peut-être par un pressentiment, ou simplement alarmée par les rumeurs de complot qui avaient couru, la princesse Iourievski le supplia de renoncer à son projet. Il objecta que de toute manière, s'il y avait attentat, celui-là ne serait pas le bon : une voyante ne lui avait-elle pas prédit jadis qu'il succomberait au septième attentat ? Or il n'en avait subi que cinq.

Si Alexandre II put, comme il l'entendait, assister à la parade, puis rendre ensuite visite à la fille de la grande-duchesse Hélène Pavlovna, dont il avait été si proche, une bombe éclata à son passage sur le chemin du retour.

Des morts gisent sur le sol, mais l'empereur est sauf. Il a eu raison de croire la voyante ! Trop raison, car, au lieu de s'éloigner au plus vite du lieu du massacre, il se précipite au secours des blessés. Et c'est alors qu'une seconde bombe est lancée directement sur lui. Il tombe ensanglanté, déchiqueté mais encore vivant. C'est ainsi qu'il est rapporté au palais où il va mourir peu après, entouré des siens.

Le spectacle est effrayant. Son neveu, le grand-duc Alexandre Mikhailovitch, le décrit ainsi : « Son pied droit était arraché, le pied gauche fracassé, le visage et la tête couverts de blessures. Un œil était fermé, l'autre ne voyait plus rien. » En face du mourant, un adolescent de treize ans, vêtu d'un costume marin, contemple avec épouvante le corps supplicié de son grand-père. C'est Nicolas Alexandrovitch, le fils aîné du grand-duc héritier, qui est en passe de devenir à son tour l'héritier du trône. Si son grand-père avait pu commencer son règne sous des auspices paisibles, le futur Nicolas II n'oubliera jamais cette mort affreuse, ni que les assassins avaient, au nom de la liberté – leur drapeau n'était-il pas intitulé *Liberté du Peuple* ? – mis fin aux jours de celui qui, justement, avait libéré son peuple.

Parmi ceux qui se pressent autour du mourant, une voix s'élève : « Voilà ce que donne une constitution ! » Quelle terrible leçon pour un futur empereur de Russie !

Une autre leçon fut tirée de cette mort par un homme qui n'était pourtant pas du parti de l'empereur : Kropotkine. Constatant qu'Alexandre II, après l'explosion de la première bombe, avait ignoré la mise en garde de son cocher qui l'adjurait de ne pas sortir de la voiture mais d'aller de l'avant, il note : « Alexandre II en sortit. Il savait que l'honneur militaire lui commandait de se pencher sur les blessés et de leur dire quelques mots » – et de conclure qu'Alexandre II, ce faisant, avait eu le courage du soldat, mais peut-être pas le sang-froid de l'homme d'État.

Revenons en arrière pour comprendre ce nouvel et dernier attentat, et son succès. Car, comme les autres, il eût pu être manqué – le tsar était indemne après l'explosion de son carrosse –, mais fut réussi parce qu'une seconde bombe était au rendez-vous. Les terroristes avaient visiblement tiré les leçons de leurs échecs passés.

Le complot avait été préparé par des vétérans des attentats : Mikhailov, qui en était le commandant en chef, Jeliabov, Sophie Perovskaïa, Véra Figner. Des artificiers avaient aussi été recrutés. Le centre géographique de la conspiration se situait dans la maison où vivait et où mourra Dostoïevski, en plein cœur de la capitale[1]. Le visiteur qui se rend aujourd'hui dans cette maison pour admirer l'appartement-musée de l'auteur des *Démons* apprend avec étonnement qu'une simple cloison séparait l'appartement de Dostoïevski de la pièce où l'état-major de la *Narodnaia Volia* prépara le meurtre décisif. Le logement contigu à celui de Dostoïevski a été loué en novembre 1880 par Alexandre Barannikov, ce jeune homme de belle figure et de noble origine qui avait participé, le 4 août 1878, à l'assassinat du général Mezentsev. Ensuite, il s'était fort ennuyé dans la retraite de campagne où il avait cherché un moment refuge, et il n'est donc pas étonnant qu'il se soit très tôt mêlé à la mise en place de l'organisation révolutionnaire à Lipetsk avec ceux que l'on va retrouver au centre de toutes les tentatives d'attentats : Mikhailov, Kviatkovski, Jeliabov, Goldenberg. Il avait naturellement participé au creusement du tunnel conduisant à la gare de Moscou, en novembre 1879, et figurait parmi les terroristes expérimentés décidés à ne plus échouer.

Un an plus tard, cet étrange locataire accueille dans son nouveau domicile beaucoup de monde, avant tout le chef de la conspiration, Mikhailov, flanqué d'une « passionaria », Alexandra Korba, de Perovskaïa, Jeliabov, et surtout d'un personnage indispensable, l'indicateur installé au cœur du dispositif policier, Nicolas Kletotchnikov, fonctionnaire diligent de la IIIe section

---

1. Située rue Iamskaia, à l'angle de la rue Kouznetchnyi, devenue aujourd'hui rue Dostoïevski.

chargé d'informer le mouvement sur toutes les menaces qui pourraient surgir. Les conciliabules sont constants dans ce logement tandis que, de l'autre côté du mur, Dostoïevski travaille. Ce voisinage avec l'auteur des *Démons*, qui a tant réfléchi au problème de la terreur, de son organisation, mais aussi à ceux de la faute et du repentir, dont les héros évoquent les conjurés réunis de l'autre côté du mur, est le symbole de la Russie du début des années 1880 où se côtoient les illusions de la « mission » dévolue au terroriste pour le salut de l'humanité et la réflexion eschatologique sur ce pays.

Les conjurés préparaient leur coup dans un climat policier très tendu et la vigilance de Kletotchnikov leur était indispensable, même si, parfois, il n'aura disposé d'aucune information. Arrêté après l'attentat de Moscou, Kviatkovski avait été condamné à mort et pendu le 4 novembre 1880. Trois semaines plus tard, une imprudence fit tomber Mikhailov aux mains de la police. Enfermé à la forteresse Pierre-et-Paul, il abandonnait à ses camarades – avant tout à Barannikov – le soin de mener à bien l'opération. Jeliabov, mais aussi son ami Mikhail Trigoni, qui avait animé la lutte ouvrière à Odessa et qui débarqua à Pétersbourg pour renforcer le groupe de conjurés, changèrent souvent de rôle au fur et à mesure des arrestations qui écartaient peu à peu certains d'entre eux du complot. Le 27 février – mais les préparatifs sont déjà très avancés –, c'est au tour de Jeliabov d'être arrêté.

Dès le début de l'année 1881, les conjurés commencent à étudier les allées et venues d'Alexandre II, considérant que c'est là le point de départ de toute action sérieuse. Mikhailov avait déduit de l'échec des précédentes tentatives que l'attentat devait être accompli à l'extérieur, au cours d'un déplacement personnel du souverain. Une surveillance méthodique de ses habitudes fut organisée, confiée à Sophie Perovskaïa assistée de deux novices – des étudiants : Ignati Grinevitski et Nicolaï Ryssakov.

Cette enquête approfondie aboutit à un triple constat : l'empereur ne se déplaçait plus à pied, mais seulement en carrosse ou en calèche selon les cas, toujours entouré d'une garde ; ses itinéraires étaient changeants, même s'agissant de directions précises, et souvent modifiés au tout dernier instant ; sa seule sortie régulière, avec un horaire et un itinéraire connus et stables, était celle du dimanche matin où l'empereur se rendait, après avoir entendu la messe – elle aussi à heure fixe –, au manège pour y assister à la parade de la Garde. Deux itinéraires seulement étaient possibles pour cette expédition. Dès lors, la décision fut prise de concentrer tous les efforts sur cette sortie dominicale et de préparer un attentat à la bombe qui tiendrait compte des deux itinéraires existants.

Mais la crainte d'échouer encore une fois inspira aux conjurés d'innombrables précautions et une multiplicité de dispositifs. Kibaltchitch, maître ès explosifs, était chargé de cette partie du programme et fit preuve d'une inventivité stupéfiante. Les archives de la IIIe section contiennent même un projet d'appareil aérien qu'il avait inventé en prison à cette fin, et qui est parfaitement décrit. Ce long document est daté du 2 avril 1881, soit de la veille de sa mort, puisqu'il fut pendu le 3 avril en compagnie de Jeliabov, Mikhailov, Perovskaïa et Ryssakov, c'est-à-dire des principaux auteurs de l'attentat. Mais les armes qui servirent à tuer, qu'il avait soigneusement confectionnées et qui furent montrées et expliquées au procès du 26 mars, étaient d'une étonnante perfection. Les bombes de nitroglycérine explosaient à distance d'un mètre avec une précision remarquable, tuant à coup sûr leur cible, mais aussi probablement le lanceur, car, comme celui-ci devait la jeter de très près, ou il en recevait des éclats, ou il était pris sur-le-champ.

Un premier temps fut donc consacré à l'étude de l'itinéraire impérial. Sophie Perovskaïa et ses jeunes acolytes établirent que l'empereur passait nécessairement par l'une des deux routes : le long du canal Catherine ou par la perspective Nevski et la rue Malaïa Sadovaïa, cette dernière étant la plus habituelle. Il fut décidé de miner une des deux voies.

Deux manœuvres différentes furent préparées. Sur le canal Catherine, Sophie Perovskaïa avait remarqué qu'au tournant le cocher était contraint de ralentir ses chevaux qui, du coup, avançaient presque au pas ; elle en conclut que c'était là le lieu obligé de l'attentat dès lors que l'empereur choisissait cet itinéraire. On y posterait donc un lanceur de bombes.

Sur la Malaïa Sadovaïa, il fut décidé de miner le sol afin que la voiture impériale sautât en roulant dessus, et pour compléter le dispositif et éviter tout nouveau miracle, des terroristes seraient disposés à proximité pour jeter eux aussi des bombes. Enfin Jeliabov, dûment équipé, pourrait intervenir en tirant avec une arme à feu ou en frappant avec un poignard. Tout était prévu pour que le souverain ne pût échapper à cette succession de coups.

Afin de remplir ce programme compliqué, il fallait d'abord trouver un moyen commode d'engager le travail de sape sur la Malaïa Sadovaïa. On loua une maison dans cette rue dont les pseudo-locataires déclarèrent qu'elle serait une boutique faisant commerce de fromages. Barannikov mena à bien l'affaire de la location, la confia à deux complices, Iouri Bogdanovitch et Evdokia Jakimova, devenus pour la circonstance les époux Kobozev.

Le mois de janvier fut riche en événements pour les conjurés. D'abord, s'agissant des travaux de sape qui les occupaient. Ensuite, il y eut une perquisition policière, le 25. Un commerçant voisin s'étonna de l'apparente incurie des marchands de fromages et s'inquiéta aussi de la concurrence ; il s'ouvrit de ses doutes à la police qui fit une descente, inspecta les locaux et les alentours avec une grande légèreté, semble-t-il, car elle ne trouva rien de suspect alors qu'avec un peu d'attention elle aurait vu qu'un tunnel avançait sous la rue !

L'incident ne plaide guère en faveur de l'efficacité des services policiers de l'Empire, pas plus que celui qui suit, l'entrée en contact de Netchaev avec les conjurés. Au même moment, en effet, ce dernier, qui était enfermé au secret dans la forteresse Pierre-et-Paul, ayant fasciné ses geôliers par d'incroyables inventions verbales, réussit à entrer en communication avec le mouvement révolutionnaire et lui demanda d'organiser son évasion. Le message parvint aux « terrassiers » de fortune, qui, toujours adossés au mur jouxtant le logement de Dostoïevski, débattirent à grand bruit des moyens de mener à bien deux entreprises simultanées. Les arrestations avaient décimé leurs rangs, la préparation du complot exigeait du monde pour creuser la galerie, surveiller les alentours, continuer d'observer les allées et venues impériales et ajuster les itinéraires. Un message parvint à Netchaev, lui exposant les données du problème, qui entraîna aussitôt sa réaction : « Tuez le tsar et oubliez-moi pour l'instant ! » Ce qui fut fait. Mais Netchaev, dont l'absence de principes avait éloigné de lui les révolutionnaires, y acquit l'auréole du martyr...

L'arrestation, le 27 février 1881, de Jeliabov, qui devisait tranquillement chez son camarade Trigoni, fut une catastrophe. Après Mikhailov, celui qui était devenu le maître à penser du complot s'en trouvait à son tour écarté. Ne fallait-il pas craindre que la police n'eût davantage de renseignements permettant d'arrêter le complot avant qu'il ne fût mis à exécution ? Le souverain fut informé de ces arrestations par Loris-Melikov en personne, et il nota avec optimisme dans son journal, le 28 février : « Trois arrestations décisives, dont celle de Jeliabov. »

Les conjurés décidèrent d'aller très vite et d'agir le dimanche suivant, 1er mars. Tout, dès lors, fut réglé comme dans un ballet. Les arrestations qui se succédaient leur montraient l'urgence. La conspiration ayant perdu ses chefs, c'est Sophie Perovskaïa, cette jeune femme si décidée, qui en prend alors la tête, répartit les rôles et rêve au lancement simultané d'une insurrection populaire qui, le souverain mort, engloutirait le régime. Les bombes sont au point. Les volontaires ne manquent pas, et à l'avant du mouvement, comme souvent en Russie, on trouve des femmes. À côté de Sophie Perovskaïa, il y a Véra Figner et la compagne du chef arrêté, Mikhailov : Alexandra Korba. Toutes manifestent la volonté et cet esprit de sacrifice propres aux femmes russes que le grand poète Nekrassov a chanté au début des années 1870.

Le 1er mars, tout est en place sur la Malaïa Sadovaïa. Mais, dans l'hypothèse d'un retour du souverain par le canal Catherine, Sophie Perovskaïa s'est placée de façon à le savoir d'emblée et à le signaler à ses complices afin que l'équipe de tireurs se porte sur l'autre trajet. Des bombes ont été distribuées à l'aube, par elle et par Véra Figner, à tous ceux qui doivent les lancer. Un conjuré est installé dans la boutique du marchand de fromages, prêt à actionner le détonateur pour faire sauter les mines souterraines, tandis que les lanceurs de bombes occupent les places qu'on leur a désignées à l'avance.

Le souverain, ayant terminé sa visite au manège, le quitte et part, comme le lui a recommandé en dernière minute son épouse, en direction du canal Catherine. N'ayant pu obtenir qu'il renonce à sa promenade heb-domadaire, elle avait en effet jugé cet itinéraire plus sûr que celui passant par la perspective Nevski. Ce changement de direction ne fut perçu qu'à la dernière minute par les conjurés, car le souverain s'était d'abord arrêté chez sa cousine, la grande-duchesse Catherine, où le thé lui fut servi tandis que les conjurés attendaient, plongés dans l'incertitude. Quand il en ressort, il est deux heures. Sophie Perovs-kaïa a donné à ses complices le signal convenu – un mouchoir agité – pour leur dire d'occuper leur place sur le canal. Ils sont trois : Ryssakov, à qui revient la mission de lancer la première bombe dès lors que celui à qui était réservé cette place d'honneur, l'ouvrier Timofei Mikhailov[1], a déserté *in extremis* le champ de bataille, et deux étudiants à peine plus âgés, Ignati Grinevitski et Ivan Emelianov. Tous sont volontaires pour tuer et mourir s'il le faut. La défection de Mikhailov, à qui Jeliabov avait confié le soin d'ouvrir le « tir », présente deux inconvénients : on lui avait confié cette place pour donner à l'attentat un « tour

---

1. À ne pas confondre avec Alexandre Mikhailov, fondateur de la *Narodnaia Volia*, arrêté le 28 novembre 1880.

ouvrier » ; mais, au surplus, il manque un homme au dispositif. Le plan n° 2, celui du canal, qu'il faut à présent appliquer, implique en effet un engagement plus direct des conjurés. Ryssakov, qui lance comme convenu la première bombe, est aussitôt arrêté, mais il a le temps d'alerter le lanceur suivant, Grinevitski, dont la bombe atteint le souverain. Elle blesse aussi mortellement celui qui l'a lancée.

Cet attentat, le sixième et non le septième, comme l'avait annoncé la voyante, a atteint son but : tuer l'empereur. D'emblée, la question se pose : la police n'a-t-elle pas fait preuve d'une exceptionnelle légèreté ? Perquisitions ignorant un tunnel creusé sous une rue par laquelle l'empereur passait chaque dimanche ; personnages suspects que ces locataires d'une boutique apparemment peu intéressés par leur commerce ; les dénonciations et même une lettre annonçant avec précision l'attentat n'ont pas suffi à alerter une police pourtant informée de la condamnation à mort votée à Lipetsk... Peut-on adhérer à l'hypothèse d'un complot dont les ramifications auraient pénétré la Cour, comme le suggère dans son brillant « roman-documentaire » le cinéaste Édouard Radzinski ? L'hypothèse est tentante, mais impossible à fonder sur des sources crédibles, du moins jusqu'à présent. Radzinski ajoute – mais cela ne s'inscrit pas obligatoirement dans l'idée du complot – que le souverain eût peut-être pu être sauvé sans les initiatives malheureuses des siens, particulièrement de son frère le grand-duc Michel, qui, arrivé sur les lieux juste après l'attentat, entendant l'empereur gémir et murmurer « À la maison, vite ! », accéda à son vœu au lieu de le faire transporter à l'hôpital militaire voisin, mieux équipé pour arrêter l'hémorragie. Nul ne peut réécrire l'histoire et imaginer des soins assez efficaces pour sauver le mourant. Restent les faits.

L'attentat n'avait pas seulement tué l'empereur. Plusieurs morts – dont l'un des assassins, Grinevitski – et des blessés en nombre gisaient sur la chaussée bordant le canal. La population accueillit la nouvelle avec stupeur, mais sans manifestations visibles de désespoir. Aussitôt les interprétations divergèrent : à la Cour, dans les milieux peu favorables aux réformes, un certain soulagement fut perceptible derrière les propos décents, et nombreux furent ceux qui imputèrent le meurtre au libéralisme de l'empereur défunt ; mais aussi à sa conduite personnelle qui avait défié les règles de la morale officielle. On put, à cette occasion, mesurer l'impopularité de l'épouse morganatique. Au fin fond des campagnes, les paysans montrèrent du doigt les nobles, les accusant tantôt d'avoir voulu punir Alexandre II de les avoir émancipés, tantôt de s'en être débarrassés dans l'espoir de voir un nouveau souverain remettre en cause les réformes. Et, comme toujours, la campagne mit à profit l'événement pour imaginer un nouveau partage des terres...

La répression fut immédiate. Ryssakov, arrêté, parla suffisamment pour mettre la police sur la trace des principaux conjurés : Perovskaïa, Kibaltchitch et d'autres moins connus. Ils furent jugés ; tous défendirent leurs idées, à l'exception de Ryssakov que sa jeunesse rendait plus vulnérable. Mourir à dix-neuf ans est difficile : il dit se repentir. Mais, le 2 avril, soit un mois après la mort d'Alexandre II, Jeliabov, Timofei Mikhailov, Kibaltchitch, Sophie Perovskaïa et même Ryssakov, malgré ses aveux, furent pendus. Ceux de leurs compagnons qui n'avaient pas trempé directement dans le meurtre du 1er mars, parce qu'ils étaient déjà emprisonnés à vie – Alexandre Mikhailov, Barannikov, Kletotchnikov – restèrent confinés dans les profondeurs de la forteresse Pierre-et-Paul, soumis à un régime d'une rigueur extrême. Netchaev y mourut un an plus tard. Seule Véra Figner survécut. Elle passa vingt ans dans la terrible forteresse de Schlüsselbourg et mourut à l'âge de quatre-vingt-dix ans, en 1942.

Avec leur mort, c'est tout le mouvement terroriste, variante extrême du populisme, qui était en train de succomber. Ceux qui veulent transformer radicalement la Russie constatent que s'il est assez aisé de tuer l'empereur, il ne l'est pas de changer le système politique, l'autocratie, ni de modifier les destinées d'un pays. Tandis qu'en Russie le mouvement dépérit, hors des frontières, en Suisse, en France, des hommes tirent déjà la leçon de l'ultime réussite du mouvement terroriste, qui, sur le plan politique, constitue un échec, et réfléchissent aux vrais moyens d'infléchir le cours de l'histoire. C'est le début du marxisme.

Finis Russiae ?

En Russie, le nouvel empereur conclut, comme les marxistes, à l'échec du terrorisme, ou plutôt le met en échec. Dans le salon de malachite du palais d'Hiver, le 8 mars, Alexandre III ouvre le Conseil des ministres consacré, comme il eût dû l'être quatre jours auparavant par son père, à examiner la constitution de Loris-Melikov, et il déclare que rien n'est encore décidé. Ce fut le début de la confrontation avec ceux qui soutenaient le ministre et son projet, convaincus que c'était leur dernière chance de le sauver. Son oncle, le grand-duc Constantin Nicolaievitch, son frère Vladimir, les fidèles de son père, Milioutine, Valouev et Abaza, défendent avec acharnement le texte qu'Alexandre II a accepté aux derniers jours de sa vie. En face d'eux, Pobedonostsev, averti par le frère du nouveau souverain, le grand-duc Serge Alexandrovitch, de ses hésitations, conduit la charge avec l'autorité que lui confère sa fonction passée de précepteur d'Alexandre III : « Si vous vous abandonnez aux mains de Loris-Melikov, il vous conduira, ainsi que la Russie, à la catastrophe. Il sait seulement élaborer des projets libéraux, et intriguer. » Ce n'est pas un patriote russe, avait-il écrit à son ancien élève dès le 6 mars. Lors de ce Conseil si agité, Pobedonostsev commence par un propos qui impressionne l'assistance : « De même que dans les jours qui ont précédé la chute de la Pologne, on a répété *"Finis Poloniae"*, de même nous sommes aujourd'hui presque conduits à dire *"Finis Russiae"*. » Et de s'en prendre à l'ensemble du système politique découlant des réformes d'Alexandre II :

« On nous propose d'organiser une *Govoril'naia* ("boutique de la parole"), quelque chose comme les États généraux français, comme si la Russie ne souffrait pas assez de ces boutiques que sont les zemstvos et institutions municipales, les nouvelles institutions politiques, la presse, la plus effrayante de toutes ces boutiques qui propage sur l'immensité de la terre russe le blâme et la critique sur le régime, sème les graines de la discorde et de la frustration parmi les gens honnêtes et paisibles, enflamme les passions et pousse le peuple à l'illégalité ! »

Milioutine, qui fut toujours fidèle à Alexandre II, note dans son journal, au soir de cette journée : « Le discours de Pobedonostsev est une critique directe, sans nuance, de tout ce qui a été réalisé sous le règne précédent. Il a osé qualifier de faute criminelle les grandes réformes de l'empereur Alexandre II », et Abaza, en séance même, s'indigne : « Le discours de Constantin Pobedonostsev est une mise en accusation du règne d'Alexandre II dont nous pleurons la mort. »

Le nouveau souverain choisit d'abord de ne rien décider sur l'instant. Durant plusieurs semaines au cours desquelles le sort de Loris-Melikov et celui du projet constitutionnel semblent encore incertains, Pobedonostsev fait le siège du souverain, lui adresse des messages de fermeté, l'adjure de ne pas user de clémence envers les assassins de son père et de ne pas persévérer dans la voie défendue par Loris-Melikov et les libéraux, voie si contraire, répète-t-il, à l'intérêt de la Russie. Sur le point de ne pas gracier les assassins, Alexandre III a arrêté d'emblée sa décision et rassure son ancien maître. Pour le reste, on sent chaque jour davantage que le discours de Pobedonostsev le convainc.

Le 21 avril, il préside à nouveau le Conseil des ministres. Chaque clan campe sur ses positions, mais Pobedonostsev adopte un ton modéré qui rend espoir aux libéraux. Le grand-duc Constantin, de tempérament optimiste, pense que la piété filiale et la raison l'auront emporté dans le cœur de son impérial neveu. Ils se trompent : Pobedonostsev prépare déjà à l'intention du souverain un manifeste annonçant au peuple la nouvelle direction dans laquelle il s'engage. Ce texte pose que l'autocratie est le fondement du système politique et dit la volonté d'Alexandre III de défendre ce principe qui se confond avec l'intérêt national.

Le 29 avril, le manifeste est publié, la nouvelle Russie tourne résolument le dos à l'œuvre accomplie par l'empereur libérateur et à l'esprit qui l'avait porté durant un quart de siècle en dépit de temps d'arrêt plus ou moins longs. Loris-Melikov démissionne ; Milioutine, Abaza, Sabourov sont invités à prendre leur retraite. Le grand-duc Constantin lui-même est démis de toutes ses fonctions : il n'est plus responsable de la marine ni président du Conseil d'État. Comme Milioutine, il va quitter la capitale où règne Pobedonostsev, et se retirer en Crimée.

Milioutine définira le tournant qui vient d'être pris comme celui de « la réaction dissimulée sous le masque du populisme et de l'orthodoxie. C'est la voie assurée de la ruine de l'État ».

La « porte ouverte » par Alexandre II sur la modernité politique se refermait sur un double désastre : la mort violente de celui qui avait assuré le changement et la disparition de son projet politique. L'avenir montrera qu'il n'est pas si aisé de revenir au passé, qu'il faut à tout le moins compenser l'abandon des réformes par d'autres propositions, imaginer une politique nouvelle pour éviter le retour au temps des Troubles. Tel sera, après la rupture du 29 avril 1881, le choix d'Alexandre III. Il n'y aura pas de *Finis Russiae*, mais une autre voie russe vers le progrès : celle de la modernisation économique. Le printemps russe était certes achevé, mais la Russie continuait.

CONCLUSION

Le règne d'Alexandre II, qui aura duré un quart de siècle, a probablement été, avec celui de son petit-fils Nicolas II, le plus tragique de l'histoire de la Russie des Romanov. Mais à la différence du règne de Nicolas II, il aura aussi été le plus riche en progrès intérieurs et extérieurs.

Tous les souverains russes qui se sont succédé depuis Pierre le Grand n'ont pas eu le même style ni les mêmes méthodes de gouvernement, mais tous, d'une manière ou d'une autre, ont poursuivi les deux mêmes objectifs ; faire rattraper à la Russie le retard qu'elle avait pris sur l'Europe, dont tous avaient une conscience aiguë, et maintenir intact le système autocratique dont ils avaient hérité. Pour atteindre ces objectifs, certains souverains ont misé avant tout sur la puissance du système politique, parfois répressif, atteignant même en certaines occasions de rares degrés de violence. Mais d'autres, au contraire, par réaction contre le « règne de fer » de leur prédécesseur, ont cherché à moderniser le pays, en accord avec la société, en commençant par relâcher les contraintes. Ce furent des règnes marqués – un temps, tout au moins – par un véritable dégel et par un certain degré de liberté d'expression ou *glasnost'*. Pierre le Grand, Pierre III, Paul Ier, Nicolas Ier se situent dans la première catégorie ; Catherine II dans la première partie de son règne, Alexandre Ier aussi à ses débuts, Alexandre II avant 1866 appartiennent au second groupe. Les réformes qu'ils ont souhaité engager à l'aube de leur règne furent accompagnées d'un certain assouplissement du système politique.

Tous ces souverains, qu'ils aient appartenu à l'une ou l'autre catégorie, ont eu aussi pour ambition de faire de la Russie, qui, jusqu'à Pierre le Grand, n'occupait sur la scène politique européenne qu'une position marginale, une puissance reconnue comme telle par tous les grands États européens. Pierre le Grand lui fit franchir un pas décisif en battant la Suède à Poltava en 1709 et en installant son pays sur les rives de la Baltique, « fenêtre ouverte sur l'Europe ». En annexant une partie de la Pologne, Catherine II fit avancer la Russie dans l'espace européen, et en conquérant la Crimée lui ouvrit l'accès à la mer Noire. Alexandre Ier fut l'un des architectes de l'Europe postnapoléonienne et de la Sainte-Alliance. En se posant en gendarme de l'Europe et en gardien de l'ordre monarchique, Nicolas Ier fit fructifier son héritage, mais c'est aussi lui qui, avec la calamiteuse guerre de Crimée, fit perdre à son pays le statut de puissance européenne patiemment édifié par ses prédécesseurs.

Alexandre II fut le premier souverain Romanov qui, en montant sur le trône, eut à prendre acte d'un spectaculaire recul de son pays sur la scène internationale et à devoir prendre en compte les causes internes de ce recul – en d'autres termes, à assumer un héritage négatif. Il sut pourtant rompre d'emblée avec la mission reçue de son père de suivre le même chemin, et combina le dégel, la *glasnost'*, avec un ambitieux programme de réformes qui va transformer la Russie et avec une politique étrangère qui lui assurera, en un quart de siècle, une puissance et un progrès territorial inconnus jusqu'alors.

Les historiens se sont souvent interrogés sur la part à accorder, dans le succès ou l'insuccès des politiques, dans les grands choix et décisions qui y ont présidé, à la personnalité des hommes d'État. Pierre le Grand, Catherine la Grande, Nicolas Ier avaient de fortes personnalités et leur capacité à décider par eux-mêmes et à imposer leur volonté n'a jamais été mise en doute. Alexandre Ier et Alexandre II n'avaient pas des caractères aussi remarquables ; mais l'un et l'autre se sont affirmés, après avoir accédé au trône, par opposition à leurs prédécesseurs et à leurs politiques. Le conflit *des pères et des fils*, si parfaitement rendu par Tourgueniev et si caractéristiques du XIXe siècle, ne peut-il être invoqué pour expliquer cette brusque mue de jeunes héritiers apparemment soumis à leur père, en novateurs décidés à changer l'ordre dont ils héritent et qui entament leur règne en faisant passer, sur un pays figé, un vent de liberté ?

Exceptionnel connaisseur de la Russie, cherchant à échapper aux idées reçues, aux visions stéréotypées – soit une Russie attardée et soumise à la volonté implacable du projet de rattrapage de Pierre le Grand, soit une Russie définitivement singulière, telle que l'a vue Custine –, Leroy-Beaulieu a fort subtilement analysé les conditions de la transformation de ce pays dans la seconde moitié du XIXe siècle, à la lumière de la menace révolutionnaire. Comparant la Russie d'Alexandre II à la France de Louis XVI, il conclut que dans les deux cas, le seul moyen d'empêcher la révolution – et Louis XVI ne l'a pas fait, écrit-il – était de la prévenir, « de la devancer, d'en donner l'initiative au pouvoir ». « Réformes d'en haut ou révolution d'en bas », disait au début de son règne Alexandre II, anticipant le propos plus tardif de l'historien français.

C'est bien en effet ce que fut l'ambition d'Alexandre II ; tel fut le fil rouge qui parcourt son règne et le définit. Enfant, il avait été témoin d'une tentative de révolution, celle des décembristes, et du prix payé pour la briser. C'est un souvenir qui toujours le poursuivra.

Quand il monte sur le trône, en 1855, il peut se réjouir de le faire dans des conditions pacifiques et légales, circonstances plutôt exceptionnelles en Russie. Mais il le fait dans le désastre : à l'effondrement militaire qui a transformé le gendarme de l'Europe en « nain de l'Europe » s'ajoutent le sourd mécontentement de la société et le souvenir des espoirs révolutionnaires de 1825, toujours vifs en dépit de trois décennies de répression. Le diagnostic du mal qui ronge la Russie est vite établi : le retard de l'économie, des infrastructures, des industries, de l'armée, autant de causes immédiates du fiasco de Crimée. Mais, surtout, un système politique et social figé, des paysans souffrant sous le poids d'un servage disparu partout ailleurs en Europe, des élites que le pouvoir répressif étouffe alors que, sur le reste du continent, les peuples ont vécu des « printemps » successifs dont les idées continuent à cheminer même lorsqu'ils se sont achevés. La Russie n'en finit pas d'attendre, elle aussi, un printemps qui avait tenté d'éclore, un jour de l'hiver 1825, et qui reste inscrit dans les mémoires.

Contre son père – un père vénéré et tendrement aimé, le « précieux gentil papa » qui, sur son lit de

mort, a légué comme ultime message à son fils de
« tout tenir », c'est-à-dire de ne rien changer à l'autocratie, à l'ordre social –, Alexandre II, le fils soumis
(un « faible », dit la légende), fait d'emblée le choix
inverse, celui du changement venu d'en haut, mais
aussi celui du dégel et d'un certain discours de vérité.
Cette révolte du fils contre le père, où le fils révèle
une force de caractère inattendue, se comprend mieux
à considérer l'immensité du défi auquel il est
confronté.

La crise russe de 1855 n'est pas unique dans l'histoire du pays. La plupart des souverains – Pierre le
Grand, Catherine II, Alexandre Ier – sont montés sur
le trône dans une atmosphère troublée. Mais, jusqu'alors, il s'agissait de crises internes. En 1855, il en
va tout autrement : c'est d'un désastre international
qu'il s'agit, c'est le statut européen de la Russie qui
s'est écroulé, et c'est à l'aune et dans le regard des
grands États d'Europe qu'Alexandre II doit prendre la
mesure du déclin que connaît son pays. Par rapport à
l'Europe, cette situation est d'abord le fruit du retard
russe, et c'est donc en termes de progrès qu'il faut
l'affronter.

Sans doute Alexandre II eût-il pu écouter les dernières paroles de son père, se crisper sur le système
autocratique, faire taire les critiques, les réprimer,
ignorer la réalité et opposer au désastre la toute-puis-
sance du pouvoir. Il a fait le choix contraire. Il a
compris qu'il lui fallait « devancer la révolution » et
mettre la puissance du système autocratique au service
des « réformes par en haut ». Mais, pour ce faire, il va
choisir une voie différente de celle pour laquelle avait
opté son ancêtre Pierre le Grand. Il veut européaniser
son pays à l'« européenne », pas à la manière de Pierre,

que le grand historien russe Klioutchevski a qualifié de « barbare ». De là sa volonté d'effectuer des réformes en composant avec la société, et non en les lui imposant brutalement, par la force.

Le choix que fait Alexandre II à l'aube de son règne – devancer la révolution en réformant d'en haut, mais sans forcer la société – est déjà le choix d'un modèle européen et non plus proprement russe. Pour le comprendre, peut-être n'est-il pas inutile de s'arrêter encore une fois sur la personne du souverain. Empereur de Russie, Alexandre II n'est qu'à peine russe. En réalité, il est allemand, c'est-à-dire européen. Dans ses veines ne coule qu'un *trente-deuxième* de sang russe, celui de Pierre le Grand, dont déjà la fille Anne n'était qu'à demi-russe, sa mère, Catherine Ire, femme de Pierre le Grand, étant livonienne. Ensuite n'entrent dans la généalogie d'Alexandre II que des Allemands, généralement protestants parce qu'ils sont plus disposés à se convertir à l'orthodoxie que des catholiques – or les lois fondamentales de l'Empire russe interdisent le trône à des non-orthodoxes : de là le nombre élevé de mariages dans les cours allemandes. Alexandre II n'était sûrement pas inconscient de ses origines. Elles expliquent peut-être pour partie sa dilection pour son oncle Guillaume Ier et son attachement constant à l'alliance allemande. Mais ses origines ont probablement encouragé aussi, même si ce fut chez lui moins conscient, son attachement à une conception des réformes plus européenne que celle qui avait guidé Pierre le Grand, surtout s'agissant des méthodes employées.

C'est en effet de manière permanente qu'Alexandre voulut faire appel à l'expérience européenne. La réforme universitaire ou celle de la justice en témoignent. Dès qu'il en décide, il envoie ses collaborateurs s'informer des meilleurs modèles européens, il les confronte, les emprunte, mais fait aussi appel à la société russe pour qu'elle participe aux changements en jugeant les projets et en les enrichissant de ses remarques. Quand Alexandre II décide d'émanciper les paysans, il le fait contre la volonté de la majeure partie de la noblesse, qui devra en payer le prix ; mais il ne l'en associe pas moins totalement à l'élaboration de la réforme. Sans doute Pierre le Grand avait-il aussi emprunté à l'Europe des hommes pour l'aider dans son entreprise de transformation. Mais ces Européens venus lui inculquer les techniques européennes concouraient à *sa* manière *à lui* d'imposer le changement d'en haut, sans discussion et sans participation de la société. Nous sommes là incontestablement en présence de visions différentes du changement. Pour Alexandre II, les réformes ne signifiaient pas qu'on allait « plaquer » sur la Russie une défroque européenne ; la Russie devait elle-même s'en revêtir, ce devait être le résultat de la coopération du réformateur avec divers secteurs de la société.

Le zèle réformateur d'Alexandre II, l'atmosphère de liberté qu'il veut faire naître et qui a offert à la société russe un extraordinaire moment de respiration, se sont ensuite atténués, même s'il n'y eut pas de coup d'arrêt total. Paradoxalement, c'est un grand moment de liberté au sein de l'Empire, le printemps polonais de 1863, qui assène très tôt un mauvais coup au printemps russe. Dans l'histoire des réformes vient généralement une phase où les réformateurs se trouvent débordés. En Russie, le soulèvement polonais de 1863 a anticipé ce moment. Malgré cela, Alexandre II a persévéré trois ans encore dans sa volonté réformatrice, imposant dans la foulée de l'émancipation des paysans les grands bouleversements du système judiciaire et de l'administration locale.

En l'espace de ces années 1861-1866, toutes les structures d'autorité – à l'exception du sommet de l'État – et l'ordre social existant se trouvent en effet profondément transformés. Mais en s'obstinant dans ses réformes en dépit de difficultés croissantes, Alexandre II a toujours été attentif à ce que le pouvoir autocratique n'en soit pas diminué, car l'un des buts poursuivis était justement de sauver, en dernier ressort, l'autocratie. Et comme, par leur ampleur, en raison aussi des oppositions, les réformes exigeaient d'être imposées par l'autocrate, ni la société ni ses élites n'étant en effet en mesure de les défendre et de réussir seules à les faire accepter, l'action d'Alexandre II eut pour effet de lui conférer davantage d'autorité qu'il n'en aurait eu sans ce programme. Il est en effet remarquable de constater combien l'investissement personnel du souverain dans un processus de transformation dont une grande part de son entourage et de ses soutiens lui annonçait qu'il conduirait à un affaiblissement de l'autocratie a eu pour conséquence de renforcer son pouvoir personnel.

La stagnation qui commence au milieu des années 1860 résulte de difficultés directement liées aux nouvelles lois. Les paysans attendaient plus de leur émancipation ; la noblesse conservatrice, s'estimant dépossédée, s'acharne à défendre ses droits ; l'intelligentsia, constatant la déception populaire, pense que l'heure est venue de tendre la main au peuple pour substituer à la réforme par en haut la révolution par en bas.

En 1866, la menace révolutionnaire ne sert plus d'aiguillon au pouvoir, elle paralyse au contraire le souverain, qui croit dangereux d'aller plus loin. Toujours le souci de préserver l'autocratie !

Anatole Leroy-Beaulieu a dressé un constat pertinent de la situation de l'Empire russe à ce temps d'arrêt :

« Dans les transformations politiques, on peut éviter les révolutions, on ne saurait guère éviter l'esprit révolutionnaire. En Russie, ce n'est là cependant que la moindre raison des difficultés présentes. La cause principale et la plus profonde, c'est le manque de logique, le manque de plan général de toutes ces réformes trop souvent mises bout à bout... C'est le défaut de concordance des lois nouvelles entre elles, et de ces lois avec les vieilles mœurs, avec les débris des anciennes institutions demeurées debout. La Russie des réformes ressemble à une ancienne maison reconstruite à neuf dans quelques-unes de ses parties, conservée presque intacte dans les autres. Comment s'étonner que, parmi les habitants, les uns regrettent ce qui a été détruit, tandis que les plus jeunes prétendent tout jeter bas pour tout refaire à neuf ? »

La logique d'ensemble dont Leroy-Beaulieu regrette l'absence, c'est le changement du système politique, la place reconnue à la société ; en définitive, c'est l'évolution constitutionnelle qu'acceptera enfin Alexandre II au terme de son existence.

Pourquoi donc ce second temps des réformes est-il venu si tard ? Il serait injuste de considérer que rien n'a plus été changé de l'ordre existant entre 1866 et 1880. La réforme militaire, qui, en 1874, instaure enfin le service militaire universel de six ans, et les améliorations apportées aux institutions locales témoignent encore que la volonté modernisatrice d'Alexandre II n'a pas réellement faibli. Mais, en ces années, il apporte aussi une autre réponse au problème du retard russe, celle qui consiste à donner un nouvel élan au pays par des aventures héroïques, en augmentant sa puissance. Il n'aura pas été, et de loin, le seul souverain à se tourner un moment vers l'extérieur en espérant, par les succès remportés, consolider le pouvoir intérieur. Les empires français, souligne encore Leroy-Beaulieu, ont tracé cette voie. Mais la gloire recherchée à l'extérieur pour retarder des décisions politiques internes a souvent pour effet de mettre à nu, à un moment donné, les problèmes du pays.

La défaite de 1855 avait été si profondément ressentie par la Russie qu'elle imposa tout un train de réformes. À la fin des années 1870, la situation est bien différente. Alexandre II peut certes brandir des victoires, des conquêtes territoriales, ce bilan extérieur si brillant suggère qu'à l'intérieur, les moyens existent pour sous-tendre de tels efforts. L'autocratie, ayant fait la preuve de sa puissance, en est rassérénée, ce qui la conduit à négliger les réformes. Et confrontée à ce pouvoir triomphant, apparemment indéracinable, l'opposition en conclut que, face à une telle puissance, les discours ne sauraient suffire, qu'il ne reste donc qu'une arme, celle de la terreur.

C'est dans ce contexte tragique qu'Alexandre II, devenu la cible des terroristes, décida finalement d'engager avec eux une course de vitesse – réforme politique contre terreur – pour les priver de tout soutien social. Ce pari sur la possibilité de gagner de vitesse le mouvement révolutionnaire se répètera trois décennies plus tard sous le règne de Nicolas II. Et celui qui le comprendra le mieux sera Lénine, qui, dans un texte saisissant, *La Nouvelle Démocratie*, inversant le théorème de Leroy-Beaulieu pour qui les réformes devaient prévenir la révolution, dira que la révolution doit anticiper les réformes, sous peine de voir son temps révolu.

Dans cette ultime étape qui va de l'acceptation par Alexandre II de la « constitution » de Loris-Melikov à l'attentat fatal dont il est la victime, il faut encore revenir sur la personnalité du souverain qui se manifeste alors si nettement. Toujours aussi attaché à l'autocratie, attentif aux conseils de Guillaume Ier qui le met en garde contre tout ce qui déboucherait sur une constitution et qui, dit-il, risquerait de détruire un jour son pouvoir, Alexandre II accepte malgré tout le projet de Loris-Melikov, malgré ses convictions, malgré sa lucidité sur les limites qu'un tel texte va fixer à l'autocratie, car il est convaincu qu'en dernier ressort c'est le seul moyen de sauver le système dont il a hérité. En ces moments décisifs, il est autocrate au plus profond de lui-même, attaché à maintenir le système ; mais il n'est pas personnellement préoccupé de maintenir *son* pouvoir. Tout au contraire ! À l'heure où il va doter son pays de cette ouverture – car ce n'est encore qu'une brèche – sur un système constitutionnel, en veillant à ce que l'autorité propre du souverain n'en soit pas affectée, il a déjà pris la décision d'abdiquer. Il l'écrit : ses dispositions sont prises.

Tout ce qu'il décide en ces heures où, sans qu'il le sache – mais peut-être le pressent-il ? –, la mort s'avance vers lui, est révélateur de sa loyauté envers son pays, le système politique, la dynastie, et aussi la femme qu'il a épousée morganatiquement. On peut dire qu'il règle ses dettes à l'égard de tous avant de prendre congé. Le texte de Loris-Melikov protège ce qui est pour lui essentiel : le pouvoir du souverain, et, pense-t-il, sauve en même temps la Russie d'une révolution en couronnant l'édifice des réformes par le « toit » politique dont Leroy-Beaulieu, on l'a vu, déplorait à juste titre l'absence. Loyal au système politique russe et à la dynastie, il va laisser la place à son héritier légitime, Alexandre III, qui, conscient de la gravité de l'enjeu, lui apporte son soutien au tout dernier moment pour la réforme des institutions, alors qu'il s'y est jusqu'ici montré toujours hostile.

Alexandre II, qui a épousé Catherine Dolgorouki, aurait pu en théorie – la rumeur en court, elle affole la famille impériale, l'héritier en premier lieu – lui offrir le statut d'impératrice en la couronnant, et peut-être décider de modifier l'ordre successoral. Le ralliement de l'héritier au texte de Loris-Melikov est sans doute dû à la volonté d'effacer tout soupçon de conflit entre le père et le fils, et de prévenir un tel changement. Mais, quelles qu'aient été la force du sentiment qui a uni Alexandre à Catherine, et sa volonté de « récompenser » une longue vie de clandestinité, il n'a pas voulu agir comme Pierre le Grand[1] en bousculant l'ordre successoral au risque d'ouvrir, comme l'avait fait la décision de ce dernier, une longue période de troubles politiques. Il a offert le mariage à Catherine, il lui a promis le couronnement, mais, comme elle ne remplit pas les conditions requises pour être impératrice, et comme, de ce fait, leurs enfants communs se trouvent dans la même situation, c'est lui qui va

---

1. En 1722, Pierre le Grand proclama que le souverain était libre de choisir son héritier. En 1797, Paul Ier rétablit la succession légitime et des règles strictes qui restèrent en vigueur jusqu'à la fin de la monarchie. Cf. Lois fondamentales de l'Empire.

abandonner le trône. À l'heure du grand changement des institutions, Alexandre II est plus convaincu que jamais de la nécessité de protéger le cœur du système, c'est-à-dire l'autocratie, en respectant les règles qui président à la désignation de l'autocrate. Celles qu'il s'impose à lui-même ne le désignent-elles pas déjà comme le fondateur d'une *autocratie éclairée* ?

À ce point, il n'est pas sans intérêt de réfléchir au rôle du hasard dans l'histoire russe. Hasard très généralement malheureux. En février 1881, à nouveau le printemps semble poindre en Russie : un printemps politique qui doit conférer à l'édifice des réformes, si considérables mais encore dispersées, accomplies durant son règne le caractère sinon définitif, du moins logique et irréversible qui lui manquait encore. Tout est prêt pour cela. Le manifeste, charte de la vie politique à venir, est signé par Alexandre II au moment même où il quitte son palais pour le manège. Les instructions ont été données pour la publication du texte. La mort tragique d'Alexandre II place son héritier devant l'un des dilemmes les plus grands que l'histoire russe ait connus : accepter cet héritage ou l'ignorer ? Dans un premier mouvement, il décide de s'engager dans la voie voulue par son père, mais, dans un second, pressé par des conseillers conservateurs en tête desquels figure son maître Pobedonostsev, il choisit non pas de différer la promulgation du texte, mais de lui tourner le dos.

Réécrire l'histoire est un exercice séduisant mais vain. Il n'en est pas moins permis de rêver un instant. Le peuple russe, apprenant dans le même temps l'assassinat du souverain et les dispositions libérales dont il a voulu le doter, n'aurait-il pas regardé avec épouvante ceux qui avaient porté la main sur le « Libérateur » ? N'aurait-il pas compris que la liberté était dans le camp d'Alexandre II, et non dans celui de ses assassins ? N'aurait-il pas adhéré à l'ordre politique naissant, à la révolution réalisée d'en haut plutôt qu'à l'utopie révolutionnaire ?

Et qu'eût alors été l'histoire politique de la Russie ? Si la « constitution » de Loris-Melikov avait été promulguée le 4 mars, comme cela devait être le cas, elle créait une situation irréversible. La Russie entrait dans un nouveau cours politique. Alexandre III, succédant à son père, devait inscrire ses décisions et ses choix dans le cadre fixé par le nouveau système. Ainsi aurait-on vu éclore le printemps russe, baigné certes du sang d'Alexandre II, mais réconciliant le peuple et les institutions.

L'histoire s'est déroulée tout autrement. Alexandre III a choisi de moderniser son pays sans toucher au système politique, s'en remettant au développement économique pour donner à la Russie un visage européen. Son successeur aura suivi la même voie jusqu'à ce qu'une révolution, en 1905, lui démontre que sans réforme politique, le progrès économique ne saurait suffire à couper les ailes de la révolution montante.

Le 1er mars 1881, avec la mort du Libérateur gisant déchiqueté sur le pavé de Saint-Pétersbourg, c'est aussi l'espoir de voir la Russie avancer sur la voie de la modernité européenne sans traumatismes, sans épisodes meurtriers, qui a pris fin. Le sang versé ce jour-là préfigure, même si rien n'est jamais écrit, les années de plomb, de sang et de terreur du siècle qui vient juste de se refermer. En 2008 encore, la Russie constate combien il est difficile de réformer.

ORIENTATIONS
BIBLIOGRAPHIQUES

Bibliographie générale

Sources

GARF (Archives nationales de la Fédération de Russie)
Fonds 678 Alexandre II
Fonds 691 Impératrice Maria Alexandrovna
Fonds 722 Grand-Duc Constantin
Fonds 647 Grande-Duchesse Hélène
Fonds 272 Commission d'enquête sur l'attentat de 1866
Fonds 102-109-110 Archives secrètes de la IIIe section

Dans le fonds 678 en particulier :
Peripiska tsesarevitcha Aleksandra Nicolaievitcha s Imperatorom Nikolaem I 1838-1839
Correspondance de l'Empereur Alexandre II avec Catherine Dolgorouki : 3450 lettres, et de Catherine Dolgorouki avec l'Empereur : 1450 lettres.
Dnevnik velikogo Kniazia Konstantina Nikolaevitcha fonds 722 d.1153

Archives du ministère des Affaires étrangères, France.
Correspondance politique Russie
215. 216. 217. 220. 222. 223. 224. 225. 227
Mémoires et documents
t. 44 et 45
Correspondance politique des consuls. Russie
Vol. V

Dictionnaires

Pushkarov (S.G.), *A Source Book for Russian History from early times to 1917*, Newhaven, 1972, 3 vol.
Brockhaus (F.A.) et Efron (I.A.), *Entsiklopeditcheskii slovar'*, Saint-Pétersbourg, 1890-1902, 86 vol.
Russkii biografitcheskii slovar', Saint-Pétersbourg, 1896, republié à Moscou, 1992, t. 1, p. 523
Rossiiskaia diplomatiia v portretah, Moscou, 1992
Zviaguintsev (A.G.), Orlov (J.G.), *Prizvannye otetchestvom, Rossiiskie prokurory, 1722-1917*, Moscou, 1997

Textes fondamentaux

Imperatorskii prestol, nasledovanie prestola po osnovnym gosudarst-vennym zakonam, textes rassemblés et édité par le Sénateur N. Korevo, Paris, 1922

Martens (F. de), *Recueil de traités et conventions conclus par la Russie avec les puissances étrangères*, Saint-Pétersbourg, 1892, t. 1, 5, 6 et 10

Otcherki deiatel'nosti ministerstva inostrannyh del 1802-1902, Saint-Pétersbourg, 1902

Polnoe Sobranie zakonov Rossiiskoi Imperii, Saint-Pétersbourg, 1830-1839, 96 vol.

Sbornik dogovorov rossii s drugimi gosudarstvami 1856-1917, Moscou, 1952

Biographies d'Alexandre II

Beliakova (E.), *Detstvo I iunost' imperatora Aleksandra II. Otcherk*, Saint-Pétersbourg, 1911

Bogdanovitch (A.A.), *Tri poslednih samderdjtsa*, Moscou, 1990

Iliustrirovanaia Istoriia tsarstvovania imperatora Aleksandra II, Moscou, 1904

Grünwald (C. de), *Le Tsar Alexandre II et son temps*, Paris, 1963

Kolosov (A.), *Alexander II*, Londres, 1902

Leroy-Beaulieu (A.), « L'Empereur Alexandre II et la mission du nouveau tsar », *Revue des deux mondes* 1.4, 1881

Liachtchenko (L.M.), *Tsar'osvoborditel' jizn' i deiania Aleksandra II*, Moscou, 1994

Mosse (M.), *Alexander II and the modernization of Russia*, New York, 1958, édition complétée, 1992

Murat (Comte), *Le Couronnement de l'Empereur Alexandre II. Souvenirs intimes de l'ambassadeur de France*, Paris, 1883

Paleologue (M.), *Le Roman tragique de l'Empereur Alexandre II*, Paris, 1963.

Radzinskii (E.), *Aleksandr II, jizn'i smert', dokumental'nyi roman*, Moscou, 2006

Savin (A.N.), *Svatovstvo tsesarevitcha Aleksandra Nikolaievitcha. Sbornik statei*, Moscou, 1926, t. 1

Tchernuha (V.G.), *Imperator Aleksandr II i Feldmarshal Kn. A.I. Bariatinskii. Rossia v XIX-XX vv. Sbornik statei*, Saint-Pétersbourg, 1998

Tatichtchev (S.S.), *Imperator Aleksandr II. ego jizn' I tsarstvova-nie*, 2 vol., Saint-Pétersbourg, 1902
Troyat (H.), *Alexandre II*, Paris, 1990
Zaarova (L.G.), Aleksandr II. *Voprosy istorii* n° 6-7, 1992

Mémoires. Journaux intimes

Ignatiev (N.), *Zapiski 1864-1874*, Petrograd, 1916
Dnevnik D.M. Miliutina, Moscou, 1947-1950, 4 vol.
Nikitenko (A.V.), *Dnevnik v treh tomah*, Moscou, 1955
Perepiska Imperatora Aleksandra II s velikim kniazem Konstanti-nom Nikolaievitchom, Moscou, 1994
Tioutcheva (A.), *Vospominania*, Moscou, 2000
Tioutcheva (A.), *Pri dvore dvuh imperatorov*, Moscou, 1929
Tolstaia (A.A.), *Zapiski Freiliny*, Moscou, 1996
Valuev (P.A.), *Dnevnik P.A. Valueva ministr vnutrennih del*, Moscou, 1961, 2 vol.

Imprimés

a) Histoire de la Russie

Florinski (M.T.), *Russia : a History and an Interpretation*, New York, 1953, 2 vol.
Heller (M.), *Histoire de la Russie et de son Empire*, Paris, 1997
Karamzin (N.M.), *Istoriia Gosudarstva Rossiiskogo*, Saint-Pétersbourg, 1892, 12 vol.
Karpovitch (M.), *Imperial Russia 1801-1917*, New York, 1932
Kliutchevski (V.O.), *Kurs russkoi Istorii*, Moscou, 1987, 9 vol.
Kizevetter (A.), *Istoritcheskie otcherki*, Moscou, 1912
Kovalesvski (P.), *Histoire de la Russie et de l'URSS*, Paris, 1970
Leroy-Beaulieu (A.), *L'Empire des tsars et les Russes*, Paris, 1881-1898, 3 vol.
Milioukov (P.), Seignobos (C.), Eisenman (H), *Histoire de la Russie*, Paris, 1933, 3 vol.
Nache Otetchestvo. Opyt polititcheskoi istorii, Moscou, 1991, 2 vol.
Nolde (B.), *La Formation de l'Empire russe*, Paris, 1952-1953, 3 vol.
Pascal (P.), *Histoire de la Russie des origines à 1917*, Paris, 1976

Pipes (R.), *Russia under the old regime*, New York, 1974

Platonov, *Histoire de la Russie des origines à 1918*, Paris, 1929

Rambaud (A.), *Histoire de la Russie*, Paris, 1918

Riazanovsky (N.), *Histoire de la Russie des origines à 1984*, Paris, 1987 (édition originale américaine de 1963)

Seton-Watson (H.), *The Russian Empire 1801-1917*, Oxford, 1967

Struve (P.), *Sotsial'naia i ekonomitcheskaia istoriia Rossii*, Paris, 1952

Soloviev (S.M.), *Istoriia Rossii s drevneichyh vremen*, Moscou, 1960

Sokoloff (G.), *La Puissance pauvre. Une histoire de la Russie de 1815 à nos jours*, Paris, 1993

Stählin (K.), *Geschichte Russlands von den Anfängen bis zur Gegenwart*, Berlin, 1930-1939, 4 vol.

Vernadsky (G.), Karpovitch (M.), *A History of Russia*, New York, 1943-1949, 5 vol. (dont le 5ᵉ en deux tomes)

b) La Russie. Idée russe. Identité

Berdiaev (N.), *Russkaia ideia*, Paris, 1946

Colosimo (J.F.), *L'Apocalypse russe. Dieu au pays de Dostoïevski*, Paris, 2008

Danilevski (N.Ja.), *Rossiia i evropa. Vzgliad na kulturnye i polititcheskie otnocheniia slaviavianskogo mira k germano-rimskomu*, Saint-Pétersbourg, 1889

Nivat (G.) ed., *Les Sites de la mémoire russe*, Paris, 2007 (vol. 1)

Szamuely (T.), *La Tradition russe*, Paris, 1971

Soloviev (V.), *L'Idée russe*, Paris, 1888

Soloviev (A.V.), *Holy Russia : the History of a Religious and Social Idea*, New York, 1959

Weidlé (W.), *La Russie absente et présente*, Paris, 1949

c) Politique

Black (C.), *The Transformation of Russian Society : aspects of social change since 1861*, Cambridge, 1970

Djantchiev (G.), *Epoha velikih reform*, Saint-Pétersbourg, 1907

Erochkin (N.), *Istoriia Gosudarstvennyh utchrejdenii dorevoliutsionoi Rossii*, Moscou, 1968

Geyer (D.), *Russian Imperialism : the Interaction of Domestic and Foreign Policies 1860-1914*, Hambourg-New York, 1987

Gerschenkron (A.), *Economic Backwardness in Historical Perspective*, Harvard University Press, 1962

Grünwald (C. de), *Trois siècles de diplomatie russe*, Paris, 1945

Istoriia vnechnei politiki rossii. vtoraia polovina XIX v., Moscou, 1997

Le Donne (J.), *The Russian Empire and the World 1700-1917. The Geopolitics of Expansion and Containment*, New York, 1997

Leontovitch (V.), *Istoriia liberalizma v rossii 1762-1914*, Moscou, 1995

Leroy-Beaulieu (A.), *Un homme d'État russe, Nicolas Milioutine d'après sa correspondance inédite*, Paris, 1884

Lincoln (W.B.), *Nikolaï Milioutin an Enlightened Russian Bureaucrat of the XIX century*, Newtonville, Mass., 1977

Lourie (F.), *Netchaev*, Moscou, 2001

Mironenko (S.V.), *Stranitsy tainoi istorii samoderjaviia : polititcheskaia istoriia pervoi poloviny XIX stoletiia*, Moscou, 1990

Mironenko (S.V.), *Samoderjavie i reformy. Polititcheskaia bor'ba v rossii v natchale XIX v.*, Moscou, 1989

Orlovski (D.), *The Limits of Reform. The Ministry of Internal Affairs in Imperial Russia. 1802-1881*, Londres, 1981

Presniakov (A.), *Istoriia pravitel'stvuiuchtchego Senata za dveste let,* Saint-Pétersbourg, 1911

Problemy terrorizma. Sbornik statei, Moscou, 1997

Raeff (M.), *Comprendre l'Ancien régime russe. État et société en Russie impériale*, Paris, 1982

Rossiiskie Samoderjtsy, Moscou, 1993

Tarle (E.), *Zapad i rossiia*, Saint-Pétersbourg, 1918

Zaiontchkovski (P.), *Rossiiskoe Samoderjavie v kontse XIX stoletiia*, Moscou, 1970

Zaiontchkovski (P.), *Pravitel'stvennoi aparat samoderjaviia Rossii v XIX veke*, Moscou, 1978

Zaiontchkovski (P.), *Krisis samoderjaviia na rubeje 1870-1880 h. godov*, Moscou, 1964

d) Les idées

Bakounine (M.), *Sobranie Sotchinenii i pisem*, (Iu. Steklov red.), Moscou, 1934-1935, 3 vol.

Belinski (V.), *Polnoe sobranie sotchinenii*, Moscou, 1953-1959, 13 vol.

Berdiaiev (N.), *Les Sources et le sens du communisme russe*, Paris, 1951

Bourmeister (A.), *L'Idée russe entre lumière et spiritualité sous le règne de Nicolas Ier*, Grenoble, 2001

Burtsev (V.), *Za sto let 1800-1896. Sbornik po istorii polititcheskogo i obchtchestvennogo dvijenia v rossii*, Londres, 1897

Cannac (R.), *Netchaiev. Du nihilisme au terrorisme*, Paris, 1961

Confino (M.) ed., *Daughter of a Revolutionary*, Londres, 1974

Custine (Marquis de), *La Russie en 1839*, Paris, 1843, 4 vol. et Paris, 1999, 2 vol.

Hingley (R.), *La Police secrète russe*, Paris, 1972

Herzen [en russe Gersen] (A.), *Sobranie Sotchinenii v 30 tomah*, Moscou, 1954-1965, 30 vol. et Malia (M), *Alexander Herzen and the Birth of Russian Socialism 1812-1855*, Cambridge, 1961

Kireevski (I.V.), *Polnoe Sobranie sotchinenii*, Moscou, 1911, 2 vol.

Kovalevski (M.W de), ed. *La Russie à la fin du XIXe siècle*, Paris, 1900

Kropotkine (P.A.), *Zapiski revoliutsionera*, Moscou, 1988

Nolde (B.), *Iuri Samarin i ego vremiia*, Paris, 1978 (réed.),

Pisarev (D.), *Sotchinenia*, Moscou, 1955-1956, 4 vol.

Pogodin (M.), *Jizn'i trudy M.P. Pogodina*, Saint-Pétersbourg, 1888-1910, 22 vol.

Pobedonostsev (K.P.), *Sotchineniia*, Saint-Pétersbourg, 1996

Pobedonostsev (K.P.), *Velikaia loj nachego vremeni*, Moscou, 1993 et l'étude de Biriukov (E.), « Konstantin Pobedonostsev gosudarstvennoi deiatel' jurist », *Zakonnost* 12, 1994

Samarine (Iuri), *Sotchineniia*, Moscou, 1911, 12 vol.

Steklov (Ju.), *M.A. Bakunin ego jizn'i deiatel'nost*, Moscou-Leningrad, 1927

Tchaadaev (P.), *Sotchineniia i pisma*, Moscou, 1913, 2 vol. et Gerchenzon (M.), *P. Ja Tchaadaev jizn'i mychlenie*, Saint-Pétersbourg, 1908

Tkatchev (P.N.), *Sotchineniia*, Moscou, 1975, 2 vol.

Venturi (F.), *Les Intellectuels, le peuple et la révolution. Histoire du populisme russe au XIXe siècle*, Paris, 1972, 2 vol. (trad. de l'italien)

Références par chapitres

Chapitre premier : Un colosse aux pieds d'argile

GARF fonds 678 d.652

Dokldnye zapiski Rostovtseva Imperatoru Aleksandru Nikolaevitchu po raznym delam, 1851-1854

fonds 678 d.424 discours Rostovsev sur les réactions des élites du corps des cadets aux résolutions d'Alexandre II

MAE archive *Mémoires et documents Russie* vol. 45 (note sur le nombre de paysans serfs en Russie)

Blank (G.), « Russkii pomechtchichii krestianin » *Trudy Imperatorskogo vol'nogo economitcheskogo obchtchestva*, 1856, t. 2

Bliokh (I.), *Finansy v rossii XIX stoletiia*, Saint-Pétersbourg, 1882, 2 vol.

Djivelogov (A.), Melgunov (S.), Pitcheta (V.), *Velikaia Reforma*, Saint-Pétersbourg, 1911, notamment les articles de Ignatovitch, Pitcheta vol. 3, Kizevetter vol. 4

Drujinin (N.), *Russkaia derevnia na perelome 1861-1881*, Moscou, 1978

Gouttman (A.), *La Guerre de Crimée 1853-1856*, Paris, 2003

Istoriia russkoi armii i flota, Moscou, 1913, 12 vol.

Lipsky (M.T.), *Chemins de fer* in *La Russie à la fin du XIXe siècle*, *op.cit.* tableau p. 851 de 1838 à 1873

Nesselrode (K.V.), « *Zapiska o polititcheskom polojenie rossii posli zakliutcheniia mira* » (mart 1856) *Russkii Arkhiv* n° 2, 1872

Narotchnitskaia (L.I.), *Rossiia i otmena nitralizatsii Tchernogo moria 1856-1871 K istorii vostotchnogo voprosa*, Moscou, 1989

Nolde (B.), *Rossiia i Evropa v natchale tsarstvovania Aleksandra II*, Prague, 1925

Rachin (A.G.), *Naselenie rossii za sto let 1811-1913*, Moscou, 1956

Rousset (C.), *Histoire de la guerre de Crimée*, Paris, 1877

Semevskii (V.J), *Krestianskii vopros v rossii v XVIII i pervoi polovine XIX veka*, Saint-Pétersbourg, 2 vol.

Tarle (E.), *Krymskaia voina*, Moscou-Leningrad, 1944, 2 vol.

Thouvenel (L.), *Nicolas Ier et Napoléon III*, Paris, 1891

Chapitre II : Alexandre avant Alexandre II

GARF

fonds 678 *perepiska tsesarevitcha Aleksandra Nikolaiaevitcha s imperatorom Nicolas I*

fonds 641 *imperatritsa Maria Alexandrovna*

Aleksandr II. *Vospominania. Dveniki*, Saint-Pétersbourg, 1995

Aleksandr II. *Vospominania. Dnevniki, pis'ma*, Saint-Pétersbourg, 2001

Beliakova (E.), *Detstvo i iunost' imperatora Aleksandra II*, Saint-Pétersbourg, 1911

Ehrard (M.), *V.A Joukovski et le préromantisme russe*, Paris, 1938

Kolosov (A.), *Alexander II*, Londres, 1902

Merder (K.K.), *Zapiski 1826-1832 gg*, Novyj jurnal, mars 1995

Tatichtchev (S.), *Imperator Aleksandr II*, Saint-Pétersbourg, 1903, 2 vol.

Zaharova (L.G.), *Aleksandr II* in *Rossiskie samoderdjtsy Romanovy. Istoritcheskie portrety*, Moscou, 1917

Zaharova (L.G.), *Aleksandr II* in Rossikie samoderdjtsy

Zaharova (L.G.), *Aleksandr II*, Voprosy Istorii 6.7.1992

Chapitre III : Que faire ?

Aksakov (K.I.), *Vospominania studenstv*a 1832-1835, Saint-Pétersbourg, 1811

Barsukov (N.), réd. *Jizn'i trudy M.P. Pogodina*, Saint-Pétersbourg, 1888-1910, 22 vol.

Belinski (V.G.), *Polnoe Sobranie sotchinenii*, Moscou, 1953-1959, 13 vol.

Berlin (I.), *Russian Thinkers*, Londres, 1978

Bourmeister (A.), *L'Idée russe entre lumière et spiritualité sous le règne de Nicolas Ier*, Grenoble, 2001

Bowhan (H.), *Vissarion Bielinski 1811-1848. A Study in the Origins of Social Criticism in Russia*, Cambridge Mass., 1954

Brodskii (L.N.), *Literaturnye salony i krujki*, Moscou-Leningrad, 1930

Eidelman (N.), *Gertsen protiv samoderjaviia : sekretnaia polititcheskaia istoriia rossii XVIII-XIX vekov i vol'naia petchat'*, Moscou, 1984

Granovski (T.), *T.N Granovski i ego perepiska*, Moscou, 1897

Kornilov (A.A.), *Obchtchestvennoe dvijenie pri Aleksandre vtorom 1855-1881*, Moscou, 1909

Kornilov (A.A.), *Molodye gody Mihaila Bakunina*, Moscou, 1915

Koyre (A.), *La Philosophie et le problème national en Russie au début du XIXe siècle*, Paris, 1929

Labry (R.), *Alexandre Ivanovitch Herzen*, Paris, 1928

Mazour (A.), *The first Russian Revolution 1825 : the Decembrist Movement*, Stanford, 1937

Nivat (G.), *Vers la fin du mythe russe, essai sur la culture de Gogol à nos jours*, Lausanne, 1982

Odoievski (V.F.), *Russkie notchi*, Moscou, 1913

Petrachevtsy. Sbornik materialov, Moscou-Leningrad, 1928, 3 vol.

Pietkovskii (A.P.), *Iz istorii nachego literaturnogo i obchtchestvennogo razvitia*, Saint-Pétersbourg, 1889

Tchernuha (V.G.), *Krestianskii vopros v pravitel'stvennoi politike 60-70 gg XIX v*, Leningrad, 1972

Tchernuha (V.G.), « *Zabytii obchtchestvennyi deiatel' V.P. Orlov-Davydov* » iz glubiny vremen, 6.1996

Chapitre IV : L'abolition du servage

MAE archives. Correspondance politique Russie, spécialement vol. 216 f. 8, 51-54, 105, 142, 186, 247 ; vol. 217 f. 80-82 ; vol. 223 f. 231-246

GARF

fonds 722/267, 92 ff et d.334

fonds 678 d.580 résolutions d'Alexandre II sur l'émancipation, d.583

fonds 678, d.593 notes de Lanskoy, Mouraviev et Brok et d.598, d.562 notes Rostovtsev

Djivelogov (A.), Melgunov (S.), Pitcheta (V.), *Velikaia Reforma*, Saint-Pétersbourg, 1911

Dolbilov (M.), *Polititcheskoe samosoznanie dvorian tsvai otmena krepostnogo prava v rossii*, Moscou, 1996

Dolbilov (M.), « Aleksandr II i otmena krepostnogo prava » *Voprosy istorii* 10.1998

Drujinin (N.M.), *Gosudarstvennye kristiani i reforma P.D. Kisseleva*, Moscou, 1946, t. 1

Drujinin (N.), *Russkaia derevnia na perelome 1861-1881 g*, Moscou, 1978

Emons (T.), *The Russian Landed Gentry and the Peasant Emancipation of 1861*, Cambridge, 1968

Field (D.), *The End of Serfdom : Nobility and Bureaucracy in Russia 1855-1861*, Cambridge, 1976

Haxthausen (A.), *Étude sur la situation intérieure, la vie nationale et les institutions rurales de la Russie*, Hanovre-Berlin, 1847-1853

Ivaniukov (V.), *Padenie krepostnogo prava v Rossii*, Saint-Pétersbourg, 1882

Karychev (N.), « La propriété foncière » in : *La Russie à la fin du XIXe siècle*, Paris, 1900

Kavelin (K.D.), *Sobranie Sotchinenii v 8 tomah*, Saint-Pétersbourg, 1898, spécialement t. 2

Kornilov (A.A.), *Krestianskaia reforma*, Saint-Pétersbourg, 1905

Kristoforov (I.A.), *Aristocratitcheskaia oppozitsiia velikim reformam. Konets 1850 seredina 1870 gg*, Moscou, 2002

Komarovski (N.E.), *Zapiski grafa Nikolaia Egorovitcha Komarovskogo*, Moscou, 1912

Korelin (A.), *Dvorianstvo v poreformnoi Rossii 1864-1964 gg. Sostav, chislennost', korporativnaja organizatsiia*, Moscou, 1979

Levchin, *Istoritcheskaia zapiska o raznyh predpolojeniah po predmete osvobojdeniia krestian. Deviatnadtsatyi vek. Istoritcheskii sbornik*, Moscou, 1872, t. 2

Materialy redaksionnyh komissii dlia sostavleniia polojenia o krestianah vyhodiachtchih iz krepostnoi zavisimosti, Saint-Pétersbourg, 1859-1860, 21 vol.

Portal (R.) dir., *Le Statut des paysans libérés du servage 1861-1961*, Paris, 1963

Semenoff-Tianchanski (P.P.), *Epoha osvobojdeniia krestian v rossii i vospominaniia byvchego tchlena experta i zavedovavchego delami redaktsionnoi komissii*, Saint-Pétersbourg, 1911-1913

Semenov (N.P.), *Osvobjdenie krestian v tsarstvovanie imperatora Aleksandra II*, Saint-Pétersbourg, 1889-1892, 2 vol.

Tcherkassof (P.P), « Otmena krepostnogo prava v rossii v osvechtchenii frantsuskih diplomatov v Sankt Peterburge (1856-1863), *Cahiers du Monde russe,* 2007

Van Regemorter (J.H.), *Histoire de la Russie. Le déclin du servage 1798-1855*, Paris, 1971

Zaharova (L.), Gorlanov (L.), Toptchii (A.), *Otmena krepostnogo prava v rossii. Ukazatel' literatury*, Tomsk 1993

Zakonopolojeniia o Krestianah vychedchyh iz krepostnoi zavisimosti v Tifliskoi gubernii, SL, SD, mais probablement à Tiflis, texte russe et géorgien

Zaiontchkovski (P.), *Otmena Krepostnogo prava v Rossii. Provedenie v jizn' krestianskoi reformy 1861*, Moscou, 1968

Zabolocki-Desiatovskii (A.P.), *Graf P.D. Kisselev i ego vremia*, Saint-Pétersbourg, 1882, 4 vol.

Chapitre V : *Vivat Polonia*

GARF fonds 722 d.359, d.515-520 ; fonds 678 d.677

MAE Direction politique fonds 228-229

Dépêches des consuls fonds 5

Chtcherbatov (Prince A.), *General-Leitenant Kniaz Paskievitch' ego jizn' i deiatelnost'*, Saint-Pétersbourg, 1888-1904, 7 vol. spécialement vol. 7

Davies (N.), *God's Playground. A History of Poland*, Oxford, 1981, 2 vol.

Dziewanwski (M.K.), « Herzen, Bakunin and the Polish Insurrection of 1863 », *Journal of Central European Affairs*, VIII, 1968

Kennan (G.), *Siberia and the Exile System*, New York, 1891

Kiniewicz (S.), « Polish Society and the Insurrection of 1863 », *Past and Present*, 37.1967

Lamartine (A. de), *Histoire de la Russie* in *Œuvres Complètes*, Paris, 1863, t. 31

Leslie (G.), *Polish Politics and Revolution of November 30*[th], Londres, 1956

Leslie (G.), *Reform and Insurrection in Russian Poland 1856-1865*, Londres, 1965

Nolde (B.), *Iuri Samarin i ego vremia*, Paris, 1978

Nikitenko (A.V.), *Dnevnik*, Moscou, 1955, t. 1

Rain (P.), « Alexandre Ier et la Pologne », *Revue d'histoire diplomatique*, XXVI, 1912

Revunenkov (V.), *Pol'skoe vostanie 1863 i evropeiskaia diploma-tiia*, Leningrad, 1957

Riazanovski (N.), *Nicholas I and Official Nationality in Russia 1825-1855*, Berkeley, 1959

Roux (F.Ch.), *Alexandre II, Gortchakov et Napoléon III*, Paris, 1913

Schilder (N.), *Imperator Nikolai Pervyi*, Saint-Pétersbourg, 1901 (sur Paskievitch)

Zavadzki (W.H.), « Adam Czartoryski : an Advocate of Slavonic Solidarity at the Congress of Vienna », Oxford Slavonic Papers, X, 1977

Zyzniewski (S.J.), « The Futile Compromise Reconsidered. Wielopolski and Russian Policy 1861-1863 », *American History Review* XX, 1965

Chapitre VI : Le Printemps russe (1861-1865)

GARF fonds 722 d.515 (réforme judiciaire),
d.520 (châtiments corporels dans l'armée),
d.359, d.539 (zemstvos)
fonds 109 d.42
fonds 678 d.424-597
fonds 647 d.66 (Grande-Duchesse Elena Pavlovna)
MAE Direction politique fonds 228-229

Chevyrev (A.P.), *Russkii flot posle krymskoi voiny : liberal'naia biurokratia i morskie reformy*, Moscou, 1990

Dragomanov *Liberalizm i zemstvo*, Genève, 1889

Emmons (T.), Vucinich (S.), *The Zemstvo in Russia : an Experiment in Self Government*, Cambridge University Press, 1982

Garmiza (V.), *Podgotovka zemskoi reformy 1864 g*, Moscou, 1957

Kochelev (A.I.), *Zapiski 1812-1883*, Berlin, 1884

Kochelev (A.I.), *Obchtchaia zemskaia duma*, Berlin, 1875

Koni (A.F.), *Izbrannye proizvedeniia*, Moscou, 1959, 2 vol.

Materialy po zemsko obchtchestvenomu ustroistvu, Saint-Pétersbourg, 1885-1886, t. 1 (rapport Valouev)

Miliutin, *Dnevnik P.A. Miliutina*, Moscou, 1947, t.1

Philippot (R.), *Société civile et État bureaucratique dans la Russie tsariste. Les zemstvos*, Paris, 1991

Pirumova (N.), *Zemskoe liberal'noe dvijenie*, Moscou, 1977

Sudebnaia reforma pod redaktsii N.V Davydova i N.N Polianskogo, Moscou, 1915, 2 vol.

Tchernuha (V.G.), *Vnutrenniaia politika tsarizma s seredine 50 godov do natchala 80 gg XIX v*, Leningrad, 1978

Tchitcherin (B.I.), *Moskovskii Universitet*, Moscou, 1929

Tkatchenko (P.S.), *Moskovskoe studentchenstvo v obchtchestvenno politicheskoi jizni rossii vtoroi poloviny XIX veka*, Moscou, 1958

Troitskii (N.), *Tsarskie sudy protiv revoliutsionnoi rossii*, Saratov, 1969

Valuev, *Dnevnik*, t. 2

Veselovskii (B.), *Istoriia zemstva za sorok let*, Saint-Pétersbourg, 1909-1911, 4 vol.

Zaiontchkovski (P.), *Voennye reformy 1860-1870 gg v rossii*, Moscou, 1952

Zaiontchkovski (P.), *Samoderjavie i russkaia armiia na rubeje XIX-XX stoletii*, Moscou, 1973

« Zapiska Valueva Aleksandr II o zemskih utchrejdeniah » (V.G Tchernuha ed.), *Sovetskie arhivy* 4.1971

Chapitre VII : La puissance retrouvée

Afganskoe razgranitchenie i peregovory mejdu Rossii i Velikobritanii 1872-1885, Saint-Pétersbourg, 1886

Barsukov (I.P.), *Graf Nikolai Nikolaevitch Muraviev-Amurskii*, Moscou, 1891

Bliev (M.), Degoev (V.V.), *Kavkazkaia voina*, Moscou, 1994

Bolhovitinov (N.N.), *Russko Amerikanskie otnocheniia i prodaja Alaski 1834-1867*, Moscou, 1990

Carrère d'Encausse (H.), *L'Empire d'Eurasie*, Paris 2005 et bibliographie de l'expansion coloniale pp. 462-464

Chneerson (L.M.), *Na perepute evropeiskoi politiki. Avstro-Russkie-Germanskie otnocheniia*, Minsk, 1984

Degoev (V.V.), *Kavkazkii vopros v mejdunarodnyh otnocheniiah 30-60 gg XIX veka*, Vladikavkaz, 1992

« Doklad A.M. Gortchakova Aleksandr II. zgo sentiabria 1865 g. », *Krasnyi Arhiv* 2-1939

Fainberg (E. ja.), *Russko Iaponskie otnocheniia v 1697-1875 gg*, Moscou, 1960

Gorainov (S.), « Les étapes de l'alliance franco-russe » 1853-1861 *Revue de Paris*, 1ᵉʳ janvier-15 février 1912

Halfin (N.A.), *Politika Rossii v srednei azii*, Moscou, 1960

Halfin (N.A.), *Prisoedinenie srednei azii k rossii*, Moscou, 1965

Ignatiev (N.P.), *Missiia v Buharu i Hivu v 1858 g*, Saint-Pétersbourg, 1897

Kabanov (P.I), *Amurskii vopros*, Blagovechtchensk, 1959

Kazemzadeh (F.), *Russia and Britain in Persia 1864-1914*, New Haven Ind., 1968

Kiniapina (N.S.), *Vnechniaia politika Rossii v XIX veke*, Moscou, 1974

Kiniapina (N.S.), Bliev (M.), Degoev (V.V.), *Kavkaz i Sredniaia aziia vo vnechnei politike rossii. Vtoraia polovina XVIII-80 g XIX v*, Moscou, 1984

Koskin (A.), « Kurily, biografiia ostrovov », *Voprosy Istorii*, 1-1995

Morgan (J.), *Anglo Russian Rivalry in Central Asia 1810-1895*, Londres, 1981

Narotchnitskaia (L.I.), *Rossiia I otmena neitralizatsii tchernogo moria 1856-1871 gg. k istorii vostotchnogo voprosa*, Moscou, 1989

Narotchnitskaia (L.I.), *Rossiia i voiny Prussii v 60 h godah za ob'edinenii Germanii « sverhu »*, Moscou, 1960

Nesselrode (K.B.), « *Zapiska o polititcheskom polojenii Rossii posle zakliutcheniia mira* », *Russkii Arhiv*, 2-1872

Nolde (Baron B.), *Peterburgskaia missia Bismarka 1859-1862 ; Rossiia i evropa v natchale tsarstvovania Aleksandra II*, Prague, 1925

Okun' (S.B.), *Rossiiskaia Ameriksankaia Kompaniia*, Moscou-Leningrad, 1939

Sbornik izdannyi v pamiat' dvatsatiletnego upravleniia ministerstva inostrannyh del gosudarstvennogo kantslera svetleichego kniaza Aleksandra Mihailovitcha Gortchakova, Saint-Pétersbourg, 1881

Sovmestnyi sbornik dokumentov po istorii teritorialnogo razmejevaniia mejdu Rossii i Iiaponii, Tokyo, 1992

Turkestanskii Krai sbornik materialov dlia istorii ego zavoevaniia, Tachkent, 1915

Chapitre VIII : La fêlure

GARF fonds 678 particulièrement d.653-654-662-670

Aleksandr II Vospominaniia. Dnevniki, Saint-Pétersbourg, 1995 Dnevnik Valueva t. 2

Erochkin (N.P.), « Vystrel u letnego sada », *Voprosy Istorii*, 7-1993

Filipova (T.A.), *Petr Andreeivitch Chuvalov*, Moscou, 1997 (in Rossiikie Konservatory)

Heifetz (M.), « Vystrel iz Ada »*Znanie. Sila*, 6-7-1996

Klevenskii (M.M.), *Ichutinskii Krujok i pokuchenie Karakozava*, Moscou, 1928

Klevenskii (M.M.), Kotel'nikov (K.G.), *Pokuchenie Karakozova*, Moscou, 1930

Kolosov. Molodoe Narodnitchestvo 60 godov. *Sibirskie zapiski*, 2-1917

Nikitenko (A.), *Dnevnik* t. 3

Orjehovskii (I.V.), « Tretie otdelenie », *Voprosy Istorii*, 2-1972

Pankratova (A.M.), red. *Rabotchie dvijenie v rossii v XIX veke*, Moscou, 1950, t. 2, 1861-1874

Persianov (I.A.), « Spasitel'Imperatora. O.I Komissarov-Kostromskii », *Iz glubini vremen*, 8-1997, Saint-Pétersbourg

Riber (A.Dj.), *Grupovye Interesy v borbe vokrug velikih reform. Velikie reformy v rossii 1856-1874*, Moscou, 1992

Stepanov (V.L.), *Dmitrii Andreievitch Tolstoi*, Moscou, 1997 (in Rossiiskie Konservatory)

Tainy tsarskogo dvora (iz zapisok freilin), Moscou, 1997

Tchernuha (V.G.), *Pravitel'stvennai politika v otnochenii petchati v 60-70 gody XIX veka*, Leningrad, 1989

Tchernuha (V.G.), « Borba v verhah po voprosam vnutrenei politiki tsarizma », *Istoritcheskie zapiski*, Moscou, 1988, t. 116

Vasilieva (L.), « Terpelivaia Imperatritsa ili korona na dvuh » *Nauka I religiia*, n° 3-6-1999

Venturi (F.), *Les Intellectuels, le peuple et la Révolution* t. 1

Vilenskaia (E.V.), *Revoliutsionnoe podpolie v Rossii (60 gody XIX v.)*, Moscou, 1963

Chapitre IX et X : La question balkanique et la guerre russo-turque

GARF correspondance d'Alexandre II et Catherine fonds 678 d.110-111-112-113-114-115-118-119 pour la guerre et 467 manifeste d'Alexandre II sur la déclaration de guerre ; et fonds 678 d.119-120-121-122-123 sur les négociations

Fonds 678 d.667-668-670 sur l'alliance prussienne

Fonds 678 d.518 lettre de Gortchakov à Bismarck

Aksakov (I.S.), *Slavianskii vopros 1860-1886*, Moscou, 1886

Diakov (V.A.), *Slavianskii vopros v obchestvennoi jizni dorevoliutsionnoi Rossii*, Moscou, 1993

Hitrova (N.I.), « Triumf A.M Gortchakova. Otmena neitralizatsii tchernogo moria » in *Rossiiskaia diplomatiia v portretah*

Hvostov (V.M.), *Problemy istorii vnechnei politiki Rossii I mejdunarodnye otnocheniia*, Moscou, 1977

Ignatiev (N.P.), « Zapiski grafa N.P Ignatieva » *Istoritcheski vestnik*, n° 12-7-1914

Kipianina (N.S.), *Osnovnye etapy politiki Rossii v vostotchnom krizise 1875-1878 gg. Rossiia i vostotchnoi krizis 70 g. XIX veka*, Moscou, 1981

Kosik (V.I.), *Russkaia Politika v Bolgarii*, Moscou, 1991

Kireev (A.A.), *Slavianstvo I natsionalizm. Otvet g. Solovievu*, Saint-Pétersbourg, 1890

Mac Cenzie (D.), *Russia's Balkan Policies under Alexander II 1855-1881*, Cambridge Mass., 1993

Manfred (A.Z.), *Vnechniai politika Frantsii 1871-1911*, Moscou, 1952

Mejdunarodnye otnocheniia na Balkanah 1856-1878 gg., Moscou, 1986

Milioutine *Dnevnik* t. 2

Narotchnitskaia (L.I.), *Rossiia i otmena neitralizatsii tchernogo moria 1856-1871 g.*, Moscou, 1989

Narotchnitskaia (L.I.), *Rossiia I natsional' no osvoboditel'noe dvijenie na balkanah 1875-1878 gg.*, Moscou, 1979

Nelidov (A.I.), « O zaniatii provilov. Zapiska », *Krasnyi Arhiv* t. 3 (46), 1931

Nikitin (S.A.), *Slavianskie komitety v Rossii v 1858-1876 godah*, Moscou, 1960

Osvobojdenie Bolgarii ot Turetskogo iga. Dokumenty, Moscou, 1961, 3 t.

Russes et Turcs. La guerre d'Orient, Paris, SD (ce sont des correspondances de guerre 1877-1878)

Rossiia i natsional'no- osvoboditel'naia bor'ba na Balkanah, Moscou, 1978

Rybatchenok (I.S.), *Vostotchnyi krizis 1875-1878 g. i russko turetskaia voina na stranitsah gazety Moskovskie vedomosti*, Moscou, 1981

Sbornik materialov po russko-Turetskoi voine 1877-1878 gg. Na balkanskom poluostrove, Saint-Pétersbourg, 1898

Skazkin (S.D.), *Konets avstro-russko-germanskogo soiuza*, Moscou, 1974

Summer (B.H.), *Russia and the Balkans 1870-1880*, Oxford, 1937

Chapitre XI : Les Pougatchev de l'université

GARF fonds 678 d.654 rapport Timachev sur la propagande révolutionnaire dans le Sud

d.662 sur l'adaptation nécessaire de la police aux mouvements radicaux

d.663 sur la « propagande juive », mars 1858

d.668 note de M. de Tatarinov sur les nihilistes, septembre 1879

Aptekman (I.), *Obchtchestvo zemlia i volia 70 h. godov*, Paris, 1924

Bogutcharskii (V.), *Aktivnoe narodnitchestvo semidesiatyh godov*, Moscou, 1912

Confino (M.), *Daughter of a Revolutionary*, Londres, 1974

Confino (M.), « Bakounine et Netchaev les débuts de la rupture » *Cahiers du monde russe et soviétique*, vol. 7, 1966

Dragomanov (M.P.) ed., *Pisma M.A. Bakunina k A.I Gertsenu i N. Pogarevu*, Genève, 1896

Heifetz (M.I.), *Vtoraia revoliutsionnaia situatsiia v rossii (konets 70h. natchala 80h. godov XIX veka. Krizis pravitel' stvennoi politiki*, Moscou, 1963

Itenberg (B.S.), *Dvijenie revoliutsionnogo narodnitchestva. Narodnye krujki i khojdenie v narod*, Moscou, 1965

Kozmin (B.P.), *P.N. Tkatchev i revoliutsionnoe dvijenie 60h. godov*, Moscou, 1922

Lourie (F.M.), *Netchaev*, Moscou, 2001

Morozov (N.A.), *Povesti moiei jizni*, Moscou, 1947

Netchaev i Netchaevtsy. Sbornik materialov, Moscou-Leningrad, 1931

Pisma narodovol'tsa A.D. Mihailova (Chtchegolov ed.), Moscou, 1933

Pribeleva-Korba (A.P.), Figner (V.N.), *Narodovelets Aleksandr Dimitrievitch Mihailov*, Moscou, 1925

Populism. Its Meanings and National Characteristics (Ionescu G., Gellner E. ed.), Londres, 1969

Revoliutsionnoe narodnitchestvo 70h. godov XIX veka. Sbornik dokumentov I materialov v dvuh tomah, Moscou, 1964-1965, 2 vol.

Tvardovskaia (V.A.), *Sotsialistitcheskaia mysl' Rossii na rubeje 1870-1880 gg.*, Moscou, 1969

Troitskii (N.A.), *Bolchoe obchtchevstvo propagandy*, Saratov, 1963

Venturi (F.), *Les Intellectuels, le peuple et la révolution* t. 2

Walicki (A.), *The Controversy over Capitalism. Studies in the Social Philosophy of the Russian Populists*, Oxford, 1969

Zalkind (L.S.), « Vospominaniia narodovol'tsa » *Katorga i ssylka*, 3-1926

Chapitre XII : La mort aux trousses

GARF fonds 678 d.121 605 ; 639,650

Aptekman, *Tchernyi peredel : organ sotsialistov federalistov 1880-1881*, Moscou, Leningrad, 1923

Koni (A.P.), *Vospominaniia o dele Vera Zassulitch*, M.L., 1933

Kovalev (V.), *Zalojniki zablujdeniia. Istoriia pokuchenii na Aleksandra II*, Moscou, 1995

Kantor (R.), « Izpoved Grigoriia goldenberga », *Krasnyi Arhiv*, 5-1928

Liubatovitch (O.S.), *Dalekoe i nedavnoe. Vospominaniia iz jizni revoliutsionnera 1878-1881*, Moscou, 1930

Materialy dlia istorii russkogo-sotsial'nogo revoliutsionnogo dvijennia, Genève, 1895

Morozov (N.A.), *Povesti moiei jizni*, Moscou, 1947

Narodovolets Barannikov v ego pismah, Moscou, 1935

Pokrovski (M.), *Otcherki po istorii revoliutsionnogo dvijeniia v Rossii XIX i XXvv.*, Moscou, 1924

Protsess chesnadtsati terroristov (1880), Saint-Pétersbourg, 1906

Revoliutsionnoe narodnitchestvo 70godov XIX veka. Sbornik dokumentov i materialov v dvuh tomah, Moscou-Leningrad, 1965

Saharov (A.N.), « Krasnyi terror narodovol'tsev (o pokucheniiah na Aleksandra II) », *Voprosy Istorii*, 5-1966

Valk (S.), « Iz pokazaniia N.I Rysakova » *Kranyi Arhiv* 6-1926

« Viktor Giugo i revoliutsionaia rossi 1870-1880 g. » *Izevstiia AK. Nauk*, 1-1986

Voguë (F.M.), *Journal*, Paris, 1932

Volk (S.S.), *Narodnaia Volia 1879-1882*, Moscou-Leningrad, 1966

Zaiontchkovski (P.), *Krisis samoderjaviia v rossii na rubeje 1870-1880 godov*, Moscou, 1964

Wortman (R.), *The Crisis of Russian Populism*, Cambridge, 1967

Chapitre XIII : La fin de l'espérance

GARF fonds 678 d.674.693.694 note et projet Loris-Melikov 671 d.121 procès Zassulitch

GARF fonds 110 d.409

fonds 102 d.79 ; 5 parties, attentats 1879-1881

fonds 678 d.249.234, lettres de Catherine à Alexandre

fonds 678 d.118.131, lettres d'Alexandre II à Catherine

fonds 678 d.2 *Dnevnik* Alexandre II

fonds 678 d.682-687, sur le Caucase en 1880

fonds 678 d.677, sur la Pologne en 1880

1 marta 1881 *Statii i vospominia utchastnikov i sovremennikov*, Moscou, 1931

1 marta 1881 *Kazn'imperatora Aleksandra II. Dokumenty i vospominania*, Moscou, 1991

Acheev (N.I.), *Rysakov. Materialy dlia biografii i harakteristiki*, Prague, 1920

Aleksandr Mihailovitch (Dnevnik) : Once a Grand Duke, New York, 1952

Andrei Ivanovitch Jeliabov, Londres, 1882

Axelrod (P.B.), *Perejitoe i peredumanoe*, Berlin, 1923, t. 1 (sur Jeliabov)

Bojanov (A.), « Iavlenie Ekateriny III. Dinastitcheskii skandal 1880 goda », Rodina, 2-1998 (l'apparition de Catherine III. Le scandale dynastique de l'année 1880)

Chtchegolev (P.), « Iz istorii konstitutsionnyh veianii v 1879-1881 gg », *Byloe*, 12-1906

Dragomanov (M.), *Sotchinenia* dans le t. 2 récit biographique sur Jeliabov

Figner (V.), *Narodovelets Barannikov v ego pismah*, Moscou, 1935

Figner (V.), *Zapetchatlennyi trud*, Moscou, 1933

Footman (D.), *Red Prelude. A Life of A.I. Zheliabov*, Londres, 1944

Frolenko, *Sobranie Sotchinenii v dvuh tomah* (ed. I.A. Fiodoro-vitch), Moscou, 1932, vol. 2

Hlebnikov (N.), *Konstitutsia Lorisa-Melikova*, Londres, 1893

Itenberg (B.S.), *Aleksandr II i graf Loris-Melikov*, Moscou, 1996

Kibaltchitch (F.), *Nikolai Kibaltchitch*, Moscou, 1986

Koni (A.F.), *Vospominania o dele Very Zasulitch*, Moscou, Leningrad, 1933

Konstitutsia Loris-Melikova, Londres, 1893

Kovalev (V.A.), *Zalojniki zablujdenia. Istoriia Pokuchenii na Aleksandra II*, Moscou, 1995

Narodnaia volia i tchernyi peredel. Vospominaniia utchastnikov revoliutsionnogo dvijenia v Peterburge v 1879-1882, Leningrad, 1989

Paleologue (M.), *Le Roman tragique de l'Empereur Alexandre II*, Paris, 1923

Petrachevtsy. Sbornik materialov, Moscou, Leningrad, 1928, 3 vol.

Polevoi (Iu.), *Stepan Halturin*, Moscou, 1879

Protsess chestnadtsat i terroristov (V. Burcev red.), Saint-Pétersbourg, 1906

Saharov (A.N.), « Krasnyi terror narodovol'tsev. O pokuche-niiah na Aleksandra II », *Voprosy Istorii*, 5-1966

Sofia Lvovna Perovskaia, Londres, 1882

Tcherniak (A.), *Nikolai Kibaltchitch revoliutsioner i utchenyi*, Moscou, 1960

Tichomirov (L.), *La Russie politique et sociale*, Paris, 1886
Tihomirov (L.), *Teni prochlogo*, Saint-Pétersbourg, 1995
Tkatchev (P.N.), *Sotchinenia*, Moscou, 1975, 2 vol.
Trigoni (M.N), « Moi arest 1881 goda », *Byloe*, 3-1906
Valk (S.), « Avtobiografitcheskoe zaiavlenie A.A Kviatkovsko-go », *Krasny Arhiv*, 1-1926
Valk (S.), « Iz pokazania N.I Ryssakogo », *Krasnyi Arhiv*, 6-1926
Valk (S.), « Vokrug pervogo marta », *Krasnyi Arhiv*, 3-1930
Valuev (P.), *Dnevnik*, t. 2

ANNEXES

CHRONOLOGIE

_____

Les dates figurant dans cette chronologie sont celles du calendrier julien,
à l'exception des traités pour lesquels les deux calendriers sont indiqués.

25 août-8 sept. 1855	Chute de Sébastopol
18/30 mars 1856	Traité de Paris mettant fin à la guerre de Crimée
janvier 1857	Constitution du Comité secret consacré au problème du servage
25 septembre 1857	Rencontre d'Alexandre II et de Napoléon III à Stuttgart
16/28 mai 1858	Traité d'Aigun. La Russie annexe le territoire de l'Amour
1859	Reddition de l'imam Chamil
2/14 novembre 1860	Traité de Pékin. Annexion par la Russie du territoire de l'Oussouri
19 février 1861	Abolition du servage, publication du Manifeste
avril 1861	Révolte de Bezdna
septembre 1861	Manifestations étudiantes à Saint-Pétersbourg
avril 1963	Abolition des châtiments corporels
1er juin 1863	Réforme des universités
1863-1864	Révolte en Pologne
1864	Réforme de l'armée
1er janvier 1864	Réforme du gouvernement local (zemstvos)
novembre 1864	Réforme judiciaire
Juin 1865	Conquête de Tachkent
Avril 1865	Réforme de la censure
4 avril 1866	Attentat de Karakozov contre l'empereur Alexandre II
1866	Catherine Dolgorouki entre dans la vie d'Alexandre II
18/30 mars 1867	Vente de l'Alaska russe aux États-Unis
juillet 1867	Formation du Turkestan russe
1867	Attentat manqué contre Alexandre II à Paris
1868	Protectorat russe sur l'émirat de Boukhara
1869	Manifestations étudiantes à Moscou et Saint-Pétersbourg
21 novembre 1869	Assassinat d'Ivanov par Netchaev
1870	Réforme de l'administration municipale
1873	Conquête de Khiva. Début du mouvement « aller au peuple »
sept. oct. 1873	Union des trois empereurs

1874	Instauration du service militaire universel
1875-1876	Conquête de Kokand. Toute l'Asie centrale est pacifiée
25 avril/7 mai 1875	Accord russo-japonais sur les Kouriles
1876	Fondation de la seconde *Zemlia i Volia*
avril 1876	Soulèvement de la Bulgarie
mars-sept. 1876	Manifestations ouvrières et étudiantes à Pétersbourg
12 avril 1877	Manifeste proclamant la guerre russo-turque
20 juillet 1877	Début du siège de Plevna
6 novembre 1877	Prise de Kars, dans le Caucase, par les troupes russes
28 novembre 1877	Chute de Plevna
19 janvier 1878	Armistice d'Andrinople
24 janvier 1878	Attentat de Véra Zassoulitch contre l'empereur
19 février/3 mars 1878	Traité de San Stefano
1er/13 juillet 1878	Début du Congrès de Berlin et traité de Berlin
1878-1879	Conquête du pays turkmène
31 mars 1878	Procès et acquittement de Véra Zassoulitch
1878-1879	Grève à Pétersbourg. Désordres étudiants
2 avril 1879	Attentat de Soloviev contre l'empereur
17-21 juin 1879	Congrès de Lipetsk
26 août 1879	Condamnation à mort d'Alexandre II votée par le Comité exécutif de *Narodnia Volia*
18 novembre 1879	Attentat de Jeliabov à Alexandrovsk
19 novembre 1879	Attentat organisé par Mikhailov près de Moscou
5 février 1880	Attentat de Khalturine au palais d'Hiver
12 février 1880	Loris-Melikov nommé président de la Commission exécutive
19 février 1880	Célébration du 25e anniversaire du règne d'Alexandre II
20 février 1880	Attentat manqué contre Loris-Melikov
22 mai 1880	Mort de l'impératrice
6 juillet 1880	Mariage de l'empereur avec Catherine Dolgorouki
28 novembre 1880	Arrestation de Mikhailov
27 février 1881	Arrestation de Jeliabov

CARTES

Réforme paysanne du 19 février 1861

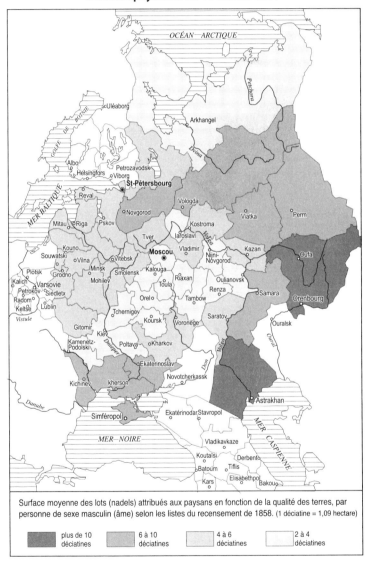

Surface moyenne des lots (nadels) attribués aux paysans en fonction de la qualité des terres, par personne de sexe masculin (âme) selon les listes du recensement de 1858. (1 déciatine = 1,09 hectare)

plus de 10 déciatines   6 à 10 déciatines   4 à 6 déciatines   2 à 4 déciatines

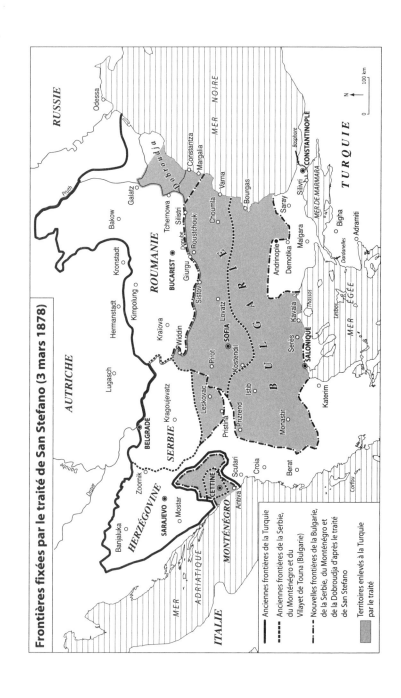

Frontières fixées par le traité de San Stefano (3 mars 1878)

RUSSIE

Odessa

AUTRICHE

ROUMANIE

MER NOIRE

TURQUIE

Prath

Bakow

Kronstadt

Hermanstadt

Kimpolung

Lugasch

Kraiova

Galatz

Tchernowa

Silistri

Dobroudja

Constantza

Margalia

Varna

Bourgas

BUCAREST ●

Giurgu

Sistov

Rouscichouk

Choumla

Saray

Danube

Widdin

Lovatz

SOFIA ●

Andrinople

Demotika

Malgara

Bigha

Adramiti

Pirot

Kostendil

Serès

Kavala

SALONIQUE ●

MER DE MARMARA

CONSTANTINOPLE ●

Bosphore

Silivri

Dardanelles

Lebsos

Thassos

MER ÉGÉE

Istib

Katerim

Prizend

Monastir

Pristina

Leskovac

Danube

BELGRADE ●

Kragoujevatz

SERBIE

Zoornik

Drave

Banjaluka

Mostar

SARAJEVO ●

HERZÉGOVINE

MER ADRIATIQUE

ITALIE

MONTÉNÉGRO

CETTIGNE ●

Antiva

Scutari

Croia

Berat

Corfou

B U L G A R I E

0   100 km

N

Ancienness frontières de la Turquie

Anciennes frontières de la Serbie,
du Monténégro et du
Vilayet de Touna (Bulgarie)

Nouvelles frontières de la Bulgarie,
de la Serbie, du Monténégro et
de la Dobroudja d'après le traité
de San Stefano

Territoires enlevés à la Turquie
par le traité

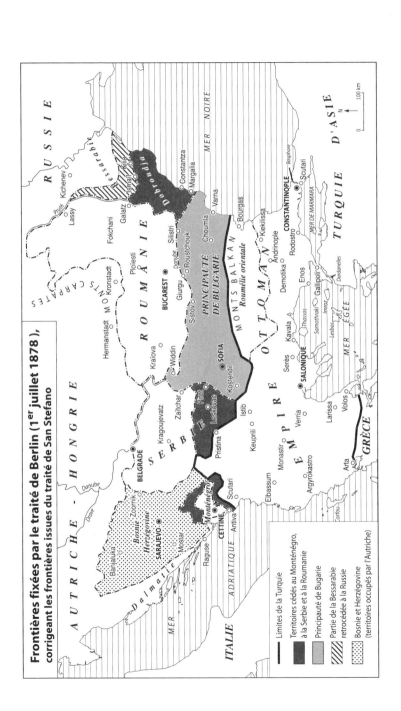

**Frontières fixées par le traité de Berlin (1er juillet 1878),
corrigeant les frontières issues du traité de San Stefano**

RUSSIE

AUTRICHE - HONGRIE

MONTS CARPATES

MO MTS CARPATES

Bessarabie

Kichenev

Lassy

Pruth

Galatz

Fokchani

Ploiesti

Kronstadt

Hermanstadt

Kraiova

ROUMANIE

BUCAREST

Giurgu

Danube

Sistov

Widdin

Zaitchar

Kragoujevatz

BELGRADE

Danube

Drave

SERBIE

Pirot

Leskovac

Kostendil

SOFIA

PRINCIPAUTÉ
DE BULGARIE

Roumélie orientale

Silistri

Roustchouk

Choumla

Ismail

Kilia

Dobroudja

Constantza

Margailla

Varna

MER NOIRE

Bourgas

MONTS BALKAN

Istib

Pristina

Keuprii

EMPIRE

Monastir

Argyrokastro

Elbassum

Verria

Larissa

Volos

Arta

Corfou

GRÈCE

OTTOMAN

Demotika

Rodosto

Andrinople

Kieklissa

CONSTANTINOPLE

MER DE MARMARA

Scutari

Bosphore

TURQUIE D'ASIE

Enos

Gallipoli

Dardanelles

Imroz

Samothraki

Lesbos

MER ÉGÉE

Kavala

Serès

SALONIQUE

Thassos

Bosnie
Herzégovine

SARAJEVO

Banjaluka

Zvornik

Mostar

Raguse

Dalmatie

ITALIE

MER ADRIATIQUE

Monténégro

CETTINÉ

Scutari

Antiva

N

0   100 km

Limites de la Turquie

**Territoires cédés au Monténégro,
à la Serbie et à la Roumanie**

Principauté de Bugarie

**Partie de la Bessarabie
retrocédée à la Russie**

**Bosnie et Herzégovine
(territoires occupés par l'Autriche)**

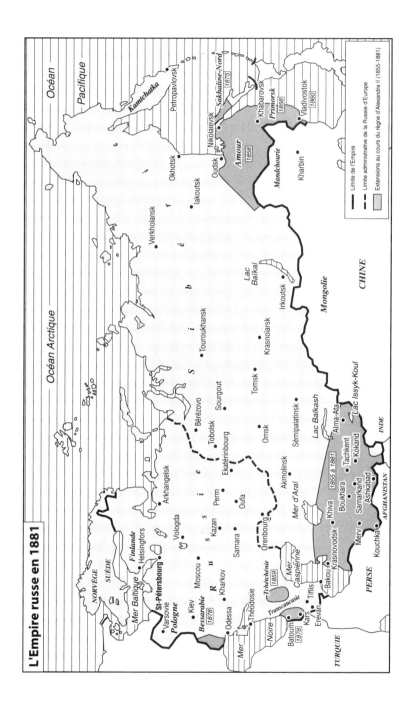

L'Empire russe en 1881

Océan Arctique

Océan Pacifique

NORVÈGE
SUÈDE

Finlande
Helsingfors

St-Pétersbourg
Mer Baltique

Varsovie
Pologne

Kiev Moscou
Kharkov

R u s s i e

Vologda
Kazan Perm
Oufa

Arkhangelsk

Bérézovo
Tobolsk
Ekatérinbourg
Orenbourg

Touroukhansk

Verkhoïansk

Iakoutsk

Okhotsk

Oudsk

Nikolaïevsk

Kamtchatka

Petropavlovsk

Sakhaline-Nord *1875*

Khabarovsk
Primorsk *1858*
Vladivostok *1860*

Amour *1858*

Mandchourie

Kharbin

Lac Baïkal

Irkoutsk

Mongolie

CHINE

Lac Balkash

Lac Issyk-Koul

Alma-Ata

Samara

Tchétchénie *1859*

Mer Caspienne

Théodosie

Odessa

Bessarabie *1878*

Mer Noire

Transcaucasie

Tiflis

Batoum *1878*

Kars

Erevan

TURQUIE

PERSE

AFGHANISTAN

INDE

Krasnovodsk

Khiva

Mer d'Aral

Akmolinsk

Omsk

Tomsk

Krasnoïarsk

Sémipalatinsk

Tachkent
Kokand
Boukhara
Samarkand
Ashkhabad

1855 à 1881

Merv
Kouchka

Sourgout

Moscou
Kiev

Bakou

Océan Arctique

2000
1000

Limite de l'Empire

Limite administrative de la Russie d'Europe

Extensions au cours du règne d'Alexandre II (1855-1881)

Généalogie d'Alexandre II

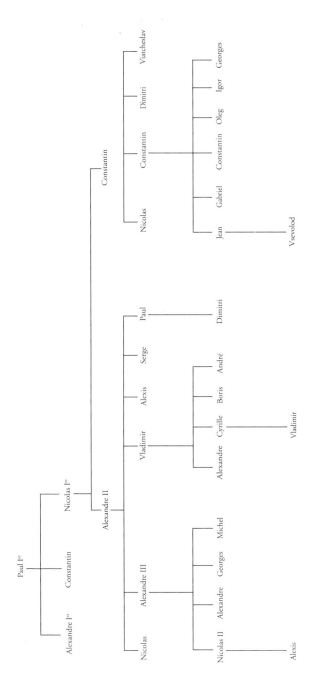

FAC-SIMILÉS ET DOCUMENTS

144.

S.P. Jeudi 22 Mai / 3 Juin 1880, à minuit ½.

Vois, nous nous connaissons trop bien pour que j'aie besoin de te dire ce qui se passe en moi et tu sais d'ailleurs lire dans mon cœur qui est heureux de t'appartenir pour toujours. Tu sais aussi, cher Ange de mon âme, que je ferai mon devoir dès que les circonstances me le permettront et j'espère que Dieu nous accordera Sa bénédiction et ne nous abandonnera pas dans l'avenir! Les chers enfants nous ont manqué dans nos bonnes chambres et je me réjouis de les revoir demain et de pouvoir passer avec eux quelques heures hors de la ville. — Je t'aime, cher Ange et t'embrasse bien tendrement.

Lettre d'Alexandre II à Catherine Dolgorouki.

Lettre de Catherine Dolgorouki (en attendant le mariage).

Un exemple d'application du Manifeste du 19 février 1861 sur l'abolition du servage

Cet exemple porte sur deux propriétés du comte Vladimir Egorovitch Komarovski qui fut aide de camp du grand-duc Constantin, notamment lorsqu'il était vice-roi de Pologne.

Les comtes Komarovski possédaient des domaines dans cinq gouvernements – Iaroslavl', Kalouga, Orel, Tver et Voroneje – représentant plus de 30 000 déciatines de terre (1 déciatine = 1,09 hectare) et 4 000 serfs. Les deux domaines pris ici en considération étaient contigus, situés dans le gouvernement d'Orel, à trente-cinq kilomètres au sud-ouest d'Elets, longeant les rivières Olim et Olsaniets, autour des villages de Vesselogo Bely et Nikolaevka. Ces deux domaines couvraient 3 450 déciatines de terre de bonne qualité, tantôt dites de Tchernoziom (terres noires) et par endroits ne recevant pas ce nom mais néanmoins considérées comme de qualité très proche. À ces deux domaines étaient attachés, à la veille de la réforme, 518 « âmes » (population mâle, bénéficiaire des dispositions de rachat de terres), soit avec leurs familles environ 3 000 personnes. Le premier domaine comptait 2 250 déciatines et 346 âmes, le second 1 200 déciatines et 172 âmes.

Le Manifeste du 19 février fut appliqué en trois étapes :
– 19 février 1861 : lecture du Manifeste aux paysans leur annonçant qu'ils étaient émancipés
– 4 août 1862 : en vertu de la Charte réglementaire adoptée par l'assemblée des arbitres de paix de Elets la commune paysanne a reçu sur les terres de ces deux domaines un lot de 1 038 déciatines de terres cultivables pour une indemnité annuelle de 3 114 roubles argent pour la première propriété et 516 déciatines de terres cultivables avec une indemnité annuelle de 1 548 roubles argent pour la seconde.

Dans cette région, compte tenu de la qualité des terres, chaque serf libéré avait droit à un lot (nadel) de 3 déciatines évalué à 3 roubles par déciatines dû en compensation au propriétaire.

– Le 15 octobre 1869 (à la veille de l'expiration du délai de neuf ans), tous les serfs émancipés, constate-t-on, qui avaient eu en 1861 la possibilité de choisir de payer la redevance en nature ou en espèce, étaient passés au même système, paiement en numéraire, toute corvée ayant disparu.

Pour le propriétaire, l'indemnité due pour le rachat des terres des deux domaines a évolué de la manière suivante : le propriétaire a dû céder pour ses deux domaines 1 554 déciatines de terre (soit presque la moitié).

518 âmes × 3 déciatines (nadels fixé dans la région) = 1 554 déciatines, montant négocié en 1 862 de l'indemnité

1 554 × 3 roubles = 4 662 roubles par an. Mais en vertu de la loi sur le rachat, la redevance annuelle était capitalisée à 6 %, c'est-à-dire qu'elle était multipliée par 16 $^{2/3}$. Le propriétaire aurait donc dû recevoir 4 462 × 16 $^{2/3}$ = 7 000 roubles par an.

Cette somme ayant été réduite de 20 %[1] la somme acquise au bout de dix ans fut de :
77 000 − 20 % = 62 160 roubles. Le tout fut soldé le 11 janvier 1883.

Ces conditions sont confirmées par deux déclarations établies pour les deux domaines et signées le 29 octobre 1882 devant le responsable des questions paysannes du district d'Elets du gouvernement d'Orel par le représentant du propriétaire, le comte Komarovski et le représentant de la communauté paysanne.

Les copies de ces textes figurent dans les archives du comte Komarovski, archives privées en ma possession.

---

1. La loi qui prévoyait que la communauté paysanne ne pouvait obtenir de l'État qu'un prêt de 4/5 du prix fixé par la charte réglementaire disait aussi que si le propriétaire imposait le rachat, il ne pouvait prétendre récupérer que le montant du prêt, soit cet abattement de 20 %.

REMERCIEMENTS

Que Claude Durand, mon éditeur et ami, si attentif à mes recherches, si constant dans son soutien, trouve ici l'expression de ma gratitude.

Mes remerciements vont aussi aux responsables des archives où j'ai été comme toujours accueillie et aidée. Aux Archives de la Fédération de Russie, Serge Mironenko m'a apporté une aide constante, des conseils, été d'une merveilleuse disponibilité. Je lui en ai une reconnaissance particulière. Je remercie de même au ministère français des Affaires étrangères, Mireille Musso, récemment encore directeur des Archives diplomatiques et surtout Isabelle Richefort, conservateur en chef pour leur accueil amical et leur appui.

La bibliothèque de l'Institut de France et particulièrement Mireille Pastoureau, qui la dirige avec une belle autorité, m'ont toujours prêté un concours amical et surtout assuré un lieu de travail paisible et d'infinies découvertes.

Le professeur Pierre Tcherkassof, qui a généreusement partagé avec moi le fruit de ses recherches sur la France et Alexandre II au cours de multiples entretiens, lors de mes séjours à Moscou, m'a été d'une aide précieuse. Merci.

Je remercie aussi son Excellence Monsieur Alexandre Avdeev, ambassadeur de Russie en France, pour m'avoir autorisée à utiliser pour la couverture de ce livre le beau portrait d'Alexandre II que le prince Nikita Lobanov-Rostovski vient d'offrir à son ambassade. La générosité de l'un et de l'autre m'a permis de rendre publique une image du « tsar-libérateur » qui n'était encore jamais sortie du domaine privé.

Je remercie Micheline Amar pour son concours affectueux et efficace, depuis tant d'années, qui m'est un constant encouragement.

Enfin comment oublier Isabelle Noël qui me déchiffre avec indulgence et Hélène Guillaume si attentive dans la relecture de ce travail.

Un livre est toujours une aventure collective, il est agréable de remercier ceux qui ont contribué à la conduire à bon port.

INDEX

Les cartes figurant dans cet ouvrage ont été réalisées par Études & Cartographie.

Le cahier photographique a été composé par Josseline Rivière.

L'éditeur remercie Jeanne Auzenet.

Photocomposition Nord Compo
Villeneuve-d'Ascq

Imprimé en Espagne par RODESA
35.65.3704.0 / 01
dépôt légal : avril 2008